J   A

SYLVIA DIEBNER

AESERNIA - VENAFRUM

Untersuchungen zu den römischen
Steindenkmälern zweier Landstädte
Mittelitaliens

TEXT

GIORGIO BRETSCHNEIDER - ROMA

1979

1 - CRISTOFANI, M.   - Statue-cinerario chiusine di età classica. 1975.   ISBN 88-85007-01-5

2 - ROSSIGNANI, M. P. - La decorazione architettonica romana in Parma. 1975. ISBN 88-85007-02-3

3 - FELLETTI MAJ, B. M. - La tradizione italica nell'arte romana. 1977.   ISBN 88-85007-04-X

4 - SENA CHIESA, G.   - Gemme di Luni. 1978.   ISBN 88-85007-06-6

5 - WEBER, W.   - Die Darstellungen einer Wagenfahrt auf römischen Sarkophagdeckeln. 1978   ISBN 88-85007-07-4

6 - COMELLA A.   - Il materiale votivo tardo di Gravisca. 1978   ISBN 88-85007-08-2

7 - FOERST, G.   - Die Gravierungen der pränestinischen Cisten. 1978   ISBN 88-85007-25-2

8 - DIEBNER, S.   - Aesernia - Venafrum. 1979   ISBN 88-85007-27-9

GEDRUCKT MIT UNTERSTUETZUNG DES
DEUTSCHEN ARCHAEOLOGISCHEN INSTITUTS

Meiner Mutter
in Dankbarkeit

Die Studie ist die leicht überarbeitete Fassung meiner Dissertation, die im Wintersemester 1976/77 der Philosophischen Fakultät der Georg-August-Universität zu Göttingen vorlag.

Die Anregung zu dieser Arbeit verdanke ich Herrn Prof. Dr. P. Zanker, der, ebenso wie Prof. Dr. A. La Regina, sie durch vielfältige Unterstützung maßgeblich förderte. Ihnen bin ich besonders verpflichtet.

Unterstützung und Kritik habe ich auch erfahren von A. Borbein, F. Coarelli, H. Döhl, K. Fittschen, H.-J. Kruse, R. Lullies. Bei epigraphischen Problemen standen mir P. Castrén, H. Solin und E. Pack hilfreich zur Seite. P. Castrén war so entgegenkommend, die Lesung der Inschriften zu überprüfen. Ihm sei an dieser Stelle ausdrücklich gedankt.

Für Auskünfte, Anregungen und praktische Hilfe im Gelände danke ich S. Capini, R. Ferrara, M. Gaggiotti, V. Kockel, H. Meyer, F. Schippa, L. Sensi, F. Sinn-Henninger, S. Stopponi, G. Vasta, A. Viti und den Kustoden der Sammlungen in Isernia und Venafro.

Herzlich danke ich J. Freiknecht, der mit Ausdauer den Textteil durchsah und wertvolle Verbesserungsvorschläge gab. V. Kockel war mir bei der Herstellung der Fundkarte behilflich; W.-G. Legde zeichnete sie für die Drucklegung neu.

Für die Publikationsgenehmigung der Aphroditestatue im Museum von Chieti danke ich G. Scichilone.

Nur durch die Großzügigkeit der Forschergruppe Römische Ikonologie bei der DFG und das freundliche Entgegenkommen von H. Sichtermann war die fotografische Dokumentation der Denkmäler möglich. Für die gute Qualität der Aufnahmen bin ich C. Rossa verbunden. Der Deutsche Akademische Austauschdienst ermöglichte mir durch ein Stipendium einen einjährigen Studienaufenthalt in Rom. Die Universität Göttingen gewährte mir von 1974-1976 ein Graduierten - Stipendium.

Giorgio Bretschneider bin ich für seine Bereitschaft dankbar, meine Arbeit in seine Reihe « *Archaeologica* » aufzunehmen.

3

INHALTSVERZEICHNIS

6

ABKÜRZUNGSVERZEICHNIS

Sämtliche Maße der Denkmäler sind in Metern, die Höhen der Buchstaben in Zentimetern angegeben. Wenn Fundorte nicht genannt werden, sind sie unbekannt.

Außer den im AA 1975, 641 ff empfohlenen Abkürzungen werden hier die folgenden Sigel verwandt:

H = Höhe; B = Breite; T = Tiefe; Is = Katalog Aesernia; Vf = Katalog Venafrum; Inst. Neg. Rom = Negativ des Deutschen Archäologischen Instituts, Rom; Foto Sopr. = Negativ der Soprintendenza alle Antichità, Campobasso; Foto Schippa = Negativ F. Schippa, Perugia.

ALFÖLDI, *Lorbeerbäume* = A. ALFÖLDI, *Die zwei Lorbeerbäume des Augustus*, Bonn 1973.

ALTMANN = W. ALTMANN, *Die römischen Grabaltäre der Kaiserzeit*, Berlin 1905.

Annales Econ Soc Civ = *Annales. Economies-Sociètés-Civilisations*, Paris 1946 ff.

AURIGEMMA, *Sarsina* = S. AURIGEMMA, *I monumenti della necropoli romana di Sarsina*, Bollettino del Centro di Studi per la storia dell'Architettura nr. 19, Roma 1963.

BABELON = E. BABELON, *Description des monnaies de la République Romaine, Tome I-II*, Paris-Londres 1885-1886.

BIANCHI BANDINELLI, *Rom* = R. BIANCHI BANDINELLI, *Rom. Das Zentrum der Macht*, München 1970.

BIEBER, *Sculpture* = M. BIEBER, *The Sculpture of the Hellenistic Age*, Revised Edition, New York 1961.

BLANCK, *Funde* = H. BLANCK, *Funde und Grabungen in Mittelitalien*, AA 1970, 275 ff.

BÜTTNER = A. BÜTTNER, *Untersuchungen über Ursprung und Entwicklung von Auszeichnungen im römischen Heer*, BJb 157, 1957, 127 ff.

CASTRÉN, *Ordo populusque* = P. CASTRÉN, *Ordo Populusque Pompeianus. Polity and Society in Roman Pompeii*, Acta Instituti Romani Finlandia Vol. VIII, Roma 1975.

7

Cat. Bologna = *Arte e civiltà romana nell'Italia settentrionale dalla Repubblica alla Tetrarchia.* Mostra Bologna 1974, 2 Bd.

Coarelli, *Goleto* = F. Coarelli, *Su un monumento funerario romano nell'abbazia di S. Guglielmo al Goleto, DArch* I, 1967, 46 ff.

Coarelli, *Storax* = F. Coarelli, *Il monumento di Lusius Storax. Il rilievo con scene gladiatorie, St Misc X,* 1966, 85 ff.

Colini = A. M. Colini, *Il fascio littorio,* Roma 1933.

Colonna = G. Colonna, *Urne peligne a forma di cofanetto. Contributo allo studio dei rapporti etrusco-sabellici. Rend Linc Vol. XIV, Serie VIII,* 1959, fasc. 5-6, 297 ff.

Cumont = F. Cumont, *Recherches sur le symbolisme funéraire des Romains,* Paris 1942.

Curtius, *Beiträge* = L. Curtius, *Ikonographische Beiträge zum Porträt der römischen Republik und der Iulisch-Claudischen Familie: M. Vipsanius Agrippa,* RM 48, 1933, 192 ff.

De Ruggiero = F. De Ruggiero, *Dizionario Epigrafico di Antichità Romane,* Ristampa Roma, 1961 ff.

Drago = C. Drago, *Archeologia isernina,* Samnium VI, 1933.

Ehrenberg-Jones = V. Ehrenberg - A.H.M. Jones, *Documents Illustrating the Reigns of Augustus and Tiberius.* 2. Edition, Oxford 1955.

Engemann = J. Engemann, *Architekturdarstellungen des frühen zweiten Stils.* 12. Erg-h. RM, 1967.

Engesser = F. Engesser *Der Stadtpatronat in Italien und den Westprovinzen des römischen Reiches bis Diokletian (Diss. Freiburg in Breisgau,* 1957).

Eschebach = H. Eschebach, *Die städtebauliche Entwicklung des antiken Pompeji,* 17. Erg.-h. RM, 1970.

Faccenna, I = D. Faccenna, *Rilievi gladiatori. Bull. Mus. Civ. Rom* 19 = *Supplemento al Bull Com* 76, 1956-58, 37 ff.

Faccenna, II = D. Faccenna, *Rilievi gladiatori, Bull Com* 73, 1949-50, 1 ff.

Felletti Maj = B. M. Felletti Maj, *Museo Nazionale Romano, I Ritratti.* Roma 1953.

Floriani Squarciapino = M. Floriani Squarciapino, *I rilievi della tomba di C. Cartilius Poplicola, Scavi di Ostia* III. *Le Necropoli* I, 1955, 191 ff.

FUHRMANN   = H. FUHRMANN, *Der Imperator M. Nonius Gallus und die Weihung des Treverers Attalus an die Fortuna Nemesis in Isernia.* MDI II, 1949, 45 ff.

FUHRMANN, *Philoxenos*   = H. FUHRMANN, *Philoxenos von Eretria*, Göttingen 1931.

GABELMANN   = H. GABELMANN, *Oberitalische Rundaltäre*, RM 75, 1968, 87 ff.

GARRUCCI, *Isernia*   = R. GARRUCCI, *Storia d'Isernia*, Napoli 1848.

GARRUCCI, *Venafro*   = R. GARRUCCI, *Venafro Illustrata Coll'Aiuto Delle Lapidi Antiche*, Roma 1874.

GIULIANO, *Ritratti*   = A. GIULIANO, *Catalogo dei ritratti romani del Museo Profano Lateranense*, Roma 1957.

GOETHERT   = F. W. GOETHERT, *Zur Kunst der römischen Republik*, Berlin 1931.

v. GONZENBACH   = V. v. GONZENBACH, *Tiberische Gürtel- und Schwertscheidenbeschläge mit figürlichen Reliefs.* Helvetia Antiqua. Festschrift Emil Vogt, Zürich 1966, 183 ff.

GRUEBER   = H. A. GRUEBER, *Coins of the Roman Republic in the British Museum*, 3 Bd. London 1910.

HEILMEYER   = W.-D. HEILMEYER, *Korinthische Normalkapitelle. Studien zur Geschichte der römischen Architekturdekoration*, 16. ERG.-H. RM, 1970.

HORN, *Gewandstatuen*   = R. HORN, *Stehende weibliche Gewandstatuen in der hellenistischen Plastik*, 2. ERG.-H. RM, 1931.

ILLRP, *Imagines*   = *Inscriptiones Latinae Liberae Rei Publicae, Imagines. coll. praef. est, notis indicibusque instr.* Atiliu Degrassi, Berlin 1965.

ILS   = H. DESSAU, *Inscriptiones Latinae Selectae*, I-II, Berlin 1891-1906; III, Berlin 1914-1916.

KABUS-JAHN   = R. KABUS-JAHN, *Studien zu Frauenfiguren des 4. Jh.*, Darmstadt 1963.

KÄHLER, *Kapitelle*   = H. KÄHLER, *Die römischen Kapitelle des Rheingebietes*, Berlin 1939.

KAJANTO   = I. KAJANTO, *The Latin Cognomina*, Helsinki 1965.

LADAGE   = D. LADAGE, *Städtische Priester- und Kultämter im Lateinischen Westen des Imperium Romanum zur Kaiserzeit (Diss. Köln 1971).*

LA REGINA, *Triumvir*   = A. LA REGINA, *Monumento funebre di un triumviro augustale al Museo di Chieti*, St. Misc X, 1966, 39 ff.

9

LA REGINA, *Venafro*   = A. LA REGINA, *Venafro*. Quaderni dell'Ist. Top. Ant. Univ. Roma I, 1964, 55 ff.

LEON   = C. F. LEON, *Die Bauornamentik des Trajansforums und ihre Stellung in der früh- und mittelkaiserzeitlichen Architekturdekoration*, Wien, Köln, Graz 1971.

LETTA-D'AMATO   = C. LETTA; S. D'AMATO, *Epigrafia della regione dei Marsi*, Milano 1975.

MANSUELLI, *Stele padana*   = G. A. MANSUELLI, *Genesi e caratteri della stele funeraria padana*. in: Studi in onore di A. Calderini e R. Paribeni, Vol. III. Milano 1956.

MAU   = A. MAU, *Pompeji in Leben und Kunst*, Leipzig 1908.

MAZOIS   = F. MAZOIS, *Les ruines de Pompei*, I 1812; II 1824; III 1829; IV 1838.

MemAccNapoli   = *Memorie della Reale Accademia di Archeologia, Lettere e Belle Arti*, Napoli 1911 ff.

MUSTILLI   = D. MUSTILLI, *Il Museo Mussolini*, Roma 1939.

MUTHMANN   = F. MUTHMANN, *Statuenstützen und dekoratives Beiwerk an griechischen und römischen Bildwerken*, Heidelberg 1951.

NAPP   = A. E. NAPP, *Bukranion und Guirlande*, Heidelberg 1930.

NASH   = E. NASH, *Bildlexikon zur Topographie des antiken Rom*, 2 Bd. Tübingen 1961.

NEUTSCH   = B. NEUTSCH, *Neufunde römischer Sepulkralporträts aus dem Vallo di Diano in Padula*, Apollo 2, 1962, 105 ff.

NIEMEYER   = H.-G. NIEMEYER, *Studien zur statuarischen Darstellung der römischen Kaiser* (Monumenta Artis Romanae 7) Berlin 1968.

OVERBECK-MAU   = J. OVERBECK - A. MAU, *Pompeji in seinen Gebäuden, Alterthümern und Kunstwerken*, Leipzig 1884.

PENSABENE   = P. PENSABENE, *Scavi di Ostia, VII. I Capitelli*, Roma 1972.

PICARD I   = G. CH. PICARD, *Les trophées romains. Contribution a l'histoire de la religion et de l'art triomphal de Rome*, Paris 1957.

PICARD II   = G. CH. PICARD, *Chronique de la sculpture romaine*, Revue Etudes Latines 37, 1959 (1960), 247 ff.

P.I.R.[1]   = PROSOPOGRAPHIA IMPERII ROMANI, *E. Klebs- H. Dessau - P. v. Rohden I* Berlin 1887; *H. Dessau II* Berlin 1897; *III* Berlin 1898.

P.I.R.²   = Prosopographia Imperii Romani, E. Groag – A.
                               Stein I Berlin-Leipzig 1933; II Berlin-Leipzig 1936;
                               III Berlin-Leipzig 1943; IV Berlin 1952-1966;
                               V, 1 Berlin 1970.

ProcAmPhilSoc   = Proceedings of the American Philosophical Society,
                               Philadelphia 1838 ff.

Reinach, RV   = S. Reinach, Répertoire des vases peints grecs et
                               étrusques, I-II Paris 1899-1900.

Righini   = V. Righini, Forma e struttura delle porte romane.
                               Gli esemplari di Sarsina, Studi Romagnoli 16, 1965,
                               395 ff.

Rinaldi Tufi   = S. Rinaldi Tufi, Stele funerarie con ritratti di età
                               romana nel Museo Archeologico di Spalato. Saggio
                               di una tipologia strutturale, MemLinc, Serie VIII,
                               Vol. XVI, fasc. 3, 1971.

Rizzo   = G. E. Rizzo, La battaglia di Alessandro nell'arte
                               italica e romana, BdA 19, 1925-26, 532 ff.

Rohden, Pompeji   = H. v. Rohden, Die Terrakotten von Pompeji, Stutt-
                               gart 1880.

Rohden-Winnefeld   = H. v. Rohden - H. Winnefeld, Die antiken Terra-
                               kotten im Auftrag des Archäologischen Institutes des
                               Deutschen Reiches, Band IV: Architektonische rö-
                               mische Tonreliefs der Kaiserzeit, 2 Bde. Berlin-Stutt-
                               gart 1911.

Salmon   = E. T. Salmon, Samnium and the Samnites, Cam-
                               bridge 1967.

Schede, Chieti   = Soprintendenza alle Antichità degli Abruzzi, Schede
                               del Museo Nazionale di Chieti, 4. Serie Chieti 1973.

Schulze   = W. Schulze, Zur Geschichte lateinischer Eigennamen
                               (Abh. Kg. Ges. Wiss. Göttingen, Phil.-hist. Klasse
                               N.F. V, 5, 1904).

Scrinari, Aquileia   = V.S.M. Scrinari, Museo Archeologico di Aquileia,
                               Catalogo delle sculture romane, Roma 1972.

Steiner   = P. Steiner, Die dona militaria, BJb 114-115, 1906,
                               1 ff.

Torelli   = M. Torelli, Monumenti funerari romani con fregio
                               dorico, DArch II, 1, 1968, 32 ff.

Verzar   = M. Verzar, Frühaugusteischer Grabbau in Sestino,
                               mefra 86: 1, 1974, 385 ff.

VESSBERG   = O. VESSBERG, *Studien zur Kunstgeschichte der rö-
                                   mischen Republik*, Skrifter utgivna av Svenska
                                   Institutet i Roma VIII Lund-Leipzig 1941.

ZANKER   = P. ZANKER, *Forum Augustum. Das Bildprogramm*
                                   (Monumenta Artis Antiquae 2) Tübingen 1973.

ZANKER, *Klassizist. Statuen*   = P. ZANKER, *Klassizistische Statuen. Studien zur
                                   Veränderung des Kunstgeschmacks in der römischen
                                   Kaiserzeit*, Mainz 1974.

TAFELVERZEICHNIS

13

Taf.	Abb.	Kat. Nr.	
31	48-50	Is 48-50	Deckelfragmente von Aschenurnen
32	51-51a	Is 51	Aschenurne des M. Petronius Faustillus; Inschrift des conlegium fabrum
33	53a-d	Is 53	Fragment eines Rundaltars
34	54-55	Is 54-55	Fragment eines Pulvinus; Fragment der Bekrönung eines Altars
35	56; 63	Is 56; 63	Grabrelief der Graccha Polla; Fragment eines Grabreliefs
36	57-58	Is 57-58	Grabrelief der Paccii; Grabrelief mit drei Halbfiguren
37	59-61	Is 59-61	Grabreliefs
38	62	Is 62	Grabrelief des L. Calidius Eroticus
39	64-67	Is 64-67	Grabrelief des C. Aebutius Iucundus; Grabrelief des L. Taminius Rufus; Grabstein des C. Maius Clemens; Grabstein des M. Servilius Primigenius
40	68-71	Is 68-71	Grabstein des Cn. Rullius Calais; Grabstein des L. Albanus Martialis; Grabstein des C. Numisius Ampliatus; Grabstein der Hostilia Procale
41	72-74b	Is 72-74	Fragment eines Grabsteins; Giebel eines Grabsteins; Eckfragment eines dorischen Frieses
42	75-80	Is 75-80	Fragment einer Grabtür; Fragmente von Decken von Grabmonumenten; Kassette der Decke eines Grabmonuments; Fragment der Bedachung eines Grabmonuments
43	81-83; 84a/1; 84a/2; 84b	Is 81-83; 84a-b	Relieffragment mit Rahmen einer Grabinschrift; Relieffragment mit Darstellung eines Fasziums; Verkleidungsblock eines Grabmonuments für einen Mann aus der Tribus Sergia; Fragmente von Verkleidungsplatten von Grabmonumenten
44	84c-e; 85a-b; 86a-b	Is 84c-e; 85-86	Fragmente von Verkleidungsplatten von Grabmonumenten; Architravfragment mit figürlichem Fries; Architravfragment mit Fries
45	87-88e; 92	Is 87; 88a-e; 92	Architravfragment mit Fries; Friesfragmente; Fragment eines Tischbeins
46	89a-91	Is 89a-91	Kapitelle

TAF.	ABB.	KAT. NR.		S.
C			Skizze der Exedra der Terme di S. Aniello; Skizze der beiden an- bzw. ausgegrabenen Räume der Terme di S. Aniello	
D			Fotos der beiden an- bzw. ausgegrabenen Räume der Terme di S. Aniello	
E			Foto der Exedra der Terme di S. Aniello; Fotos der beiden an- bzw. ausgegrabenen Räume der Terme di S. Aniello	
47	92a-c	Vf 1	Weiblicher Idealkopf	
48	93-97	Vf 2-6	Männliche Grabstatuen; Weiblicher Kopf; Fragment eines männlichen Kopfes; Fragment einer weiblichen Gewandfigur	
49	98a-d	Vf 7	Weibliche Gewandstatue im Typus der Venus Genetrix	
50	99a-d	Vf 8	Knabentorso	
51	100a-b	Vf 9	Männliche Porträtstatue	
52	100c-d	Vf 9	Männliche Porträtstatue	
53	100e-g	Vf 9	Männliche Porträtstatue	
54	101a-c	Vf 10	Männliche Porträtstatue	
55	102a-c	Vf 11	Männlicher Porträtkopf	
56	103-104; 111	Vf 12-13; 20	Weiblicher Kopf; Männlicher Porträtkopf; Weiblicher Kopf	
57	105-107	Vf 14-16	Knabenstatue; Satyrstatue; Fragment eines Beines mit Stütze	
58	108a-b	Vf 17	Männlicher Porträtkopf	
59	109a-110b	Vf 18-19	Statuette der Hygieia; Weibliche Gewandstatuette	
60	112a-c	Vf 21	Fragment einer Dionysosstatuette	
61	113a-b	Vf 22	Statuette des Ganymed	
62	114a-d	Vf 23	Statue der Aphrodite Landolina	
63	115a-d	Vf 24	Fragment einer Kybelestatuette	
64	116a-c	Vf 25	Fragment einer weiblichen Gewandfigur	
65	117-120	Vf 26-29	Fragment einer nackten männlichen Statue; Fragment einer weiblichen Gewandfigur; Fragment einer weiblichen Gewandfigur in Statuettengröße; Relief mit dona militaria	
66	121-124b	Vf 30-32	Reliefs mit dona militaria; Relief mit Feldzeichen	
67	125-127	Vf 33-35	Cippus von einem Rundgrab; Waffenrelieffragment; Reliefblock mit behelmtem Kopf	

TAF.	ABB.	KAT NR.		S.
68	128a-130	Vf 36-38	Fragmente von Verkleidungsplatten von Grabmonumenten	
69	131-134	Vf 39-42	Fragment eines Gladiatorenfrieses; Fragment eines Gladiatorenreliefs; Giebel mit Darstellung einer Eberjagd; Relieffragment	
70	135a-137	Vf 43-45	Relief mit Elefantenreiter; Relief mit Darstellung der Europa; Relief mit Tiergruppe	
71	138a-140	Vf 46-48	Relieffragment mit Gorgoneion; Fragment des Grabreliefs des Q. Servilius Quinctio; Fragment des Grabreliefs der Seii	
72	142b-d	Vf 50b-d	Fragmente von Pulvini	
73	141; 142a; 142e-143	Vf 49; 50a; 50e-51	Fragment eines Altars; Fragmente von Pulvini; Basis	
74	144-147	Vf 52-55	Friesfragmente; Fragmente von Decken von Grabmonumenten	
75	148-150d	Vf 56-58	Fragmente von Verkleidungsplatten von Grabmonumenten	
76	152-153	Vf 60-62; 74	Korinthische Kapitelle von Halbsäulen; Lesenenkapitell	
77	154-156	Vf 63-64; 66	Korinthisches Kapitell einer Halbsäule; Fragment eines korinthischen Kapitells einer Halbsäule; Konsolenfragmente	
78	151; 157-160	Vf 59; 67-70	Architravfragment (?); Friesfragmente; Zwei Konsolenfragmente; Fragment eines ionischen Kapitells; Architravfragment (?)	
79	161-166	Vf 71-73; 75-77	Gesimsfragmente; Fragment eines Konsolengesimses; Architravverkleidung (?); Korinthisches Kapitell; Fragment einer Hängeplatte (?)	
80	167; 169-172	Vf 78; 80a-d	Grabtür; Fragment eines Eckpilasters; Fragmente der Verkleidung von Grabmonumenten	
81	168; 173-174; 176a-b	Vf 79; 80e-82a	Fragment der Decke eines Grabmonuments; Fragmente der Verkleidung von Grabmonumenten; Friesfragment	
82	175; 177-181	Vf 81a; 82b-f	Dorischer Fries; Friesfragmente	
83	182-185	Vf 82g-k	Friesfragmente	
84	186a-188	Vf 83a-85	Fragmente mit Rahmen; Blattvolutenkapitell; Pilasterbasis	

VORBEMERKUNGEN

Es ist Ziel dieser Arbeit, die römischen Steindenkmäler von zwei nur 20 km voneinander entfernten Städten in Samnium, *Aesernia* und *Venafrum*, vollständig vorzulegen und an ihnen die kulturellen Eigenarten jeder Stadt aufzuzeigen.

Die Wahl gerade dieser beiden Orte bot sich durch das reichlich vorhandene Material an, das durch das überaus freundliche Entgegenkommen des ehem. Soprintendente der Provinz Molise, A. La Regina, zur Bearbeitung freigestellt wurde.

Der größte Teil der Stücke ist bisher unveröffentlicht, nur einzelne wurden in der archäologischen Literatur diskutiert. Untersuchungen, die sich mit anderen Landstädten Mittelitaliens etwa der gleichen Zeit beschäftigen, bestätigen im Wesentlichen das hier gewonnene Bild. Diese Arbeiten wählten aber in der Regel qualitätvolle Stücke aus [1] – ein methodisches Vorgehen, das jedoch für eine kulturhistorische Fragestellung nicht ausreichend ist. Erst eine vollständige Kenntnis des vorhandenen archäologischen Materials vermag ein Bild des jeweiligen kulturellen Gepräges einer Stadt oder Landschaft zu vermitteln. Die vorliegende Arbeit soll dazu einen Beitrag leisten.

Der Übersichtlichkeit halber sind die Denkmäler der beiden Städte getrennt behandelt. In der abschließenden Zusammenfassung werden die Ergebnisse einander gegenübergestellt.

Die Denkmäler von *Aesernia* wurden innerhalb des Katalogs nach typologischen Gesichtspunkten geordnet. Eine Gliederung in chronologischer Abfolge war nicht möglich, da sich nur wenige Stücke zeitlich genauer festlegen lassen. Bei der Auswertung des Materials standen Fragen der Ikonographie und historischen Bedeutung im Vordergrund. Der pro-

---

(1) G. CARETTONI, *Casinum (Cassino). Italia Romana : Municipi e Colonie, Serie I, Vol.* XI (1940). G. CRESSEDI, *Velitrae (Velletri). Italia Romana : Municipi e Colonie, Serie I, Vol.* XII (1953). C. PIETRANGELI, *Mevania (Bevagna). Italia Romana : Municipi e Colonie, Serie I, Vol.* XIII (1953). R. BIANCHI BANDINELLI u. a., *Sculture municipali dell'area sabellica tra l'età di Cesare e quella di Nerone, StMisc* X, 1966, 1 ff.

Die Studie von B. M. FELLETTI MAJ, *La tradizione italica nell'arte romana* (1977) ist erst nach Fertigstellung des Manuskripts erschienen. Eine Stellungnahme zu den dort vorgebrachten Deutungen einiger Denkmäler von *Aesernia* war deshalb nicht mehr möglich.

vinzielle Charakter der Kunstproduktion ließ nur selten eine sichere stilistische Beurteilung zu.

Die rundplastischen Werke von *Venafrum* konnten aufgrund ihrer z. T. gehobeneren Qualität nach chronologischen Gesichtspunkten geordnet werden. Nicht datierbare Stücke sind nachgestellt worden. Da sich bei den figürlichen Reliefs eine chronologische Abfolge nicht festlegen ließ, sind sie soweit möglich nach thematischen Gesichtspunkten geordnet. Bei den Architekturfragmenten ist wie bei der Rundplastik verfahren worden.

Da der Schwerpunkt der Arbeit vor allem auf kulturhistorischem und nicht auf kunstgeschichtlichem Gebiet liegt, wurden in größerem Umfang auch epigraphische Zeugnisse herangezogen [2].

Für die Bearbeitung der archäologischen Denkmäler lagen keine detaillierten Fundnotizen vor. Eingänge von Inschriften nach dem Erscheinen der Bände IX und X des Corpus Inscriptionum Latinarum im Jahre 1883 sind nicht mehr systematisch zu erfassen. Die *Aesernia* betreffenden Aufzeichnungen sind zum großen Teil während der Bombardierung des Antiquario Comunale mit der Bibliothek und der anliegenden Kirche S. Maria delle Monache im Jahre 1944 verbrannt.

Da es in Venafro kein Museum gab, befinden sich bis heute viele der behandelten Stücke in Privatbesitz. Auch für sie und für die nach und nach gefundenen Monumente gibt es keine Fundnotizen.

Im Katalog sind für das Antiquario Comunale von Isernia keine Inventarnummern angegeben, obwohl, wie aus den Abbildungen hervorgeht, die meisten Stücke Nummern tragen. Für diese ist jedoch kein Verzeichnis vorhanden. Eine Neuordnung der Bestände ist in nächster Zeit zu erwarten.

---

(2) Bei den Inschriften ist jeweils der vollständige Text wiedergegeben, auch wenn er aus der Fotografie eindeutig ablesbar ist. Die Abfolge der Zeiten des originalen Textes ist der größeren Übersichtlichkeit halber beibehalten. Es ist das Leidener Klammersystem benutzt (dazu A. G. WOODHEAD, *The Study of Greek Inscriptions* (1959) 6ff); doppelte eckige Klammern bezeichnen Buchstaben, die bereits im CIL ergänzt sind. Ein Punkt bezeichnet nur diejenigen Buchstaben, die eine andere Lesart möglich machen könnten, während fragmentarische, aber sicher lesbare Buchstaben nicht angezeigt werden.

I
AESERNIA

A EINLEITUNG

1. Lage von Aesernia

Die moderne Stadt Isernia, nach Campobasso der zweite regionale Verwaltungssitz der heutigen Provinz Molise, liegt mit dem Kern ihrer Altstadt auf dem antiken *Aesernia*. Die Stadt erhebt sich 470 m über dem Meeresspiegel auf einer von Carpino und Sordo umflossenen Landspitze. Im weiteren Umkreis wird sie von dem Gebirgsstock des Matese im Süden und den Ausläufern der Mainarde im Nordwesten begrenzt.

Im Altertum gehörte die Stadt zum Gebiet des samnitischen Volksstammes der Pentrer. Sie wurde von zwei Fernverbindungen berührt. Die von Apulien kommende Via Minucia oder Numicia führte von *Aesernia* aus weiter nach *Aufidena* und *Sulmo*, stieß dan in *Corfinium* auf die Via Valeria, die als Verlängerung der Via Tiburtina das adriatische Meer erreichte [3]. Eine kleinere Straße verband *Aesernia* durch das Tal des Volturnu; mit *Venafrum* und mündete bei der antiken *statio Ad flexum*, dem heutigen Ort S. Pietro Infine, in die Via Latina ein [4].

Das Gebiet des antiken *Aesernia* reichte bis zu folgenden Ortschaften (heutige Namen): im Südwesten bis Macchia, im Osten bis Carpinone, im Norden bis Miranda und im Nordwesten schließlich bis zur Abtei von S. Vincenzo al Volturno [5].

Die natürlichen Gegebenheiten haben die Entwicklung der Stadt geprägt: die tiefen Schluchten der Flüsse verhinderten eine Ausdehnung in die Breite und bewirkten somit die Ansiedelung längs des Bergrückens [6]. Der *decumanus maximus*, der heutige Corso Marcelli, durchquerte den Ort in südwest-nordöstlicher Richtung. An ihm lag ein Tempel, dessen

---

(3) Übersichtskarte bei V. CIANFARANI, *Culture Adriatiche d'Italia, Antichità tra Piceno e Sannio prima dei Romani* (1970) 56. Straßenkarte in EAA I (1958) 499ff Abb. 674 s. v. Appia (G. LUGLI). Zur Via Valeria: RE *Suppl.* XIII (1973) 1657ff s.v. Via Valeria (G. RADKE). Zur Via Latina: RE *Suppl.* XIII (1973) 1487 ff Abb. 9 (G. RADKE) mit irrtümlicher Streckenführung direkt nach *Venafrum*. S. dazu die Bemerkung von W. JOHANNOWSKY, *Abh. Göttingen* 97, 1976, 268 Anm. 8.

(4) K. MILLER, *Die Peutingersche Tafel* (1962) Segment VI, 3.

(5) Zum Gebiet von *Aesernia* s. CIL IX S. 245.

(6) A. PASQUALINI, *Isernia. Studi di urbanistica antica. QuadIstTopAntUnivRoma*, II, 1966, Abb. 3.

Podium in die östliche Längswand der Kathedrale vermauert ist. In der Nähe des Tempels darf man das Forum vermuten, von dessen Ausstattung wahrscheinlich einige Ehrenstatuen erhalten sind (Is 1-2; 5-6. Abb. 1-2; 5-6. Taf. 1; 4). Andere öffentliche Bauten sind außer dem *castellum aquae* in der Piazza Concezione nur epigraphisch bezeugt [7].

Von den Nekropolen ist mehr erhalten geblieben. Im heutigen Ortsteil Quadrelle, jenseits des Flusses Sordo und entlang der antiken Straße nach *Venafrum*, ist das bisher reichste Fundmaterial zu Tage gekommen. Neben zahlreichen Inschriften sind hier vor allem zwei größere, auf diese Straße hin ausgerichtete Grabbauten zu nennen [8]. Weitere Grabmäler kamen in einem weiter außerhalb gelegenen Teil der Nekropole längs der Via Latina, in der heutigen Gemarkung Taverna della Croce, zu Tage. Bescheidene Reste stammen von Gräbern seitlich des Triftwegs nach *Aufidena*. Auch die übrigen Streufunde scheinen sich in der Regel auf die Straßen zu beziehen (s. Fundkarte Tafel A).

2. Historischer Überblick

Den literarischen Quellen zufolge wurde *Aesernia* im Jahre 295 v. Chr. von den Römern besetzt [9]; dies ist zugleich das früheste für die Stadt überlieferte historische Datum. Gut dreißig Jahre später, 263 v. Chr., gründeten die Römer hier eine latinische Kolonie. Die Wahl *Aesernias* für die Einsetzung einer Kolonie läßt sich zweifellos auf die günstige strategische Lage dieses Ortes zurückführen; der Stützpunkt sicherte militärisch die Deckung des kampanischen Territoriums und gewährleistete gleichzeitig eine direkte Kontrolle des samnitischen Hinterlandes. Welch große militärische Bedeutung ihm beigemessen wurde, zeigt, daß man ihn sofort mit einer geschlossenen Ringmauer befestigte [10]. Damit hatte Rom deutlich seinen Machtanspruch in Samnium dokumentiert. Fünf Jahre zuvor war die Kolonie Benevent gegründet worden. So sicherte man die alte Verbindung zwischen Apulien und Mittelitalien. Im samnitischen Gebiet entstanden in der Folge weitere kleinere städtische Zentren wie *Bovianum* und *Saepinum*.

Die Koloniegründung bedeutete in den politischen Beziehungen zu Rom, in der territorialen Organisation und in der Besiedlungsgeschichte Samniums einen entscheidenden Einschnitt. Das plötzliche Entstehen einer städtischen Gemeinschaft mußte innerhalb einer in *pagi* und *vici*

(7) s. u. Anm. 6off.
(8) A. Pasqualini, EAA *Suppl.*, 1970, 379 s. v. Isernia. Blanck 275ff.
(9) Livius, *Ab urbe cond.* X, 31. Über die vorrömische Siedlungsform ist nichts bekannt.
(10) Pasqualini a. O. (zit. in Anm. 6) 79ff.

organisierten Bevölkerung weitgehende Veränderungen im Territorialverband hervorrufen [11].

Aus der frühesten Epoche der Kolonie stammen der ältere Mauerring und einige Münzfunde [12]. Auch der antike Stadtplan läßt sich in seinen Grundzügen noch feststellen, da ihn die mittelalterliche Stadt weitgehend beibehalten hat. Von dem bedeutendsten öffentlichen Bau aus den ersten Jahren der Kolonie, dem Tempel, sind Reste erhalten [13]. Die Profile seines Podiums wiederholen Vorbilder aus Latium [14]. Die zum großen Teil aus Ortschaften des *Latium Vetus* stammenden Einwohner haben offenbar ein ihnen geläufiges Formenrepertoire mitgebracht [15]. Über die Beziehungen, die sich zwischen eingewanderten Latinern und lokal ansässiger Bevölkerung entwickelten, gibt eine Votivinschrift des 2. Jh. s v. Chr. Auskunft: Samnites / inquolae / V(eneri) d(ono) d(ederunt) / mag(istri) / C. Pomponius V.f. / C. Percennius L.f. / L. Satrius L. f. / C. Marius No.f. Die vier genannten Dedikanten repräsentieren ein Kollegium der *Samnites inquolae*. A. La Regina, der die Inschrift publiziert hat, ist der Auffassung, daß dies die ursprünglichen Einwohner des konfiszierten Gebietes waren, denen das Siedeln in *Aesernia* gestattet wurde [16]. Die nächsten Inschriften stammen erst aus dem 1. Jh. v. Chr. Sie nennen in zunehmendem Maße Personen, die aus an *Aesernia* grenzenden Gebieten stammen [17]. Das zeigt, daß die Gemeinschaft nach und nach Zustrom von Bewohnern der umliegenden Berggegenden erhielt.

Im Bundesgenossenkrieg war *Aesernia* nach dem Fall von *Corfinium* Hauptstützpunkt der Aufständischen [18]. Durch Sulla wurde die Stadt am Ende des Krieges erobert [19].

(11) U. LAFFI, *Problemi dell'organizzazione paganico-vicana nelle aree abruzzesi e molisane*, *VI Convegno Nazionale della Cultura Abruzzese*, Pescara-Sulmona 1973. DERS. *Athenaeum* 52, 1974, 336.

(12) Die Münzen, die im Antiquario Comunale von Isernia aufbewahrt waren, sind im 2. Weltkrieg verloren gegangen. Zur Münzprägung von *Aesernia* s. A. SAMBON, *Les Monnaies Antiques de l'Italie* I (1903) 113ff. DRAGO 64ff. R. THOMSEN, *Sylloge Nummorum Graecorum, Italy* I (1942) 256ff. F. PANVINI ROSATI, *StudRomagn* 13, 1962, 128 Anm. 34. E. VETTER, *Handbuch der italischen Dialekte* (1953) 136.

(13) A. LA REGINA, *Il tempio della Colonia Latina di Aesernia. La Cattedrale di Isernia nella storia e nell'arte*. 4.-5. maggio 1968 (1969) 27ff. Der Grundriß des Tempels ist unbekannt.

(14) Vgl. z. B. die Altäre von *Lavinium* (F. CASTAGNOLI, *Sulla tipologia degli altari di Lavinio*, *BullCom* 77, 1959-60, 145ff. F. CASTAGNOLI – L. COZZA – M. FENELLI u. a., *Lavinium* 2. *Le tredici are* (1975).

(15) La Regina a. O. (zit. in Anm. 13) 32.

(16) A. LA REGINA, *Contributo dell'archeologia alla storia sociale, Territori sabellici e sannitici*, *DArch* IV-V, 1970-71, 452ff. H. GALSTERER (*Herrschaft und Verwaltung im republikanischen Italien, Münchener Beiträge zur Papyrusforschung und Antiken Rechtsgeschichte* 68. Heft, 1976, 54) weist die Ansicht von La Regina, die samnitische Vorbevölkerung lebte noch im 2. Jh. v. Chr. im Status von *inquolae*, zurück. Galsterers Ansicht nach, handelte es sich um – vielleicht erst im 2. Jh. v. Chr. – nach *Aesernia* eingewanderte Samniten.

(17) z. B. die in die *Tribus Voltinia* Eingeschriebenen: Is 57; 66 und CIL IX 2669.

(18) DIODOR 37,2.9. SALMON 367ff.

(19) STRABO V, 3, 10. Zur verheerenden Situation in *Aesernia* nach dem Kriege s. auch DIODOR 37, 19. 1f. LIV. *Per.* IXC (O. ROSSBACH, *Titi Livi Periochae omnium librorum frag-*

Die Einrichtung des Munizipiums nach dem Bundesgenossenkrieg kam fast einer Neugründung gleich. Der Zustrom neuer Einwohner auch aus weiter entfernten Gebieten steht wahrscheinlich mit Sullas Konfiszierungen und Bodenverteilungen im Zusammenhang [20]. Die Bürger wurden in die *Tribus Tromentina* eingeschrieben [21]. Von caesarischer Zeit an gelangte *Aesernia* zu einer Blüte, von der die Steindenkmäler deutlich Zeugnis ablegen. Breite Schichten der Bevölkerung erreichten damals einen bescheidenen Wohlstand. Doch bereits in iulisch-claudischer Zeit werden die Denkmäler spärlicher. Darin teilt *Aesernia* das Schicksal anderer abgelegener Landstädte Mittelitaliens, in denen um die Mitte des 1. Jh. s n. Chr. eine Veränderung in der Bevölkerungsstruktur im Sinne einer allgemeinen Verarmung einsetzte [22].

Aus späterer Zeit sind nur noch vereinzelte Zeugnisse munizipalen Lebens, wie Inschriften und Architekturteile, jedoch keinerlei Steinplastik erhalten. Abgesehen von einer Ehreninschrift des 2. Jh. s n. Chr. (Is 32. Abb. 32. Taf. 24), in der deutlich Lokalstolz zum Ausdruck kommt und zwei Kapitellen aus derselben Zeit (Is 89a-b. Abb. 89a-b. Taf. 46), gehören diese Stücke alle erst dem 4. und 5. Jh. n. Chr. an (Is 90-91. Abb. 90-91. Taf. 46). Zumindest die Inschriften belegen ein staatliches Eingreifen zugunsten der nach dem schweren Erdbeben im Jahre 346 n. Chr. verwüsteten Stadt (CIL IX 2638-39) [23].

3. DIE ARCHÄOLOGISCHEN ZEUGNISSE

Das vorgelegte Material stammt aus dem antiken *Aesernia* und seiner unmittelbaren Umgebung, zumeist aus den Nekropolen der Stadt. Nur von wenigen Stücken ist der genaue Fundort und das -datum bekannt [24]. Systematische Grabungen sind nie durchgeführt worden. Die Mehrzahl

---

menta (1910)). Die Stelle ist in der Handschrift Gran. Licin. p. 32 Fl. als [...]*mtam* verderbt überliefert. Der Vorschlag, hier '*Aeserniam*' zu lesen, stammt, wie aus dem Anmerkungsapparat von Rossbach hervorgeht, von Mommsen; eine schriftliche Äußerung von Mommsen dazu ließ sich nicht finden. Die heutige Forschung schlägt auch '*Nolam*' vor (so auch P. A. BRUNT, *Italian Manpower* (1971) 285 mit Anm. 7). In der letzten Äußerung zu diesem Problem hat *Salmon* 387 in Umgehung der Interpretationschwierigkeiten '*Aeserniam*' und '*Nolam*' gelesen. Die Lesung '*Nolam*' ist wahrscheinlicher, wenn man bedenkt, daß '*m*' ein verschriebenes '*n*', also '*no*' sein könnte und das '*t*' ein verschriebenes '*l*', so erhielte man '*Nolam*' (frdl. Hinweis von H. Meyer).

Ich folge SALMON 387f in seiner Spätdatierung der Einnahme von *Aesernia* im Jahre 80 v. Chr.

(20) Z.B. die Aebutii (Is 64) und die Septimii (Is 67).

(21) L. ROSS TAYLOR, *The Voting Districts of the Roman Republic*, PapMonAmAcRome 20, 1960, 110, 162, 275.

(22) Vgl. die ähnliche Situation in Umbrien (M. VERZAR, AbhGöttingen 97, 1976, bes. 129ff), in Campanien (W. JOHANNOWSKY, ebda. bes. 288). Allgemein dazu: R. BIANCHI BANDINELLI – A. GIULIANO, *Etrusker und Italiker vor der römischen Herrschaft* (1974) 319ff, 341.

(23) Dazu: A. RUSSI, *L'amministrazione del Samnium nel IV e V sec. d. C.*, Studi pubblicati dall'Istituto Italiano per la Storia Antica. III Miscellanea Greca e Romana, 1971, 327.

(24) s. Fundkarte Tafel A. und passim.

der erhaltenen Reste sind Zufallsfunde, die teils bei landwirtschaftlichen Arbeiten, teils beim Straßenbau im Gebiet außerhalb der Stadt zu Tage traten. Dabei wurden offenbar nur die auffallenden Stücke geborgen. Da keine zu den Skulpturen gehörende Bauten erwähnt werden, muß man annehmen, daß diese nicht erkannt, eingeebnet oder zerstört wurden.

Das antike Stadtgebiet war immer besiedelt. Da im Bereich der Altstadt in moderner Zeit keine größere Bautätigkeit nachzuweisen ist, kamen hier auch keine Neufunde zu Tage. Die wenigen heute bekannten Denkmäler aus dem Stadtgebiet scheinen – zumindest teilweise – schon in staufischer Zeit sichtbar gewesen zu sein (s. Is 5). Andere wurden in frühmittelalterlichen Kirchen als Baumaterial verwendet. Eine Datierung durch Fundzusammenhänge ist also auch hier nicht möglich.

Ein Großteil des Materials wird im Antiquario Comunale von Isernia aufbewahrt. Dieses Museum ist im Jahre 1934 auf Betreiben des Rechtsanwalts und späteren ehrenamtlichen Leiters des Museums, Ermanno D'Apollonio, eingerichtet worden. Es fand zusammen mit der Bibliothek seinen Platz in einem Saal des ehemaligen Klosters S. Maria delle Monache, das bis 1975 als Gefängnis diente.

Den Kern der Sammlung bildeten Stücke, die bis zu diesem Zeitpunkt im Hof des Rathauses standen. Weiteres Material kam im Laufe der Zeit dazu.

Bei der 1973 durchgeführten Restaurierung der anliegenden Kirche, deren Gründung auf das 9. Jh.n.Chr. zurückgeht, sind zahlreiche antike Skulpturen aus ihrer Zweitverwendung befreit worden. Sie sollen demnächst bei einer Neueinrichtung des Museums, das auch die übrigen Räume des Klosters umfassen wird, in die bestehende Sammlung eingegliedert werden.

Außer diesen im Museum gesammelten Stücken findet man in der gesamten Altstadt Spolien. Mehrere von ihnen sind am Bogen von S. Pietro vermauert. In einigen Bauernhäusern vor der Stadt sind Reste von Grabmälern verbaut. Wahrscheinlich wurden sie nicht allzu weit von ihrem Fundort verschleppt. Ein Grabrelief befindet sich in Privatbesitz in Isernia (Is 65. Abb. 65. Taf. 39). Ein weiteres ist 1901 an den Louvre verkauft worden (Is 62. Abb. 62. Taf. 38).

Bisher haben sich vor allem Althistoriker und Epigraphiker für Samnium interessiert[25]. Archäologische Arbeiten beschäftigten sich hauptsächlich mit der Erforschung indigener Volksstämme und deren Siedlungs-

---

(25) E. Pais, *La persistenza della stirpe sannita*, *AttiAccNapoli* 6, 1918, 452ff. F. De Martino, *Nota sulla « Lex Iulia Municipalis »*, *Studi in Onore di V. E. Paoli* (1956) 225ff. G. Forni, *« Doppia Tribù » di cittadini e cambiamenti di Tribù Romane. Tetraonyma. Miscellanea Graeco-Romana* (1966) 139ff. A. La Regina, *Le iscrizioni osche di Pietrabbondante e la questione di Bovianum Vetus*, *RhM* 109, 1966, 260ff. A. Degrassi, *Duoviri aedilicia potestate, duoviri aediles, aediles duoviri. Studi in Onore di A. Calderini e R. Paribeni* IV (1967) 151ff.

formen und konzentrierten sich auf einzelne Architekturkomplexe [26]. Von linguistischer Seite sind vornehmlich Untersuchungen über die oskische Sprache vorgelegt worden [27].

Die erste Inschrift, die bei den Studiosi des 15. Jh.s auf Interesse gestoßen ist, überliefert Hermolaus Barbarus im Jahre 1492 [28]. In Publikationen des 17. und 18. Jh.s wird noch eine weitere Inschrift mitgeteilt [29]. Im Jahre 1810 stellte ein Unbekannter auf Anordnung des Cavaliere P. Pulli 31 Inschriften zusammen [30].

Außerdem existiert ein Manuskript des Kanonikers der Kathedrale von Isernia, V. Piccoli, vom Jahre 1824. Hierin sind 105 Inschriften aus *Aesernia* erfaßt [31]. Die erste ausführliche Arbeit über *Aesernia* schrieb R. Garrucci im Jahre 1848 [32]. In Band IX des CIL stellte Th. Mommsen die Inschriften Samniums zusammen und erschloß sie einem größeren Kreis von Forschern [33]. H. Nissen behandelte in seiner landeskundlichne Arbeit auch Samnium und das Gebiet von *Aesernia* [34]. Speziell mit Einzelmonumenten von *Aesernia* beschäftigten sich in neuerer Zeit G. E. Rizzo [35], C. Drago [36], L. Curtius [37] und H. Fuhrmann [38]. 1968 erschien ein Aufsatz von A. La Regina über den Tempel [39]. A. Pasqualini legte eine topographische Untersuchung der Stadt vor [40].

DERS. *Un nuovo duoviro e la tribù Teretina d'Isernia*, MemAccLinc Serie VIII, Vol. XIII, 1967, 9ff = *Epigraphica* III, 9ff Taf. XI Abb. 15. A. LA REGINA, *Cluviae e il territorio carecino*, RendLinc XXII, 1967, 87ff. SALMON, passim. P. SOMMELLA, *Antichi campi di battaglia in Italia* (1967) 59ff. BRUNT a. O. (zit. in Anm. 19) 353ff, 370ff. E. GABBA, *Urbanizzazione e rinnovamenti urbanistici nell'Italia centro-meridionale del I sec. a.C.*, Studi Class Orient 21, 1972, 73ff. C. LETTA-S. D'AMATO, *Epigrafia della regione dei Marsi* (1975).

(26) z. B. V. CIANFARANI, *Santuari nel Sannio*, 1960 (1962). DERS. *Culture Adriatiche* a. O. (zit. in Anm. 3). COLONNA 297ff. A. LA REGINA, *Note sulla formazione dei centri urbani in area sabellica,*. Atti del Convegno di Studi sulla città etrusca e italica preromana (1970) 191ff. M. J. STRAZZULLA, *Il santuario sannitico di Pietrabbondante, Documenti di Antichità e Belle Arti del Molise* (1973). A. LA REGINA, *Abh Göttingen* 97, 1976, 219ff. J. P. MOREL, ebda. 255ff.

(27) VETTER a. O. (zit. in Anm. 12). LA REGINA a. O. (zit. in Anm. 25). DERS. PP CLXI, 1975, 163ff.

(28) CIL IX 2668 = Is 31. s. auch TH. MOMMSEN, CIL IX S. 245.

(29) CIL IX 2637 = ILS 894 = Is 28.

(30) Handschrift in der Biblioteca Nazionale in Neapel. Wiedergegeben bei A. ZAZO, *Samnium* III, 1930, 106ff.

(31) Handschrift im Archivio di Stato in Neapel. Wiedergegeben bei A. ZAZO, *Samnium* XXV, 1953, 103ff.

(32) R. GARRUCCI, *Storia d'Isernia* (1848).

(33) Th. MOMMSEN, *Inscriptiones Calabriae, Apuliae, Samnii, Sabinorum, Piceni* Vol. IX (1883).

(34) H. NISSEN, *Italische Landeskunde* II, 2 (1902) 788, 797.

(35) G. E. RIZZO, *La battaglia di Alessandro nell'arte italica e romana*, BdA 1925-26, 532ff.

(36) C. DRAGO, *Archeologia isernina*, Samnium VI, 1933, 55ff.

(37) L. CURTIUS, *Ikonographische Beiträge zum Porträt der römischen Republik und der iulisch-claudischen Familie. M. Vipsanius Agrippa*, RM 48, 1933, 192ff.

(38) H. FUHRMANN, *Der Imperator M. Nonius Gallus und die Weihung des Treverers Attalus an die Fortuna Nemesis in Isernia*, MdI II, 1949, 45ff.

(39) LA REGINA a. O. (zit. in Anm. 13).

(40) PASQUALINI a. O. (zit. in Anm. 6).

B KULTURHISTORISCHE AUSSAGEN DER INSCHRIFTEN UND DENKMÄLER

1. Öffentliches und privates Leben

Bei Strabo wird *Aesernia* unter den Städten aufgeführt, die am Ende des Bundesgenossenkriegs zerstört wurden (*Geogr.* V, 3.10) oder nur als ländliche Gemeinden weiterlebten (*Geogr.* V, 4.11). Mag dies Urteil vielleicht übertrieben klingen, so hat *Aesernia* bei den kriegerischen Auseinandersetzungen doch sicher schweren Schaden genommen. Mit den Landverteilungen Sullas und der Einrichtung des Munizipiums nach dem Kriege entstand in *Aesernia* eine Bevölkerung, die aus verschiedenen Gegenden Italiens zusammengekommen war. So war nur noch ein kleiner Teil samnitischen Ursprungs [41]. Es sind Cognomina bezeugt, die ihre Träger als Eingewanderte ausweisen: Familien, wie die der Aebutii (Is 64. Abb. 64. Taf. 39), sind nicht ursprünglich im Orte ansässig gewesen, sie stammen wahrscheinlich aus dem *Latium Vetus*. Die Septimii kommen vielleicht aus dem Sabinerland (Is 67. Abb. 67. Taf. 39). Der genaue Zeitpunkt ihrer Einwanderung läßt sich nicht ermitteln. Daneben sind auch Nachfahren alter samnitischer Familien nachzuweisen. Der Gentilname der Decitia Itace (Is 70. Abb. 70. Taf. 40) ist seit dem 3. Jh. v. Chr. bezeugt [42]. Die Herkunft anderer wichtiger Familien ist nicht bekannt. Die Nonii (Is 27; 33. Abb. 27; 33. Taf. 19; 24) und die Vibii (Is 30. Abb. 30. Taf. 22) waren durch mehrere Generationen hindurch in *Aesernia* ansässig. Der Sohn eines Munizipalbeamten aus der Familie der Nonii war der einzige bekannte Bürger des Ortes, der zu Beginn des Prinzipats eine hohe militärische Kommandostelle erreichte und in Rom Mitglied eines der höchsten Priesterkollegien wurde.

Wir wissen, daß das bergige Samnium nur dünn besiedelt gewesen ist [43]. A. La Regina hat entsprechende Zahlen für das 1. Jh. v. Chr. vorgelegt [44]. Während der Auseinandersetzungen zwischen Antonius und

---

(41) SALMON 393.
(42) SALMON 391. A. LA REGINA, pp 161, 1975, 168.
(43) BRUNT a. O. (zit. in Anm. 19) 354ff.
(44) LA REGINA a. O. (zit. in Anm. 16) 443ff.

Oktavian konnte Samnium nur wenige Soldaten stellen [45]. Von vier der sieben aus *Aesernia* insgesamt inschriftlich bekannten Militärs ist eine Tätigkeit in der städtischen Verwaltung bekannt [46]. Sie kehrten nach Ableistung ihrer Dienstpflicht in ihre alte Heimat zurück.

Das höchste Amt in der Verwaltung bekleideten wohl zunächst die *duoviri*, die bisher nur durch zwei Inschriften bezeugt sind [47].

Auch ein (*duovir*) *praetor* gehört wohl noch in die Zeit vor dem Bundesgenossenkrieg [48]. Aus der Zeit danach sind dann *quattuorviri* [49], *aediles* und *quaestores* überliefert [50]. Bekannt sind weiterhin ein zeitlich nicht näher faßbarer *curator annonae* (CIL IX 2663) und ein kaiserlicher Beamter, der zur Zeit der Antoninen als *curator rei publicae Aeserninorum* Kontrollfunktionen bei der Überwachung der städtischen Finanzen versah [51]. Ebenfalls aus dem 2. Jh. n. Chr. ist ein vom Kaiser oder vom Senat bestellter *curator viarum* überliefert (CIL IX 2655).

Ein Neffe des Kaisers Augustus, Sex. Appuleius, war in den ersten Jahren des Prinzipats Patron der Stadt (Is 28. Abb. 28a-d. Taf. 20) [52]. Die Wahl eines Mitglieds der kaiserlichen Familie (oder anderer

(45) BRUNT a. O. (zit. in Anm. 19) 357 mit Anm. 5. DERS. in JRS 52, 1962, 85.

(46) Militärs aus *Aesernia*: CIL IX 2644-45; 2647-49 = ILS 2732; 2650-51. Militärangehörige, bei denen keine munizipale Karriere genannt ist: CIL IX 2644; 2650-51 (die letzten beiden Inschriften sind fragmentiert).

(47) CIL IX 2662 und die von DEGRASSI, *Un nuovo duoviro...* (zit. in Anm. 25) 10 publizierte Inschrift, die bereits von A. VITI, *Archeologia Roma* 1964, 291 Nr. 2 erwähnt ist (aus Colle Impergola).

(48) CIL IX 2664; s. dazu DEGRASSI, *Un nuovo duoviro...* (zit. in Anm. 25) 11; U. LAFFI, *Sull'organizzazione amministrativa dell'Italia dopo la guerra sociale, Vestigia* Bd. 17 (= *Akte des VI Int. Kongr. für Griechische und Lateinische Epigraphik* (München 1972) 46). RE XXIV (1963) 856 s. v. quattuorviri praetores (G. WESENER). S. auch K. J. BELOCH, *Römische Geschichte bis zum Beginn der punischen Kriege* (1926) 490.

(49) s. CIL IX S. 245. Einer von ihnen, Decimus Publicius Ephebus (CIL IX 2666 = ILS 6518), war *quattuorvir i(ure) d(icundo) lege Petronia*, d. h. von den Dekurionen eingesetzter, nicht gewählter Magistrat, wohl in einem Jahr, in dem die Magistrate nicht ordnungsgemäß bestellt werden konnten, s. G. ROTONDI, *Leges Publicae Populi Romani* (1966) 439. Vgl. in Pompeji C. Cuspius Pansa, nach dem Erdbeben des Jahres 62 n. Chr. (CASTRÉN, *Ordo Populusque* 112, 161 Nr. 146/7).

(50) CIL IX S. 245.

(51) Diese seine Tätigkeit ist auf der Basis der Marmorstatue erwähnt, die ihm die Bürger seiner Heimatstadt *Histonium* errichteten (CIL IX 2860 = ILS 5178). Der eigentliche Anlaß für diese Ehrung liegt in dem Sieg des erst dreizehnjährigen Knaben bei dem *certamen capitolinus* für lateinische Poesie im Jahre 106 n. Chr. (*Cat. della Mostra Augustea della Romanità* (1937) LXVIII 663 Nr. 8. A. MARINUCCI, *Le iscrizioni del Gabinetto Archeologico di Vasto. Documenti di Antichità Italiche e Romane* IV (1973) Nr. 23 Taf. 15). Die Basis für einen *curator rei publicae Bovianens(ium) Saepinatium itemq(ue) Cluviens(ium) Carric(inorum)* ist in Isernia erhalten (Is 32. Abb. 32. Taf. 24).

(52) Wohl bald nach 26/25 v. Chr., da das Augurat erst ab diesem Zeiptunkt bekleidet worden sein kann (J. SCHEID, *Les Frères Arvales, Recrutement et origine sociale sous les empereurs iulio-claudiens*, 1975, 62 Anm. 1). Nach der Auffassung von L. HARMAND (*Le patronat sur les collectivités publiques des origines au Bas-Empire. Publ. de la Faculté des Lettres de l'Université de Clermont, Série* 10, fasc. 2, 1957, 174) stammt die Familie des Sex. Appuleius aus *Aesernia*. Für diese Annahme gibt es meines Wissens keinen Beleg. Nach SCHEID (a. O. 61 Anm. 3) stammt die Familie aus *Luna*. So auch ENGESSER 163. Scheid bringt die Inschrift aus *Aesernia* eigentümlicherweise nicht mit Sex. Appuleius, dem Neffen von Augustus, in Zusammenhang.

einflußreicher Personen mit überregionalen Kontakten) zum *patronus municipii* ist z. B. auch für Pompeji nachgewiesen [53]/[54]. Auf dem Sockel für seine Ehrenstatue wurde die Präsenz Roms durch die Lupa mit den Zwillingen symbolisiert (Is 28. Abb. 28d. Taf. 20).

In zwei weiteren Inschriften werden Angehörige des Kaiserhauses genannt [55]. Vielleicht kann man in einem Mann, der uns nur durch sein Cognomen Maximus namentlich bekannt ist, einen lokalen Parteigänger des Sex. Appuleius sehen (CIL IX 2648 = ILS 2228); seine chronologische Einordnung ergibt sich daraus, daß er während seiner Laufbahn im Heer in der *legio VI Gemella* diente, die in caesarischer Zeit operierte und nachher aufgelöst wurde [56]. Außerdem war er *praefectus fabrum*. Vor seinem militärischen Dienst hatte er in seiner Heimatstadt *Aesernia* die höchsten Magistratsstellen inne und war auch *flamen Augustalis*. Die auf den Militärdienst folgenden Ämter waren *augur* und *quaestor* [57]. Maximus vertritt also einen durchaus geläufigen Karrieretypus [58]. Ein weiterer Mittelsmann zu Rom, der *patronus municipi(i)* P. Septimius Paterculus ist aus dem 2. Jh. n. Chr. bekannt (CIL IX 2649 = ILS 2732) [59].

Öffentliche Bauten sind verschiedentlich in Inschriften genannt, doch

(53/54) CASTRÉN, *Ordo Populusque* 52, 54, bes. 56f. Zum Aufgabenbereich eines *patronus* (*municipii*) s. auch ENGESSER 11, 273. B. GALLOTTA, *Nuovo contributo della conoscenza della cultura romano-italica e del fondamento ideologico del regime augusteo*, C.S.D.I.R. ATTI VOL. VI, 1974/75, 139ff.

(55) CIL IX 2628 = ILS 72. ILLPR I, 1957, 410. CIL IX 2635. GARRUCCI, *Isernia* 95 Nr. 18 berichtet, daß die Inschrift sich auf einer Basis befindet. V. PICCOLI a. O. (zit. in Anm. 31) III erwähnt eine Reiterstatue. Laut GARRUCCI, *Isernia* 75 Nr. 8 existierte eine Säule mit der Inschrift *Imp(erator) Caesar Divi f(ilius) | Pontif(ex) Maxim(us) Co(n)s(ul) XIII | Tribunic(ia) Potestat(e)*. Garrucci vermutet, daß es sich um einen Meilenstein handelt, obwohl die Angabe der *milia passus* fehlt.

(56) DE RUGGIERO III (1962) 434 s. v. gemella (D. VAGLIERI). H. DEVIJER, *Het Militaire Tribunaat der Angusticlavii in het Vroeg-Romeinse Keizerrijk (27 v. Chr. – 268 n. Chr.)*, Diss. Leuven 1966, 108 Nr. 50. DERS. demnächst in *Prosopographia militiarum equestrium quae fuerunt ab Augusto ad Gallienum* II (frdl. Hinweis von E. Pack).

(57) Wie LADAGE 92f, 100ff betont, war die Übernahme eines Priesteramts nicht an eine vorangehende Bekleidung einer Magistratur gebunden. Demzufolge ist der Zeitpunkt der Übernahme nicht ausschlaggebend für den Rang, den er in den Inschriften einnimmt. Die zeitliche Reihenfolge kann beliebig umgestellt werden je nach Bedeutung, die der Einzelne den jeweiligen Ämtern zumißt. Da Priesterämter (*augur, pontifex, flamen, sacerdos* (*publicus*)) wie Kultämter (*magister, aedituus, haruspex*) stark formalen Charakter hatten und der Priester keiner besonderen Berufung oder Weihe bedurfte, konnte das Amt gleichzeitig oder im Wechsel mit den ordentlichen Magistraturen geführt werden.

(58) Vgl. dazu G. ALFÖLDY, *Flamines provinciae Hispaniae citerioris, (Anejos de « Archivo Espanol de Arqueologia » VI)*, 1973, bes. 33-36: Der Laufbahntypus 2: Munizipale Laufbahn und ritterliche Offizierslaufbahn. Alföldys Beobachtungen gelten im großen Ganzen für die ritterlichen Offiziere.

(59) ENGESSER 163 Nr. 579. s. auch HARMAND a. O. (zit. in Anm. 52) 321. Wahrscheinlich ist einem gewissen C. Decrius Crispus sowohl der Titel *patronus mun(icipii)* als auch die Bezeichnung *praefectus fabrum* als Ehrung verliehen worden (CIL IX 2646, ENGESSER 164 Nr. 581). Der Genannte ist bereits im Alter von 16 Jahren und 4 Tagen gestorben. Eine ähnliche Interpretation der Inschrift gibt auch KORNEMANN, RE VI, 2 (1909) 1924. Vgl. die bei HARMAND a. O. (zit. in Anm. 52) 321 zitierte Parallele: CIL XI 1437 (*Asculum*).

können sie weder in der Stadt lokalisiert werden, noch läßt sich der Zeitpunkt ihrer Errichtung eindeutig bestimmen.

Die *quattuorviri* besaßen für die *cena quattuorviralis* eine *aedes* mit *porticus* und *culina*, eine Einrichtung, die wir beispielsweise auch aus Capua kennen (CIL IX 3781). Die Übernahme der Kosten für die Reparatur von Schäden an diesen Gebäuden und für die dort gegebenen Essen sind von der *summa honoraria* bestritten worden [60]. Aufgrund ähnlicher Verpflichtungen bei Antritt eines Amtes werden die *quattuorviri* eine Straße gepflastert (CIL IX 2667) und ein *balneum* erneuert haben (CIL IX 2660) [61]. Aus der 1. H. des 2. Jh.s n. Chr. ist ein *macellum* in Verbindung mit einer *porticus* und einem *chalcidicum* [62] bekannt, Bauten also, wie sie in vielen anderen Städten ebenfalls bezeugt sind [63]. Stifter dieser Baulichkeiten und des dafür erforderlichen Grund und Bodens war ein gewisser L. Abullius Dexter (CIL IX 2653-53a; 2654). Direkte Zeugnisse über seine Person fehlen, doch besitzen wir über ihn verschiedene Nachrichten: das *collegium cultorum statuarum et clipeorum* hat ihm den Grabplatz gestiftet (CIL IX 2654 = ILS 7329). T. Schiess hat die Vermutung geäußert, daß diese *cultores* den *cultores imaginum* entsprechen, wie man sie aus anderen Orten kennt und die möglicherweise die Sklaven und Freigelassenen des Hauses umfaßten [64]. L. Abullius Dexter muß, obwohl uns sein *cursus honorum* unbekannt ist, in *Aesernia* ein einflußreicher Mann gewesen sein. Aufgrund dieses seines Ansehens ist dann wohl auch der von ihm adoptierte L. Abullius Dexter C. Utius C. f. Celer zu den höchsten munizipalen Ämtern und den bedeutendsten religiösen Funktionen aufgestiegen [65]. Die Verpflichtung und Dankbarkeit des *ordo decurionum* ihm gegenüber geht aus einer Ehrentafel hervor, auf der seine Ämter verzeichnet sind [66].

Um die Mitte des 4. Jh.s n. Chr. wurden die Mauern der Stadt erneuert [67]. In diese Zeit läßt sich auch ein Kapitell datieren (Is 90. Abb. 90.

---

(60) CIL IX 2629 = ILS 5419. Wie bereits GARRUCCI, *Isernia* 73 vorgeschlagen hat, so auch H. DESSAU III, 2 (1955) s.v. donaria. Ebenso R. DUNCAN-JONES, *The Economy of The Roman Empire* (1974) 149 Anm. 9.

(61) Vgl. DUNCAN-JONES a. O. (zit. in Anm. 60) 147ff. Zwei fragmentarisch überlieferte Inschriften beziehen sich wohl auf ähnliche Bautätigkeit (CIL IX 2643; 2661).

(62) CIL IX 2653-53a = ILS 6517.

(63) Bsp. in DE RUGGIERO II (1961) 216 ff s.v. chalcidicum (WEINBERGER).

(64) SCHIESS 16 Anm. 28. Es muß unentschieden bleiben, welcher Art die Verbindung zwischen Dexter und den in CIL IX 2656 genannten Abullii ist.

(65) CIL IX 2655. ENGESSER 163 Nr. 580. Vgl. Cn. Alleius (Nigidius Maius?) in Pompeji (CASTRÉN, *Ordo Populusque* 133 Nr. 23, 2).

(66) CIL IX 2655. TH. MOMMSEN (*Inscr. Regni Nap.* (1852) 5030) ergänzt folgendermaßen « curatori viae curandae » und « curatori viae Aeserniae ». Vgl. CIL IX 2000 (*Terventum*). Zur Familie vgl. CIL IX 2691: Abullia Utia.

(67) CIL IX 2639 = ILS 1248. Die Inschrift befindet sich auf der Statuenbasis für Fabius Maximus (s. V. PICCOLI a.O. (zit. in Anm. 31) XXXVII). Derselbe Mann ist aus weiteren Inschriften als staatlich bestellter Aufseher über Restaurierungsarbeiten bekannt: CIL IX 2640; 2643 (*Aesernia*). CIL IX 2337 = ILS 1247; CIL IX 2338 = ILS 5691 (*Allifae*). CIL IX 2447; 2448 = ILS 5524 (Saepinum); CIL IX 2449 (Saepinum); CIL IX 6307; AE 1930,

Taf. 46). In eben derselben Zeit wurde das vom Erdbeben zerstörte *macellum* in finanzieller Zusammenarbeit von öffentlicher und privater Hand wiederaufgerichtet (CIL IX 2638 = ILS 5588); aus der zweiten Hälfte des 4. Jh. s n. Chr. stammt die Ehrenbasis für den *praeses Samnii* Flavius Iulius Innocentius (CIL IX 2641) [68]. In Verbindung mit den inschriftlichen Zeugnissen könnten diese Monumente daraufhin deuten, daß *Aesernia* in der Spätantike noch einmal einen leichten wirtschaftlichen Aufschwung erlebt hat. Insgesamt läßt sich aber die städtebauliche Entwicklung von *Aesernia* aufgrund der spärlichen Zeugnisse nicht nachvollziehen.

Obwohl uns zahlreiche Namen überliefert sind, läßt sich über soziale Abhängigkeiten und Familienverbände wenig aussagen, zumal sich die Inschriften nur selten genauer datieren lassen. Immerhin geben die Denkmäler Aufschluß über verschiedene Schichten der Bevölkerung. Mehrere Basen weisen sich aufgrund ihres inschriftlichen Textes und Typus als Ehrenmonumente für *quattuorviri* aus (Is 15; 28-32. Abb. 28-32. Taf. 20-24). Sie sind zusammen mit zwei Togastatuen (Is 1-2. Abb. 1-2. Taf. 1) und zwei weiblichen Gewandstatuen (Is 5-6. Abb. 5-6. Taf. 4) die einzigen Zeugnisse für die Repräsentationsform der Oberschicht [69]. Ihr antiker Aufstellungsort ist nicht bekannt, doch läßt sich aus dem Ort ihrer Zweitverwendung im Zentrum der Altstadt ihre Herkunft von einem öffentlichen Platz vermuten. Sie mögen ähnlich wie in Pompeji und anderen Städten am Forum und an den Hauptstraßen aufgestellt gewesen sein.

Wie auch andernorts spielten die Freigelassenen im städtischen Leben eine wichtige Rolle. Sie sind in dem hier betrachteten Zeitraum des Munizipiums durch die Steindenkmäler und auch noch im 2. Jh. n. Chr. epigraphisch bezeugt. In dem von Augustus geschaffenen Sevirat fanden sie eine willkommene Einrichtung: meistens durch Handelsgeschäfte reich geworden, war ihnen aufgrund ihrer Abstammung der Zugang zu den hohen Ämtern versperrt. Umso mehr waren sie daran interessiert, durch eine Pseudo-Amtsstelle zu repräsentieren und sich bei ihren Mitbürgern Ansehen und Geltung zu verschaffen. Dank ihres relativen Wohlstands hatten sie des öfteren leitende Stellungen in den Kollegien inne, wie z. B. M. Petronius Faustillus im Kollegium der *fabri* (Is 51. Abb. 51. Taf. 32). Gelegentlich läßt sich auch nachweisen, daß ein und derselbe Mann das gleiche Amt in verschiedenen Städten ausgeübt hat [70]. Freigelassene be-

---

120 = *NSc* 1929, 214 (A. Maiuri); Russi a. O. (zit. in Anm. 23) 312 (*Saepinum*). CIL IX 2842 = ILS 5362 (*Histonium*). CIL IX 2956 = ILS 5341; CIL IX 2957 = ILS 5521 (*Iuvanum*). CIL IX 2212 = ILS 5690 (*Telesia*). s. auch G. Camodeca, *Atti AccScMorali e Politiche della Società Naz. di Scienze, Lettere ed Arti in Napoli* LXXXII, 1971, 249f.

(68) Russi a. O. (zit. in Anm. 23) 333 Nr. 6. RE IX¹ 2. Reihe (1961) 25ff s. v. vindex (W. Enßlin).

(69) s. dazu G. Alföldy, *Römische Sozialgeschichte* (1975) 130ff. DERS. *Gymnasium* 83, 1976, 1ff.

(70) Is 51 und CIL IX 2658.

teiligten sich an der Ausschmückung öffentlicher Bauten. Das Budget der munizipalen Kasse hat gewiß mit Zuwendungen von ihrer Seite gerechnet. Sie veranstalteten auch Spiele, wie eine Inschrift in *Venafrum* zeigt (CIL X 4913).

Schließlich ist sogar ein Sklave in frühaugusteischer Zeit durch eine Ehrenbasis bezeugt, die er für seinen *patronus* errichtete und auf deren Inschrift er sich selbst (Attalus) als Stifter bezeichnete (Is 27. Abb. 27a-c. Taf. 19). Die Hauptaussage des Monuments liegt in seinem Bildprogramm, für das er Bildzeichen der offiziellen Kunst wählte. Sie verherrlichen den siegreichen M. Nonius, der unter den Auspizien der Fortuna Nemesis bedeutende militärische Erfolge errungen hatte und sogar zum *imperator* ausgerufen worden war. Stolz präsentiert Attalus ihn als Barbarenbezwinger. Da er als Sklave sein Abhängiger war, übertrug sich das Wirken der Göttin zwangsläufig auch auf ihn; außerdem war er wie alle Sklaven umittelbar auf die Gunst der Fortuna angewiesen. Daß ein Sklave derart selbständig handeln konnte, ist gewiß selten; es mag sein, daß hierzu eine Ermunterung von seiten des M. Nonius erfolgte. Der Sklave eines so bekannten Mannes hatte verständlicherweise in dem kleinen Ort eine besondere Rolle spielen können, eine Tatsache die zeigt, wie relativ die « Größe » der Freien war.

Große Sorgfalt verwandten die Angehörigen der verschiedenen Bevölkerungsschichten auf die Errichtung und Ausschmückung ihrer Grabplätze. Es war ein durchaus lohnendes Lebensziel, eine möglichst repräsentative Grabstätte an einer der Ausfallstraßen zu besitzen. Man konnte sich durch ein Monument mit Inschrift und figürlichem Schmuck bei den Nachkommen ein bleibendes Andenken sichern. Interessanterweise konzentrieren sich die Fundplätze längs der römischen Straße nach *Venafrum*, während an der in das Hinterland führenden Via Minucia nur bescheidenere Reste zu Tage gekommen sind. Sie stehen obendrein qualitativ hinter den Funden der Via Latina zurück. Ähnliches läßt sich in *Venafrum* beobachten.

Nur wenige Grabmäler lassen sich der munizipalen Aristokratie zuweisen (Is 20-21; 23-24; 33. Abb. 20-21; 23-24; 33. Taf. 15; 17, 24). Das Aussehen der Grabbauten ist kaum näher bestimmbar[71]. Wie anderswo scheint es größere Grabmonumente und kostspielige Inschriftplatten im 2. Jh. n. Chr. seltener als im ersten nachchristlichen Jahrhundert gegeben zu haben, was auf die Schwächung der finanziellen Lage der Auftraggeber zurückzuführen sein dürfte[72].

Ausnahmen bilden allenfalls Personen, für die eine militärische Kar-

(71) Bei CIL IX 2658 = ILS 6517 handelt es sich um einen Grabcippus.
(72) Die Aussage ist nur unter großem Vorbehalt zu treffen, da datierende. Elemente nur in seltenen Fällen gegeben sind.

riere nachgewiesen ist [73]. Sterbevereine dagegen, in denen sich wirtschaftlich Minderbemittelte zusammenfanden, sind auch noch für das 2. Jh. n. Chr. bezeugt [74]. Herkules ist der Schutzpatron des *collegium cultorum Hercul(is) Gagillani* (CIL IX 2679 = ILS 7323), dem in *Venafrum* das der *amicitia Herculaniorum Neriani* (CIL X 4851) und das der *amicitia Herculaniorum Hervian[iorum?]* (CIL X 4850) entsprechen [75]. Diese Kollegien boten die Möglichkeit, durch eine gemeinsame ansehnliche Grabanlage dem Repräsentationswillen ihrer Mitglieder Ausdruck zu verleihen. Die Frage, ob und inwieweit eine Wechselbeziehung zwischen zunehmender Verarmung und wachsender Bedeutung der Sterbevereine vorliegt, läßt sich aus dem Material von *Aesernia* allein nicht beantworten.

Für das religiöse Leben erlauben die wenigen Zeugnisse nur Einzelaussagen. Es ist ungewiß welchen Gottheiten der durch sein Podium nachgewiesene Tempel geweiht war, möglicherweise der Kapitolinischen Trias. Als Inhaber von sakralen Ämtern sind aus dem späteren 1. Jh. v. Chr., wie bereits erwähnt, ein *flamen Augustalis* (CIL IX 2648), aus dem 2. Jh. n. Chr. zwei *flamines* bezeugt (CIL IX 2649; 2655). Der Kaiserkult wurde von eben diesen *flamines* und wohl von den *seviri Augustales* vollzogen. Durch eine Inschrift auf einem Grabrelief für den *patronus collegii* ist der Verein der *cultores arae geni(i) municipii* überliefert (Is 69. Abb. 69. Taf. 40), wie wir ihn in der Kaiserzeit auch aus zahlreichen anderen Städten kennen [76]. Dieser Kultbeamte, der als Freigelassener auch den Sevirat bekleidet hatte, wurde außerdem noch mit einer Statue geehrt; diese ist jedoch verloren.

Zusätzlich sind einzelne Weihungen überliefert, so die an Juno Regina Populona, die wahrscheinlich erst aus dem 2. Jh. n. Chr. stammt (CIL IX 2630). Unter dem gleichen Namen wurde Juno auch im nahen *Teanum Sidicinum* verehrt [77]. Ein Rundaltar kann mit einiger Wahrscheinlichkeit auf Herkules bezogen werden (Is 53. Abb. 53a-d. Taf. 33). Der in Italien weitverbreitete Cereskult ist für *Aesernia* durch eine Inschrift belegt [78].

(73) CIL IX 2644-47; 2649; 2651.

(74) CIL IX 2654 = ILS 7329; SCHIESS Nr. 192. CIL IX 2683; 2686-87.

(75) Die Namen der Kollegien sind wohl ähnlich zu interpretieren wie das Adjektiv Gratillianus (s. Anm. 80). Vgl. auch einen Cippus für Herkules Hermogenianus in Ostia: CIL XIV 4287; G. CALZA, NSc 1923, 398. s. auch SCHIESS 16.

(76) Epigraphische Nachweise gesammelt in De RUGGIERO III (1962) 469ff s. v. genius municipii (L. CESANO). In nächster Umgebung bekannt aus *Saepinum* (CIL IX 2440) und *Beneventum* (CIL IX 1418; 1544). SCHIESS 10 Nr. 4 hält das *collegium* für kein *collegium funeraticium*.

(77) RE X (1917) 1221ff § 12 s. v. Iuno (HAUG). *Teanum*: CIL X 4780; 4789-91.

(78) CIL IX 2670. Nach Ladages Auffassung (LADAGE 17) muß der bloße Titel 'sacerdos', wie er in dieser Inschrift vorliegt, nicht unbedingt eine Priesterin im eigentlichen Sinne bezeichnen. Es könnte sich auch um eine Anhängerin des Kultes handeln, die vielleicht nur vorübergehend, eine aktive Rolle übernommen hatte. Der Cereskult ist bisher vor allem im mittelitalischen Raum untersucht worden: R. M. PETERSEN, *The Cults of Campania* (1919) 334ff. G. COLONNA, *Sul sacerdozio peligno di Cerere e Venere*, ACl VIII, 2, 1956, 216ff.

Auch Mithras ist bezeugt [79]. Als Gottheit des persönlichen Schutzes finden wir Fortuna Nemesis (Is 27. Abb. 27a-c. Taf. 19). Inschriftlich ist der Kult des Liber Pater auf einem Altar nachgewiesen [80]. Ein *quattuorvir* setzte der *ops divina* eine Inschrift [81].

Diese Zusammenstellung zeigt, daß vor allem diejenigen Götter verehrt wurden, zu denen der Einzelne ein persönliches Verhältnis herstellen konnte, während die offiziellen, staatlich propagierten Gottheiten anscheinend weniger Anklang gefunden haben.

Aesernia lebte weitgehend von der Landwirtschaft. Der Ort lag am Triftweg, der von den Tavoliere in Apulien über die Hochebenen Samniums in das pelignische und vestinische Gebiet führte [82]. Die zweimal im Jahr stattfindenden Herdentriebe machten sicherlich gern in der Ortschaft halt, die nach bzw. vor dem Gebirge des Matese ein erträgliches Klima und alle Voraussetzungen für Handel und Erholung bot. Es liegt nahe, auch in *Aesernia* Werkstätten für die Produktion landwirtschaftlicher Geräte zu vermuten; für *Venafrum* ist dies literarisch bezeugt.

Die Berufe, von denen wir Kunde haben, geben einen Querschnitt durch den Bedarf einer Kleinstadt. Den munizipalen Magistraten standen bei der Erfüllung ihrer Amtspflichten ein Freigeborener als städtischer Schreiber (CIL IX 2675) und auch Sklaven zur Verfügung (CIL IX 2676). Auf dem Grabrelief des C. Paccius Capito ist die *capsa* vor Paccius als bewußt zur Schau gestelltes Zeichen für die Teilnahme seines Besitzers am öffentlichen Leben der Stadt zu verstehen (Is 57. Abb. 57. Taf. 36). Inschriftlich sind weiterhin ein *medicus* (CIL IX 2680) und ein *gram(maticus)* (CIL IX 2724) genannt. Durch sein stolz hochgehaltenes Schreibgerät weist sich ein unbenannter Mann als Schreiber aus (Is 58. Abb. 58. Taf. 36); ein anderer wiederum belädt einen Esel, vielleicht war er im Transportwesen tätig (Is 64. Abb. 64. Taf. 39). Ein Grabrelief zeigt den Betrieb in einer Wechselstube, ein sicherlich einträgliches Geschäft (Is 65. Abb. 65.

J. GAGÉ, *Matronalia. Essai sur les dévotions et les organisations cultuelles des femmes dans l'ancienne Rome*. Collection Latomus 60, 1963, 289. s. auch P. CAVUOTO, *Iscrizioni inedite di Benevento*, Epigraphica XXX, 1968, 134.

(79) CIL IX 2632. Vielleicht war Verus, der Stifter der Inschrift, Kultpriester (*Antistes = sacerdos?*); RE XV (1931) 2142 s. v. Mithras (E. WÜST).

(80) s. A. BRUHL, *Liber Pater* (1953) 205ff. CIL 2631 = ILS 3357. Das Adjektiv Gratillianus bezieht sich wahrscheinlich auf den Namen des Ort, an dem der Kult ausgeübt wurde oder auf den Besitzer des Landstück, in dem der Ort lag. Ein gewisser Nonius Gratillianus ist im 3. Jh. n. Chr. in *Beneventum clarissimus vir* und *patronus collegii*; vielleicht besaß er im Gebiet von *Aesernia* Ländereien (CIL IX 1681; P.I.R.[1] II 412 nr. 107).

(81) CIL IX 2633 = ILS 3329. RE XVIII, I. 2 (1939) 749ff. s. v. ops (G. ROHDE). G. WISSOWA, *Religion und Kultus der Römer*, Hdb V, 4 (1912) 203f.

(82) Karte bei CIANFARANI a. O. (zit. in Anm. 3) nach S. 88. Dazu auch LA REGINA a. O. (zit. in Anm. 16) 455. s. auch M. A. GRENIER, *La Transhumance des Troupeaux en Italie*. Mélanges d'Archéologie et d'Histoire XXV, 1905, 293. J. E. SKYDSGAARD, *Transhumance In Ancient Italy*, AnalInstDan VII, 1974, 7ff.

Taf. 39). Schließlich reiht sich die ländliche Schänke in das entworfene Bild ein (Is 62. Abb. 62. Taf. 38). Die Feuerwehrleute waren wahrscheinlich im *collegium centonarium* zusammengeschlossen (CIL IX 2686-87)[83]. Die *fabri* sind ebenfalls bezeugt (CIL IX 2683), auch ist ihr gemeinsamer Grabplatz bekannt[84].

2. *Gattungen der Steindenkmäler, ihre Eigenarten und ihre Auftraggeber*

Rundplastik

Es ist bezeichnend für die provinzielle Steinmetzkunst von *Aesernia*, daß rundplastische Monumente nur in geringem Maße angefertigt wurden. Die statuarischen Motive beschränken sich auf Togati (Is 1-2; 9. Abb. 1-2; 9. Taf. 1; 8) und stehende (Is 5-6; 8. Abb. 5-6; 8. Taf. 4; 8) wie sitzende (Is 10. Abb. 10a-c. Taf. 9) weibliche Gewandstatuen. Die lebensgroßen Togati und die weiblichen Gewandfiguren dienten als offizielle Ehrenstatuen. Die den Togati aufsitzenden Porträtköpfe sind zwar nicht zugehörig, stammen aber wohl von ähnlichen Statuen (Is 3-4. Abb. 3a-4c; Taf. 2-3). Ob das rundplastische Kinderporträt als Einsatzkopf gearbeitet war, läßt sich nicht entscheiden (Is 7. Abb. 7a-e. Taf. 6-7).

Von aufwendigen Grabbauten, wie sie beispielsweise aus Pompeji gut bekannt sind, stammen ein Togatus (Is 9. Abb. 9. Taf. 8) und zwei weibliche Figuren (Is 8; 10. Abb. 8; 10a-c. Taf. 8-9). Bei einer Gegenüberstellung wird deutlich, daß Ehren- und Grabstatuen sich in der handwerklichen Ausführung nicht unterscheiden; städtisches Repräsentationsbedürfnis und privater Kunstgeschmack der Oberschicht entsprechen sich. Lokale Bildhauer können Aufträge für beide Bereiche ausführen. Die künstlerische Unbeholfenheit wird dabei sowohl in der Gestaltung der Gewänder als auch in der Ausführung der Köpfe deutlich.

In mehrfacher Hinsicht eine Ausnahme bildet das Kinderbildnis (Is 7. Abb. 7a-e. Taf. 6-7). Es läßt auf einen wohlhabenderen Auftraggeber mit besonderen Ansprüchen schließen, da hier statt des sonst üblichen Kalksteins Marmor verwendet wurde. Bei dem gegenwärtigen Stand unserer Kenntnisse läßt sich dies isoliert dastehende Werk nicht in die plastische Produktion Samniums eingliedern. Es könnte sich um ein Importstück aus einem Ort handeln, in dem die Bildhauer zwar größere Erfahrung in der Bearbeitung von Marmor besaßen, erstklassige Vorlagen aber wohl auch nicht zur Verfügung standen. *Venafrum* kommt dabei wahrscheinlich nicht in Frage. Die Qualität der dortigen rundplastischen Werke wird von

---

(83) Die *centonarii* sind häufig in Gegenden in denen Schafzucht betrieben wird anzutreffen; dazu C. T. FRANK, *Economic Survey of Ancient Rome* V (1959) 203f.
(84) s. Is. 41-52.

dem Kopf nicht erreicht. Daß das Porträt nicht in einer Werkstatt erster Güte entstanden ist, wird besonders in der Wiedergabe des Scheitelzopfes deutlich, dessen Flechtelemente summarisch durch mehrere ungleichmäßige Buckel angegeben sind. In der Reduktion der plastischen Erfassung der Haare, also in dem Teil, der besonders große Anforderungen an die Kunstfertigkeit des Bildhauers stellte, ist zu erkennen, daß auch hier keine eigene Schöpfung vorliegt.

Reliefs

Reliefs wurden in unterschiedlichen Zusammenhängen verwendet: an Basen (Is 27-36. Abb. 27-36. Taf. 19-25), an Urnen (Is 41-51. Abb. 41-51. Taf. 28-32), als Grabreliefs (Is 56-65. Abb. 56-65. Taf. 35-39) und Grabsteine (Is 66-73. Abb. 66-73. Taf. 39-41). Eine Anzahl besonders interessanter Reliefs läßt wegen fehlender Inschriften und fehlender typologischer Merkmale seine ursprüngliche Funktion und Aussage nicht mehr erkennen. Sie zeigen Themen aus Leben und Beruf der Besteller, aus Kampfgeschehen (Is 23-24. Abb. 23-24. Taf. 17) und aus der Mythologie (Is 22. Abb. 22. Taf. 16). Aus dem Bereich der Bauskulptur läßt sich bislang nur die Stützfigur eines Barbaren nachweisen (Is 11. Abb. 11. Taf. 10). Sie stammt vermutlich von einem relativ aufwendigen Grabmal.

Basen

Die Basen mit dorischem Fries folgen einem Typus, der vor allem in Munizipien im mittelitalischen Raum verbreitet gewesen ist [85]. Sie scheinen ausschließlich von der jeweiligen lokalen Aristokratie für Ehren- oder Grabmonumente verwendet worden zu sein. Die formale und künstlerische Einheitlichkeit gestattet es, diese Gruppe als offizielle Repräsentationsform der Oberschicht anzusehen. Die Inschriftentexte bestätigen dies.

Die Basen, die nicht diesem Schema folgen, sind oft in ihrer Darstellung lebendiger und für den Einzelnen aussagekräftiger. Ein Beispiel dafür ist die Basis des M. Nonius (Is 27. Abb. 27a-c. Taf. 19): mögen auch die Bildzeichen, wie der unter einem Tropaion gefesselte und von einem Feldherrn vorgezeigte Barbar und die Darbringung eines Opfers konventionell erscheinen, so ist doch die Zusammenstellung der Themen gezielt auf den Geehrten und den Stifter der Basis bezogen.

Bei den Inschriften läßt sich Ähnliches beobachten. Die Ehrenbasis für L. Vibius Gallus weist die vollständige onomastische Formel des

---

(85) s. Vorbemerkungen zu Is 28-40 (S. 139 ff). Basis in Pompeji (CIL X 788 = ILS 6363; I. CALABI LIMENTANI, *Epigrafia latina*³ (1973) 248 Nr. 50). Basis in Boiano (CIL IX 2565. Inst. Neg. Rom 75.2727).

Geehrten in üblicher Reihenfolge auf (Is 30. Abb. 30a-b. Taf. 22). Derselbe Mann hat einem seiner Freigelassenen einen Grabstein gesetzt und
führt hier in seinem eigenen Namen das Cognomen als wichtigsten Teil
an erster Stelle auf (Is 30 Anm. 5), um eine Verwechslung mit seinem gleichnamigen Bruder zu vermeiden. Die Inschrift könnte also indirekt den offiziellen Charakter der Ehrenbasis bestätigen.

Urnen

Die Urnen in Geldtruhenform stammen aus einem Fundzusammenhang
(Is 41-51. Abb. 41-51. Taf. 28-32). Sie bilden auch formal wie inhaltlich
eine einheitliche Gruppe. Dieser Tatbestand ermöglicht eine für alle Urnen
gültige Interpretation. Die zusammen mit den Urnen gefundene Inschrift
des *conlegium fabrum* (Is 51. Abb. 51a. Taf. 32) weist die Inhaber der
Aschengefäße als Mitglieder dieses Sterbevereins aus. Es handelt sich
durchweg um Freigelassene; ihr Selbstverständnis kommt in der Wahl der
Bildzeichen zum Ausdruck, mit denen auf materiellen Wohlstand hingewiesen wird. Die Fundstücke gestatten es, innerhalb des Kollegiums zu
differenzieren. Der Vorsitzende des Vereins, ein *sevir Augustalis*, hebt sich
durch die Darstellung seiner Amtsabzeichen von dem Bildprogramm der
übrigen Mitglieder ab (Is 51. Abb. 51. Taf. 32). Ob er selbst auf der
Kennzeichnung seiner Vorrangstellung bestanden hatte oder ob sie auf
den Willen der anderen Mitglieder zurückgeht, die dem *quinquennalis* die
Urne stifteten, läßt sich nicht entscheiden.

Der für Aesernia besonders gut bezeugte Typus der Urnen in Geldtruhenform ist kein so isoliertes Phänomen, wie es auf den ersten Blick
scheinen könnte. Aschengefäße, die in formaler Hinsicht zwar leicht ab-
weichen, deren Bildaussage jedoch wohl ähnlich zu interpretieren ist, sind
aus dem Gebiet der Peligner bekannt [86]. Der bei den Urnen von *Aesernia*
durch die Inschriften und den Grabbau gesicherte Kontext, ermöglicht für
jene eine neue Deutung, ohne daß man Parallelen und Vorläufer im etruskischen Bereich suchen muß. Solange das Material der Nekropolen Mittelitaliens des 1. Jh. s v. Ch. und des ersten nachchristlichen Jahrhunderts
nicht besser bekannt ist, lassen sich weitergehende vergleichende typologische Untersuchungen nicht durchführen.

Grabsteine und -reliefs

Die zahlreich erhaltenen Grabsteine und -reliefs lassen sich in nur wenige, prinzipiell nicht besonders unterschiedliche Typen gliedern. Bei ihnen

(86) Colonna 267ff.

scheint das Verhältnis von bildlicher Darstellung und Inschrift nicht festgelegt zu sein: bei einigen steht das Bild (Is 57-65. Abb. 57-65. Taf. 36-39), bei anderen die Inschrift (Is 56; 66-71. Abb. 56; 66-71. Taf. 35; 39-40) im Vordergrund. Auch Grabreliefs mit Halbfiguren sind in *Aesernia* vorhanden. Der Typus mit mehreren unbewegten Halbfiguren ist durch zwei (Is 57-58. Abb. 57-58. Taf. 36), der einfigurige durch drei Beispiele (Is 59-61. Abb. 59-61. Taf. 37) belegt, doch bestimmt er keineswegs die lokale Produktion wie z. B. in Avellino, Benevent, Padula oder Teggiano. Bei einigen wird durch Bildzeichen auf Beruf und Lebensraum Bezug genommen, andere wiederum zeigen ein starres Repräsentationsschema. Bei einem dieser Reliefs wird die Familienrepräsentation nicht nur bildlich, sondern auch in der Inschrift in den Vordergrund gestellt (Is 57. Abb. 57. Taf. 36).

Der Typus des Grabreliefs mit Ganzfiguren, der sich häufiger in Kampanien findet, ist lediglich durch ein Reliefbruchstück vertreten (Is 63. Abb. 63. Taf. 35). Die übrigen Grabreliefs lassen sich nur schwer bestimmten Typen zuordnen. Ein Relief mit Inschrift und figürlicher Darstellung (Is 64. Abb. 64. Taf. 39) und ein anikonischer Grabstein (Is 70. Abb. 70. Taf. 40) weisen eine hochrechteckige, von einem Giebel abgeschlossene Form auf. Der Grabstein der Hostilia Procale (Is 71. Abb. 71. Taf. 40) gleicht in formaler Hinsicht den breitgelagerten Urnenkästen. Auch die Art, in der die Inschrift innerhalb des profilgerahmten Feldes angebracht wurde, ist vergleichbar. Diesen Denkmälern liegt offenbar ein Typus zugrunde, der zu verschiedenen Zwecken verwendet werden konnte: einerseits zur Aufnahme der Asche und durch einen Deckel zur Urne vervollständigt, andererseits zur bloßen Kennzeichnung der Grabstätte.

An einem Beispiel läßt sich exemplarisch belegen, daß Vertreter zweier gesellschaftlich unterschiedlicher Gruppen auf Grabsteine der gleichen Art zurückgreifen können. Der für einen *quattuorvir* bescheidene Grabstein des C. Maius Clemens (Is 66. Abb. 66. Taf. 39) ist, was Aufbau und Komposition, Verhältnis von Inschrift und Darstellung der Amtsinsignien betrifft, fast mit denen zweier *seviri Augustales* identisch (Is 68-69. Abb. 68-69. Taf. 40). Dieses Phänomen läßt zwei Schlußfolgerungen zu: zum einen weist es wohl darauf hin, daß es bis zu einem gewissen Grade eine Serienherstellung preiswerter Produkte gegeben hat, zum anderen wird deutlich, daß allein die Finanzkraft des Auftraggebers die Auswahl der Typen bestimmte, es also im sepulkralen Bereich keine deutliche schichtspezifische Trennung der Typen gegeben hat, wie sie für die Ehrenbasen nachgewiesen werden konnte. Der Grabstein des *sevir Augustalis* M. Servilius Primigenius weicht zwar von denen der genannten *seviri Augustales* im Format ab, gleicht ihnen aber in kompositioneller Hinsicht (Is 67. Abb. 67. Taf. 39). Die Wahl des Querformats mag ihren Grund in der anderen Art der ursprünglichen Aufstellung oder Vermauerung gehabt haben.

Auf dem fast quadratischen Grabstein des Freigeborenen L. Taminius Rufus finden wir Bildzeichen aus verschiedenen Kunstbereichen zusammengestellt (Is 65. Abb. 65. Taf. 39). Das Porträt des *patronus* ist in Anlehnung an Darstellungsformen der vornehmen Bildersprache in eine Nische über die Inschrift gesetzt. In dem darunterliegenden vertieften Relieffeld ist eine für den Beruf des Freigelassenen und Stifter des Steins typische Szene in der Wechselstube dargestellt. Das unbekümmerte Hineinschreiben von Zahlen in das Bildfeld soll die sich vor den Augen des Betrachters abwickelnden Geschäfte verdeutlichen. In eine Platte vor dem Tisch ist ein zweizeiliger Text eingemeißelt, vielleicht ein Sprichwort. Da er sich einer eindeutigen Übersetzung entzieht muß offen bleiben, ob er als Aufforderung an einen Vorübergehenden zu verstehen ist oder etwa eine für den *patronus* typische Redewendung wiedergibt. Diese spezielle Komposition und Kombination von Zeichen aus unterschiedlichen Bereichen geht auf die gezielte Bestellung des Stifters zurück.

Mehrere Monumente bieten Einblick in den Arbeitsvorgang der lokalen Werkstätten. Beim Grabstein des Cn. Rullius Calais (Is 68. Abb. 68. Taf. 40) hatte der Steinmetz ursprünglich eine andere Aufteilung der Vorderseite vorgesehen, eventuell ähnlich der des Grabreliefs des C. Aebutius Iucundus (Is 64. Abb. 64. Taf. 39). Statt einer berufsbezogenen Szene wurden in den dafür vorbereiteten Raum die Titulatur und die Amtsabzeichen des *sevir Augustalis* eingemeißelt.

Bei der Herstellung von Friesen lag das Problem in der Aufgabe, eine fortlaufende figürliche Darstellung nicht durch Blockfugen zu beeinträchtigen. Man verbarg die störenden Schnittstellen, indem man die Figuren auf zwei Blöcke übergreifen ließ, den Schnitt also in die Figuren selbst verlegte (Is 12-21; 24. Abb. 12-21; 24. Taf. 11-15; 17). Bei dem Grabstein der Graccha Polla (Is 56. Abb. 56. Taf. 35) läßt sich die Art der Aufstellung durch die erhaltene technische Zurichtung der unten anstehenden Bosse sichern: er war entweder direkt in den Boden oder in eine Plinthe eingelassen. In der Gliederung seiner Vorderseite weicht er von den bisher besprochenen Beispielen ab; das hochrechteckige Feld wird von einer in dichter Zeilenabfolge gemeißelten Inschrift zum großen Teil gefüllt. Im Giebel befindet sich die schematische Darstellung eines männlichen Kopfs. Die beiden unteren Ecken des Giebels sind mit Akroteren in Form von stark stilisierten Flammenpalmetten versehen.

Zusammenfassend läßt sich feststellen, daß die Grabsteine und Reliefs sich auf wenige einfache Typen zurückführen lassen; Inschriften und figürliche Darstellung befinden sich fast immer in einer Reliefschicht. Es fehlt bis auf die Giebelakrotere beim Relief der Graccha Polla (Is 56. Abb. 56. Taf. 35) und bei dem Giebel eines Grabsteins (Is 73. Abb. 73. Taf. 41) jegliche architektonische Gliederung. Wird einmal ein Typus bereichert,

wie im Falle der berufsspezifischen Szene mit dem Bildnis in der Nische
(Is 65. Abb. 65. Taf. 39), so lassen sich an dem auf uns gekommenen Re-
lief noch die beiden Bereiche ablesen, denen die Vorlagen für die einzelnen
Szenen entnommen sind.

Aus der gattungsbezogenen Fragestellung ergibt sich, daß Monumente
mit offizieller Funktion eine gewisse formale Einheitlichkeit erkennen
lassen und zur Typisierung neigen, obwohl individuelle Käuferwünsche
berücksichtigt worden sind. So entsprechen die Ehrenbasen den im mittelitalischen und kampanischen Raum weitverbreiteten Grundformen.
Man bemühte sich also nicht um die Entwicklung eigener Modelle, sondern
übernahm solche, die bekannt waren, dem einheimischen Geschmack ent-
sprachen und an die lokalen Werkstätten keine allzu hohen künstlerischen
Anforderungen stellten. Die Grabsteine der *seviri Augustales* und der des
quattuorvir C. Maius Clemens lassen sich aufgrund ihrer Einheitlichkeit
als geschlossene Gruppe fassen. In Form und Inhalt sind sie jedoch so
bescheiden, daß es nicht gerechtfertigt scheint sie als eigenständigen Typus zu bezeichnen. Die roh eingemeißelten Amtsabzeichen bilden nurmehr
einen Zusatz zur Inschrift. Mit bescheidenen künstlerischen Mitteln wird
hier die Aussagekraft des Textes symbolhaft verstärkt.

Grabbauten

Von den größeren Grabmonumenten läßt sich aufgrund der erhaltenen
architektonischen Fragmente nur eine summarische Vorstellung gewinnen.
Ihre Funktion und Verwendung an den Bauten kann man lediglich in
einzelnen Fällen erschließen. Halbwegs gesichert ist der Typus zweier
Monumente: das Rundgrab mit Tambour über quadratischem Sockel von
16 × 16 m Seitenlänge (s. Vorwort zu Is 67-69; S. 180) entspricht in seinen
Dimensionen Grabbauten der ersten Hälfte des 1. Jh.s n. Chr., wie sie
aus Pompeji [87] und Polla [88] im Süden, in unmittelbarer Nähe aus Sepino [89]
und Venafro [90] und in Latium aus Tusculo [91] und Vicovaro [92] bekannt sind.

(87) Gräberstraße vor der Porta di Nocera in Pompeji: Grab der Veia Barchilla (O 3).
(88) Polla/Salerno: Durchmesser ca. 8 m (V. Spinazzola, NSc 1910, 73ff; V. Bracco,
ACl 11, 1959, 189ff).
(89) Grab des C. Ennius Marsus vor der Porta di Benevento, Durchmesser ca. 9 m (M.
Gaggiotti, *La fontana del grifo a Saepinum. Documenti di Antichità Italiche e Romane* III
(1973) 21ff. Abb. 6f. Taf. 12f; EAA V (1963) 183 Abb. 266 s. v. Monumento funerario (G. A.
Mansuelli). Die Existenz eines weiteren Rundgrabs ist wohl wegen der fünf mit Gladiatorenszenen dekorierten Cippen gesichert (Unveröffentlicht. Inst. Neg. Rom 75.2666-68;
75.2681; 75.2683).
(90) Vf. 33 Abb. 33. Taf. 67 und mehrere Reste längs der Straße nach Caianello.
(91) Grab des L. Caelius Vicinianus, Durchmesser ca. 10,5 m (M. Borda, *Tusculo.*
Itinerari 98 (1958) passim. CIL XIV 2602).
(92) Durchmesser ca. 10 m (G. Daltrop, *RendPontAcc* 41, 1968/69, 12).

Die Grabexedra des *collegium fabrum* (s. im Anschluß zu Is 52; S. 161 f) findet eine Parallele in *Amiternum*, einem Ort im Sabinerland. Dort handelt es sich um ein Monument für einen *triumvir*, das ebenfalls der ersten Hälfte des 1. Jh. s n. Chr. angehört [93].

Andere Bautypen lassen sich nur annäherungsweise ermitteln: die Friese, vor allem der auf ca. 2 m Höhe zu rekonstruierende Fries mit Gladiatorenkämpfen (Taf. B) (Is 12-18. Abb. 12-18. Taf. 11-13), setzen Grabbauten von größeren Ausmaßen voraus. Da die Platten keine Krümmung aufweisen, hatten die Bauten wahrscheinlich einen rechteckigen Grundriß. Wohl vom Sockel eines naiskosförmigen Baues stammt seinen Dimensionen nach das große Eckfragment eines dorischen Frieses (Is 74. Abb. 74a-b. Taf. 41). Ein blattverzierter Pulvinus (Is 54. Abb. 54. Taf. 34) schmückte ein Grabmonument in Altarform, ein Typus, der in Pompeji in zahlreichen Beispielen erhalten ist [94]. Die Basis des Grabaltars des C. Nonius dagegen wiederholt die Form der Ehrenbasen (Is 33. Abb. 33. Taf. 24). Von einem Podium oder Altar haben sich der obere Abschluß mit dorischem Fries und Gesims erhalten (Is 55. Abb. 55. Taf. 34). Architekturfragmente wie die Grabtür (Is 75. Abb. 75. Taf. 42), Deckenplatten (Is 76-77. Abb. 76-77. Taf. 42), eine Kassette (Is 79. Abb. 79. Taf. 42), der Teil eines Schuppendachs (Is 80. Abb. 80. Taf. 42), der Rahmen einer Inschrift (Is 81. Abb. 81. Taf. 43) und schließlich auch die rundplastischen Grabstatuen (Is 8-10. Abb. 8-10. Taf. 8-9) gehören zu nicht näher bestimmbaren Grabbauten. Diese Fragmente lassen jedoch auf die Existenz anspruchsvoller Monumente schließen, eine Tatsache, die angesichts der zahlreichen bescheideneren Denkmäler betont werden muß.

3. Eigenarten der Bildersprache

Die Urnen bieten aus verschiedenen Gründen einen besonders guten Ausgangspunkt für die ikonographische Untersuchung: sie bilden in sich eine homogene Gruppe von Denkmälern und in ihrer Aussage spiegelt sich die Geisteshaltung der Auftraggeber besonders deutlich wieder.

Die Urnenkästen bestehen aus länglichen, manchmal eher zum quadratischen Format neigenden Blöcken, die in zwei Aushöhlungen die Asche von zwei Personen aufnehmen können. Wie aus den Inschriften hervorgeht, waren sie immer für Ehepaare bestimmt, mit einer Ausnahme, auf die weiter unten eingegangen wird. Die Deckel der Urnen ahmen in ihrer Gestalt zwei Geldtruhen nach, wie in ihrem kofferähnlichen Umriß und im Dekor deutlich wird. Je eine Breit- und eine Schmalseite der Truhe sind

(93) LA REGINA, *Triumvir* 45 mit Abb. E.
(94) Bsp. s. Is 54 Anm. 2.

in einem Deckel dargestellt. Den Verschlüssen und der Verschließbarkeit kommt große Bedeutung zu: wirklichkeitsgetreu sind die mit Metallscheiben hinterlegten Schlüssellöcher wiedergegeben; Metallbänder imitierende Streifen garantieren eine zusätzliche Sicherheit. Die Interpretation dieses Dekors muß sich am sozialen Status der Auftraggeber orientieren. Wie aus den Inschriften hervorgeht, handelt es sich durchweg um Freigelassene. Sie stellten bekanntlich innerhalb der städtischen Gemeinschaften eine besonders erwerbsfreudige Schicht dar [95]. Ihr Erfolg auf diesem Gebiet gestattete es ihnen, sich durch den Einsatz finanzieller Mittel gesellschaftliche Anerkennung zu verschaffen. Dieser materialistischen Grundhaltung entspricht die gewählte Urnenform in adäquater Weise: man will zeigen, daß man soviel Geld angehäuft hat, daß man es in Truhen aufbewahren kann, wie es die Reichen in ihren Atrien tun. Durch eine mitgefundene Inschrift werden die Inhaber der Aschengefäße als Mitglieder des *conlegium fabrum* ausgewiesen, das einen gemeinsamen Grabplatz besaß.

Außer diesen Urnen hat sich die des Ehrenvorsitzenden des Kollegiums, des *quinquennalis*, erhalten. Bezeichnenderweise nimmt ihr Dekor nicht die Bildthematik der Vereinsmitglieder auf, sondern gibt sich distinguierter. Der Aschenkasten ist nur für eine Person hergerichtet. Die mit größter Sorgfalt eingemeißelte Inschrift weist den Inhaber zusätzlich als *sevir Augustalis* aus. Die Faszien an den Seiten und das *bisellium* unter der Inschrift unterstreichen dies unmißverständlich. Diese *ornamenta decuronalia* hat er wohl bei der Veranstaltung von Spielen unter seiner Leitung erhalten [95a]. Leider ist der Deckel der Urne nicht erhalten, vielleicht war er als einfach profilierte Deckplatte gestaltet. Es ist interessant nachzuvollziehen, daß bei der sepulkralen Repräsentation hier die Tatsache keine Rolle spielte, daß der Vorsitzende, der wie die Vereinsmitglieder auch der Freigelassenenschicht entstammt, seine privilegierte Stellung im Kollegium durch sicher beträchtliche finanzielle Zuwendungen erworben hatte.

Es sind mehrere Grabsteine von *seviri Augustales* erhalten, auf denen die gleiche Zeichensprache verwendet wird (Is 67-69. Abb. 67-69. Taf. 39-40). Bemerkenswert ist der Grabstein des *quattuorvir* C. Maius Clemens (Is 66. Abb. 66. Taf. 39). Als Mitglied des *ordo decurionum* standen ihm Amtsabzeichen, wie Faszien und *sella curulis*, regulär zu. Sein Grabstein unterscheidet sich jedoch weder in den Dimensionen noch in der Form und dem Darstellungsinhalt von denen der *seviri Augustales*. Diese Tatsache ist wahrscheinlich darauf zurückzuführen, daß das Denkmal von

---

(95) Zur Rolle der Freigelassenen: S. Treggiari, *Roman Freedman During The Late Republic* (1969) 69ff. Rezension von H. Chantraine, *Gnomon* 48, 1976, 477ff. P. Zanker, *JdI* 90, 1975, 281ff.

(95a) Vgl. Castrén, *Ordo Populusque* 62, 74.

privater Seite, von der eigenen Tochter und einer Freigelassenen, errichtet wurde. Offensichtlich verfügten die beiden Frauen nur über geringe Geldmittel und bestellten eine relativ preiswerte Ausführung, die der Steinmetz ohnehin vorrätig hatte, da er sie öfter verkaufte. Ein Blick auf die Basis des Grabaltars des *quattuorvir* C. Nonius (Is 33. Abb. 33. Taf. 24) macht deutlich, daß die gewählte Form sich in der Tat bescheiden ausnimmt.

Der *sevir Augustalis* C. Aebutius Iucundus hat auf seinem Grabrelief diese Kürzelsprach durch einen Zusatz erweitert (Is 64. Abb. 64. Taf. 39). Er hielt die Darstellung eines Maultiers, das gerade beladen wird, als für seinen Beruf charakteristisch. Auf seine Tätigkeit im Transportwesen wird jedoch in der Inschrift keinerlei Bezug genommen. In der Tat ist die Darstellung einer typischen Szene dieses Berufszweiges in einem Ort wie *Aesernia*, der Durchgangsstation des mittelitalisch - inländischen Verkehrs war, so unmittelbar verständlich, daß sie keines erläuternden Textes bedurfte. Ebenso verhält es sich mit der Darstellung zweier in einer Wechselstube beschäftigter Männer auf dem Grabrelief des L. Taminius Rufus (Is 65. Abb. 65. Taf. 39).

Die Grabinschriften sind im allgemeinen recht knapp gehalten und ihr Text ist gleichförmig abgefaßt. Eine Ausnahme in dieser Hinsicht bildet das Grabrelief des L. Calidius Eroticus (Is 62. Abb. 62. Taf. 38). Hier gibt die Inschrift ein Zwiegespräch in direkter Rede wieder. Es erklärt eindringlich und unmißverständlich die darunter dargestellte Szene, die Abreise des Eseltreibers aus dem ländlichen Gasthof. Diese unmittelbare Konfrontation mit alltäglichen Vorgängen, wie der ins Detail gehenden Abrechnung, verleiht dem Relief seinen besonders lebendigen und anschaulichen Charakter.

Auch Darstellungen von Bürgern in der offiziellen Tracht werden durch Attribute bereichert und dadurch in gewisser Weise aufgelockert. Die «physiognomische» Ähnlichkeit lag nicht im Porträt, sondern eher im Beiwerk, durch das man in erzählender Weise über sich selbst Auskunft geben konnte. So zeigt der Schreiber sein Klapptäfelchen und den *stilus* vor (Is 59. Abb. 59. Taf. 37). C. Paccius Capito ließ sich im Kreise seiner Familie darstellen und hat sich als besonderes Attribut die *capsa* gewählt (Is 57. Abb. 57. Taf. 36). Auch der unbenannte Inhaber eines aufwendigen Grabes ließ eine *capsa* an der Außenwand seines Grabmonuments wiedergeben (Is 84b. Abb. 84b. Taf. 43). Besonderheiten kommen also in Attributen zum Ausdruck. In den einheimischen Porträts wird nur grob nach alt und jung unterschieden, wie die erhaltenen rundplastischen Köpfe deutlich zeigen (Is 3-4. Abb. 3a-4c. Taf. 2-3). Höheren Ansprüchen, wie der Herstellung von Individualporträts, hätten die künstlerischen Fähigkeiten der Steinmetzen nicht gerecht werden können.

Eine andere Art der Selbstdarstellung kann man in den figürlichen

Szenen fassen, die auf konkrete Ereignisse im Leben der Auftraggeber zurückgehen.

Ein Beispiel dafür sind die Gladiatorenfriese (Is 12-19. Abb. 12-19. Taf. 11-14). Ihre inhaltliche Bedeutung läßt sich aufgrund von analogen Beispielen aus anderen Orten erhellen: wahrscheinlich hatte der Besteller bei Antritt eines Amtes Gladiatorenspiele gegeben. Dieses spektakuläre Ereignis ließ er dann als Zeichen seiner Großzügigkeit gegenüber den Mitbürgern der Stadt an seinem Grabbau figurenreich verewigen. Auf wohl ebenfalls fixierbare Tatbestände im Leben des Bestellers nehmen die Schiffsdarstellungen Bezug (Is 20-21. Abb. 20-21. Taf. 15). Stolz darauf, im Kampf auf See dabeigewesen zu sein, wird das Unternehmen detailreich geschildert. Die anderen beiden Kampfreliefs, deren Funktion nicht bestimmt werden kann, lassen sich nicht auf konkrete Ereignisse beziehen; zumindest erlaubt die Analyse der Darstellung keinen derartigen Schluß (Is 23-24. Abb. 23-24. Taf. 17). Den Anlaß zu ihrer Herstellung muß man jedoch wohl in demselben Vorstellungsbereich suchen. Eines von ihnen (Is 23. Abb. 23. Taf. 17) übernimmt formal die berühmte Alexanderschlacht, das andere setzt sich aus verschiedenen Kampfszenen zusammen. Die für M. Nonius von einem Sklaven gestiftete Ehrenbasis verknüpft in ihrem reichen Bilderschmuck das Sklavenschicksal des Bestellers mit den erfolgreichen militärischen Unternehmungen seines Herrn (Is 27. Abb. 27a-c. Taf. 19). Auch die Darstellung eines knienden Parthers, der zu einem Grabbau gehörte, nimmt auf ein politisches Ereignis Bezug (Is 11. Abb. 11. Taf. 10). Seine typologische Verwandtschaft mit ähnlichen Figuren am Partherbogen auf dem Forum Romanum und auf Münzen der Jahre um 20 v. Chr. macht eine formale Übernahme aus dem stadtrömischen Bereich wahrscheinlich und legt eine entsprechende Datierung nahe.

Aus dem bisher abgesteckten recht einheitlichen Rahmen fallen zwei Monumente heraus. Einmal handelt es sich um den Porträtkopf eines Kindes (Is 7. Abb. 7a-e. Taf. 6-7), zum anderen um die Darstellung des Ixionmythos (Is 22. Abb. 22. Taf. 16). Der Auftraggeber des Kinderporträts läßt in seinem Bestellerwunsch einen besonderen Anspruch erkennen, dessen Motivation uns jedoch verschlossen bleibt. Auch der Anlaß, der zur Darstellung der überhaupt recht selten nachweisbaren Sage führte, läßt sich nicht zufriedenstellend erklären. Leider ist der Zusammenhang, aus dem das Reliefbruchstück stammt, nicht mehr rekonstruierbar. Es bleibt also offen, ob der Mythos eventuell durch Begleitfiguren näher interpretiert wurde. Möglicherweise liegt der Szene eine sepulkrale Bedeutung zugrunde, wie sie für mythische Szenen auf Grabaltären und einem Sarkophag aus derselben Zeit nachgewiesen sind.

Anhand des Materials von *Aesernia* ist auch die Frage nicht zu entscheiden, ob man den Motiven, wie Eroten als Girlandenträger an der

Außenseite eines Grabbaus (Is 26. Abb. 26. Taf. 18), Delphine (Is 76-78, Abb. 76-78. Taf. 42) und auf der Muschel blasende Tritone (Is 76 Anm. 2) in den Decken von Grabmonumenten, Greifen zu seiten eines Kantharos auf einem Architrav (Is 85. Abb. 85. Taf. 44) oder der Medusa im Giebel eines Grabsteins (Is 72. Abb. 72. Taf. 41) eine spezifische, auf Grab und Tod bezogene Aussage entnehmen kann oder ob es sich um ambivalente Bildformen handelt, die man primär als Schmuckformen verwendet hat.

Mit der Frage nach der Bedeutung der Metopenbilder der dorischen Friese verhält es sich ähnlich (Is 34; 37-40. Abb. 34; 37-40. Taf. 25-27). Die Motive scheinen in der Regel wahllos zusammengestellt zu sein. Inwieweit sie für den einzelnen Auftraggeber aussagekräftig sein könnten, muß ohne weitere spezielle Vorarbeiten ungeklärt bleiben. Man kann nur feststellen, daß sie sich im gesamten mittelitalischen Raum häufig wiederholen. Ungeklärt bleibt ebenfalls die Frage, inwieweit die Metopenbilder eventuell Einfluß auf die Gesamtaussage des jeweiligen Monuments besaßen, schließlich diente ja der friesverzierte Sockel hauptsächlich dazu, die auf ihm befindliche Statue, den Naiskos etc. zu präsentieren und für die zugehörige Inschrift Raum zu bieten [96].

Zusammenfassend läßt sich sagen, daß die Bildersprache, soweit sie nicht auf erzählerische Mittel zurückgreift, sich bestimmter Zeichen bedient, die in der Regel eine konkrete Aussage besitzen. Für die Urnen und einige Grabreliefs und -steine konnte dies nachgewiesen werden.

Die Bildersprache ist meist unkompliziert und setzt beim Betrachter keine ikonographischen Kenntnisse voraus. Die Darstellungen vermitteln jedermann verständliche Aussagen. Beliebt sind Themen aus dem Bereich, in dem man sich täglich bewegte oder es werden besonders bedeutende Momente des Lebens ausgewählt.

Es verwundert nicht, daß bei diesen ganz diesseitigen Wertvorstellungen Gedanken über Tod, Trauer oder Jenseitshoffnungen nur eine untergeordnete Rolle spielten und daher weder in Inschrift noch im Bild sicher nachweisbar sind.

4. Herkunft der Bildtypen und -formen und Art ihrer Übernahme

Wie oben gezeigt werden konnte, brachten die Koloniebürger, die in *Aesernia* den Tempel errichteten, ihre künstlerischen Formen aus ihrer alten Heimat, dem *Latium Vetus*, mit. Diese Tatsache ist ein Hinweis dar-

---

(96) Vielleicht ist es nicht nur Zufall, daß die Ehrenbasis für C. Flavius Celer (Is 32. Abb. 32. Taf. 24) aus dem 2. Jh. n. Chr schmucklose Metopenfelder besitzt. Man könnte vermuten, daß sich die aufwendige Inschrift nicht mehr mit den individuell auf den Empfänger des Monuments abgestimmten Metopenbildern vertrug oder der Inschriftenstein jetzt für das gesamte Ehrenmonument stand.

auf, daß es im 3. Jh. v. Chr. kaum indigene künstlerische Formen in *Aesernia* gegeben haben kann. Da die Steindenkmäler erst mit der Einrichtung des Munizipiums nach dem Bundesgenossenkrieg einsetzen, läßt sich hinsichtlich der Tradierung von Formkonstanten nichts aussagen.

Die folgenden Ausführungen beschäftigen sich mit der Frage, woher die lokalen Werkstätten ihre Bildtypen und-formen nahmen oder ob es auch eigene Entwürfe gab. Das Problem der Vorlagen wirft zugleich die Frage nach ihrer Vermittlung auf. Auf welchen Wegen erfolgte sie, in wie weit wurden Vorlagen umgewandelt und in einem neuen Zusammenhang verwendet?

Zunächst sollen die Monumente behandelt werden, deren Darstellungen sich an Themen der politischen Propaganda orientieren. Es folgen Denkmäler, die auf Vorlagen aus dem Bereich der hellenistischen Kunst zurückgreifen. Zuletzt wird auf die Reliefs eingegangen, deren Vorbilder in anderen Bereichen zu suchen sind.

Die Lupaszene auf der für Sex. Appuleius, den Neffen des Augustus, errichteten Ehrenbasis läßt sich auf ein Thema der offiziellen Bildersprache zurückführen (Is 28. Abb. 28. Taf. 20). Den Weg der Vermittlung kann man in diesem Fall direkt nachvollziehen und mit der Person des Geehrten auch durchaus programmatisch verstehen. Die Darstellung erfährt durch ihre Übernahme in formaler Hinsicht keine Umdeutung, sondern muß als direkte Entlehnung aus dem stadtrömisch-augusteischen Bereich angesehen werden. Ihre inhaltliche Bedeutung steht für die mit dem Namen des Augustus verbundene Neuinterpretation des Gründungsmythos der Stadt Rom.

Ebenso direkt läßt sich der kniende Parther mit der offiziellen Kunst der Hauptstadt in Verbindung bringen (Is 11. Abb. 11 Taf. 10). Die Übernahme erstreckt sich auf das Thema und die Komposition. Der Funktionszusammenhang ist jedoch durch die Verwendung in der Grabarchitektur verändert.

Es ist bereits dargelegt worden, welche Gründe den Sklaven Attalus zur Stiftung einer Ehrenbasis für seinen *patronus* M. Nonius veranlaßten. Nach diesen Gesichtspunkten wurden auch die einzelnen Bildthemen von ihm ausgewählt (Is 27. Abb. 27a-c. Taf. 19). *Patronus* und Sklave sollten in den Reliefs auf gleiche Weise berücksichtigt werden. Zur Klärung der Handlungseinheiten haben Attalus und sein Bildhauer die Bildfläche der Vorderseite der Basis in drei gleichhohe Register, die der Nebenseiten in jeweils zwei gegliedert. Nur das mittlere Bildfeld der Vorderseite gibt eine ausführliche Szene wieder. An dieser zentralen Stelle erscheint bezeichnenderweise der Sklave selbst als Opfernder am Altar. Erst in Verbindung mit den anderen Darstellungen der Vorder- und Nebenseiten, auf die diese Hauptszene inhaltlich bezogen ist, wird das Opfer jedoch verständlich.

46

Attalus dankt der Fortuna Nemesis, die selbst mit einem Pferd daneben dargestelllt und zusätzlich durch die Attribute Steuerruder, Rad und Globus präsent ist. Ihr verdankt auch der siegreiche Nonius seine auf den Nebenseiten dargestellten militärischen Erfolge.

Formal sind die zahlreichen Motive geschickt angeordnet. Die für den Stifter der Basis wichtigste Szene, das Opfer, und die Inschrift befinden sich in der Mitte der Vorderseite. Die Opferszene läßt sich an Werke der repräsentativen Kunst, wie beispielsweise die Domitiusara, anschließen. Bezeichnend für den Auftraggeber ist die veränderte Akzentsetzung der Komposition. Attalus will zeigen, daß es sich um ein vollständiges Opfer handelt. Daher ist auf Einzelheiten besonderer Wert gelegt: der Altar ist mit einem Bukranion und Girlanden geschmückt, das Feuer lodert auf und die Tiere tragen Opferbinden. Der Altar steht in der Mitte des Bildfeldes, links vom ihm sind Attalus, ein *camillus* und ein Musikant gruppiert. Die figurenreichere Tierszene rechts des Altars muß mit dem gleichen Raum vorliebnehmen. Das sich daraus ergebende Problem der Verteilung der Figuren hat der Steinmetz durch eine Tiefenstaffelung der Tiere und Personen gelöst. Somit ist alles zum Verständnis dieses Vorgangs Notwendige vorhanden, ohne daß man auf eine wichtige Figur verzichten mußte. Die *cornucopia* auf dem Globus in den oberen Registern der Nebenseiten sind symmetrisch auf die Hauptseite ausgerichtet. Die Felder darunter sind den auf beiden Seiten identischen Darstellungen des M. Nonius als Sieger vorbehalten: er präsentiert einen gefesselten Barbaren vor einem Tropaion. Für diese Szene hat Attalus zu einem Bildschema gegriffen, das durch zahlreiche Darstellungen an offiziellen Monumenten, wie Triumphbögen, bekannt war. Die Übernahme in den Bereich der privaten Ehrung bringt hierbei, im Gegensatz zur Opferszene, keine Veränderung der Bildaussage mit sich.

Man kann also festhalten, daß die Bildvorlagen der einzelnen Szenen den Wünschen des Bestellers gemäß mehr oder weniger modifiziert sind. Das bescheidene künstlerische Können des Steinmetzen wird bei der Umsetzung der Bildvorlagen deutlich. War es ihm noch möglich, die *cornucopia* symmetrisch auf die Vorderseite auszurichten, so gelang ihm dies bei der figürlichen Darstellung darunter nicht.

Die *cornucopia* auf der Weltkugel als Symbol der Pax Augusta und die möglicherweise durch die Lorbeerbäumchen am Altar präsente Fortuna Principis legen eine politisch sinnbildhafte Aussage dieser Darstellungen nahe. Die gedankliche Verbindung zwischen den Handlungsbereichen von *patronus* und Sklave wird durch die Symbole der Fortuna Nemesis hergestellt. Die einzelnen Szenen des Bildprogramms sind durch ihre Attribute und die Sinnbilder miteinander verbunden und erklären sich dadurch gegenseitig.

Unter dem Aspekt des Niederschlags politischer Ereignisse auf Darstellungen der lokalen Kunst können hier zwei weitere Denkmäler, die Schiffsreliefs, angeschlossen werden (Is 20-21. Abb. 20-21. Taf. 15). Die Wahl dieser für das bergige Hinterland außergewöhnlichen Thematik läßt sich wohl mit der Teilnahme des Auftraggebers an einer Seeschlacht erklären. Die trachtgeschichtliche Untersuchung datiert sie in spätrepublikanische Zeit und es liegt nahe, an Aktium zu denken. Die Darstellung bedient sich jedoch nicht eines offiziellen Bildzeichens für Seesiege, wie der *columnae rostratae*. Der Fries in *Aesernia* lehnt sich vielmehr an andere Schiffsdarstellungen an, die sich in spätrepublikanischer Zeit vor allem in den Hafenstädten häufen. Diese Beispiele zeigen, daß es zahlreiche kompositorische Möglichkeiten der Gestaltung dieses Themas gab. Deshalb darf man wohl nicht nur eine einzige verbindliche Vorlage postulieren. Die Absicht des lokalen Auftraggebers lag darin, eine Kampfszenerie mit möglichst vielen Einzelheiten abbilden zu lassen. Die dichte Figurenabfolge soll vermutlich als Zeichen für eine schlagkräftige Mannschaft stehen. Einige Unstimmigkeiten in der Darstellung lassen sich nicht zu voller Zufriedenheit klären. Unbestimmt bleibt zum einen die Handlung der Soldaten. Da sie ihre Lanzen nicht in Angriffsstellung halten, könnte man an eine Aufstellung vor einem Landgang denken; doch erfolgte dieser in der Regel in Fahrtrichtung, während die Soldaten auf dem Relief in der entgegengesetzten Richtung angetreten sind. Zum anderen läßt sich die technische Anbringung der Schiffsinsignie am Vordersteven nicht nachvollziehen. Möglicherweise finden diese Widersprüche ihre Klärung in der Tatsache, daß zwei zeitlich getrennte Ereignisse – das Schiff in voller Fahrt und der später erfolgende Landgang – in einem Bild zusammengezogen sind und dabei auf den logischen Zusammenhang des Ganzen verzichtet worden ist.

Die künstlerische Auseinandersetzung mit Themen der politischen Zeitgeschichte kann also auf verschiedene Weise erfolgen: zum einen werden propagandistische Sinnbilder direkt übernommen, wie die Lupa und mehrere Bilder der Noniusbasis. Die neue Verwendung kann auch eine Veränderung der Bedeutung mit sich bringen, wie sich bei dem knienden Parther nachweisen läßt. Zum anderen werden Vorbilder für den eigenen Bedarf weitgehend modifiziert, wie die Opferszene des Attalus. Schließlich kann man von vornherein Vorlagen auswählen, die dem Wunsch des Bestellers nach erzählerischer Deutlichkeit stärker entgegenkommen. Diese verschiedenen Möglichkeiten der Rezeption schließen einander nicht aus; sie können, wie bei der Noniusbasis, an einem Monument nebeneinander verwendet werden.

Die Person des Auftraggebers oder des Geehrten scheint die entscheidende Rolle bei der Auswahl der Vorlagen zu spielen. Bezeichnenderweise finden sich die direkt aus der stadtrömischen Propaganda übernommenen Zeichen auf den Monumenten der Personen, deren Aufgabengebiet überregionale Bedeutung besitzt und die am politischen Geschehen in irgendeiner Weise aktiv beteiligt sind.

Anhand zweier Denkmäler läßt sich der Verarmungsprozeß nachvollziehen, dem qualitätvolle Vorlagen aus dem Bereich der hellenistischen Kunst im Laufe der Weitervermittlung unterliegen können. Auf einem kleinformatigen Relief ist das Thema der Alexanderschlacht übernommen (Is 23. Abb. 23. Taf. 17). Die komplizierte und figurenreiche Szene ist auf eine nur wenige Figuren umfassende Darstellung reduziert. Es sind nur eben diejenigen angegeben, die zur Kennzeichnung des Handlungsablaufs notwendig sind. Trotz dieser «Vereinfachung» ist der einheitliche Bewegungsrhythmus, der die gesamte Szene erfaßt, noch vorhanden. Diese Tatsache spricht für die Güte des über den Weg des Mosaiks, der Keramik oder Toreutik tradierten Originals. Einige etruskische Urnen lassen ebenfalls eine ähnliche Verarmung bei der Übernahme des großen hellenistischen Gemäldes erkennen [97]. Mit der Übernahme des Darstellungsschemas in die provinzielle Kunst geht natürlich eine Veränderung der Bildaussage einher; die neue Interpretation bleibt uns jedoch verschlossen.

Ist durch eine Kette von Denkmälern das Original der Alexanderschlacht bekannt, so ist das bei dem Reliefbruchstück, das den bestraften Ixion zeigt, nicht der Fall (Is 22. Abb. 22. Taf. 16). Bereits die Wahl des Themas aus dem Bereich des griechischen Mythos ist ein Hinweis auf die Existenz einer Vorlage. Ihre Qualität wird trotz der Verarmung, der das Darstellungsschema durch langes Tradieren unterlag, deutlich, da dem Bildhauer in *Aesernia* die Erfassung des Körpers gelungen und das Detail der Schlangen, mit denen Ixion am Rad befestigt wurde, wiedergegeben ist. In der Gestaltung des Körpers drückt sich die Abhängigkeit von späthellenistischen Formen aus. Obwohl der Rumpf teilweise stilisiert ist, ist er als Ganzes organisch aufgebaut. Die Muskelkompartimente sind als plastisches Volumen erfaßt. Die einzelnen Teile stehen in einem anatomisch getreuen Proportionsverhältnis zueinander. Man kann vermuten, daß das Thema der lokalen Werkstatt in einem Musterbuch zugänglich war. Dort wird die Figur des Ixion bereits isoliert dargestellt und aus einem komplizierten Handlungszusammenhang gelöst bzw. vielleicht vorhandene Begleitfiguren parataktisch aufgereiht gewesen sein, so daß sich Überschneidungen nicht ergaben.

An zwei stehenden weiblichen Gewandfiguren wird besonders deutlich, wie entscheidend die Qualität der Vorlagen für die lokalen Werkstätten waren (Is. 5-6; Abb. 5-6. Taf. 4). Die Statuen wurden offensichtlich nach

(97) s. Is 23 Anm. 2.

guten "klassischen" Vorbildern gearbeitet. Anlage und Ausführung der Figuren sind in sich folgerichtig. Aufgrund ihres künstlerischen Anspruchs könnte man annehmen, daß es sich um Angehörige der munizipalen Aristokratie handelt, die sich in dieser gehobenen Art der Repräsentation darstellen ließen.

Vor dem Hintergrund dieser Gewandstatuen wird die Unselbständigkeit der lokalen Steinmetzen beim Fehlen guter Vorlagen umso deutlicher. Dies zeigt ein Vergleich mit den anderen rundplastischen Denkmälern.

Wollte man angesehene und um die Stadt verdiente Männer ehren, so lag es nahe, sie in ihrem offiziellen Bürgergewand, der Toga, darzustellen. Vorbilder bot die Kunst der Zeit in reichem Maße. Für die in der Herstellung von Rundplastik unerfahrenen Bildhauer – denn ihre Aufträge bestanden hauptsächlich in der Anfertigung von Reliefs aller Arten – ergaben sich dabei technische Schwierigkeiten. Diese lassen sich an einer Togastatue besonders gut nachvollziehen (Is 2. Abb. 2. Taf. 1). Bereits der Aufbau der Figur zeigt das Unvermögen, eine Ganzfigur herzustellen. Die Figur steht eigenartig unsicher auf den beiden fast in gleicher Höhe fest aufgesetzten Füßen; der Körper baut sich darüber schlank und hoch auf. Die Behandlung der Toga zeigt, daß das Problem der Wiedergabe der Bekleidung nicht zufriedenstellend gelöst werden konnte. Der Fall des Stoffes ist bis auf Taillenhöhe 'richtig' wiedergegeben, also bis zu einer Stelle, die dem bei Grabreliefs üblichen Bildausschnitt entspricht und den Bildhauern geläufig war. Der restliche untere Teil ist im Gegensatz dazu einfach bei anderen Togastatuen abgesehen und wirkt angesetzt. Daß es dabei zu offensichtlichen Mißverständnissen und groben Verzeichnungen kommen mußte, liegt auf der Hand. Die in einer Art Kerbschnittechnik ausgeführte Wiedergabe des Stoffes unterstreicht geradezu die Ungeschicklichkeit und verdeutlicht durch ornamental herauspräparierte Einzelpartien die Stückung in fast aufdringlicher Weise.

Bei dem anderen Togatus wird der zur eigenständigen, vom Gewand fast unabhängigen Form geronnene *sinus*, zur gewandbeherrschenden Form (Is 1. Abb. 1. Taf. 1). Er zeigt, wie gering das Verständnis für den Zusammenhang von Körper und Gewand war. Dies läßt sich auch an den Grabfiguren ablesen: eine männliche Statue wiederholt geradezu die eben herausgestellten Phänomene (Is 9. Abb. 9. Taf. 8). Eine weibliche (Is 8. Abb. 8. Taf. 8) zeigt eine ähnliche Tendenz. Hier ist das Motiv des *sinus*, das eigentlich der Männertracht zugehört und die daraus hervorgreifende rechte Hand mit dem preziösen Gestus des Gewandraffens kombiniert. Beabsichtigt ist, eine Faltenkaskade darzustellen, die einen locker fallenden Stoff voraussetzt, doch wird die Ausführung diesem Anspruch nicht gerecht. Alles was lose fallen und durch die Gestik bedingt als Faltenspiel herabrieseln soll, ist zu flachgedrückten unstofflichen Bögen reduziert. Dadurch, daß diese beiden Bögen sich völlig entsprechen und der eine dem anderen gegenüber nur wenig verschoben ist, wird dem Gewand ein stark ornamentaler Zug verliehen. Die Ausführung dieser Statuen zeigt, daß die lokalen Werkstätten sich nicht strikt an Vorlagen hielten, sondern diese z. T. kombiniert oder sogar mit eigenen Zutaten versehen haben.

Die sitzende Grabstatue im Pudicitiamotiv wird indes auf eine Vorlage zurückgehen (Is 10. Abb. 10a-c Taf. 9). Ihre Proportionen zeigen, daß die Aufgabe, eine sitzende Matrone darzustellen, geschickt gelöst ist; der bei den anderen Statuen beobachtete Kerbschnittstil macht sich allerdings auch hier wieder bemerkbar.

Bei einer weiteren Gruppe von Denkmälern läßt sich erkennen, wie aus der Übernahme von Vorlagen aus verschiedenen Bereichen und deren Kombination ein neues zusammenhängendes Ganzes entstehen konnte.

Auf einem Relieffragment sind mehrere Kampfszenen zusammengestellt (Is 24. Abb. 24. Taf. 17). Die Gruppe am linken Rand stammt aus einer Gladiatorenkampfszene, was auch in der Bekleidung der Dargestellten deutlich wird. Der daneben nach links über einen Gefallenen wegstürmende Krieger nimmt ein lange tradiertes klassisches Kampfschema auf [98]. In der Bekleidung ist er den Gladiatoren angeglichen. Auf diese Figur folgt eine leere Stelle, die den Reliefgrund sichtbar werden läßt, rechts anschließend dann zwei Szenen, die ursprünglich inhaltlich nicht aufeinander bezogen waren, doch hier aneinander gedrängt sind. Ein Feldherr tötet einen knienden Barbaren, eine frontal und statisch aufgebaute, sich an hellenistische Vorbilder anlehnende Komposition. Damit verschränkt ist eine stark nach rechts außen bewegte Kampfgruppe. Sie könnte aus einem ursprünglich mythischen Zusammenhang stammen, da die Krieger außer ihrer Bewaffnung nackt zu sein scheinen. Offensichtlich hat das Fehlen einer einheitlichen Vorlage den Steinmetz zu einem eigenen kompositorischen Versuch gezwungen, bei dem sein Unvermögen, die verschiedenen ihm zur Verfügung stehenden Teilvorlagen zu einer neuen harmonischen Szene zusammenzusetzen, nur allzu deutlich wird. Die neue inhaltliche Bedeutung der Darstellung bleibt uns verschlossen.

Vor allem im rechten Teil des Frieses kommt sichtbar zum Ausdruck, daß das Bild aus verschiedenen Vorlagen zusammengestückt ist. So stößt die schräg gehaltene Lanze des nach rechts Wegstürmenden mit ihrem Schaft in den Kopf des Barbaren und der zweite Kämpfer scheint wie eine Protome aus dem Reliefgrund aufzutauchen. Auch das Problem der Raumtiefe, das sich bei einer so figurenreichen Darstellung aufdrängte, hat der

(98) Vgl. die Schlacht auf dem Alexandersarkophag (V. v. GRAEVE, *Der Alexandersarkophag und seine Werkstatt, Ist. Forsch.* 28, 1970, Taf. 28).

Steinmetz nicht bewältigt. Dies ist an den beiden Kriegern über dem Gefallenen auf der linken Friesseite zu erkennen. Der rechte Ellenbogen des linken Kämpfers überschneidet den Schildrand des anderen, befindet sich also vor diesem. In der Beinstellung ist diese Staffelung jedoch nicht beibehalten. Hier steht der rechte Krieger eindeutig vorn und das zurückgestellte Bein des linken ist sogar noch hinter dem Gefallenen dargestellt. Die Wiedergabe der ursprünglich komplizierten Überschneidung von Figuren ist somit technisch und künstlerisch nicht gelungen.

Unter dem Gesichtspunkt der Übernahme von Formen aus verschiedenen Bereichen läßt sich das Grabrelief des L. Taminius Rufus hier anschließen (Is 65. Abb. 65. Taf. 39). Die lebendige Alltagsszene in der Wechslerstube dient der Selbstdarstellung des Auftraggebers, während für die Darstellung des *patronus* eine Anlehnung an die gehobenere Bildersprache angemessen schien. Formal wie inhaltlich ist das Verhältnis *patronus* – Freigelassener ausgedrückt: formal sind die beiden Bilder voneinander abgesetzt; das Porträt des *patronus* ist von der mehrfigurigen Darstellung abgehoben und über dieser angeordnet. So wird der Abstand zwischen den beiden Personen und die Unterordnung des Freigelassenen deutlich zum Ausdruck gebracht. Inhaltlich sind die Darstellungen jedoch wieder aufeinander bezogen, indem sie Auskunft über die spezifische Situation – Abhängigkeit und Dankbarkeit – von *patronus* und Freigelassenem geben. Die verschiedenen Bildersprachen sind nicht ungeschickt miteinander kombiniert. Ein Grabrelief (?) in Chieti weist eine ähnliche Formenkontamination auf, das Muschelmedaillon sprengt jedoch dort das ihm zustehende Giebelfeld und greift in die Berufsszene über [99].

Oben kam bereits das Problem der Musterbücher zur Sprache. Auch die Vermittlung der Motive für die Metopenbilder der Ehrenbasen muß auf diese Weise erfolgt sein (Is 28-32. Abb. 28-32. Taf. 20-24). Offensichtlich handelt es sich um festgelegte, immer wieder vorkommende Bildkürzel. Sie konnten in verschiedenem Zusammenhang verwendet werden, wie z.B. der Panzer, der auf der Basis des Sex. Appuleius (Is 28. Abb. 28c. Taf. 20), auf der des C. Septumuleius Obola (Is 31. Abb. 31b. Taf. 23), in einem weiteren dorischen Fries (Is 37. Abb. 37. Taf. 26) und auch im Giebel eines Grabsteins (Is 73. Abb. 73. Taf. 41) vorkommt. Wahrscheinlich rührt die unmotiviert wirkende Schrägstellung noch von dem ursprünglichen Zusammenhang – wohl hellenistische Kampffriese – her, aus dem sie letztlich entnommen sind. Für die Frage nach den Vorlagen der dorischen Friese muß jedoch erst noch überregional das reichlich vorhandene Material zusammengestellt werden.

---

(99) Chieti, Museo Nazionale Inv. 10.005. Es soll aus Rom stammen (G. Pansa, RM 1907, 198ff. Taf. IV).

Die Gladiatorenfriese folgen einer eigenen Gattung, ihre Thematik findet sich bisher nie auf Staatsmonumenten. Auch für sie müssen in Musterbüchern die geläufigen Typen zusammengestellt gewesen sein, wie aus dem Vergleich mit Friesen in anderen Orten hervorgeht. Die unterschiedliche stilistische Ausführung der beiden Friese von *Aesernia* ist wiederum durch die Qualität der Vorlagen bedingt. Bei beiden Friesen ist großer Wert auf klare Ablesbarkeit gelegt, auf Überschneidungen und damit Angabe von Raumtiefe wurde daher fast gänzlich verzichtet. Der Fries mit den unter der Aufsicht des *lanista* angetretenen Kampfpaaren ist deutlich schematisiert (Is 12-18. Abb. 12-18. Taf. 11-13). Die Gladiatoren sind paarweise gruppiert und treten spiegelbildlich auf einer Standleiste gegeneinander an, eine sicher nicht kampfgerechte Darstellung. Mit dieser Vereinfachung der Komposition geht ein gewisser Detailreichtum einher: so werden Ausrüstungsgegenstände wie Helme, Schilde, Lanzen, Beinschienen und Schuhwerk präzise wiedergegeben. Räumlichkeit ist nur ansatzweise angegeben. Die erhaltenen Oberkörper breiten sich flächenparallel vor dem Grund aus, Köpfe und Beine sind stets im Profil dargestellt. Treten einmal Überschneidungen auf, wie auf dem Block, auf dem sich zwei Unterschenkel kreuzen (Is 17. Abb. 17. Taf. 13), so wirkt dies völlig unorganisch. Das von hinten gesehene Bein, das in den Reliefgrund hineinzustoßen vorgibt (Is 16. Abb. 16. Taf. 13) oder der Schild, in den man von oben hineinblicken kann (Is 14. Abb. 14. Taf. 12), können als Andeutung von Raumschichtung verstanden werden. Eine gewisse Plastizität kann man dem Relief nicht absprechen: ein um die Figuren geführter, mit dem Meißel geglätteter Streifen, der die Kontur vom Reliefgrund abhebt, trägt dazu bei. Bei dem anderen Gladiatorenrelief treten die eben beobachteten Phänomene der deutlichen Wiedergabe des Umrisses und das Aufzeigen vieler Einzelheiten ebenfalls auf (Is 19. Abb. 19. Taf. 14). Das Relief ist wahrscheinlich nach einer anderen Vorlage als der große Fries gearbeitet und daher wesentlich flacher gehalten. Das Streben nach Übersichtlichkeit der Szene wird an der Stelle besonders deutlich, an der der Schildrand des Gladiators an die Rundung des Instruments des hinter ihm marschierenden Musikanten geschoben ist. Die Verflachung des Reliefs und die Reduzierung auf eine einzige Raumebene wird beispielsweise dort faßbar, wo der über die Schulter gehaltene Stab des Gladiators in das Schallrohr des Horns zu reichen scheint und der geschulterte Stock des nicht erhaltenen Vordermanns sich in den Helmfedern des Gladiators verfängt.

Der Tradierungsprozeß, der zu einer Einebnung der Reliefschichten und damit zum Verzicht auf die Darstellungsmöglichkeiten der Raumtiefe führt, ist in *Aesernia* längst abgeschlossen. Dies läßt sich auch bei den oben besprochenen Schiffsreliefs feststellen (Is. 20-21. Abb. 20-21. Taf.

15). Das Problem der Tiefenstaffelung ist hier durch eine flächenparallele Darstellung gelöst worden. Die Tatsache, daß die Krieger sich hinter den Deckaufbauten des Schiffs befinden, wird dadurch sinnfällig gemacht, daß in der gleichen Reliefebene unten die Deckaufbauten anschließen. Das Bestreben lag also auch hier nicht in der Angabe eines Tiefenraums, sondern vielmehr in der übersichtlichen Wiedergabe des Geschehens, was durch ein scharfes Absetzen gegen den glatten Hintergrund und detailreiche Schilderung des Vorgangs erreicht wird.

Eine ähnliche Erzählweise ist auch bei der Opferszene der Basis für M. Nonius angestrebt (Is 27. Abb. 27a. Taf. 19). Vorrangige Bedeutung kommt hierbei der Darstellung aller Teilnehmer beim Opfervorgang zu. Man nimmt dabei in Kauf, daß der Hornbläser den vor ihm schreitenden *camillus* fast völlig verdeckt, immerhin ist von dem Opferdiener ein Bein in der Seitenansicht erkennbar. Eine Staffelung der Raumebenen ist nicht versucht, das Gewand des Hornbläsers setzt sich einfach in dem des *camillus* fort.

Standen bei den bisher besprochenen Denkmälern vermutlich Vorlagen mehr oder weniger direkter Art und unterschiedlicher Qualität zur Verfügung, so bilden die Urnen eine Ausnahme (Is 41-51. Abb. 41-51, Taf. 28-32). Sie setzen die Formen eines wirklich existierenden und benutzbaren Gegenstandes, der Geldtruhe, direkt in Stein um. Mit der Übernahme in den Sepulkralbereich geht eine Funktionsveränderung einher, wenn auch der ursprüngliche Repräsentationsgedanke erhalten geblieben ist. Kam er bei den Geldtruhen allein durch die Aufstellung im Atrium zum Ausdruck, so benutzen die Auftraggeber der Urnen die damit verbundene Aussage und projizieren sie auf den Bereich, in dem sich ihr Wille zur Repräsentation am besten ausdrücken konnte. Dieser Umsetzungsprozeß ist interessant, es muß aber vorerst unentschieden bleiben, wer diese dem materialistischen Denken munizipaler Mittelstandsbürger so angemessene Bildform für den sepulkralen Bereich zum erstenmal verfügbar gemacht hat.

Eine gewisse Eigenständigkeit der lokalen Werkstätten darf man wohl bei verschiedenen Grabreliefs und -steinen annehmen. Da die Steinmetzen kaum über die Grenzen ihrer Stadt hinausgekommen sein dürften, werden sie diese Typen bei ihren eigenen Meistern kennengelern haben.

Das Relief der Paccii ist das interessanteste unter ihnen (Is 57. Abb. 57. Taf. 36). Die starke und unmittelbare Wirkung der Darstellung auf den Betrachter ist noch durch Elemente gesteigert, die der Selbstdarstellung dienen. Die mit einfachsten Mitteln arbeitende Formensprache ist in ihrer additiven Wirklichkeitserfassung sehr eindringlich und scheint ohne Berührung mit gehobeneren Formen der Repräsentation entstanden zu sein.

Als eigene Schöpfungen der lokalen Werkstätten sind wohl auch die mit symbolhaften Bildzeichen und mit Kürzelsprache arbeitenden bescheideneren Reliefs, wie wir sie für *seviri Augustales* (Is 67-69. Abb. 67-69. Taf. 39-40) und einen *quattuorvir* (Is 66. Abb. 66. Taf. 39) nachweisen konnten, anzusprechen. Auch den einfachen Grabreliefs mit Alltagsszenen liegen wohl einheimische Entwürfe zugrunde (Is 62; 64-65. Abb. 62; 64-65. Taf. 38-39).

5. *Ergebnisse*

Die Schaffung einer städtischen Gemeinschaft nach dem Bundesgenossenkrieg bringt die bäuerliche Bevölkerung von *Aesernia* in Kontakt mit gehobeneren Lebensformen. In dem Munizipium bildet sich eine relativ breite Schicht von ökonomisch erfolgreichen und sozial arrivierten Auftraggebern heraus. Die Blüte des ländlichen Zentrums konzentriert sich auf die rund einhundert Jahre bis gegen die Mitte des ersten nachchristlichen Jahrhunderts. In dieser Zeitspanne sind die erhaltenen Denkmäler von *Aesernia* entstanden. Die Hauptmasse stammt aus der spätrepublikanisch-augusteischen Zeit. Hand in Hand mit dem wachsenden Selbstbewußtsein der städtischen Bevölkerung geht der Drang nach Selbstdarstellung. Möglichkeiten der Repräsentation boten sich allenthalben. Der überwiegende Teil der Denkmäler stammt aus sepulkralem Zusammenhang.

Bildtypen und -formen sind aus mehreren Bereichen entnommen. Stadtrömischer Propaganda Entlehntes ist mit mehreren Beispielen vertreten, komplizierte raumhaltige Reliefs sind selten belegt. Mehrere Verbindungen lassen sich nach Kampanien herstellen. Dazu treten eigene bildnerische Versuche. Die Übernahme in das landstädtische Ambiente erfolgte in der Regel wahrscheinlich durch Musterbücher; ihre Qualität wird vielfach das jeweilige künstlerische Niveau bestimmt haben. Oft sind verschiedene Vorlagen miteinander kombiniert, Ikonographie und Inhalt neu interpretiert. Manche Formen werden hingegen direkt abgesehen sein. An allen Denkmälern, ob sie nun der offiziellen Repräsentation oder der privaten Selbstdarstellung dienen, ist das Streben der lokalen Auftraggeber abzulesen, in Form und Bild leicht verständliche Aussagen zu vermitteln. Daraus resultiert die Forderung nach breiter Schilderung und Deutlichkeit der Darstellung: jeder sollte die Bildinhalte sofort erfassen können. Diesem Postulat fügen sich die vereinfachten, ursprünglich komplizierten Szenen, die der gehobeneren Bildersprache entlehnt sind, gleichermaßen wie die durch Detailschilderung bereicherten Alltagsszenen. Der Wunsch, unmißverständliche und prägnante Aussagen auch dem ungeübten Auge einsichtig zu machen, ist also ein durchgängiges Phänomen. Aus dem gleichen Grunde werden motivische Details betont. In der künstlerischen Ausführung ist oft kein Unterschied zwischen Eigenem und verarmtem Übernommenen feststellbar. Die handwerklichen Voraussetzungen am Orte waren durchweg gering. Das Arbeiten in dem ausschließlich verwendeten Kalkstein brachte zudem gewisse Vergröberungen in der Ausführung mit sich. Der vereinfachende und das Verständnis des Betrachters erleichternde Kerbschnittstil findet sich ausnahmslos bei allen Werken. Er läßt oft, vor allem bei Stücken, für die keine bindenden Vorlagen vorhanden waren, ornamentale, sich fast verselbständigende Formen entstehen. Dem Verständnishorizont des lokalen Bestellerkreises kam diese handwerkliche Ausführung entgegen.

II
VENAFRUM

C EINLEITUNG

1. Lage von Venafrum

Das moderne Venafro untersteht der Verwaltung von Isernia. Die Altstadt liegt auf dem antiken *Venafrum* am südöstlichen Ausläufer des Massivs des Monte Corno am Abhang des Monte S. Croce. Im Süden schließt sich eine Ebene an, die der aus verschiedenen Quellarmen gespeiste Volturno durchfließt. Sie hat eine Breite von ca. 15 km und wird im Westen von einem Bergsattel, im Osten von den Ausläufern des Matese begrenzt. An ihrem südlichen Ausgang verengt sich das Gebirge zu einem 6 km breiten Durchlaß, der die Verbindung nach Nordkampanien mit Städten wie *Teanum Sidicinum*, *Allifae* und *Capua* herstellt. Die Gründung der Siedlung in dem fruchtbaren Tal war durch diese natürliche und leicht begehbbare Verbindung von dem tyrrhenischen Küstenstreifen zu dem bergigen Hinterland Samniums begünstigt.

Epigraphische Zeugnisse überliefern die Grenzen des *ager Venafranus* [100]. Er schloß in westlicher Richtung die *statio Ad flexum* beim heutigen Ort S. Pietro Infine [101], im Osten Capriati al Volturno und Monteroduni ein, reichte im Norden bis Roccaravindola und Filignano. Im Süden bildeten der östliche Bergrücken des Monte Rotondo und des Monte Cesima die Grenze.

Venafrum war durch zwei Straßen mit der Via Latina verbunden [102]. Die nördliche Abzweigung bei der *statio Ad flexum* führte über *Venafrum* weiter in das Inland nach *Aesernia*; die südliche lag zwischen der *statio Ad rufras* und *Teanum Sidicinum*. Ihr Verlauf entspricht ungefähr dem der heutigen Staatsstraße Nr. 85.

Die Lage der Stadt an der Grenze zwischen Latium, Kampanien und Samnium hat verschiedentlich Verwirrung in Bezug auf ihre ethnische und verwaltungspolitische Einordnung hervorgerufen: Strabo zählt sie unter den Städten Latiums auf (*Geogr.* V, 238); an einer anderen Stelle nennt

---

(100) LA REGINA, *Venafro* 55 Anm. 9.
(101) Der Name bezieht sich auf die Grenze zwischen dem Gebiet von Cassino und Venafro (vgl. NISSEN a. O. (zit. in Anm. 31) 797).
(102) LA REGINA, *Venafro* 56 f. JOHANNOWSKY a. O. (zit. in Anm. 3).

er *Venafrum* zusammen mit kampanischen Städten (*Geogr.* V, 243); Ptolemaios zählt sie ebenfalls zu Kampanien (III, 1, 68). In einem dritten Passus bezeichnet Strabo die Stadt als samnitisch (*Geogr.* V, 250).

Die heutige Stadt läßt in ihren Grundzügen noch deutlich die römische Anlage erkennen [103]. Die Bebauung erstreckte sich von der Ebene bis an den Monte S. Croce. Mit Hilfe der Luftfotografie hat sich der Verlauf des antiken Straßennetzes mit sieben Längsachsen in südost-nordwestlicher Richtung und neun Querachsen feststellen lassen [104]. Die nördlichste der Längsachsen lag am Fuß des Berges.

Der Stadtplan ist von der Anlage eines *castrum* beeinflußt, er ähnelt darin dem von *Verona, Augusta Praetoria Salassorum* und *Augusta Taurinorum* [105]. Wie die beiden letzteren ist er mit der Gründung einer augusteischen Kolonie verbunden [106]. Der rechteckige Stadtgrundriß besaß eine Seitenlänge von 595 m auf 462 m und war im Inneren in insulae von 70 m auf 75 m aufgeteilt. Die in die Stadt führenden Straßen mündeten in drei Tore ein. Die Straße *Ad flexum – Aesernia* durchquerte *Venafrum* als mittlere Längsachse. Es ist bisher nicht geklärt, ob es sich dabei um den *decumanus maximus* handelt. Die von *Teanum Sidicinum* kommende Straße erreichte die Stadt durch das leicht östlich von der Querachse verschobene Tor.

Der Hang des Monte S. Croce wurde für öffentliche Bauten genutzt: dort sind das Theater [107] und der Komplex der Terme di S. Aniello [108] angesiedelt. Das Amphitheater im Süden lag außerhalb der Stadtmauer. Von dem epigraphisch bezeugten Mauerring ist nichts übriggeblieben [109].

Das bisher älteste bekannte Monument von *Venafrum* ist in einer Terrassenanlage in Polygonalmauerwerk aus späthellenistischer Zeit um 100 v. Chr. zu erkennen; sie hat eine Ausdehnung von 110 m auf 75 m und befindet sich etwas weiter als einen halben Kilometer westlich des Stadtgebiets in 287 m Höhe über dem Meeresspiegel [110]. Ob es sich hierbei um die Überreste einer Villa oder eines Kultplatzes handelt, läßt sich nicht entscheiden.

(103) Zur topographischen Erforschung der Stadt s. LA REGINA, *Venafro* 55ff; DERS. EAA *Suppl.*, 1970, 894f s. v. Venafro (mit vollständiger Literaturübersicht über die bisherige Forschung).

(104) LA REGINA, *Venafro* 57ff. Plan 59 Abb. 3-4.

(105) LA REGINA, *Venafro* 62 Anm. 28-29. Aosta: F. CASTAGNOLI, *Orthogonal Town Planning in Antiquity* (1971) 110f. Abb. 48; G. A. MANSUELLI, *Architettura e Città* (1970) 169 Abb. 58; DERS., *Urbanistica e Architettura della Cisalpina Romana, Collection Latomus* 111, 1971, Taf. VII. Turin: CASTAGNOLI a. O. 112 Abb. 49; MANSUELLI *Architettura e Città...* 169 Abb. 57; DERS. *Urbanistica...* Taf. IX.

(106) LA REGINA, *Venafro* 62. Zur Koloniegründung s. Anm. 122.

(107) LA REGINA, *Venafro* 62 Anm. 24.

(108) s. Exkurs auf S. 65f.

(109) CIL X 4876: *II vir urbis moeniundae* aus dem letzten Viertel des 1. Jh. s v. Chr. (s. Anm. 122).

(110) LA REGINA, *Venafro* 63 Abb. 10-12.

Die Stadt wurde durch einen Aquädukt mit Wasser von den Quellen des Volturnus versorgt. Sein Verlauf ist vollständig erforscht; in Stadtnähe wird er unterirdisch geführt [111].

Die Nekropolen der Stadt befinden sich, durch die geographische Lage bedingt, vor allem in der Ebene südwestlich der Stadt und längs der Ausfallstraßen (s. Fundkarte Tafel A).

Durch das sumpfige Gelände in der Nähe des Flusses erklärt sich, daß der südöstliche Stadtteil fast keinerlei Reste von Bebauung aufweist [112]. Erst die moderne Zeit hat auch diese Zone zu Bauland gemacht.

2. Historischer Überblick

Obwohl in der Zugehörigkeit des Ortes zu Latium, Kampanien oder Samnium bei Strabo (s. o.) eine gewisse Unsicherheit besteht, ist sein samnitischer Ursprung gesichert [113]. Bis zu Beginn des 3. Jh. s v. Chr. war *Venafrum* Teil des samnitischen Bundes. Nach dem dritten samnitischen Krieg wurde die Grenze zu Rom vom Liris zum Volturnus verlegt, die Samniten verloren dadurch das gesamte Gebiet zwischen diesen beiden Flüssen [114]. Die rechtliche Stellung von *Venafrum* in dieser Zeit ist nicht völlig geklärt: es war nicht mehr Teil von Samnium, wurde aber auch nicht sofort in das römische Munizipalsystem eingegliedert. Durch Festus wissen wir, daß die Stadt in republikanischer Zeit Sitz einer Präfektur war [115].

---

(111) Zum augusteischen Edikt, das Einrichtung und Verwaltung des Aquädukts regelt, s. CIL X 4842 = ILS 5743 C. C. BRUNS, *Fontes Iuris Romani:* (1909-1912) 249. F. F. ABBOTT-A. CH. JOHNSON, *Municipal Administration in the Roman Republic* (1928) 328ff Nr. 33. P. F. GIRARD, *Textes de droit romain* [6] (1937) 186. S. RICCOBONO, *Fontes Iuris Romani Anteiustiniani* I (1941) 400. EHRENBERG-JONES Nr. 282. A. CHESTER JOHNSON – P. ROBINSON COLEMAN-NORTON – F. CARD BOURNE, *Ancient Roman Statutes* (1961) = *The Corpus of Roman Law* II, 114 Nr. 136. Abbott-Johnson datieren das Edikt zwischen die Jahre 17 und 11 v. Chr. F. FREDIANI, *Campania Romana. IstStudRomani* I, 1938, 173ff. Das Edikt ist jetzt auch durch die Replik, die an den Quellen des Volturnos stand, besser bekannt; dazu A. PANTONI, *L'Editto Augusteo sull'acquedotto di Venafro e una sua replica alle fonti del Volturno. RendPontAcc.* XXXIII, 1960-61, 155ff. s. auch F. DE ROBERTIS, *Sulla espropriazione per pubblica utilità nel diritto romano, Studi in memoria di G. Zanobini* (1965) 141ff. W. SIMSHÄUSER, *Iuridici und Munizipalgerichtsbarkeit in Italien, Münchener Beiträge zur Papyrusforschung und Antiken Rechtsgeschichte* 61, 1973, 163 Anm. 62. Dem Kollegium der *familia publica* (CIL X 4856) war wahrscheinlich die Wartung des Aquädukts übertragen (s. Anm. 185 und 189). Längs des Aquädukts befanden sich Cippen, wie CIL X 4843 = ILS 5744; EHRENBERG-JONES Nr. 283. vgl. *NSc* 1926, 437 (A. MAIURI). Vielleicht steht die Inschrift CIL X 4875, in der ein *vectigal* genannt wird, in Zusammenhang mit einem Bad, das vom Wasser des Aquädukts gespeist wurde und dafür jährlich eine Abgabe an die Stadtkasse zahlte (vgl. dazu Th. MOMMSEN, *Editto acquario venafrano, BullInstArch* 22, 1850, 44ff.).

(112) LA REGINA, *Venafro* 57.

(113) RE VII[2] (1955) 668ff s. v. Venafrum (G. RADKE).

(114) Liv. X, 31.2. BELOCH a. O. (zit. in Anm. 48) 450. SALMON 277.

(115) Festus 262 L. s. GALSTERER a. O. (zit in Anm. 16) 33. DERS. in GGA 229, 1977, 64ff (Rez. zu SIMSHÄUSER).

Sie besaß wohl eine gewisse Autonomie und schlug für einige Zeit eigene Münzen [116].

Der Status von *Venafrum* war der einer *civitas sine suffragio*; vielleicht erhielt es diesen Rang, als im Jahre 263 v. Chr. das benachbarte *Aesernia* latinische Kolonie wurde. Für andere Orte in der Umgebung ist das rechtliche Verhältnis zu Rom jedenfalls in jener Zeit festgelegt worden [117].

Über die politische Geschichte von *Venafrum* im 2. Jh. v. Chr. ist uns nichts bekannt. Die schriftlichen Quellen dieser Zeit geben uns Kunde von der Landwirtschaft. Cato hebt die Ölproduktion besonders hervor [118]. Es überrascht nicht, daß bei hauptsächlich agrarisch orientierter Wirtschaft auch die Produktion landwirtschaftlicher Geräte in der antiken Literatur besonders betont wird [119].

Politische Nachrichten liegen erst wieder für die Zeit des Bundesgenossenkrieges vor: die Stadt fiel im Jahre 90 v. Chr. durch Verrat den Samniten unter Leitung des Marius Egnatius in die Hände; damals wurden zwei römische Kohorten niedergemetzelt (Appian, *Bell. civ.*, I, 41).

Bis heute ist unklar, zu welchem Zeitpunkt *Venafrum* Munizipium geworden ist. Die Stadt war in die *Tribus Teretina* eingeschrieben [120]. *Quattuorviri* als höchste munizipale Magistrate sind zwar nicht bezeugt, doch kann dies auf einer reinen Überlieferungslücke beruhen. Für eine genauere Untersuchung dieses Problems sei auf die Arbeit von U. Laffi verwiesen [121].

Es ist bei dem gegenwärtigen Forschungsstand nicht möglich, das Jahr der Koloniededuktion festzulegen; möglicherweise ist sie bereits unter

---

(116) SAMBON a. O. (zit. in Anm. 12) 1075. Vgl. auch LA REGINA, *Venafro* Anm. 2.

(117) So nach Festus (s. Anm. 115), zusammen u. a. mit *Allifae*, wahrscheinlich auch *Aufidena und Casinum* (vgl. dazu die Bemerkungen von GALSTERER a. O. (zit. in Anm. 16) 33 Anm. 24). Über das Datum bestehen Meinungsverschiedenheiten: Th. MOMMSEN, *Römisches Staatsrecht* (1887/88) III 575 Anm. 1 bezieht die bei Vell. I 14, 3 zum Jahre 334 v. Chr. erwähnte *pars Samnitium* auf jene beiden « Grenzstädte ». SIMSHÄUSER a. O. (zit. in Anm. 11) 96 nimmt die Zeit um 290 v. Chr. an. BELOCH a. O. (zit. in Anm. 48) 472, 617, 621 entscheidet sich für das Jahr 272 v. Chr., hält aber die Einrichtung schon im 3. Samnitenkrieg für möglich; für letzteres Datum auch KORNEMANN (RE XVI, 1933, 583). E. MANNI, *Per la storia dei municipi fino alla guerra sociale* (1947) 69ff, 149 schlägt das Jahr 201 v. Chr. vor, als es im samnitischen Territorium Landverteilungen gegeben hat.

(118) CATO, *De Agr.* CLVI, 1. s. auch HORAZ, *Od.* II 6, 16. *Sat.* II 4, 69; II 8, 45. STRABO, *Geogr.* V, 3.10. Übersichtskarte über die Art der Landwirtschaft bei K. D. WHITE, *Roman Farming* (1970) 80.

(119) CATO, *De Agr.* CXXXV, 1 empfiehlt Spaten aus *Venafrum* und erwähnt Ziegel. s. auch die Familie der *Mennii* als Verfertiger von ledernen Seilen für Ölpressen, CATO a. O. CXXXV, 3.

(120) ROSS TAYLOR a. O. (zit. in Anm. 21) 58, 90, 97, 275. LA REGINA, *Venafro* Anm. 3.

(121) LAFFI a. O. (zit. in Anm. 48) 46. Laffi vermutet, daß sich in *Venafrum* eine ähnliche Situation wie in *Casinum* ergeben habe, d. h., daß die Stadt nicht sofort nach dem Bundesgenossenkrieg den Status eines *municipium* erhalten habe, sondern daß der iurisdiktive Bereich wie vorher von einem vom *praetor* gesandten *praefectus* geregelt worden sei.

Oktavian erfolgt [122]. Mit der augusteischen Verwaltungsreform wurde die Stadt der *Regio I* zugeteilt [123]; ihr offizieller Name lautete seit dieser Zeit *Colonia Augusta Iulia Venafrana* [124].

Der *liber coloniarum* überliefert, daß Augustus für einen Tempel der « *Magna Mater summa montium* » besondere Gebiete, möglicherweise im Zusammenhang mit den Landverteilungen, bestimmte [125].

Bis zur Spätantike fehlen weitere Berichte über *Venafrum*. Die Stadt erlitt, wie *Aesernia* und andere Städte in dieser Gegend, bei dem Erdbeben im Jahre 346 n. Chr. großen Schaden; wahrscheinlich bezieht sich die Wiederaufbautätigkeit des Gouverneurs Autonius Iustinianus auf dabei in Mitleidenschaft gezogene Bauten (CIL X 4858) [125a]. Zuwendungen weiterer Gouverneure sind inschriftlich überliefert [126].

(122) Die Inschrift CIL X 4876 gehört einerseits ihrer Archaismen wegen (*deicundo* für *dicundo*) wahrscheinlich in voraugusteische Zeit, andererseits jedoch ihrem Inhalt nach in die Zeit nach der Koloniegründung, da der Genannte *duumvir* gewesen ist; er war ebenfalls *praefectus i(ure) d(icundo)*. Bei letzterem Amt muß es sich um einen *praefectus lege Petronia* handeln (ROTONDI a. O. (zit. in Anm. 49) 439).

Das Gesetz ermächtigte wahrscheinlich den *ordo decurionum* einen *praefectus i(ure) d(icundo)* zu ernennen, falls der normale Magistrat ausfiel. Das Edikt über den Aquädukt beweist, daß die Möglichkeit ausdrücklich im Statut des Kolonie vorgesehen war (CIL X 4842) (s. o. Anm. 111). Der Mann kann natürlich auch von der Zentralverwaltung eingesetzt worden sein. Es ist also wahrscheinlich, daß die Inschrift in die Anfangszeit der Kolonie gehört, als aufgrund der Umschichtung in der Verwaltung die Ernennung von außerordentlichen Magistraten notwendig wurde. Ein genaues Datum für die munizipale Karriere des Mannes läßt sich nicht ermitteln; er war vorher Militärtribun in der *legio I* und der *legio II Sabina* gewesen; letztere ist nirgendwo anders erwähnt, wird aber zu den Triumviralheeren gehört haben und spätestens nach Aktium von Oktavian aufgelöst worden sein.

Ein Hinweis für die Möglichkeit einer Deduktion der Kolonie unter Oktavian könnte die Inschrift CIL X 4875 sein, in der *Venafrum Colonia Iulia* genannt wird (s. auch GABBA a. O. (zit. in Anm. 23) 103f). TH. MOMMSEN zählt *Venafrum* unter den Kolonien des Augustus auf (*Die italischen Bürgerkolonien von Sulla bis Vespasian. Hermes* 18, 1883, 183 (= *GesSchr.* V (1908) 224, 226)). In *GesSchr* III (1907) 78 erwägt er, aufgrund des Passus bei APPIAN, *B. c.* 4.3 die Gründung der Kolonie schon im Jahre 42 v. Chr. H. CHOCHOLE (RE 2. Reihe VIII, 1 (1955) 1020 s. v. M. Vergilius Gallus Lusius) gibt das Jahr 29 v. Chr. als Gründungsdatum an.

Der *liber coloniarum* (F. BLUME – K. LACHMANN – A. RUDORFF, *Die Schriften der römischen Feldmesser* (1848) I Lib. col. 239) berichtet über eine Deduktion von seiten der *V viri* (dazu auch BRUNT a. O. (zit. in Anm. 19) 319); sie sind wahrscheinlich identisch mit den *V viri agris dandis adsignandis iudicandis* der *Lex Iulia agraria* des Jahres 59 v. Chr. (ROTONDI a. O. (zit. in Anm. 49) 387), die eine Unterkommission der *XX viri* waren, welche das Gesetz für die Gebietsverteilung vorgesehen hatte (Th. MOMMSEN, *Römisches Staatsrecht* II, 1 (1887³) 628 Anm. 4 BRUNT a. O. (zit. in Anm. 19) 34ff; T. R. S. BROUGHTON, *The Magistrates of the Roman Republic* (1952) II 191).

Cicero erwähnt verschiedentlich diese Magistraturen und nennt sie abwechselnd V virat oder XX virat (*ad Att.* II, 7.4; II, 6.2; IX, 2a.1). Hält man die Notiz im *liber coloniarum* für glaubwürdig, so muß man sich vergegenwärtigen, daß die Zuteilungen der Triumvirn in einigen Fällen die caesarischen überlagern und das Andenken an letztere tilgen. Vgl. die Diskussion über die augusteischen Kolonien bei DE RUGGIERO I (1961) 890ff s. v. Augustus (E. CICCOTTI).

(123) PLIN., *n.h.* III, 63.
(124) CIL X 4875; 4894.
(125) s. Anm. 122.
(125a) s. Anm. 23.
(126) CIL X 4859; 4863; 4865. s. S. 74.

Seit der Mitte des 4. Jh. s. n. Chr. gehörte die Stadt zur neugegründeten Provinz Samnium [127].

3. *Die archäologischen Zeugnisse*

Das vorgelegte Material stammt aus dem Stadtgebiet und aus dem *ager Venafranus* [128]. Nur von wenigen Stücken sind Fundort und -datum bekannt. Wissenschaftliche Grabungen sind nur an zwei Stellen in der Stadt durchgeführt worden: eine in der Località Terme di S. Aniello im Jahre 1919 [129], wobei verschiedene qualitätvolle Zeugnisse einer wohl öffentlichen Anlage zu Tage kamen (s. Exkurs auf s. 65 f), die andere zu Beginn unseres Jahrzehnts im den Terme di S. Aniello am Bergabhang benachbarten Theater. Hier mußten jedoch nach einer Probegrabung, bei der man auf die Orchestra und die ersten drei Marmorstufen der *ima cavea* gestoßen war, die Arbeiten aus Geldmangel eingestellt werden.

Venafro besitzt bislang kein Museum. Ein Teil der Denkmäler ist notdürftig in einem Raum des ehemaligen Klosters S. Chiara geborgen. Es handelt sich dabei vor allem um Stücke aus den Terme di S. Aniello. Das im 19. Jh. säkularisierte Kloster, das im 2. Weltkrieg als Gefangenenlager diente und in dem bis vor wenigen Jahren die Elementarschule von Venafro untergebracht war, soll nach dem Abschluß der Restaurierungsarbeiten als Museum und Bibliothek eingerichtet werden. Ein weiterer Sammelplatz für Antiken ist der Hof des Palazzo der Familie Del Prete in Pozzilli, einen Dorf bei Venafro. Die Bergung geht auf die Initiative des Marchese Del Prete zurück. Da der Sohn nach dem Tode seines Vaters im Frühjahr 1975 diesen Hof nicht mehr zugänglich macht, können fotografische Neuaufnahmen nur von den nach S. Chiara verbrachten, nicht von den dort verbliebenen Denkmälern vorgelegt werden.

Außer den an diesen Stellen zusammengebrachten Antiken sind weitere als Spolien in gesamten Altstadtgebiet vermauert. Einige Stücke werden in Bauernhöfen in der Umgebung verwahrt.

Th. Mommsen hat im Vorwort zu den Inschriften von *Venafrum* im Band X des CIL die bis dahin geleistete Forschungsarbeit und ihre Publikationslage dargestellt. Der im Jahre 1883 erschienene Band bildet immer noch die wissenschaftliche Grundlage für jede Untersuchung. Nur wenige Beiträge sind hinzugekommen. Vor allem muß auf die topografische Arbeit von A. La Regina [130] und auf eine kurze siedlungsgeschichtliche

---

(127) R. THOMSEN, *The Italic Regions* (1947) 213f. Dazu auch RUSSI a. O. (zit. in Anm. 23) 307ff.
(128) Zum Stadtgebiet s. Anm. 101.
(129) S. AURIGEMMA, *BdA* XVI, 1921-22, 58ff.
(130) LA REGINA, *Venafro*.

Notiz von E. Gabba [131] hingewiesen werden. S. Aurigemma hat den Komplex der Terme di S. Aniello veröffentlicht [132]. Das Edikt des Augustus, das sich auf den Aquädukt bezieht, ist in neuerer Zeit von F. Frediani und A. Pantoni diskutiert worden [133].

Exkurs Terme di S. Aniello

Wie bereits oben erwähnt, sind die sog. Terme di S. Aniello der einzige unter wissenschaftlichen Gesichtspunkten ausgegrabene Komplex der Stadt.

Da mehrere rundplastische Werke, die zu den qualitätvollsten aus *Venafrum* überhaupt gehören und zahlreiche marmorne Architekturfragmente daher stammen, soll er hier kurz im Zusammenhang besprochen werden.

Ein schon lange im Ortsteil S. Aniello sichtbarer antiker ellipsenförmiger Mauerzug wurde in der Neuzeit gewöhnlich als Thermenanlage bezeichnet (Terme di S. Aniello).

Bei Ausschachtungsarbeiten für den Neubau eines Hauses, ungefähr 30 m südlich dieser Ellipse, stieß man auf weitere Reste der Anlage, die wegen ihrer exponierten Lage am Abhang des Berges bedeutsam gewesen sein muß. Sie wurden nur soweit ergraben und notdürftig vermessen, wie es der Neubau und die Besitzverhältnisse gestatteten. S. Aurigemma hat die Funde unter Beifügung zweier Skizzen veröffentlicht (Tafel C) [134].

Das Areal kann, solange die heutigen vier verschiedenen Besitzer den Zugang zu den baulichen überresten, weitere Sondagen und Nachgrabungen nicht gestatten, nicht neu vermessen werden. So ist es im Rahmen dieser Arbeit weder möglich, einen verbesserten Plan vorzulegen, noch eine definitive Benennung der Anlage vorzuschlagen.

Der Besucher steigt aus der Stadt kommend über drei Stufen in einen Raum hinab, der nur teilweise ausgegraben ist (Tafel C Raum A). Deshalb sind wir über seine ursprüngliche Größe nicht unterrichtet. Eine niedrige Mauer bildet seine südliche Begrenzung. An ihr befinden sich zwei Statuensockel, deren aufgemauerter Kern noch erhalten ist. Die westliche Seite des Raumes wird von zwei Mauerzungen angezeigt, die den Durchgang zu einem daran anschließenden Raum einengen. In die Ecken des Raumes A ist auf dieser Seite je eine Viertelsäule eingestellt. Der Durchgang ist modern verkleinert worden, wie aus Tafel D Nr. 1 hervorgeht. Die nördliche Wand legt die Breite von Raum A mit 5,40 m fest. Westlich schließt sich ein Durchgangsraum an (Tafel C Raum B). Er besitzt außer dem Zugang zu Raum A einen weiteren in südöstlicher (Tafel D Nr. 3, Taf. E Nr. 5) und einen dritten in südwestlicher Richtung (Tafel D Nr. 2). Beide Eingänge wurden bei der modernen Bebauung verschlossen. Bergwärts, an der Nordwestseite des Raumes B, sind noch vier Stufen einer Treppe in *Caementa*-Technik erhalten. Sie führte in ein höher gelegenes Stockwerk und war von Raum B her nicht einsehbar, sondern hinter einer Wand verborgen (Tafel D Nr. 3). Die Mauern des Raumes B aus *opus latericium* lassen sich in das 2.Jh.n.Chr. datieren [135]. Die Wände waren ringsum in einem einfachen Dekorationsschema freskiert, das an einigen Stellen noch erhalten ist: über einem ca. 1m hohen Sockel, dessen untere Hälfte dunkelblau und dessen obere Hälfte

(131) zit. in Anm. 23.

(132) s. Anm. 129.

(133) s. Anm. 111.

(134) s. o. Anm. 129. Die Beschreibung der Architektur erfolgt anhand der Skizzen von Aurigemma und eigener Anschauung. Die Abb. 3 bei Aurigemma muß um 180 Grad gedreht werden, so daß die Treppe nach Nordwesten weist. Die Pfeile 1-7 beziehen sich auf die Fotografien der Tafeln D und E. Die grobe Schraffur zeigt die moderne Vermauerung an.

(135) Vgl. beispielsweise die Ziegelmauer des Hadrianmausoleums (G. LUGLI, *La tecnica edilizia romana* (1957) Taf. CLXIX, 4).

dunkelrot bemalt ist, befinden sich große, gelbe schmucklose Wandfelder, die durch unregelmäßig breite, hellrote Streifen unterteilt werden. Der obere Abschluß der Wände ist nicht erhalten, da die modern eingezogene Ziegeldecke, die die unterste Schicht des Fußbodens des darüberliegenden Hauses bildet, die Wände horizontal abschneidet.

Ungefähr dreißig Meter nördlich von den Räumen A und B befindet sich die oben erwähnte ellipsenförmige Mauer aus *opus latericium* (Tafel E Nr. 7). Der Mauer sind in unterschiedlichen Abständen ungleich breite Pfeiler vorgeblendet. Pfeilerbreite und -abstand sind symmetrisch zur Mittelachse ausgerichtet. In den drei mittleren und den von der Mittelachse aus jeweils übernächsten Zwischenräumen nach links und rechts befindet sich, ungefähr 4 m über dem heutigen Bodenniveau, je eine ausgemauerte rechteckige Nische. Ihre jeweilige Höhe läßt sich nicht mehr bestimmen, da die Mauer oben abbricht.

Der untere Teil der Anlage mit den Räumen A und B und der Mauerzug stehen sicherlich in Beziehung zueinander. Aufgrund der Überbauung der beiden Räume und der wild wuchernden Vegetation läßt sich heute mit dem bloßen Auge nicht erkennen, ob die beiden Baureste miteinander fluchteten. Der Höhenunterschied von ungefähr 10 m wurde wahrscheinlich durch Treppen überbrückt. Eine dieser Treppen ist in Raum B erhalten. Vielleicht führte sie zu einer Art Portikusanlage, hinter der sich die Ellipse öffnete [136].

Die erwähnten rundplastischen und architektonischen Denkmäler wurden ausschließlich im unteren Teil der Anlage, in Raum A, gefunden. Es ist unwahrscheinlich, daß hier der ursprüngliche Aufstellungsort aller Skulpturen gewesen ist und daß die zahlreichen Architekturstücke zu seiner Innenausstattung gehört haben. Die Anhäufung des Materials in einem Raum und die Tatsache, daß es fast unbeschädigt erhalten blieb, spricht für eine provisorische Unterbringung. Der Anlaß, der zu dieser Bergung führte und der Zeitpunkt, zu dem sie vorgenommen worden ist, läßt sich nicht feststellen. Man kann mit einiger Wahrscheinlichkeit annehmen, daß die überlebensgroßen, tonnenschweren Hüftmantelstatuen (Vf 9-10. Abb. 100a-101c. Taf. 51-54) auf den Sockeln gestanden haben, vor denen sie gefunden worden sind. Man wird sie auch aufgrund ihres Gewichts schwerlich hierher befördert haben. Eher kann das bei den anderen Skulpturen der Fall sein. Der Aufstellungsort der kleineren Statuen läßt sich nicht mehr bestimmen. Möglicherweise schmückten sie Nischen oder einen durch Pilaster, Halbsäulen o. ä. gegliederten Architekturprospekt.

Alle Fundstücke lassen sich datieren: die frühesten Architekturfragmente stammen aus augusteischer Zeit (Vf 56-63. Abb. 148-154. Taf. 75-77). Der iulisch-claudischen Zeit gehören neben weiteren Architekturteilen (Vf 65-66. Abb. 156. Taf. 77) vor allem die zwei Hüftmantelstatuen, der der einen Statue jetzt aufgesetzte, ihr aber nicht zugehörige Kopf (Vf 11. Abb. 102a-c. Taf. 55) sowie eine Knabenstatue (Vf 14. Abb. 14 a-b. Taf. 57) und eine Satyrstatue (Vf 15. Abb. 106 a-c. Taf. 57) an. Ein Architravfragment kann in die Mitte des 1. Jh.s n.Chr. datiert werden (Vf 70. Abb. 160. Taf. 78). Die heute sichtbaren Baureste stammen aus dem 2. Jh. n.Chr. Die Datierung in die antoninische Zeit wird durch das Mauerwerk und die Feldermalerei von Raum B nahegelegt [137]. In die gleiche Zeit gehört auch eine Dionysosstatuette (Vf 21. Abb. 112 a-c. Taf. 60).

Aus den dargelegten Gründen läßt sich nicht entscheiden, in welcher Art man sich die frühere Bauphase vorstellen muß, da sich von ihr außer der Marmorverkleidung keine weiteren Spuren erhalten haben.

---

(136) Ob man die Inschrift: *L. Egnatius L. f. Ter | Mamaecianus | haruspex porticum | sedilia d. s. p. | f. c. | idemque probavit* hierauf beziehen kann, bleibt unsicher. Die Inschrift stammt aus der Nähe von *Venafrum* und wird jetzt im Garten der Familie Brunetti in S. Pietro Infine aufbewahrt (A. Giannetti, *Epigrafi latine della Campania, RendLinc Serie* VIII, Vol. XXVIII, 1973, 471; er datiert sie in das 1. Jh. n. Chr.).

(137) Vgl. z. B. die Wandmalereien in der Kaserne in Ostia (F. Wirth, *Römische Wandmalerei vom Untergang Pompejis bis ans Ende des 3. Jh.s n.Chr.* (1934) 124 Abb. 60), oder die Decke eines Grabes in Ostia, Isola Sacra (Bianchi Bandinelli, *Rom* 299 Abb. 336).

Die Funktion der Anlage läßt sich nicht mit Sicherheit bestimmen [138]. Die Großzügigkeit der Architektur, die stadtbeherrschende Lage am Hang neben dem Theater und die Marmorausstattung deuten aber in jedem Fall daraufhin, daß es sich um eine bedeutende öffentliche Anlage gehandelt haben muß, vielleicht um ein Odeion, wie es in anderen Städten nahe dem Theater nachgewiesen ist [139].

(138) Inschriften sind hier nicht gefunden worden. Ob man die Inschriften CIL X 4894 bzw. 4900 auf den vorliegenden Komplex beziehen kann, muß offen bleiben. In Via Duomo 4 ist eine weitere Bauinschrift vermauert: [– – –] ar [– – –]. Die Buchstaben sind 0,42 m hoch. Vielleicht läßt sich analog zu CIL X 4894 [*pro p*] *ar*[*te dimidia*] ergänzen.

(139) Vgl. Odeia z. B. in Catania vom Beginn des 1. Jh. s n. Chr. (vorläufige Berichte in *Le Arti* I, 1938-39, 209ff; AA 1921, 191; P. ORSI, *NSc* 15, 1918, 70f). Odeion von Solunt (A. ADRIANI – P. E. ARIAS – F. MANNI, *Odeon ed altri monumenti archeologici* (1971) 91ff), das zusammen mit dem Theater und der gesamten Stadtanlage konzipiert ist und vielleicht in augusteischer Zeit restauriert wurde. Weitere Bsp. für Odeia in Acre und Taormina.

D KULTURHISTORISCHE AUSSAGEN DER INSCHRIFTEN UND DENKMÄLER

1. *Öffentliches und privates Leben*

Von der ethnischen Zusammensetzung der Bevölkerung läßt sich aufgrund der Inschriften nur ein ungefähres Bild gewinnen.

Sprachlich oskische Namen haben sich in denen der Staii und der Papii erhalten; von einem oskischen Praenomen ist das Nomen Herennius abgeleitet [140]. Ursprünglich aus Latium (*Praeneste?*) scheinen die Caecilii [141] und die Hostilii [142] zu stammen. Die Marcii, die Popilii, die Seii und die Vibii aus Kampanien [143]. Auch der bei einer Frau bezeugte Name Caiatia weist nach Kampanien, er ist möglicherweise von der Stadt gleichen Namens hergeleitet [143a]. Petillii finden sich auch in Capua, Pompeji und Rom [144], die Caesii, die Pescennii und die Sattii sind im gesamten mittelitalischen Raum häufiger bezeugt [145]. Weiterhin sind ein sabellischer Name, die Lollii, und ein pelignischer, die Tettii, bezeugt [146].

Die Behauptung W. Schulzes, *Venafrum* sei reich an etruskischen Namen, läßt sich wohl nicht aufrechterhalten [147]. Das Nomen Aclutius ist nur in *Venafrum* bekannt [148]. Das Nomen Berienus ist noch aus Tarquinia

---

(140) Staii: CIL X 4994-95. Wahrscheinlich stammen sie aus Pietrabbondante (Ross Taylor a. O. (zit. in Anm. 21) 255-256. Papii: CIL X 4908; 4924; 4972-73. Herennii: CIL X 4881; Castrén, *Ordo Populusque* Nr. 191.

(141) Caecilii: CIL X 4954; Castrén, *Ordo Populusque* Nr. 81.

(142) CIL X 4883; Castrén, *Ordo Populusque* Nr. 200.

(143) Marcii : CIL X 4871; Castrén, *Ordo Populusque* Nr. 241. Popilii: CIL X 4976; Castrén, *Ordo Populusque* Nr. 319. Seii: CIL X 4989a; Castrén, *Ordo Populusque* Nr. 361. Vibii: CIL X 4892; 4910-11; 5015-17.

(143a) CIL X 4918.

(144) CIL X 4976; Castrén, *Ordo Populusque* Nr. 304.

(145) Caesii: CIL X 4931; Castrén, *Ordo Populusque* Nr. 85. Pescennii: CIL X 4888; 4975; siehe die Indices von CIL IX, X, XI. Sattii: CIL X 4988-89a; 4992; Castrén, *Ordo Populusque* Nr. 221; *Beneventum* (CIL IX 1588; 1887; 1955). *Volturara* (CIL IX 945). *Ager Compsinus* (CIL IX 1088). *Florentium* (CIL XI 1604). *Casinum* (CIL X 5204).

(146) Lollii: CIL X 4980. Tettii: CIL X 5000; Castrén, *Ordo Populusque* Nr. 405; Schulze 242.

(147) Schulze 67 Anm. 5.

(148) CIL X 4876; Schulze 67, 384.

und Spoleto bezeugt [149]. Veronius findet sich außerdem in Capena [150] und vor allem in Verona; das Nomen ist wahrscheinlich vom Namen der Stadt abgeleitet. Das Nomen Pulfennius, das in *Venafrum* viermal belegt ist, ist in ganz Mittelitalien, in Rom, Penne, Chieti und Canosa bezeugt [151]. Beim Nomen Lucanius, das in *Venafrum* zweimal auftritt, ist sich auch Schulze unsicher. Es ist in Ravenna, Tarquinia, Susa, Velletri und Bari bekannt [152].

Diese breite Streuung zeigt, daß es sich nicht um Namen ursprünglich etruskischer Herkunft gehandelt haben wird.

Der Zeitpunkt, zu dem die einzelnen Familienverbände eingewandert sind und sich mit der ursprünglich oskischen Bevölkerung vermischt haben, läßt sich nicht bestimmen. Weiterhin bleibt unklar, welche schon in republikanischer Zeit ansässigen Familien sich bis in die Kaiserzeit gehalten haben und welche erst später zugewandert sind. Das vorhandene Material erlaubt auch keine Antwort auf die wichtige Frage nach den wirtschaftlichen Verflechtungen zwischen den einzelnen Gentes [153].

Die Kolonie verdankte ihren Status dem Kaiser Augustus. Dies kommt schon in ihrem offiziellen Namen *Colonia Augusta Iulia Venafrana* deutlich zum Ausdruck [154]. Obwohl daher in der Zeit des frühen Prinzipats eine besonders enge Loyalität zum Kaiserhaus vorhanden gewesen sein wird, gibt es dafür nur wenig Zeugnisse. Eine Inschrift nennt Augustus als *pater patriae* (CIL X 4857). Eine andere berichtet über die Aufstellung einer Statue für C. Vibius Rusticus. Er hatte als *duumvir quinquennalis* aufgrund eines für das Kaiserhaus geleisteten Gelübdes *pro salute perpetua domus August(ae)* Gladiatorenspiele gegeben [155].

Die Frage, *ob Venafrum* wie andere Städte [156] eine Galerie von Porträtstatuen des Kaiserhauses besessen hat, läßt sich nicht entscheiden.

(149) CIL X 4929; SCHULZE 402. *Tarquinii* (CIL XI 3411). *Spoletium* (CIL XI 4797; 4938).

(150) CIL X 4890; SCHULZE 67. *Capena* (CIL XI 3943).

(151) *Venafrum*: CIL X 4864; 4873; 4905; 4985. Roma: CIL VI 1867; 2000; 25.208-09; 38.805. *Pinna*: CIL IX 3354. *Teate Marrucinorum*: Eph. Epigr. 8, 28, Nr. 124. *Canusium*: CIL XI 405.

(152) *Venafrum*: CIL X 4884; 4940; SCHULZE 359, 532. *Ravenna*: CIL XI 163. *Tarquinii*: CIL XI 3452. *Suasa*: CIL XI 6176. *Velitrae*: CIL XI 6613. *Barium*: CIL IX 297.

(153) Die in der Inschrift CIL X 4842 genannten [– – –]oni L. f. Ter und [– – –]mpei M. f., durch deren Gebiet der Aquädukt führte, werden reiche Landbesitzer gewesen sein. Die Lesung Mommsens 'Q. Sirini (?) L. f. Ter' und 'L. Pompei M. f. Ter Sullae' ist durch die Replik des Edikts mit Sicherheit auszuschließen.

(154) CIL X 4875; 4894.

(155) CIL X 4893. Inst. Neg. Rom 75.2749. In Vico 2 Porta Guglielmo vermauert. Er ist Sohn von Q. Caesius, adoptiert von einem Angehörigen der Gens Vibia, wahrscheinlich im Testament (R. CAGNAT, *Cours d'Epigraphie Latine*[4] (1964) 76. Die Gens Vibia ist in *Venafrum* mit zwei Freigeborenen (CIL X 5015; 5017) und einem Freigelassenen (CIL X 4911) bezeugt. In einer nicht nachvollziehbaren Relation zum Kaiserhaus steht auch die von einem Unbekannten gesetzte Inschrift (s. Anm. 190).

(156) Beispiele zusammengestellt bei C. SALETTI, *Il ciclo statuario della Basilica di Velleia* (1968) 127f.

Allenfalls in einer Knabenstatue aus claudischer Zeit, die in dem Odeion (?) gefunden worden ist, könnte aufgrund der auf der linken Schulter erkennbaren Reste einer Binde ein Angehöriger des Kaiserhauses gesehen werden (Vf 14. Abb. 105a-b. Taf. 57). Die beiden überlebensgroßen Hüftmantelstatuen tiberisch-caliguleischer Zeit aus derselben Anlage verkörpern Privatpersonen bzw. Stadthonoratioren, die sich zu ihrer Selbstdarstellung kaiserlicher Formensprache bedienten (Vf 9-10. Abb. 100a-101c. Taf. 51-54). Leider lassen sie sich mit keinem der überlieferten Namen in Verbindung bringen. Auf jeden Fall wird es sich um einflußreiche Männer gehandelt haben. Das Odeion (?) wird wohl ähnlich wie die Theatergalerien z. B. von Herkulaneum[156a] oder Cerveteri[157] ausgestattet gewesen sein. Dort waren neben Statuen von Angehörigen der kaiserlichen Familie auch solche von Stadthonoratioren aufgestellt.

Als Verwaltungsbeamte sind uns *duoviri, praefecti, aediles* und *quaestores* bekannt[158]. Mit C. Aclutius Gallus kennen wir einen Magistraten, der während der Koloniegründung eine bedeutende Rolle gespielt hat. Er war *duumvir i(ure) d(icundo) praefectus i(ure) d(icundo) bis* und *duumvir urbis moeniundae bis* (CIL X 4876); er war also speziell für gewisse Aufgaben gewählt worden.

Die Magistrate weisen in der Regel in den Inschriften auf ihre militärische Karriere hin[159]. Bemerkenswert ist die des M. Vergilius Gallus

(156a) A. MAIURI, *Ercolano.* « *Visioni Italiche* » (1932) 29f. M. BIEBER, *The Copies of the Herculaneum Women, ProcAmPhilSoc* 106, 2, 1962, 111ff. A. MAU, *Pompeji in Leben und Kunst* (1908) 538. H-J. KRUSE, *Römische weibliche Gewandstatuen des 2.Jh.s n.Chr.* (1968) (1975) 41ff.

(157) A. GIULIANO, *Catalogo dei ritratti romani del Museo Profano Lateranense* (1957) 22ff. Weitere Statuenzyklen s. SALETTI a. O. (zit. in Anm. 156) 127.

(158) *Duoviri* aus dem 1. Jh.v.Chr. und dem 1. Jh.n.Chr.: CIL X 4842 v. 39; 4862; 4868; 4872; 4876; 4881; 4893. *Praefecti*: 4842 v. 39; 4876. *Duovir* aus dem 2. Jh.n.Chr.: CIL X 4873. Zeitlich nicht zuzugrenzen sind sechs *duoviri*: CIL X 4867; 4883-85; 4896-97; acht *aediles*: CIL X 4869; 4879-81; 4883; 4887-88; 4895; fünf *quaestores*: die von Mommsen CIL X S. 477 aufzählten neun (plus zwei unsichere) müssen auf fünf (plus zwei unsichere) reduziert werden; es handelt sich dabei um folgende: CIL X 4869; 4879; 4884; 4887; 4892 (?); 4897; 4899 (?). CIL X 4867 könnte *duumvir quinquennalis* heißen. CIL X 4873 lese ich als *duumvir quinquennalis ter*. CIL X 4877 ist wahrscheinlich Q(uintus) zu lesen. CIL X 4893 ist ein *duumvir quinquennalis* (so auch schon GARRUCCI, *Venafro* Nr. 60).

(159) Von den insgesamt vierzehn überlieferten *duoviri* weisen sechs auf ihre militärische Karriere hin (CIL X 4862; 4867-68; 4872-73; 4876). Vier von ihnen (CIL X 4862; EHRENBERG-JONES Nr. 245), (CIL X 4868; EHRENBERG-JONES Nr. 246), (CIL X 4872; EHRENBERG-JONES Nr. 242), (CIL X 4876) lebten in der frühen Kaiserzeit. CIL X 4862 = ILS 2690: der Mann ist aus dem einfachen Soldatenstand in die ritterliche Ämterkarriere aufgestiegen. Wahrscheinlich handelt es sich bei der in der Inschrift genannten *legio XXII Cyrenaica* um die *legio XXII Deiotariana*, die zwischen den Jahren 15 und 8 v. Chr. geschaffen wurde (dazu R. SYME, JRS, 1933, 14ff. G. WEBSTER, *The Roman Imperial Army* (1969) 113 Anm. 1). Sie stand zusammen mit der *legio III Cyrenaica* in Ägypten. Vielleicht ist es auf diese Weise zu der Verwechslung der Namen und zur nicht existenten *XXII Cyrenaica* gekommen. Ebenfalls in einer allerdings nicht näher bezeichneten *legio XXII* diente ein weiterer in *Venafrum* bestatteter Mann: [- - -]nio M. f. Ter. Pedoni/[- - -]ri principi leg XXII (die Inschrift ist in der Kathedrale im ersten Pilaster links vermauert. H. M. D. PARKER, *The Roman Legions* (1928) 87ff, 217f). Die Inschrift CIL X 4872 = ILS 2021 (in der Masseria Farignola vermauert) ist zusammen mit der Inschrift CIL X 2983 der einzige Nachweis, der

Lusius (CIL X 4862 = ILS 2690) [160]. Er ist als einfacher Soldat in die höhere ritterliche Ämterlaufbahn aufgestiegen, während der er von Augustus und Tiberius mit *dona militaria* ausgezeichnet wurde. Nach einem Intervall von drei Jahren als *praefectus fabrum* ist er dann *idiologos ad Aegyptum*, verwaltete also die *res privata* des Kaisers in Ägypten und war dort nur dem *praefectus Aegypti* verantwortlich [161]. Ebenfalls vom Soldatenstand ausgehend hat der aus *Forum Iulii*, dem heutigen Fréjus, stammende Sex. Aulienus Karriere gemacht [162]. Zuerst erreichte er mit der zweifachen Bekleidung des Primipilats die höchste Stufe der *militia equestris*. Innerhalb der weiteren Laufbahn stieg er bis zum Flottenkommando auf. Die Inschrift in *Venafrum* ist ihm von seinen Freigelassenen Nedymus und Gamus gesetzt worden. Nedymus seinerseits besaß einen Sklaven, der durch eine Weihinschrift bekannt ist (CIL X 4847). Durch die Angabe des Kon-

den *primus ordo* in den Prätorianerkohorten nennt. Die Numerierung der Prätorianer- und städtischen Kohorten geht wahrscheinlich auf eine Reform des Augustus zurück, die aber die augusteische Zeit nicht lange überlebt hat. Auf eine frühe Ansetzung der Inschrift deutet auch die Tatsache, daß der Name des Vaters noch ohne Cognomen angegeben ist. Die Inschrift aus *Venafrum* gibt für diese Reform das älteste Zeugnis ab (dazu A. Passerini, *Le coorti pretorie* (1939) 85ff. RE XII (1925) 1730 s. v. legio XIIII Gemina (RITTERLING); A. v. DOMASZEWSKI, *Die Rangordnung des römischen Heeres* (1908) 102).

Das 2. Jh. n. Chr. ist mit zwei Namen vertreten: CIL X 4860; 4873. Für die verbleibenden acht *duoviri* können aus den Inschriften selbst Gründe dafür beigebracht werden, daß die Nennung der militärischen Laufbahn unterblieb: die Inschriften stammen größtenteils aus dem öffentlichen Lebensbereich der Stadt, während alle Inschriften, die die Karriere im Heeresdienst nennen, aus Grabzusammenhang stammen (unsicher CIL X 4876 = ILS 2227).

(160) s. Anm. 159. RE 2. Reihe VIII, 1 (1955) 1020f s. v. M. Vergilius Gallus Lusius (H. CHOCHOLE); (P.I.R.¹ III 401 nr. 278). H.-G. PFLAUM, *Les Carrières Procuratiennes Equestres sous le Haut-Empire Romain* (1960-61) I, 23; III, 958. H. DEVIJVER, *De Aegypto et Exercitu Romano sive Prosopographia Militiarum Equestrium quae ab Augusto ad Gallienum seu statione seu origine ad Aegyptum pertinebant, Studia Hellenistica* 22, 1975, Nr. 79. Er ist der Vater des A. Lusius Gallus (P.I.R.¹ V² 112 nr. 434). Die Tochter des Idiologos, Lusia Paullina (P.I.R.¹ V² 115 nr. 445), war mit Sex. Vettulenus Cerialis verheiratet, der dem Senatorenstand angehörte u. a. als Legionslegat der *legio V Macedonica* am *bellum Iudaicum* teilnahm, dem *consul suffectus* des Jahres 73 oder 74 n. Chr.

(161) RE IX (1914) 882ff s. v. ἴδιος λόγος (PLAUMANN). P. R. SWARNEY, *The Ptolemaic and Roman Idios Logos, American Studies in Papyrologie*, VIII, 1970, 66ff, 79. Der Idios Logos scheint in dieser Inschrift ein Titel zu sein, kein Amt. Im Griechischen wird jedoch zwischen der Abteilung, ὁ ἴδιος λόγος, und seinem Hauptinhaber, ὁ πρὸς τῷ ἰδίω λόγω, unterschieden. Zu den Familienverhältnissen s. SWARNEY a. O.

(162) O. HIRSCHFELD, *Die kaiserlichen Verwaltungsbeamten bis auf Diokletian* (1877) 123 Anm. 5 schlägt für Sex. Aulienus (dem er irrtümlicherweise das Cognomen Primus zuweist) den Zusatz *praefectus Misenensis* vor.

Möglicherweise ebenfalls aus Gallien stammt C. Numisius sive Ratiagrus (CIL X 4969); er trägt jedenfalls einen keltischen Namen (A. HOLDER, *Alt-celtischer Sprachschatz* II (1904) 1075 s. v. Ratiagrus). I. KAJANTO (*Supernomina. A Study In Latin Epigraphy. Commentationes Humanarum Litterarum* Vol. 40 Nr. 1 (1966) 40) vermutet, daß Gentilizium und Cognomen die « original names » des Mannes waren, die in der Inschrift, analog eines Agnomens, getrennt wurden (I. KAJANTO, *Onomastic Studies In The Early Christian Inscriptions Of Rome And Carthage* (*Acta Instituti Romani Finlandiae* II, 1, 1963, 30)). Kajanto kann Belege dafür angeben, daß vor allem Personen, die mit der römischen Nomenklatur nicht vertraut waren, ihr Gentilizium trennten (KAJANTO, *Supernomina* 40). Vgl. den Freigelassenen T. Iulius sive Ruzeratus, mit barbarischem Agnomen (CIL VIII 2888 (*Lambaesis*); KAJANTO, *Supernomina* 25).

suls L. Arruntius (Furius) Camillus Scribonianus ist diese Inschrift in das Jahr 32 n. Chr. datiert. Das bestätigt wiederum indirekt die zeitliche Einordnung des Sex. Aulienus. Der Sklave führt als seinen eigenen Titel *mag(ister)* an, wo und wofür wissen wir nicht. Möglicherweise übte er dieses Amt in einem der zahlreich bezeugten Kollegien aus. Vielleicht hatte ihm sogar Nedymus aufgrund seiner guten Beziehungen zu Sex. Aulienus die Stellung als *magister* verschafft [163]. Ein Freigelassener versah wohl zu Beginn des 2. Jh.s n. Chr. den Dienst als Schreiber in der Verwaltung (CIL X 4905). Er war befreundet mit einem *libertus* der Gens Pulfennia. Dieser Familie gehören zwei bedeutende und einflußreiche Männer in *Venafrum* an. Möglicherweise hat der Schreiber durch Vermittlung des einen, Sex. Pulfennius Salutaris [164], seinen Posten erhalten. Der letztgenannte hatte in *Venafrum* dreimal das Amt des *duumvir quinquennalis* innegehabt, was ihn zu außergewöhnlichen finanziellen Leistungen verpflichtete. Er war auch *patronus coloniae*, besaß also gute Kontakte zum Kaiserhaus und war außerdem noch *flamen Divi Traiani*. Zusätzlich hatte er in verschiedenen Städten Kampaniens ihm vom Kaiser übertragene Verpflichtungen übernommen. So war er *curator calendarii* in *Suessa* [165], besaß dort die Aufsichtsführung über das städtische Zinsbuch und war in *Cales curator templi et arcae Vitrasianae* [166]. Mit seinem eigenen Vermögen wird er bei der Ausübung dieser Vertrauensstellungen garantiert haben. Einer seiner Enkel, der Senator Sex. Pulfennius Salutaris Marcus Lucceius Valerius Severus Plotius Cilo [167], hatte in antoninischer Zeit in Rom das Amt des *quattuorvir viarum curandarum* inne [168] und vertrat als *patronus coloniae* von *Venafrum* die Interessen seiner Heimatstadt.

(163) CASTRÉN, *Ordo Populusque* 78.
(164) CIL X 4873; ENGESSER 191 Nr. 742.
(165) DE RUGGIERO II (1961) 26ff s. v. calendarium (KUEBLER). s. auch W. LANGHAM-MER, *Die rechtliche und soziale Stellung der magistratus municipales und der decuriones* (1973) 175ff; 246ff.
(166) DE RUGGIERO I (1961) 628f s. v. arca publica (FUCHS). Die Ämter des *curator calendarii* und des *curator arcae* lagen oft in einer Hand. Vgl. die bei DE RUGGIERO a. O. angeführten Beispiele. Häufig wurden die Ämter in zwei verschiedenen Städten ausgeübt; s. die Inschrift eines Mannes aus *Caiatia*, der *curator Kal(endarii) [Cubulte]rinor(um?)* war (CIL X 4584) oder eine Inschrift aus *Beneventum*, die besagt, daß der Mann *curator Kalendari rei p(ublicae) Canusior(um)* war (CIL IX 1619). Ein weiteres Beispiel aus *Aeclanum: curat(or) Kal(endarii) Nolanorum* (CIL IX 1160). Zu diesem Amt vgl. auch J. JAPELLA CONTARDI, *Epigraphica* XXXIX, 1977, 71ff.
(167) CIL X 4864; P.I.R.¹ III 109 nr. 799. ENGESSER 191 Nr. 743. M. TORELLI, *StMisc.* X, 1966, 69 hat den[– – –] Pulfennius Severus (CIL X 4905) chronologisch zwischen den Sex. Pulfennius Rufus aus Canosa (CIL IX 405 = ILS 8263) vom Beginn des 1. Jh.s. n.Chr. und den Salutares aus dem 2. Jh.n.Chr. gesetzt. Ein weiteres Mitglied dieser Familie, das sich allerdings chronologisch nicht einordnen läßt, ist aus *Venafrum* bezeugt (CIL X 4985).
In der Kaiserzeit sind häufig Polyonyme bezeugt, um die Großartigkeit der Familie herauszustellen; man verband den eigenen Namen mit dem der Vorfahren (KAJANTO a. O. zit. in Anm. 162) *Supernomina* 41; *Onomastic Studies* 4). Der Konsul des Jahres 169 n. Chr. führte 38 Namen (CIL XIV 3609 = ILS 1104. B. DOER, *Die römische Namengebung* (1937) 128ff).
(168) RE XXIV (1963) 849f s. v. quattuorviri (G. WESENER).

Im letzten Viertel des 2. Jh.s n. Chr. war ein Mann aus der Transpadana, aus *Concordia*, P. Cominius Clemens, Patron von *Venafrum* [169]. Möglicherweise ist er, wie mit Aquileia und Parma, auch mit *Venafrum* durch eigene Besitzungen in Beziehung getreten. Der Frau des Senators M. Macrinius Vindex Hermogenianus, Laberia Pompeiana, wurde zu Ausgang des Jahrhunderts für erwiesene Großzügigkeit auf Dekret der Dekurionen der Grabplatz gestiftet (CIL X 4861 = ILS 1136). Promotor dieser Ehrung war der Vater ihres Schwiegersohns, ein gewisser L. Gabinius Cosmianus, der selbst *flamen pontifex* und *patronus* von *Venafrum* war [170]. Ihr gemeinsamer Enkel, der Ritter [– – –] Gabinius Vindex Pompeianus [171], wurde ebenfalls *patronus* von *Venafrum*, zusätzlich vom Kaiser bevollmächtigter *curator rei publicae* von *Aletrium* und *Interamna Lirenas*, letztere eine Stadt in Latium, zu der schon sein Großvater Verbindungen geknüpft hatte (CIL X 4860). In beiden Munizipien verwaltete er das kommunale Vermögen [172]. Er war auch *advocatus* von *Venafrum* und *Casinum* [173]. Ein weiterer *patronus* von *Venafrum* ist bekannt; es handelt sich um C. Paccius Priscus, der aus *Teanum Apulum* gebürtig war und vielleicht in *Venafrum* ansässig wurde [174].

Einer der ersten Gouverneure der Provinz Samnium war der *praeses provinciae Samnitium* Autonius Iustinianus (CIL X 4858) [175]. Er hat gemeinsam mit dem *ordo splendidissimus* die verfallene Stadt wiederaufgebaut [175a]. Gegen seinen Willen hat man ihm dafür eine Statue aufgestellt. Derselbe Mann ist uns bereits aus *Aesernia* bekannt, wo er als *rector provinciae* tituliert ist (CIL IX 2638); während seiner Amtszeit ist dort das erdbebengeschädigte *macellum* wiedererrichtet worden. In einer Inschrift aus *Anxanum*, dem heutigen Lanciano, ist er ebenfalls als *rector provin-*

(169) CIL V 8659 = ILS 1412; *NSc* 1923, 230. P.I.R.² II 301 nr. 1266. ENGESSER 192 Nr. 744.

(170) P.I.R.² IV 1 nr.6. ENGESSER 180 Nr. 680. PFLAUM a. O. (zit. in Anm. 160) 265 schlägt eine andere Lösung vor für die 6.-8. Zeile der Inschrift CIL X 4860; daraus ergibt sich, daß L. Gabinius Cosmianus drei Söhne hatte, wobei der zweite Sohn, Q. Gabinius Barbarus, mit dem Gleichnamigen aus einer Inschrift in Sardinien bekannten identisch ist.

(171) CIL X 4860. P.I.R.² IV 2 nr.10. ENGESSER 181, 259 Nr. 683/865. PFLAUM a. O. (zit. in Anm. 160) hat durch seine neue Lesung gezeigt, daß der Enkel von L. Gabinius Cosmianus, C. Gabinius Barbarus Pompeianus, identisch mit dem Namen ist, wie ihn unsere Inschrift (CIL X 4860) wiedergibt, nämlich Gabinius Vindex Pompeianus, es handelt sich also um ein Polyonym: C. Gabinius Barbarus Vindex Pompeianus.

(172) RE IV (1901) 1806ff s. v. curatores rei publicae (KORNEMANN); s. auch LANGHAMMER a. O. (zit. in Anm. 165) 165ff. F. DE MARTINO, *Storia della costituzione romana* IV, 2 (1965) 619.

(173) DE RUGGIERO I (1961) 116ff s. v. advocatus (DE RUGGIERO). ENGESSER 259 vermutet, wie auch schon W. KUNKEL (*Herkunft und soziale Stellung der römischen Juristen*, 2. Ed. 1967, 325), eine gewisse juristische oder zumindest rhetorische Vorbildung.

(174) CIL IX 735. ENGESSER 192 Nr. 748. A. RUSSI, *Teanum Apulum. Le iscrizioni e la storia del municipio. Studi pubblicati dall'Istituto Italiano per la Storia Antica*, 25, 1976, 163f, Nr. 3e, Abb. 3e.

(175) RUSSI a. O. (zit. in Anm. 23) 331 ff Nr. 5. RE X (1917) 1313 s. v. Iustinianus (SEECK).

(175a) *ordo splendidissimus*: vgl. Pozzuoli (CIL X 1727); CASTRÉN, *Ordo Populusque* 59.

ciae bezeichnet und veranlaßte auch dort Wiederaufbauarbeiten (CIL IX 2998 = ILS 6122 b). Nach der Mitte des 4. Jh. s n. Chr. war ein gewisser Maecius Felix Patron von *Venafrum* (CIL X 4863). Die für ihn abgefaßte Ehreninschrift nennt ihn *rector provinciae Samnii adiniunctivae vicis* und *defensor ordinis possessoris populique* [176]. Aus der Spätantike ist ein weiterer *patronus* bekannt: [– – –] Quintilianus, der auf einer Basis [*rector (oder praeses)*] *Samniticus* genannt wird (CIL X 4865). Er ist außerdem als *examinator* bezeichnet [177]. Die mit diesem Amt verbundene Funktion ist aufgrund der unzureichenden Überlieferungslage nur schwer einzuschätzen. Das Amt als solches ist bisher nur in einer stadtrömischen Inschrift nachgewiesen (CIL VI 1704 = ILS 1214). Auf dem Hintergrund dieser Parallele hatte der *examinator* wahrscheinlich Kontrollfunktionen bei der Einziehung der Grundsteuer auszuüben, wohl als eine Art Inspektor. Das Adjektiv *aequissimus* ist der Ehrung eines Finanzbeamten, dessen Rechtschaffenheit hervorgehoben werden sollte, angemessen. Wohl erst in ostgotischer Zeit hat *Venafrum* dem *patronus* und *rector provinciae* Flavius Pius Maximus Marianus eine Ehrenstatue aufgestellt (CIL X 4859) [178].

Aus dieser Aufzählung geht hervor, daß bis in das 2. Jh. n. Chr. eine autonome städtische Verwaltung vorhanden gewesen ist. Für das 3. Jh. n. Chr. besteht eine Überlieferungslücke. In der Spätantike übernahmen dann von der Zentralgewalt gesandte Beamte die wichtigsten Kontrollfunktionen in der Stadt.

Die öffentliche Bautätigkeit der Stadt hat wohl von der Gründung der Kolonie an ausschließlich in der Hand der Aristokratie, den Magistraten und *patroni coloniae*, gelegen. Den Freigelassenen, die in *Aesernia* in großem Maß ihren Ehrgeiz auf diesem Gebiet beweisen konnten, sind in *Venafrum*, den bisher bekannten Inschriften und Monumenten zufolge, wohl weniger Möglichkeiten der Repräsentation eingeräumt worden.

Außer den bereits genannten öffentlichen Einrichtungen, wie Theater, Odeion (?) und Aquädukt, sind weitere Gebäude in der Stadt inschriftlich bezeugt; sie lassen sich jedoch weder lokalisieren noch zeitlich einordnen. Über die Finanzierung der städtischen Bauten geben zwei Inschriften Nachricht: die frühkaiserzeitliche berichtet von dem Bau des Amphithea-

---

(176) RUSSI a. O. (zit. in Anm. 23) 338ff Nr. 8. DE RUGGIERO II, 2 (1961) 1554ff s. v. defensor (MANCINI). RE IV (1901) 2365ff s. v. defensor civitatis (SEECK); bes. 2369, wobei *rector* falsch bezogen ist. Vgl. HARMAND a. O. (zit. in Anm. 52) 204, der vermutet, daß der Patronat früher als die Ausübung des Gouvernement gewesen sei.

(177) RUSSI a. O. (zit. in Anm. 23) 337f. Nr. 7. Die Artikel in DE RUGGIERO II, 3 (1961) 2179f s. v. examinator (TEDDS), RE VI (1909) 1551 s. v. examinator (SEECK) und DAREMBERG-SAGLIO II, 1 (1892) 878f s. v. examinator (THÉDENAT) führen als Beleg für diesen Titel nur die genannte Inschrift an. Der dort erwähnte C. Caelius Saturninus begann seine Laufbahn unter Diokletian und beendete sie unter Konstantin.

(178) RUSSI a. O. (zit. in Anm. 23) 330 Nr. 4.

ters (CIL X 4892), die andere erwähnt allgemein die Verschönerung der Kolonie (CIL X 4894) [179]. Bei beiden Texten zeigt die Formulierung "pro parte dimidia" an, daß sich ein privater Geldgeber und die Stadtkasse die Kosten teilten. Die Erstellung anderer Bauten wurde allein durch das Geld von Magistraten, oft bei Antritt eines Amtes, ermöglicht. So hat ein zweifacher *duumvir quinquennalis* «*a solo pecunia sua*» im 1. Jh. n. Chr. der Stadt ein *balneum* gestiftet (CIL X 4884). Wahrscheinlich hat er selbst die Einweihung nicht mehr miterlebt, denn Frau und Tochter haben die Inschrift setzen lassen. Ein anderer *duumvir* hat die Errichtung eines nicht bekannten Gebäudes veranlaßt. Die Buchstabenformen datieren die Inschrift in die frühe Kaiserzeit (CIL X 4896). Zu Ausgang des 2. Jh. s n. Chr. hat der bereits genannte L. Gabinius Cosmianus den Venafraner Aquädukt wiederhergestellt (CIL X 4860). Aus der Spätantike ist uns eine andere Art der Finanzierung überliefert: laut einer Inschrift des 4. Jh. s n. Chr. aus *Aesernia* wurden bei der Wiedererrichtung des *macellum* von staatlicher Seite die Säulen und Ziegel bezahlt, während die anderen Ausgaben von Privatpersonen bestritten worden sind (CIL IX 2638) [179a].

Die Bewohner des umliegenden Landstrichs (*pagus*) profitierten von den städtischen Einrichtungen der Kolonie. So dankten die Einwohner von *Rufrae*, einem *Venafrum* nahegelegenen Dorf, einem gewissen M. Volcius Sabinus mit einer Inschrift dafür, daß er aus eigener Tasche "*aquam Iuliam adduxit*", also vom Venafraner Aquädukt eine Abzweigung hat legen lassen und auf diese Weise die Wasserversorgung des Ortes sicherstellte [180]. Eine ähnliche Danksagung ist auf einer Inschrift des früheren 1. Jh. s n. Chr. aus Capriati al Volturno bezeugt (CIL X 4890).

Venafrum genoß schon lange vor Einrichtung der Kolonie wegen seines ausgezeichneten Olivenöls großes Ansehen [181]. Sicherlich fanden weite Kreise der Bevölkerung in der Landwirtschaft und damit verbundenen Handwerkszweigen Beschäftigung. Es ist uns überliefert, daß die noch in der Kaiserzeit inschriftlich bezeugten Mennii (CIL X 4885) im 2. Jh. v. Chr. lederne Seile für Ölpressen hergestellt haben (CATO, *r. r.* 135,3). Aufschluß über die Bewirtschaftung des Landes gibt eine Grabinschrift (CIL X 4917). Ein *vil(icus)* – der mit 25 Jahren verstorbene Sklave Narcissus – besaß als Verwalter die Verantwortung für die Arbeitssklaven des Gutes

(179) Ein weiteres Fragment einer Inschrift ist in der Apsis der Kathedrale vermauert (GARRUCCI, *Venafro* Nr. 36): [– – –]orn[– – –].

(179a) Vgl. Anm. 67. Vgl. Die Restaurierungsarbeiten in *Saepinum*, bei denen der *rector provinciae* Fabius Maximus die *cura* der Thermen und des Tribunals zwei *patroni* der Stadt überließ (CIL IX 2447-48 = ILS 5524).

(180) CIL X 4833. Ein Freigelassener der Gens Volcia leistete sich ein aufwendiges Rundgrab (CIL X 4912. Inst. Neg. Rom. 75.2809. Inschrift in der mittleren Apsis der Kathedrale vermauert).

(181) s. Anm. 118.

6

und damit ihnen gegenüber eine privilegierte Stellung. Die Hoffnung, freigelassen zu werden, hat sich durch seinen frühen Tod nicht erfüllt [182].

Die niederen Funktionen im Kaiserkult wurden von Freigelassenen ausgeübt, die als *Augustales* (CIL X 4907; 4909-10; 4912) überliefert sind [182a]. Die höchsten Priesterämter wurden durchweg von Männern bekleidet, die auch die obersten Magistratsstellen innehatten. So waren Sex. Aulienus *flamen Augustalis* und. M. Vergilius Gallus Lusius *pontifex*; weiterhin sind ein *pontifex* (CIL X 4885) und ein *augur* (CIL X 4884) bezeugt, die sich aber zeitlich nicht einordnen lassen. Sex. Pulfennius Salutaris bekleidete das Amt des *flamen Divi Traiani*. [Gabinius] – – – Asper, ein Sohn des schon genannten L. Gabinius Cosmianus, war *pontifex* und *augur* in der 2. H. des 2. Jh. s n. Chr. (CIL X 4860). Einem Kultbeamten, dem *haruspex* C. Flavidius, hat man eine Ehrenstatue errichtet [183]. Über religiöse Gebräuche und die Ausübung von Kulten besitzen wir die unterschiedlichsten Zeugnisse. Der Kult der Magna Mater scheint eine vorrangige Bedeutung gehabt zu haben. Bereits Augustus hatte ihm ein eigenes Landstück zugewiesen. In diesem vorzugsweise von Frauen gepflegten Kult ist aus dem 2. Jh. n. Chr. eine gewisse Sabidia Cornelia bekannt, die der *mater deum donum dedit* (CIL X 4844) und in *Rufrae* ein Taurobolium darbrachte (CIL X 4829). In der Inschrift auf einem Grabaltar ist Tillia Eutychia als *sacerdos* bezeichnet (CIL X 4889), möglicherweise war sie Priesterin der Magna Mater. Eine weibliche Sitzfigur in Statuettengröße aus Kalkstein konnte als Kybele identifiziert werden (Vf 24. Abb. 115a-d. Taf. 63). Es muß offen bleiben, ob sich ihre Herkunft aus den Ländereien der Familie Del Prete in der Nähe des Volturno mit der Nachricht des Plinius über einen *fons acidulus*, einer Thermalquelle am Ufer des Flusses, in Zusammenhang bringen läßt [184]. Bekanntlich wurde Kybele gern an solchen Orten verehrt. Die *cultores bonae deae caelestis* waren in einem *collegium funeraticium* orga-

(182) F. BUECHELER, *Carmina Epigraphica Latina II* (1897) Nr. 1015. RE VIII[1] 2. Reihe (1958) 2136ff s. v. vilicus (K. SCHNEIDER) und ALFÖLDY a. O. (zit. in Anm. 59) 126ff. Die Inschrift ist sicher post quem 4 v. Chr. , dem Jahr, in dem die Lex Aelia Sentia De Manumissionibus erlassen worden ist (ROTONDI a. O. (zit. in Anm. 49) 455). F. BÖNNER, *Untersuchungen über die Religion der Sklaven in Griechenland und Rom*, Abh Mainz 1963, Abh. 10, 158 Anm. 4.

(182a) CASTRÉN, *Ordo Populusque* 73 Anm. 6; bes. E. DEMOUGEOT, « *L'inscription de Lattes* », REA 68 (1966) 93 Anm. 3.

(183) Kalksteinbasis H: 0,37; B: 0,58 T: 0,50. Sie wurde im Jahre 1915 in Venafro gefunden, daraufhin in den Palazzo Cimorelli verbracht, wo sie nicht mehr aufgefunden werden konnte (S. AURIGEMMA, *NSc* 21, 1924, 85f; AE 1924 Nr. 120). Es bleibt unsicher, ob mit *haruspex* das Sakralamt gemeint ist oder ob es sich um ein vom Amt abgeleitetes Cognomen handelt. Dieses tritt nur selten auf; KAJANTO gibt nur einen Nachweis (CIL V 6591).

(184) PLINIUS *n.h.* 21,9. Zur Verbindung der Magna Mater mit Quellen s. H. GRAILLOT, *Le culte de Cybèle* (1912) 419.

nisiert [185]. Der Kult des Mithras ist durch die Darstellung eines Cautopates bezeugt, der sich als Relief auf einer Basis befindet (Vf 51. Abb. 143. Taf. 73). Mit religiös motivierten Jenseitshoffnungen sind möglicherweise zwei Reliefs eines (?) Grabmonuments in Verbindung zu bringen: ein Ehepaar, die Frau als Europa auf dem Rücken des Stiers, der Mann auf einem Elefanten reitend, fährt den Gefilden der Seeligen entgegen (Vf 43-44. Abb. 135a-136. Taf. 70). Ob apotheotische Vorstellungen auch der Inschrift einer Basis zugrunde liegen, die ein für Bürger und Stadt in Erfüllung eines Gelöbnisses gestiftetes Bild des Ganymed nennt, muß offen bleiben, da der Anlaß der Weihung nicht genannt wird (CIL X 4891) [186]. Die erhaltene Marmorstatuette des Ganymed gibt hier keinen näheren Aufschluß, zumal bei der Aufstellung ihr dekorativer Charakter den ikonographischen Gehalt überwogen zu haben scheint (Vf 22. Abb. 113a-b. Taf. 61). Die Verehrung der Nemesis ist lediglich durch eine Inschrift belegt (CIL X 4845) [187]. Schließlich ist eine Weihung an Sturmgottheiten überliefert [188]. Es liegt nahe, daß man sich in einer hauptsächlich von der Landwirtschaft lebenden Gegend Gottheiten verbunden fühlte, die auf das Wetter und auf die Einbringung der Ernte Einfluß hatten.

Diese Zusammenstellung zeigt, daß im 2. Jh. n. Chr. die mit persönlichen Erfahrungen verknüpften Bindungen an Götter gegenüber den staatlich propagierten Kulten zu überwiegen scheinen. Die Kultbauten sind allerdings nicht bekannt.

Praktische Berufe wurden in der Regel von Freigelassenen ausgeübt. Einer arbeitete beispielsweise als *faber* (CIL X 4916), ein anderer war *medicus* (CIL X 4918), wieder ein anderer betätigte sich als « Winkeladvokat » (CIL X 4919). Bei der Verwaltung der städtischen Finanzen und der rechtlichen Geschäfte stand ein Gemeindesklave als *actor rei publicae* den Magistraten zur Verfügung (CIL X 4904) [189]. Keiner dieser Erwerbstätigen hat

---

(185) CIL X 4849. SCHIESS 10 Nr. 8. GARRUCCI, *Venafro* Nr. 14 meint, daß die *bona dea* besonders Arbeiten hydraulisch-technischer Art beschützte und demzufolge die Aufseher des Aquädukts von *Venafrum* im *collegium bonae deae caelestis* zusammengeschlossen waren. Er zieht für seine Beweisführung die Inschrift CIL XIV 3530 heran; der dort genannte *redemptor* L. Paquedius Festus hatte im Jahre 88 n. Chr. den Tempel der Bona Dea wiederhergestellt, da die Göttin ihm Hilfe bei der Ausschachtung eines Tunnels durch den *mons Atthianus* gleistet hatte. Th. MOMMSEN, *GesSchr* III, 1907, 82 vermutete, daß die *familia publica*, die Augustus zusammen mit dem Aquädukt der Stadt geschenkt hatte und die die Instandhaltungsarbeiten zu versehen hatten, im *collegium familiae publicae* (CIL X 4856) zusammengeschlossen waren.

(186) Der Aufstellung eines *signum* ging in der Regel die Einholung der Erlaubnis zur Entgegennahme von seiten des *ordo* voraus (vgl. LADAGE 51).

(187) Zum Kult der Nemesis s. B. SCHWEITZER, *Dea Nemesis Regina*, Id 46, 1931, 175ff.

(188) CIL X 4846 = ILS 3932. RE 2. Reihe V (1934) 479f s. v. tempestati (C. KOCH).

(189) RE I (1894) 329f s. v. actor (REISCH). s. auch L. HALKIN, *Les esclaves publics chez les romains* (1897) 153ff. Weitere Freigelassene der Stadt sind bekannt: CIL X 4852; 4932; 4983-84; 5010-12. s. auch CAGNAT a. O. (zit. in Anm. 155) 82ff, 86.

sich, wie es in *Aesernia* häufig der Fall ist, durch ein berufsspezifisches Bild, etwa auf einem Grabrelief, verewigen lassen.

Eine Vielzahl von Vereinen ist nachgewiesen. In diesen bekleideten Freigelassene oft gehobene Positionen, so nennt eine Inschrift den *Augustalis* C. Manilius Fortis als *patronus collegii* (CIL X 4907). Der *libertus* Sex. Publicius Bathyllus war sowohl in *Puteoli* als auch in *Venafrum Augustalis* (CIL X 1889). Auch in der Ausrichtung von Spielen hat sich diese Bevölkerungsgruppe hervorgetan. Das zeigt besonders deutlich eine aufwendige, in Versmaß abgefaßte Inschrift, in der sich ein Unbekannter rühmt «*bis sevir factus bis populo munus dedi*» (CIL X 4913)[190]. Wie aus anderen Städten bekannt, haben selbstverständlich auch die Magistrate *munera* gegeben (CIL X 4897). Wie in allen römischen Städten wurden auch in *Venafrum* die Überlandstraßen für die mit den Grabbauten verbundenen Repräsentationsabsichten genutzt. Die entsprechenden Monumente konzentrieren sich vor allem auf die Ebene südlich der Stadt und längs der wichtigsten Verbindung nach Kampanien und *Aesernia*. Die kleinere Straße zur *statio Ad flexum* weist weit spärlichere Funde auf. Die qualitätvollsten Stücke stammen bezeichnenderweise von der wohl am meisten befahrenen Straße nach Kampanien. Größere, architektonisch gestaltete Grabmonumente und aufwendige Inschriftplatten lassen sich vor allem im 1. Jh. n. Chr. nachweisen, während weniger kostspielige Formen, wie beispielsweise schmucklose Grabcippen ab der zweiten Hälfte des 1. Jh. s n. Chr. zu überwiegen scheinen (CIL X 4889; 4909; 4928; 4932; 4938; 4983; 4992). Im Unterschied zu *Aesernia* lassen sich in *Venafrum* gewisse Personengruppen nicht ausschließlich mit bestimmten Monumenttypen in Verbindung bringen.

Neben diesen individuellen Bestattungsformen gab es Sterbevereine, die Minderbemittelten ein relativ ansehnliches Begräbnis ermöglichten. Bekannt sind neben dem bereits genannten *collegium cultorum bonae deae caelestis* das der *amicitia Herculaniorum Herviani*[*orum?*] *und* das der *amicitia Neriani*, weiterhin das der *cultores Iovis Caelestis*, das der *cultores Saturni* und das der *cultores collegi(i) Prome(n)s(ium)*[191].

Das *collegium* der *fabri* besaß einen eigenen, ihm geschenkten Grabplatz[192]. Von drei weiteren Kollegien sind die Grabplätze inschriftlich bezeugt (CIL X 4850-51; 4854). Die Mitglieder der Vereine waren haupt-

---

(190) Die metrische Inschrift ist leider nicht vollständig erhalten, so daß eine eindeutige Lesung und Interpretation nicht möglich ist. BUECHELER a. O. (zit. in Anm. 182) Nr. 234.
(191) *amicitia Neriani*: CIL X 4851 = ILS 7318a (in Via Garibaldi 33 vermauert). SCHIESS Nr. 290. *cultores Iovis Caelestis*: CIL X 4852. SCHIESS Nr. 78. *cultores Saturni*: CIL X 4854 = ILS 7326. SCHIESS Nr. 292. *cultores collegi(i) Prome(n)s(ium)*: CIL X 4853. SCHIESS Nr. 291. MOMMSEN a. O. (zit. in Anm. 185) 83 hält u. U. für möglich, daß sich *Prome(n)s(ium)* aus dem Genius des Aquädukts bezieht.
(192) CIL X 4855; SCHIESS Nr. 293.

sächlich Freigelassene, wie aus der Inschrift des *collegium cultorum Iovis Caelestis* hervorgeht, die 16 Personen nennt. Auch die städtischen Sklaven hatten sich in einem Kollegium zusammengeschlossen (CIL X 4856) [193]. Ob und wann die Zahl der Kollegien zunimmt läßt sich nicht feststellen, da sich die Inschriften nicht datieren lassen.

2. *Gattungen der Steindenkmäler, ihre Eigenarten und ihre Auftraggeber*

Rundplastik

Die Kunstproduktion von *Aesernia* war durchgehend von Werken eher provinziellen Charakters bestimmt, der sich sowohl an den offiziellen Ehrenstatuen als auch an den aus Grabzusammenhang stammenden Denkmälern feststellen ließ.

Anders ist die Situation in *Venafrum*. Hier ist das Material vielschichtiger.

Offizielle und private Denkmäler aus dem städtischen Bereich verwenden den kostspieligen Marmor, während die von Gräbern stammenden Stücke in Kalkstein gearbeitet sind. Abgesehen von zwei Grabstatuen (Vf 2-3. Abb. 93-94. Taf. 48) und dem Kopf einer weiteren (Vf 4. Abb. 95a-b. Taf. 48), gehören die rundplastischen Denkmäler städtischer und in nur geringem Maße kultischer Repräsentation an. Die meisten Monumente stammen aus der frühen Kaiserzeit und zeigen eine deutliche Orientierung an stadtrömischem Kunstgeschmack. Die entscheidenden Anregungen zur Wahl der Ausstattung verdankte man der Metropole. Dies läßt sich sowohl an den Skulpturen als auch an den Architekturfragmenten nachvollziehen.

Der in die Jahre um 100 v. Chr. zu datierende weibliche Idealkopf (Vf 1. Abb. 92a-c. Taf. 47) ist das einzige bis heute bekannte Zeugnis dafür, daß es in *Venafrum* bereits vor der Gründung der augusteischen Kolonie in späthellenistischer Zeit Auftraggeber gegeben hat, die in der Lage waren, sich aufwendige Kunstwerke zu leisten. Der Kopf ist sicherlich importiert worden. Der fehlende Kontext macht seine Einordnung und die Bestimmung seiner Provenienz unmöglich. Ein Beweis dafür, daß man ihn mit der in etwa dieselbe Zeit zu datierenden terrassenförmigen Anlage außerhalb der Stadt am Abhang des Monte S. Croce s.o. S. 45/46 in Verbindung bringen könnte, läßt sich nicht führen.

Mit der Einrichtung der Kolonie entstand das Bedürfnis, die notwendig gewordenen öffentlichen Gebäude auszuschmücken. Den Bürgern

(193) SCHIESS Nr. 294. s. Anm. 185.

bot sich hier reichlich Gelegenheit, ihren neuen Status selbstbewußt zu dokumentieren. Da die Gebäude uns nur mittelbar durch die der Dekoration dienenden Denkmäler überliefert sind, muß jede Interpretation bei dem heutigen Stand unserer Kenntnisse hypothetisch bleiben.

Zwei überlebensgroße Statuen im Hüftmanteltypus (Vf 9-10. Abb. 100a-101c. Taf. 53-54) und der wohl von einer ähnlichen Statue stammende männliche Porträtkopf (Vf 11. Abb. 102a-c. Taf. 55) legen für den Wunsch nach Repräsentation einiger Honoratioren ein beredtes Zeugnis ab. Die verwendete Formel geht deutlich auf Darstellungen der Kaiser zurück. Sicherlich besaßen die Statuen eine über rein dekorative Zwecke innerhalb einer architektonisch entsprechend ausgestatteten Anlage hinausgehende Bedeutung. Möglicherweise stammen sie von einem Statuenzyklus. Leider fehlt jeder Anhaltspunkt für eine Benennung der Dargestellten. Wahrscheinlich waren es Bürger, die sich um die Stadt verdient gemacht haben und ihre Statuen vielleicht zusammen mit denen der Angehörigen des Kaiserhauses zur Aufstellung bringen ließen, ein Phänomen, das aus zahlreichen anderen Städten bekannt ist [194].

In derselben Anlage, dem Odeion (?) der Stadt, wurden weiterhin eine Satyrstatue (Vf 15. Abb. 106a-c. Taf. 57) und das Fragment einer Dionysosstatuette (Vf. 21. Abb. 112a-c. Taf. 60) gefunden; über den speziellen Ort ihrer Aufstellung ist uns allerdings nichts bekannt. Das Fragment einer weiblichen Gewandstatue stammt ebenfalls aus einem öffentlichen Gebäude (Vf 25. Abb. 116a-c. Taf. 64). Diesen Schluß legen der in der Stadt gesicherte Fundort und mitgefundene, jedoch inzwischen verlorene Inschriften und Architekturteile nahe. Dasselbe gilt wohl auch für eine unterlebensgroße Statue, eine spiegelbildliche Umkehrung der Venus Genetrix, deren Fundort unbekannt ist (Vf 7. Abb. 98a-d. Taf. 49). Die Funktion einer nackten männlichen Statue läßt sich nicht mehr ermitteln (Vf 26. Abb. 117. Taf. 65). Drei Porträtköpfe stammen wohl von Ehrenstatuen (Vf 5; 13; 17. Abb. 96; 104; 108a-b. Taf. 48; 56; 58). Togastatuen, die als Repräsentationsform der Oberschicht sicher vorhanden gewesen sind, sind bislang nicht überliefert.

Von Kultstatuen wie von Kultbauten ist in *Venafrum* bisher kein monumentales Zeugnis zutage getreten. Die Statuettengröße der Hygieia (Vf 18. Abb. 109a-b. Taf. 59) und der Kybele (Vf 24. Abb. 115a-d. Taf. 63) lassen an die Herkunft aus einem kleinen Heiligtum oder einer Villa denken. Möglicherweisse handelt es sich um Votivgaben oder Ausstattungsstücke. Grabstatuen, die in aufwendigen Bauten standen, sind bisher in zwei Exemplaren bekannt (Vf 2-3. Abb. 93-94. Taf. 48).

(194) Vgl. die in Anm. 156a-157 zitierten Bsp.

Reliefs

Die uns erhaltenen Reliefs stammen, anders als in *Aesernia*, alle aus sepulkralem Zusammenhang. Sie waren durchweg Bestandteil von Grabarchitektur. Die aus *Aesernia* zahlreich bekannten figürlichen Szenen auf freistehenden Grabsteinen und -reliefs fehlen in *Venafrum*. Die Reliefs verbinden in ihrer einfachsten Form auf einem Block eine Darstellung mit einer Inschrift (Vf 47-48. Abb. 139-140. Taf. 71).

Zu kostspieligeren Bauten gehören andere Reliefs ohne Inschrift, die sich möglicherweise auf Jenseitsvorstellungen (Vf 43-44. Abb. 135a-136. Taf. 70) und auf die militärische Laufbahn der Grabinhaber beziehen (Vf 29-38. Abb. 120-130. Taf. 65-68). Letztere wurde jedoch nicht wie in *Aesernia* ausführlich und als mit der eigenen Person verbundene Erfahrung geschildert, sondern ist durch Kürzel, wie Militärabzeichen, Standarten oder Rüstungsteile wiedergegeben. Diese Formelhaftigkeit, die in *Aesernia* vornehmlich auf dorischen Friesen zu finden war, entspricht dem in anderen Orten üblichen Schema.

Hinweise auf die Ämter der Grabinhaber finden sich nur vereinzelt. Der *aedilis* Q. Ervius Bassus ließ auf seiner bescheidenen Grabinschrift eine *sella curulis* einritzen (CIL X 4880). Ähnlich gestaltet ist die zu einem Rundgrab gehörende Inschrift des *Augustalis* M. Volcius Speratus (CIL X 4912). Diese Darstellungen verwenden also die uns bereits aus *Aesernia* von *sevir*-Grabsteinen bekannte Kürzelsprache (Is 67-69. Abb. 67-69. Taf. 39-40).

Auch zwei Gladiatorenreliefs, die als Hinweis auf die Munifizenz der Grabinhaber verstanden werden müssen, sind in *Venafrum* erhalten (Vf 39-40. Abb. 131-132. Taf. 69).

Die in anderen Städten wie Rom, Benevent oder Avellino üblichen Kastengrabreliefs von Freigelassenen sind bisher nicht bezeugt. Ebenfalls auf die lückenhafte Überlieferung wird man es zurückführen müssen, daß nur ein fragmentarischer dorischer Fries erhalten ist (Vf 81a. Abb. 175. Taf. 82).

Altäre – Basen

Ehrenbasen mit dorischem Fries, wie sie sich in *Aesernia* mehrfach belegen lassen, sind in *Venafrum* bislang nicht bekannt.

Von einem kleineren Altar hat sich nur ein Fragment erhalten (Vf 49. Abb. 141. Taf. 73). Von mehreren schlichten, schmucklosen Grabcippen sind die Inschriften überliefert. Als ihre Auftraggeber lassen sich ausnahmslos Freigelassene nachweisen (CIL X 4889; 4909; 4911; 4928; 4932; 4938).

Eine Basis mit der Darstellung eines Cautopates gehört wahrscheinlich in den Umkreis des Mithraskults (Vf 51. Abb. 143. Taf. 73).

Architekturfragmente

Wie bei der Rundplastik lassen sich Fragmente aus Marmor, die wohl von städtischen Bauten stammen, von solchen aus Kalkstein, die zu Grabbauten gehören, unterscheiden. Gebälkstücke (Vf 59; 68; 70-73. Abb. 151; 158a-b; 160-163. Taf. 78-79), ein Kapitell (Vf 76. Abb. 165. Taf. 79) und eine Pilasterbasis (Vf 85. Abb. 188. Taf. 84) zeugen von der reichen Ausstattung öffentlicher Bauten. Von erstaunlicher Qualität sind vor allem die Fragmente aus dem Odeion (?). Zahlreiche Rankenfriese und Verkleidungsplatten schmückten Grabbauten.

Grabbauten

Die Existenz größerer Grabmonumente läßt sich analog zu *Aesernia* aufgrund der erhaltenen architektonischen Fragmente zwar nachweisen, ihr Aussehen jedoch nur summarisch erschließen.

Vor allem entlang der Straße nach Kampanien sind mehrere Reste von in *caementa* - Technik errichteten Grabbauten erhalten. Bisher sind sie nicht vermessen und waren mir unzugänglich.

Ein Grabmonument an der Via Latina in Richtung des heutigen Ortes Ceppagna besitzt in seinem Inneren sechs kleinere Nischen, die oben mit einem Rundbogen abschließen und in der Auflagefläche Vertiefungen aufweisen. Dort waren Urnen eingelassen. Bei diesem kleinen Columbarium könnte es sich um die Grabstätte einer *familia* handeln. Möglicherweise gehörte sie aber auch einem Kollegium, von denen einige eigene Grabplätze besaßen. Zwei Inschriften sagen aus, daß sie von privater Hand geschenkt waren (CIL X 4850; 4852). Die Größe der Grabplätze ist uns in zwei Fällen überliefert (CIL X 4851; 4854).

Von der Bekrönung eines Rundgrabs ist ein mit überkreuzten Beinschienen dekorierter Cippus erhalten (Vf 33. Abb. 125. Taf. 67). Aufgrund dieser Darstellung könnte man das Grabmonument mit dem in einer frühkaiserzeitlichen Inschrift genannten *centurio* M. Vergilius Gallus Lusius in Verbindung bringen (CIL X 4862). In seinen Dimensionen entspricht der Grabbau anderen aus der ersten Hälfte des 1. Jh. s n. Chr., wie sie aus Samnium, Kampanien und Latium bekannt sind (s. Anm. 87-92). Ebenfalls von Rundgräbern stammen zwei Reliefs mit Militärabzeichen (Vf 30-31. Abb. 121-123. Taf. 66), verschiedene Friesfragmente (Vf 81a; 82d-e. Abb. 175; 179-180. Taf. 82) und zwei Inschriftplatten (CIL X 4872; 4912).

Verschiedene Verkleidungsblöcke schmückten Grabbauten mit viereckigem Grundriß, deren Aussehen nicht näher bestimmbar ist (Vf 52-53; 56-58; 82a-f; 80a-b. Abb. 144-145; 148-150; 169; 174; 176-177. Taf. 74-75; 80-82). Die Grabinschriften konnten mit einer Rankenleiste gerahmt sein, wie die Inschrift CIL X 4883 beweist, zwei Rahmenfragmente sind erhalten (Vf 83a-b. Abb. 186a-b. Taf. 84). Die zahlreich überlieferten Pulvini schmückten wohl Grabmonumente in Altarform (Vf 50a-f. Abb. 142a-f. Taf. 73. s. Anm. 94). Die Grabstatuen stammen von weiteren aufwendigen Grabbauten mit offenem Obergeschoß (Vf 2-3. Abb. 93-94. Taf. 48), wie sie in Pompeji entlang der Gräberstraße vor der Porta di Nocera noch in situ vorhanden sind. Zu eben solchen Gräbern müssen die Fragmente von Kassettendecken gehören (Vf 54-55; 79. Abb. 146-147; 168. Taf. 74; 81). Auch eine Grabtür (Vf 78. Abb. 167. Taf. 80) und ein Gladiatorenrelief (Vf 39. Abb. 131. Taf. 69) sind größeren Grabmonumenten zuzuordnen. Als Grabbeigabe einer Körperbestattung aus dem 2. Jh. n. Chr. haben sich Spielklötzchen erhalten [195].

3. Eigenarten der Bildersprache

Selbst aus zufälligen Funden ist oft noch ein Zusammenhang zwischen Monumenten oder gar ein Programm zu erkennen. Dies ist bei den Marmorskulpturen aus *Venafrum* nicht möglich. Zwar lassen sich die Denkmäler zeitlich einordnen, doch bedingt ihre Abhängigkeit von hauptstädtischer Bildersprache, daß sie in ihrer Arbeit zwar lokale Züge erkennen lassen, ihre Aussage aber der der Vorbilder entspricht. Dies ist nicht verwunderlich, da im Vergleich zu Landstrichen, die eigene Kunsttraditionen besaßen, wie beispielsweise Etrurien oder Großgriechenland, eine einheimische Kunsttradition wohl nicht vorhanden war.

Für die Fragestellung nach den Eigenarten der Bildersprache sind Denkmäler aus Grabzusammenhang aufschlußreicher. Es sollen zunächst die beiden Grabreliefs mit Inschrift und figürlicher Darstellung betrachtet werden.

Am linken Rand des querformatigen Reliefs, das sich der uneheliche *ingenuus* Q. Servilius Sp(uri) f(ilius) Quinctio zu Lebzeiten hat herstellen lassen, hat er seine Büste in ein vertieftes Feld eingesetzt (Vf 47. Abb. 139. Taf. 71). Das am jetzt abgebrochenen rechten Rand sichtbare Medusenhaupt bildete wohl ursprünglich die Mitte des Reliefs, so daß man an der verlorenen rechten Seite eine weitere Büste in Art der erhaltenen ergänzen kann. Quinctio hat also für sich die Form der Porträtbüste gewählt, die sein Steinmetz als Darstellungsform der lokalen Oberschicht abgesehen haben mag. Selbst in der Frisur drückt sich der Anspruch auf Vornehmheit

(195) Aus der Gemarkung Chiaione (H. FUHRMANN, AA 1941, 616ff Abb. 121).

aus. Sie ist deutlich an der modernen hauptstädtischen Mode der frühen Kaiserzeit orientiert. In auffälligem Kontrast dazu steht das Medusenhaupt. Es nimmt die gesamte Höhe des Reliefs ein und wirkt allein schon durch seine Plazierung und seine Größe bildbeherrschend. Seine Eindringlichkeit wird durch die in Kerbschnittstil ausgeführten Einzelformen unterstrichen. Die Technik des Bildhauers wird in der stark zu ornamentalen Formen neigenden Darstellung beispielsweise des Haarkranzes der Medusa besonders deutlich. Bei dem Männerporträt ist dieser Schnitzstil zwar auch vorhanden, doch in verhaltenerer Weise. Offensichtlich hat hierbei eine qualitätvolle Vorlage möglicherweise in direkter Anschauung zur Verfügung gestanden. Bei der Medusa hingegen könnte der Steinmetz auf ein am Ort bekanntes Formenrepertoire zurückgegriffen haben [196]. Vielleicht liegt der bewußten Betonung der Medusa ein gewisser apotropäischer Sinngehalt zugrunde. Diese, dem modernen Betrachter eigentümlich anmutende Kontamination von Bildtypen, muß Quinctio ausdrücklich für seine Selbstdarstellung gewünscht haben. Auf jeden Fall ist die Kombination von Porträt und Medusa originell.

Der Bildschmuck dieses Grabreliefs ist ein anschauliches Beispiel dafür, daß Elemente der gehobenen lokalen Bildersprache Eingang in die bescheideneren Denkmäler der Grabrepräsentation gefunden haben. Im Vergleich dazu wurden in *Aesernia* hoher Kunst entlehnte Elemente, wie das Porträt in der Nische auf dem Grabstein des L. Taminius Rufus, mit einer Alltagsszene verknüpft und dem Relief damit ein stark auf persönliche Lebensumstände abhebendes Kolorit gegeben (Is 65. Abb. 65. Taf. 39).

Unter dem Aspekt der Übernahme von Bildformen der Oberschicht läßt sich auch das Grabrelief der Seii betrachten, das aus einem ländlichen Bezirk, aus den Bergen nördlich der Stadt, stammt (Vf 48. Abb. 140. Taf. 71). Sieben Mitglieder der Familie sind aufgezählt. Die einzelnen Buchstaben und die Abfolge der Inschriftzeilen sind sorgfältig ausgeführt. Auf der linken Seite des Reliefs neben dem Text ist eine *imago*

(196) Darstellungen von Medusen in diesem Siedlungsgebiet:
Venafro: Inst. Neg. Rom 75. 2743.
Sepino: Masseria Danello Inst. Neg. Rom 75. 2677; CIL IX 2493 Inst. Neg. Rom 75. 2694. Grabrelief mit zwei Halbfiguren Foto Sopr. Grabrelief mit drei Halbfiguren, Medusa im Giebel Inst. Neg. Rom 75. 2665.
Boiano: Grabstein (mit dorischem Fries) des C. Augustius C. 1. Philotimus, Giardini Pubblici, Inst. Neg. Rom 75. 2721.
S. Polo Matese: Dorischer Fries, neben Sonnenblumen ein Rundschild vor gekreuzten Lanzen, ein Bukranion und eine Medusa in den Metopenfeldern, Foto Sopr.
Chieti: *BCom* 67, 1939, 79 Abb. 4.
L'Aquila: Giebel mit Medusa, *StMisc.* X, 1966, Taf. 52 Abb. 138.
Pietrabbondante: Corso Sannitico 113 (W. v. SYDOW, *RM* 84, 1977, Taf. 136).

clipeata nachgeahmt, eine Bildform, die in der Repräsentation der stadtrömischen Oberschicht der späten Republik beliebt war und die wir
auch von verschiedenen Grabreliefs römischer *liberti* kennen [197]. Der Lorbeerkranz, der die gesamte Höhe des Blocks einnimmt und dem der Auftraggeber also große Bedeutung zugemessen hat, ist als Ganzes zwar hervorgehoben, seine einzelnen Blätter sind jedoch schematisch angegeben.
Von der Büste ist nurmehr der Schultergürtel mit dem Ansatz des Halses
zu erkennen. Dem Steinmetz ist die Kombination von *imago clipeata*
und Inschrift befriedigend gelungen. Die Zeilen der Inschrift nehmen Rück-
sicht auf die Form des Kranzes. Die dem Bildhauer zur Verfügung stehenden künstlerischen Mittel ließen eine qualitätvollere Ausführung nicht
zu. Wahrscheinlich muß man die Tatsache, daß zwar sieben Familienmitglieder genannt, aber nur eines von ihnen dargestellt wird, als reduzierte
Form einer Familiengalerie, wie sie beispielsweise die Kastengrabreliefs
der stadtrömischen Freigelassenen bieten, interpretieren [198]. Offensichtlich
erlaubten es die vorhandenen finanziellen Mittel nicht, alle Angehörigen
porträtieren zu lassen. So hat man nur das würdigste Familienmitglied mit
der Büste geehrt.

Einer anderen Bildersprache bedienen sich die Reliefplatten eines (?)
Grabmonuments, das wohl dem ausgehenden ersten oder dem Beginn
des zweiten Jahrhunderts nach Christus angehört. Von dem zugehörigen
Grabbau hat sich nichts erhalten, die Platten sind einzeln vermauert.
Eine Frau, wahrscheinlich die Verstorbene, reitet als Europa auf dem
Rücken des Stiers (Vf 44. Abb. 136. Taf. 70), ein Mann ist als Elefantenreiter wiedergegeben (Vf 43. Abb. 135a-c. Taf. 70). Ein weiteres Relief
mit der Darstellung eines Pferdes gehört möglicherweise in denselben Kontext (Vf 43. Abb. 135a-c. Taf. 70). Eine eindeutige Interpretation der den
Reliefs zugrunde liegenden Vorstellungen ist mir nicht möglich. Vielleicht
steht Jenseitsglaube und Hoffnung auf ein Weiterleben nach dem Tode
hinter diesen ungewöhnlichen Darstellungen. Diese in einen Mythos geklei-
dete Ideenwelt findet sich auch sonst vereinzelt auf Monumenten, die sicher aus sepulkralem Zusammenhang stammen [199]. Bei dem Betrachter
wird die Kenntnis des gedanklichen Hintergrundes der Darstellungen vor-
ausgesetzt, vielleicht hat eine entsprechende Inschrift die zeichenhafte
Aussage noch erläutert. Dem Anspruch, der den Bildinhalten zugrunde
liegt, hält die künstlerische Ausführung nicht stand. Es wird jedoch deutlich, daß sich die lokalen Bildhauer um die Wiedergabe der komplizierten
Formensprache der Vorlagen bemüht haben.

(197) VESSBERG Taf. 44.
(198) Zu dieser Kategorie zuletzt P. ZANKER, *JdI* 90, 1975, 267ff. H. G. FRENZ, *Untersuchungen zu den frühen römischen Grabreliefs* (Diss. Frankfurt 1977).
(199) Die Beispiele sind in dem entsprechenden Katalogtext zitiert. s. auch Is 22 Anm. 2.

Viele Aspekte des täglichen Lebens von *Venafrum* beiben uns verschlossen. Die in Versmaß abgefaßten Inschriften bezeugen eindringlich, daß man sich Gedanken über Tod und Jenseits machte [200]; für *Aesernia* ist das bislang nicht überliefert. Wie in *Aesernia* läßt sich auch für *Venafrum* nicht klären, ob es sich bei den an den Grabbauten verwendeten Motiven, wie dem Eros (Vf 56. Abb. 148. Taf. 75), den Greifen (Vf 53; 82b. Abb. 145; 177. Taf. 74; 82), der Spendekanne (Vf 80e. Abb. 173. Taf. 81), den an Trauben pickenden Vögeln (Vf 82g. Abb. 182. Taf. 83), den Granatäpfeln (Vf 82f. Abb. 181. Taf. 82) und der Medusa (Vf 55. Abb. 147. Taf. 74) um eindeutige oder ambivalente Bildformen handelt.

4. Herkunft der Bildtypen und -formen und Art ihrer Übernahme

Erst mit der augusteischen Koloniegründung setzte in *Venafrum* eine lokale Kunstproduktion ein. Sie orientierte sich wie zu erwarten an den großen Zentren, vor allem an Rom. Die Übernahme der Vorbilder erfolgte in zwei Rezeptionsstufen, von denen die eine überregional ausgerichtet, die andere von ihr abhängig war.

Die erste Phase läßt sich in den qualitätvollen Marmorporträts der Hüftmantelstatuen fassen (Vf 9; 11. Abb. 100a-g; 102a-c. Taf. 51-53; 55). Sie übernehmen die von der hauptstädtischen Oberschicht benutzten Darstellungsformen der frühen Kaiserzeit, wobei aber die Vermittlung nach *Venafrum* wahrscheinlich über die Zwischenstation anderer Städte erfolgt sein wird. Die den 'heroischen' Statuentypen aufgesetzten Porträts stehen im Gegensatz zu den ideal gehaltenen Körpern. Es spricht für das Selbstbewußtsein der lokalen Honoratioren, daß sie für ihre Bilder wirklichkeitsnahe Darstellungsformen auswählten. Die Besucher des Odeions (?) von *Venafrum* sollten die Mitglieder der führenden Familien wiedererkennen können. Aus diesem Grunde ist auf markante Züge Wert gelegt worden, was nicht ausschließt, daß dabei relativ nuancierte Bildnisse entstanden sind. Der der Statue Vf 9 ungebrochen aufsitzende Porträtkopf läßt deutlich den Versuch des Bildhauers erkennen physiognomische Besonderheiten wie den eckigen Schädelbau mit der stark vorspringenden Nase wiederzugeben. Der Ausdruck der straff über das Knochengerüst gespannten Haut erfährt durch eine vereinfachte Pathosformel, wie den geraden, waagerecht geführten Augenbrauen, eine zusätzliche Betonung. Es wird versucht angespannte Gesichtszüge wie sie sich auch in der streng gehaltenen Mundpartie ausdrücken hervorzuheben. Der

(200) CIL X 4915 (BUECHELER a. O. (zit. in Anm. 182) Nr. 1319. R. P. HOOGMA, *Der Einfluß Vergils auf die Carmina Latina Epigraphica* (1959) 280: Aeneis VI 165, 172-IX 22). CIL X 4993 (BUECHELER a. O. (zit. in Anm. 182) Nr. 1230. HOOGMA a. O. 314: Aeneis IX 272). CIL X 5020 (BUECHELER a. O. (zit. in Anm. 182) Nr. 1084).

gesamte Gesichtsausdruck, zusammen mit der leichten Wendung des Kopfes nach links, wird durch diese Formeln bestimmt. Es scheint als ob Eigenschaften wie Willenskraft und Konzentration damit unterstrichen werden sollen [201].

Das andere Porträt hält die Züge eines alternden Mannes fest (Vf 11. Abb. 102a-c. Taf. 55). Das fortgeschrittene Lebensalter ist durch Formeln wie die in die welke Haut scharf einschneidenden Nasolabialfalten und die erschlafften Fettpölsterchen in Wangen- und Mundpartie wiedergegeben. Das schiefe Gesicht mit den kleinen Augen, dem zugekniffenen Mund und den abstehenden Ohren ist mit einer an iulisch-claudischer Mode orientierten Frisur verbunden.

Zu einem weniger ausgefallenen Statuentypus müssen zwei Bildnisse gehört haben, deren Gesichtszüge weniger physiognomische Besonderheiten zeigen. Wegen ihrer Qualität, die auch eine recht genaue Datierung zuläßt, werden sie von denselben Bildhauern angefertigt oder doch beeinflußt worden sein (Vf 5; 13. Abb. 96; 104. Taf. 48; 56). Ihre einstige Bestimmung läßt sich aufgrund ihres Erhaltungszustands und ihrer Zweitverwendung als Spolien nicht mehr feststellen. In ihrer äußeren Erscheinungsform unterscheiden sie sich voneinander. Bei dem einen handelt es sich um das Porträt eines jüngeren Mannes (Vf 13. Abb. 104. Taf. 56). In der Modellierung der Wangenoberflächen wird versucht eine gewisse Bewegung wiederzugeben. Das andere Porträt stellt einen alten Mann dar mit eingefallenen Wangen und linear eingetragenen Stirn- und Nasolabialfalten, die als Kerben in die Oberfläche eingeschnitten sind (Vf 5. Abb. 96. Taf. 48). Beide Köpfe so verschieden sie auch sein mögen verbindet die fortgeschrittene Reduktion plastischer Werte. Bei dem Porträt des Alten ist dies bis zu einer maskenhaften Erstarrung der Gesichtszüge getrieben, ein typisches Merkmal der Greisenporträts [202].

Die zweite Stufe der Rezeption muß als Nachklang der ersten verstanden werden. Sie setzt deren bereits reduzierte Formen in eine noch einfachere Sprache um. Die Vorbildlichkeit der Individualporträts der Stadthonoratioren für bescheidenere Auftraggeber ist besonders gut greifbar an dem Grabrelief des Quinctio (Vf 47. Abb. 139. Taf. 71). Der Finanzkraft seines Bestellers entsprechend, wurde es in lokalem Kalkstein ausgeführt. Die Büste des Quinctio ist durchaus kein kunstloses Produkt; das mit einfacheren bildnerischen Mitteln gestaltete Porträt zeigt ein deutliches Bemühen um eine Angleichung an seine Vorbilder, wenn auch wirklich individuelle Züge und lebendige Formen fehlen.

Bislang muß offen bleiben, ob die beiden Rezeptionsstufen fest um-

---

(201) Zum gesamten Argument P. ZANKER, *Abh Göttingen* 97, 1976, 581ff, bes. 597ff.
(202) ZANKER a. O. (zit. in Anm. 201) 585f, 593ff.

rissenen Gruppen der Bevölkerung zugeordnet werden können Nach Aussage der Denkmäler scheint jedoch jede Stufe an ein bestimmtes Material, Marmor oder Kalkstein, gebunden zu sein. Aufgrund der beschränkten Anzahl von Porträts läßt sich das Spektrum der möglichen Erscheinungsformen von Bildnissen nur punktuell erfassen. Die Denkmäler lassen aber einige Charakteristika erkennen, die die Funde anderer Landstädte bestätigen [203].

Ließ sich bei den Porträts eine starke Abhängigkeit von Rom und reicheren Landstädten nachweisen, so ist auch in den qualitätvollsten Architekturfragmenten wie denen aus dem Odeion (?) eine bewußte Orientierung an stadtrömischen Architekturformen zu bemerken. Die Kapitelle der Halbsäulen beispielsweise (Vf 60-62 Abb. 152-153 Taf. 76) lassen sich mit den Peristasenkapitellen des Mars-Ultor Tempels vom Augustusforum vergleichen [204].

Einen Nachklang späthellenistischer stadtrömischer Architektur kann man wohl in drei Verkleidungsplatten von aufwendigen Grabmonumenten sehen (Vf 36-38. Abb. 128-130. Taf. 68). Sie zeigen zwischen kannelierten Pilastern Waffen, die auf Tafelkonsolen stehen. Die Darstellung scheint eine Porticus mit darin geweihten Beutestücken in Relief umzusetzen. Solche Portiken sind literarisch für Rom bezeugt, möglicherweise hat es sie auch in *Venafrum* gegeben [205]. Obwohl keine direkten Vorbilder bekannt sind, ist es unwahrscheinlich, daß der Steinmetz in *Venafrum* diese Umsetzung eigenständig vollzogen hat.

Die mit anspruchsvollem architektonischen Dekor ausgeschmückten öffentlichen Bauten verlangten, wie oben am Beispiel des Odeion (?) gezeigt werden konnte, nach einer entsprechenden Ausstattung mit Skulpturen. Für einige Marmorstatuen läßt sich diese Funktion indirekt erschliessen. Die beste Vorstellung gibt davon die seitenverkehrte Umbildung der Venus Genetrix (Vf 7. Abb. 98a-d. Taf. 49). Sie diente wohl nicht der kultischen Verehrung, sondern wurde aufgrund ihrer dekorativen Wirkung aufgestellt. Wahrscheinlich machte die symmetrische Anlage der Räume eine Aufstellung passender Gegenstücke erforderlich [206]. Zu einem ähnlichen durch Statuen belebten architektonischen Zusammenhang gehörte wahrscheinlich auch ein Knabentorso (Vf 8. Abb. 99a-d. Taf. 50). Die erhaltenen Ansätze der Arme lassen die Rekonstruktion eines Stützmo-

(203) ZANKER a. O. (zit. in Anm. 201) 599 Anm. 83.
(204) HEILMEYER 27ff Taf. 2.1.
(205) Quellen gesammelt bei STEINER 4f. s. auch M. PAPE, *Griechische Kunstwerke aus Kriegsbeute und ihre öffentliche Aufstellung in Rom (Diss. Hamburg 1975)* 1-25; 27ff, bes. 46f. H. DRERUP, *Zum Ausstattungsluxus in der römischen Architektur, Orbis Antiquus* 12, 1957, 24ff.
(206) G. LIPPOLD, *Kopien und Umbildungen griechischer Statuen (1923)* 163ff. H. LAUTER, *BJb* 167, 1967, 119ff. W. TRILLIMICH, *JdI* 88, 1973, 264ff.

tivs, wohl dem des Pothos ähnlich, zu. Dessen dekorative Verwendung allein oder auch in Verdoppelung ist bekannt [207]. Eine Satyrstatue (Vf 15. Abb. 106a-c. Taf. 57), eine Venusstatue (Vf 23. Abb. 114a-d. Taf. 62) und auch eine Dionysosstatuette (Vf 21. Abb. 112a-c. Taf. 60) dienten wohl ebenfalls als Ausstattungsstücke. Die Qualität dieser auf dekorative Wirkung abzielenden Werke ist erstaunlich gut. Grobe auf des Unverständnis der Kopisten zurückzuführende Mißverständnisse lassen sich hier nicht feststellen. In diesem Zusammenhang soll noch einmal auf das einzige aus *Aesernia* erhaltene Marmorbildnis hingewiesen werden (Is 7. Abb. 7a-e. Taf. 6-7), um die gegensätzliche Überlieferung zu beleuchten.

Es läßt sich wie an einigen Denkmälern aus *Aesernia* auch in *Venafrum* an einem Grabrelief mit der Darstellung der Europa ein Verarmungsprozeß nachweisen, dem qualitätvolle über mehrere Zwischenstufen tradierte hellenistische Vorlagen unterliegen können (Vf 44. Abb. 136. Taf. 70). Dies außerordentlich beliebte Thema des griechischen Mythos ist in die verschiedensten Kunstgattungen übernommen worden [208]. Es bleibt ungeklärt, wo man das Vorbild des Reliefs aus dem *ager Venafranus* ansiedeln muß. Aufgrund der Größe der Figuren kann man möglicherweise an ein hellenistische Vorbilder tradierendes Mosaik oder großformatiges Gemälde wie sie aus Pompeji überliefert sind denken [209]. Von dem ursprünglich erotischen Charakter der Szene der von Zeus entführten Geliebten ist bei dem Reliefbild nichts mehr zu spüren. Bezeichnend für die durch den langen Überlieferungsprozeß bedingte Verarmung der ehemals bewegten Szene ist es, daß das hinter Europa wegflatternde Gewand als ikonographisches Detail zwar noch vorhanden ist, aber völlig unstofflich und verfestigt wiedergegeben wird. Seine Form ist scharf umrissen; mit dem Meißel sind in der aus *Aesernia* gut bekannten Kerbschnittechnik sowohl die Mantelfalten als auch die Hautfalten in der Wamme des Stiers eingesetzt. Durch ihre Wiederholung entstehen ornamental wirkende Einzelpartien, die einen organischen Zusammenhang vermissen lassen. Dieser vereinfachende Kerbschnittstil bewirkt jedoch eine für das Auge des modernen Betrachters sehr eindringliche Formensprache. Vor allem aufgrund technischer Details, wie der Bearbeitung des Reliefgrunds mit dem Zahneisen und des scharfen Absetzens der Einzelteile gegen den Hintergrund, kann man vermuten, daß die im selben Bauernhaus vermauerten Reliefs mit der Darstellung eines Elefantenreiters und eines Pferds zu demselben Grabmonument gehört haben oder doch zumindest in der

(207) H. BULLE, *JdI* 56, 1941, 121ff. G. BECATTI, *Le Arti III*, fasc. VI, 1941, 401ff. Replikenliste ergänzt bei W. Müller, *JdI* 58, 1943, 154ff. Vgl. besonders die beiden Repliken hadrianischer Zeit aus einer Villa in Rom (*Helbig*[4] II 1644 = H. v. STEUBEN).

(208) Vgl. die Zusammenstellung bei W. BÜHLER, *Europa. Ein Überblick über die Zeugnisse des Mythos in der antiken Literatur und Kunst* (1968) 47ff.

(209) BÜHLER a. O. (zit. in Anm. 208) 61.

gleichen Werkstatt verfertigt worden sind (Vf 43. Abb. 135a-b. Taf. 70). Die Unbeholfenheit des Bildhauers kommt bei der Wiedergabe des Tierleibes in der Kerbschnittechnik klar zum Ausdruck, mit der sowohl die Gewandfalten des Mannes als auch die Hautfalten des Elefanten, die an dieser Stelle zudem anatomisch überhaupt nicht möglich sind, in gleicher Weise angegeben sind. Das Streben nach Übersichtlichkeit und das geringe künstlerische Können bringen eine Verflachung der Reliefs und die Reduktion auf eine einzige Raumebene mit sich. Die Figuren sind dem Reliefgrund flächenparallel aufgelegt, an keiner Stelle ist ein Vorstoß in die Raumtiefe versucht. Die Vorlage läßt sich auch hier nicht ermitteln, sicher stammt sie aus einem anderen Bereich als die der Europa. Der jetzige Erhaltungszustand der Reliefbilder erlaubt keine definitive Schlußfolgerung auf ihre thematische Verbindung untereinander und ihre Anordnung am Grabmonument. Es läßt sich nur vermuten, daß der Zusammenstellung ein gedanklicher Bezug zugrunde gelegen hat. Bei einem Relief mit einer Tiergruppe bestätigen sich hinsichtlich der künstlerischen Ausführung die eben gemachten Beobachtungen (Vf 45. Abb. 137. Taf. 70). Offensichtlich war die zur Verfügung stehende Vorlage figurenreich und raumhaltig konzipiert. Ansatzweise und punktuell läßt sich dies am Relief noch erkennen. So ist der Baum, der daraufhinweisen soll, daß die Szene im Freien spielt, am linken Bildrand noch vorhanden. Die Vereinfachung zeigt sich jedoch in der weitgehend vermiedenen Staffelung der Figuren. Die ursprüngliche Raumhaltigkeit ist im Sinne einer Einebnung der Reliefschichten verschwunden. Der organische Zusammenhang der Körper ist aufgelöst, die Beine werden durch einfache Reihung wiedergegeben, so daß der Betrachter Mühe bei der Zuordnung hat. Nur der scharfe mit dem Meißel um die Tierleiber geführte Kontur ermöglicht es die Tiere noch zu unterscheiden. Die Falten an der Brust des Hirsches sind in ähnlicher Weise ornamental parallel eingeschnitten, wie wir es oben bereits bei der Europa und dem Elefantenreiter beobachten konnten.

Das Fragment eines Gladiatorenfrieses läßt sich unter dem Aspekt seiner technischen Ausarbeitung anschließen (Vf 39. Abb. 13. Taf. 69). Für den Fries gelten die schon bei den Reliefplatten aus *Aesernia* beobachteten Phänomene, so daß sie hier nicht wiederholt zu werden brauchen. Ein weiteres Gladiatorenrelief mit Kämpfen, die in mehreren übereinandergesetzten Registern dargestellt sind, bestätigt seine Abhängigkeit von Vorlagen, die möglicherweise durch Musterbücher verbreitet waren, dadurch, daß sich alle Kampfschemata auch auf anderen Reliefs beispielsweise in Rom oder Chieti wiederfinden lassen (Vf 40. Abb. 132. Taf. 69). Die kämpfenden Paare sind mit Beischriften versehen, ein Charakteristikum, das andernorts ebenfalls vorkommt und deshalb keineswegs als lokale Besonderheit anzusehen ist [210].

90

5. Ergebnisse

Die Einrichtung der *Colonia Iulia Augusta Venafrana* bewirkt das kulturelle Aufblühen des Orts. Der städtische Charakter wird durch die zahlreichen repräsentativen öffentlichen Gebäude und die Steindenkmäler dokumentiert. Diese orientieren sich an der Kunst Roms und anderer reicherer Städte. Die Übernahme der Bildtypen und -formen erfolgt in zwei Rezeptionsstufen, wobei die zweite von der ersten lokal abhängig ist. Ein direkter Einfluß von Staatsmonumenten oder Trägern politischer Propaganda, beispielsweise Münzen, auf die lokale Kunstproduktion läßt sich im Gegensatz zu *Aesernia* nicht nachweisen. Der ersten Phase gehören ausschließlich städtischer Repräsentation dienende Werke an. Sie sind in dem verwendeten Marmormaterial, in ihrer Qualität und in ihrem Stil vorbildnah. Der zweiten Phase lassen sich nur Denkmäler aus sepulkralem Zusammenhang zuordnen. Sie sind in dem preiswerteren Kalkstein gearbeitet und haben sowohl gegenüber den lokalen als auch gegenüber den späthellenistischen Vorbildern, die wohl über Musterbücher vermittelt wurden, einen Verarmungsprozeß durchlaufen. Diese Denkmäler lassen sich in ihrer Ausdruckssprache mit denen von *Aesernia* vergleichen. Es wurden allerdings andere Themen ausgewählt. Eine Schilderung persönlicher Lebensumstände, wie in *Aesernia*, war nach dem Erhaltenen zu urteilen nicht gefragt. Damit wäre auch in den ärmeren Denkmälern der höhere Standard von *Venafrum* dokumentiert.

(210) Vgl.z.B. Reliefs im Thermenmuseum/Rom (*Helbig*[4] III 2413b-c = E. Simon).

III
ZUSAMMENFASSUNG DER ERGEBNISSE

Es war das Hauptanliegen der Arbeit, die römischen Steindenkmäler von *Aesernia* und *Venafrum* in den lokalen und überregionalen kulturellen Kontext einzugliedern.

Bei der Sichtung des Materials ergab sich zunächst die Notwendigkeit einen Katalog aller Denkmäler zu erstellen, der für diese Städte die erste Bestandsaufnahme überhaupt bedeutet.

Die Zeugnisse selbst bestimmten die behandelte Zeitspanne: so konzentrierten sich die Betrachtungen für *Aesernia* von ca. 50 v. bis 50 n. Chr., die für *Venafrum* von augusteischer Zeit bis in das 2. Jh.n.Chr.

Erst verwaltungspolitische Maßnahmen im Zusammenhang mit der Ausweitung des Städtewesens – die Erhebung von *Aesernia* zum Munizipium, die Gründung der augusteischen Kolonie in *Venafrum* – ließen in einem ländlichen Siedlungsgebiet, das bislang nur wenig mit städtischer Kultur vertraut war, das Bedürfnis entstehen am Ort selbst Skulpturen zu verwenden oder gar zu verfertigen. Diese Feststellung wird dadurch bestätigt, daß aus der vorhergehenden Zeit keine Steinplastik überliefert ist und es sich bei einem um 100 v.Chr. entstandenen weiblichen Idealkopf aus *Venafrum* um ein Importstück handelt.

Die neu einsetzende Kunstproduktion knüpfte nicht an einheimische italische Formtradition an.

Das Entstehen einer eigenen städtischen Gemeinschaft bedeutete für ihre Mitglieder eine Konfrontation mit kultivierteren, späthellenistischen Lebensformen. Die Selbstverwaltung bedingte die Einrichtung entsprechender Ämter und machte die Ausstattung des Gemeinwesens mit öffentlichen Bauten notwendig. So erklärt sich das Aufkommen eines gewissen Konkurrenzkampfes, ein Wetteifern um Amt, Ansehen und entsprechende Repräsentationsmöglichkeiten. Wie üblich versuchte man sich bei der Ausschmückung von Gebäuden hervorzutun, Spiele für die Mitbürger zu geben und legte nicht zuletzt besonderen Wert auf die Ausstattung seines Grabmals.

Wie das Einsetzen der künstlerischen Produktion so ist auch ihr Auslaufen an politische und wirtschaftliche Umstände gebunden.

In *Aesernia* war nach den Denkmälern zu urteilen die Zeit nur kurz, in der breitere Schichten der Bevölkerung zu bescheidenem Wohlstand gelangten. Eine allgemeine Verarmung trat bereits gegen die Mitte des

1.Jh. s n.Chr. ein. Durch die günstigeren geographischen und wirtschaftlichen Voraussetzungen konnte *Venafrum* noch gut für ein Jahrhundert seinen kulturellen Standard halten. Die Blütezeit beider Städte fällt in die frühe Kaiserzeit.

Die Denkmäler ermöglichten in gewissem Umfang die gesellschaftliche Struktur aufzudecken, die Schichtung innerhalb der jeweiligen Gruppen zu erkennen und das Bemühen um sozialen Aufstieg zu beobachten. Vor dem Hintergrund der materiellen, sozialen und politischen Bedingungen ihrer Auftraggeber wurden die Denkmäler nach der Übernahme späthellenistischer Kultur befragt.

Die beiden Städte weisen einen durchaus unterschiedlichen Charakter auf, der für die Bildung des ' Kunstgeschmacks ' von entscheidender Bedeutung war.

Das Munizipium *Aesernia*, eine typisch ländliche Kleinstadt, war ein Knotenpunkt des inländischen Verkehrs im Hinterland von Samnium, der der bäuerlichen Bevölkerung gewisse Annehmlichkeiten bot.

Venafrum dagegen besaß günstigere Voraussetzungen. Es lag an einer sich nach Süden öffnenden fruchtbaren Ebene und war durch das Strassennetz an die wichtige Nord-Süd Verbindung zwischen Rom und Kampanien angeschlossen.

Der Besteller- und Abnehmerkreis ist in beiden Städten weitgehend identisch: es sind die lokalen Beamten, die sich aus Angehörigen der Oberschicht rekrutieren und in Wirtschaft und Handel Tätige, meistens Freigelassene. Von anderen kennen wir den Beruf nicht.

Der bescheidene kulturelle Bedarfs- und Bildungshorizont, über den die Einwohner von *Aesernia* verfügten, wird allein schon in dem ausschließlich benutzten Kalkstein deutlich. In *Venafrum* dagegen findet dieses Material lediglich in Zusammenhang mit Gräbern Verwendung. Die beschränkte Formenwahl und das Festhalten an einmal gefundenen Typen, Ausdruck für die provinzielle Abgeschiedenheit, läßt sich in diesem Maße in *Venafrum* bisher nicht feststellen. Lediglich die schmucklosen, nur mit einer Inschrift versehenen Grabcippen wiederholen einen gängigen Typus. Sie gehören -wohl nicht zufällig- ärmeren Freigelassenen.

Bezeichnenderweise ließen sich in der Kleinstadt *Aesernia* die Steinmetzen und ihre Auftraggeber stärker von ihren Alltagserfahrungen anregen. Das über Vorlagen – meist wohl Musterbücher – vermittelte formale späthellenistische Bildrepertoire wurde unter diesen Gesichtspunkten exzerpiert, vereinfacht, zusammengestückt und so dem eigenen Bedarf verfügbar gemacht. Der Auftraggeber bestimmte die jeweilige Akzentsetzung und neue inhaltliche Bedeutung. Der derbe Kerbschnittstil der lokalen Werkstätten kam dieser auf unmißverständliche Aussage bedachten Darstellungsweise entgegen; formale Entstellungen nahm man dabei in Kauf. Die Vermittlung der künstlerischen Formen ging von Rom aus. In einigen Fällen ließ sich eine mehr oder weniger direkte Beeinflußung nachweisen.

Die Einwohner von *Venafrum* besaßen einen weiteren kulturellen Horizont. Grundlage dafür war der vergleichsweise hohe Lebensstandard. Die in intensivem Handel erzielten Gewinne einerseits und die während der Militärzeit verdienten *stipendia* andererseits wurden für die Ausschmückung der Stadt verwendet. Das aus den Inschriften abzulesende *curriculum* mancher Bürger zeigt, daß sie überregionale Kontakte besaßen und sich an dem verfeinerten Geschmack der großen Städte des Imperiums haben bilden können. Neben den modernen Stilformen ist auch das dazugehörige Material, der Marmor, übernommen worden. Die Auftraggeber der figürlichen Grabreliefs orientierten sich an dem Kunstgeschmack der lokalen Oberschicht. Persönliche Lebensumstände sind nicht bildlich umgesetzt. Eine Ausnahme stellen Themen dar, die die Militärkarriere oder die eigene *liberalitas* zum Gegenstand haben.

Augrund der spezifischen Bedingungen hielt sich die Kunstproduktion in *Venafrum* länger als in *Aesernia*. Dennoch war der Stadt das gleiche Schicksal beschieden: die Oberschicht wanderte ab und der Ort verarmte.

IV

KATALOG AESERNIA

RUNDPLASTIK

Is	1	Togastatue
Is	2	Togastatue
Is	3	Männliches Porträt
Is	4	Männliches Porträt
Is	5	Weibliche Gewandstatue
Is	6	Weibliche Gewandstatue
Is	7	Kinderporträt
Is	8	Weibliche Grabstatue
Is	9	Männliche Grabstatue
Is	10	Sitzende weibliche Gewandstatue

FIGÜRLICHE BAUPLASTIK

Is	11	Männliche Stützfigur
Is	12-19	Gladiatorenreliefs
Is	20-21	Reliefs mit Schiffsdarstellungen
Is	22	Relief mit Darstellung des Ixion
Is	23	Relief mit Schlachtdarstellung
Is	24	Relief mit Kampfszenen
Is	25	Waffenrelieffragment
Is	26	Relieffragment mit Eros

BASEN

Is	27	Ehrenbasis für M. Nonius
Is	28	Ehrenbasis für Sex. Appuleius
Is	29	Ehrenbasis für M. Cominius Pansa
Is	30	Ehrenbasis für L. Vibius Gallus
Is	31	Ehrenbasis für C. Septumuleius Obola
Is	32	Ehrenbasis für C. Flavius Celer
Is	33	Basis eines Grabaltars für C. Nonius
Is	34	Basis mit dorischem Fries
Is	35	Fragment einer Basis mit dorischem Fries
Is	36	Fragment einer Basis mit dorischem Fries
Is	37	Fragment eines dorischen Frieses
Is	38	Fragment eines dorischen Frieses
Is	39	Fragment eines dorischen Frieses
Is	40	Vier Fragmente von dorischen Friesen

Urnen

Altäre

Grabreliefs

Grabsteine

Architekturfragmente

Is 1 Togastatue

Taf. 1 Abb. 1
Isernia, am Bogen von S. Pietro vermauert (wie Is 2; 5-6)
Fundort unbekannt
Kalkstein H: 2,01 (inkl. Basis)
Die linke Hand mit einem Teil der Toga darunter ist abgeschlagen. Der rechte
Fuß fehlt, der linke ist an seinem Vorderteil bestoßen. Der modern (?) aufgesetzte
Kopf ist nicht zugehörig. Die Oberfläche ist an verschiedenen Stellen verletzt.
Unveröffentlicht
Fot.: Inst. Neg. Rom 34.315-16; 75.2623

Dargestellt ist ein mit Tunika und Toga bekleideter römischer Bürger.
Er trägt geschnürte *calcei*. Links neben seinen Füßen steht das *scrinium*,
das ihn als Person des öffentlichen Lebens ausweist.

Die Toga zeichnet sich vor allem durch den sehr weit herabgezogenen
sinus aus, der mit seinen parallel geführten und durch Furchen angegebenen
Falten zu einer eigenständigen ornamentalen Form geworden ist. Das
Standmotiv ist durch das sich durch den Stoff drückende rechte Knie des
Spielbeins sinnfällig gemacht. Die in die Stofffülle greifende rechte Hand
wirkt übergroß und ungeschickt plaziert.

Die Statue, die möglicherweise vom angrenzenden Forum stammt,
ist in ihrem derben Schnitzstil ein Zeugnis lokaler Steinmetzarbeit des
ausgehenden 1. Jh. s v. Chr.

Is 2 Togastatue

Taf. 1 Abb. 2.
Isernia, am Bogen von S. Pietro vermauert (wie Is 1; 5-6)
Fundort unbekannt
Kalkstein H: 1,82 (inkl. Basis)
Die rechte Schulter sowie ein Teil der rechten Hand sind stark bestoßen. Der
modern (?) aufgesetzte Kopf ist nicht zugehörig. Die Oberfläche ist an verschiedenen
Stellen verletzt.
Unveröffentlicht
Fot.: Inst. Neg. Rom 34.317-18; 75.2619

Die hochaufstrebende schmale Figur scheint unsicher und unbe-
holfen auf beiden fast parallel nebeneinandergesetzten Füßen zu stehen.
Das rechte Standbein ist nur durch das als Stütze dienende *scrinium* zu
bestimmen.

Der Dargestellte ist durch die Angabe der Halsfalten als alter Mann gekennzeichnet.

Der Bildhauer war der ihm gestellten Aufgabe, eine lebensgroße Togastatue anzufertigen, nicht voll gewachsen. Er scheint in der Ausführung von Halbfiguren auf Grabreliefs geübter gewesen zu sein. So hat er den bei diesen Reliefs bis zur Hüfte reichenden Togaausschnitt einfach verlängert. Die problematische Stelle, an der sich die verschiedenen Gewandteile überlagern, ist so nach unten gerutscht und verunklärt wiedergegeben. Außer dem fehlenden *umbo* sind zwar alle Teile der Toga vorhanden, doch fehlt ihnen der organische Zusammenhang. Eine breite Stoffschicht, die wie ein 'Gürtel' wirkt, befindet sich leicht nach links ansteigend in Taillenhöhe; unter ihr verschwindet der *sinus*; der *balteus*, in den die linke Hand greift, ist über den 'Gürtel' geführt und verschwindet dann unter dem *sinus*. Durch diese verschiedenen Einsteckmotive ergeben sich mehrere einzelne in sich systematisierte Faltengebilde, die unverbunden nebeneinanderstehen. Durch die Kerbschnittechnik erhalten die Faltentäler und -rücken ornamentale Wirkung.

In der handwerklichen Ausführung ähnelt der Togatus dem unter Is 1 beschriebenen. Er könnte ebenfalls vom anliegenden Forum stammen.

Is 3 Männliches Porträt

Taf. 2 Abb. 3*a-c*.
Modern (?) der unter Is 1 beschriebenen Togastatue aufgesetzt.
Fundort unbekannt
Kalkstein H (Scheitel-Kinn): 0,23
Der Kopf weist starke Verwitterungsspuren auf, wodurch alle Einzelformen in ihrem Kontur verwischt sind. Ein schräger Bruch verläuft am Hals. Die Haare sind bestoßen.
Unveröffentlicht
Fot.: Inst. Neg. Rom 75.2624-26

Bei dem Dargestellten handelt es sich offensichtlich um einen alten Mann. Der leicht geöffnete Mund scheint zahnlos zu sein. Die Wangenknochen treten in dem abgemagerten Gesicht deutlich hervor. Die Ohren scheinen zu den Seiten vorgeklappt zu sein.

Der Kopf besitzt die für munizipale Porträtkunst der 2.H. des 1. Jh. s v. Chr. charakteristischen Züge, für die kaum verbindliche stilistische Datierungskriterien zu finden sind.

Der Kopf gehörte wahrscheinlich zu einer ungefähr lebensgroßen Ehrenstatue. Die Zugehörigkeit zu einer Grabstatue halte ich aufgrund der Zweitverwendung im Stadtzentrum und der Existenz eines zweiten einzelnen Porträtkopfes (Is 4) für weniger wahrscheinlich.

Is 4 Männliches Porträt

Taf. 3 Abb. 4*a-c*.
Isernia, modern (?) der unter Is 2 beschriebenen Togastatue aufgesetzt.
Fundort unbekannt
Kalkstein H (Scheitel-Kinn): 0,23
Der Kopf weist starke Verwitterungsspuren auf, wodurch die Oberfläche geglättet und die Nasen- und Mundpartie völlig unkenntlich sind.
Unveröffentlicht
Fot.: Inst. Neg. Rom 75.2620-22

Der jugendliche schmale Kopf wird von großen Augen beherrscht. Sie sind von wulstigen Lidern gerahmt. Die Haare, die als unbearbeitete Masse der Kalotte anliegen, sind nur in dem unmittelbar die Stirn umgebenden Kranz als Haarbüschel gekennzeichnet, die sichelförmig von einem Punkt über der Nasenwurzel aus zu den Seiten gestrichen sind. Die sich in der Mitte der Stirn bildende Gabel bietet jedoch keinen Anhaltspunkt für eine Datierung; man findet diese einfache Frisur häufig auf Grabsteinen [1].

Der Kopf gehörte ursprünglich wohl zu einer ungefähr lebensgroßen Ehrenstatue [2].

(1) Vgl. beispielsweise Kopf, ehem. Villa Celimontana, jetzt Konservatorenpalast/Rom (VESSBERG 184 Nr. 8; 187f, 196, 207, 221, 244, 266f. Taf. 30, 1.2. H.-G. FRENZ, *Untersuchungen zu den frühen römischen Grabreliefs* (Diss. 1976) Kat. E 2 (mit Literatur); Kopf im Magazin des Antiquarium-Rom (VESSBERG 196f Taf. 37, 1-2).
(2) s. Is 3 Anm. 1.

Is 5 Weibliche Gewandstatue

Taf. 4 Abb. 5.
Isernia, am Bogen von S. Pietro vermauert (wie Is 1-2; 6)
Fundort unbekannt
Kalkstein H: 1,78 (inkl. Basis)
Verloren sind der Kopf, der rechte im Oberarm abgebrochene Arm und die linke Hand, die separat gearbeitet und verdübelt war. Beide Fußspitzen sind zusammen mit dem Vorderteil der Plinthe abgebrochen. Leichte Bestoßungen und Abreibungen finden sich an der Gewandoberfläche. Ein schräger Bruch verläuft von der rechten Hüfte zum linken Unterschenkel. Die Statue ist modern mit Zement gekittet.
Auf die Statue ist ein moderner Kopf aus Kalkstein unbekannter Herkunft gesetzt (Taf. 5 Abb. 5*a-c*.). Seine Höhe beträgt 0,23 m. Gegen eine Zugehörigkeit des Kopfes zur Statue sprechen seine Haltung und stilistische Kriterien. Der Kopf ist gehoben, als ob er sich mit Mühe bewege. Seine ursprüngliche Stellung war wohl geneigter und im Verhältnis zum Körper ausgewogener. Ob es sich um einen Porträtkopf handelte, läßt sich nicht mehr entscheiden. Von der Frisur ist noch der Mittelscheitel zu erkennen, von dem aus die Haare zu den Seiten gekämmt sind. Ein Reif teilt die Stirnhaare von den übrigen auf der Kalotte. Letztere sind nur als kompakte Masse angegeben. Im Nacken sind die Haare nach innen eingerollt und durch Furchen zu Strähnen gebündelt. Diese Frisur findet keine Parallele in antiken Haartrachten; der Kopf stammt wahrscheinlich aus der Zeit Friedrich II von Hohenstau-

fen (vgl. ein Kopffragment aus jener Zeit: S. Bottari, *Nicola Pisano e la scultura meridionale. Arte Antica e Moderna* (1959) 43ff Taf. *23a-b*).
Unveröffentlicht
Fot.: Inst. Neg. Rom 75.2615

Dargestellt ist eine hochgewachsene Frau; sie steht auf dem linken Bein und hat das Spielbein parallel leicht zur Seite gesetzt. Der linke Arm ist im Ellenbogen nach vorn abgewinkelt, die Haltung des rechten ebenso wie die Haltung des Kopfes sind nicht mehr zu erkennen. Die Frau trägt einen feinfälteligen Ärmelchiton, der unter der Brust gegürtet ist. Der Mantel liegt der linken Schulter auf, zieht sich über den Rücken an der rechten Schulter entlang und reicht bis auf Hüfthöhe hinab. Dort bildet sein schräg geführter Saum einen dicken Wulst vor dem Körper und fällt über den linken Unterarm gerade herab. Die durch die Gürtung nach oben hin begrenzte Körperpartie wird durch eine ellipsenförmig-parallele Faltenführung des Stoffes hervorgehoben. Die Schrägführung des Mantelsaums unterstreicht zusätzlich diese ornamental wirkende Zone. Das linke Bein ist vom Fall des Mantels völlig verhängt; das Spielbein dagegen wird eng vom Mantel umzogen und drückt sich in voller Rundung durch die Stofflagen hindurch. Die Oberfläche des Stoffes ist durch lebhaftes Linienspiel gekennzeichnet. Der Bildhauer hat bei der Wiedergabe der verschiedenen Stoffqualitäten zu differenzieren versucht. Die Charakterisierung des Untergewandes ist uneinheitlich. Während es am Ausschnitt und in der Brustpartie durchaus als schweres Gewebe wiedergegeben ist, das über den Füßen in schematischer senkrechter Faltengliederung wieder hervortritt, wirkt es über dem Leib feingefältelt und knitterig; die Faltenzwischenräume sind durch feine Ritzlinien zusätzlich belebt. Durch parallele Wiederholung der einzelnen Falten ist dieser Bereich systematisiert. Das schwerere Gewebe des Mantelstoffes wird vor allem am rechten Bein in teigigen Falten deutlich. Weich modellierte Formen, wie man sie ähnlich an Statuen aus dem späthellenistischen Kleinasien und dem inselgriechischen Raum kennt[1], stehen neben gratigen Höhen. Eine Absicht des Bildhauers wird deutlich: er hat versucht späthellenistische plastische Formen in ein linear organisiertes Faltensystem zu bringen. Es verwundert bei einer provinziellen Werkstatt nicht, daß bei dieser Verschmelzung gewisse Härten der Arbeit auftreten. Sie kommen vor allem in dem Nebeneinander unverbundener Einzelteile zum Ausdruck. Die beschriebenen Charakteristika lassen die Figur an zwei frühaugusteische Porträtstatuen in Neapel anschließen[2] Was sie jenen gegenüber an stärkerem Volumen, an Unruhe und Differenzierung besitzt, scheint noch von dem späthellenistischen Vorbild übernommen zu sein. Dies lehnte sich seinerseits wohl an Vorbilder des ausgehenden 4. Jh.s v. Chr. an[3].

8

Typologisch verwandt ist eine Statue aus einem Grab an der Via Ostiense in Rom [4].

Die ursprüngliche Bestimmung der Statue ist nicht eindeutig zu klären. Ihre Zweitverwendung in unmittelbarer Nähe des Forums läßt an eine Ehrenstatue denken, möglicherweise für eine Angehörige der oberen Kreise der Landstadt.

(1) Berlin, Pergamon-Museum (C. WATZINGER, *Magnesia am Maeander* (1904) 190f Nr. 5 Abb. 191). Rhodos, Museum Inv. 13579 (*ClRh* V, 2 (1932) 126ff Taf. XIII Abb. 24).
(2) E. SCHMIDT, *Römische Frauenstatuen* (1967) 17f mit Anm. 86, 89.
(3) HORN, *Gewandstatuen* 19.
(4) Museo Nuovo Capitolino/Rom (MUSTILLI 177 Nr. 61 Taf. 109, 417.

Is 6 Weibliche Gewandstatue

Taf. 4 Abb. 6.
Isernia, am Bogen von S. Pietro vermauert (wie Is 1-2; 5)
Fundort unbekannt
Kalkstein H: 1,35 (ohne Basis)
Es fehlen der Kopf (nur der Halsansatz ist erhalten), der rechte Arm, die linke Hand, die separat gearbeitet und verdübelt war, und beide Füße. Die Statue ist modern auf eine Basis mit Plinthe zementiert. Die Oberfläche ist bestoßen. Der Mantelbausch weist starke Verwitterungsspuren auf.
Unveröffentlicht
Fot.: Inst. Neg. Rom 34.311-14; 75.2614 (auf den ersten vier Negativen noch mit Kopf, der bereits gebrochen war).

Dargestellt ist eine lebensgroße weibliche Figur in Chiton und Mantel. Der Chiton ist untergegürtet und weist ein Apoptygma auf, dessen Saum fast parallel zur Gürtung verläuft. Der Mantel ist über die linke Schulter gelegt, über den Rücken gezogen und tritt an der rechten Hüfte wieder hervor. Von dort aus wird er in leichtem Schwung auf die linke Hüfte geführt, um dann über den angewinkelten Arm herabzufallen. Der Wulst, den der obere Mantelsaum bildet, liegt flachgedrückt vor dem Körper. Der Unterkörper tritt als plastische Form kaum unter dem Mantel hervor; das rechte Bein wird nur durch das sich durch das Gewand drückende Knie als Spielbein gekennzeichnet. Das linke ist durch das brettartig herabfallende Gewand verhängt. Durch den an der linken Seite steif herabhängenden Mantelsaum gewinnt die Statue zusätzlich an Breite und Gewicht und wird eindeutig als ' einansichtig ' bestimmt. Der Unterkörper scheint dem zusammengeschobenen Oberkörper gegenüber gelängt zu sein. Die Gürtung sitzt weit über dem Nabel. Ohne viel Geschick ist versucht, die verschiedenen Stoffarten voneinander abzusetzen. Der Chiton ist über dem Leib dünn gefältelt und läßt den Nabel durchscheinen, während dort, wo der Stoff doppelt liegt, die Falten spärlicher gesetzt sind und Mulden bilden. Eine tiefere Rinne, die die Innenseite des rechten Beins begleitet, fängt etwas Schatten, ohne daß jedoch dadurch das Bein plastisch modelliert würde.

Der Prototyp läßt sich nicht genau bestimmen. Die Statue scheint sich an einem klassizistischen Vorbild zu orientieren, welches in sich Elemente aus verschiedenen Epochen aufgenommen hat. Das Apoptygma ist von klassischen Statuen übernommen [1], während in der Drapierung des Mantels und in den gelängten Proportionen eine spätklassische Zeitstufe anklingt [2]. Die Faltengebung jedoch ist ohne hellenistische Vorbilder nicht denkbar.

Die Statue könnte wie Is 5 vom Forum stammen.

(1) Bsp. für kurzes Apoptygma in klassischer Zeit: R. KABUS-JAHN, *AntPl* XI, 1972, 84 Anm. 3.
(2) Beispielsweise die Themis von Rhamnus (KABUS-JAHN 48ff).

Is 7 Kinderporträt

Taf. 6-7. Abb. *7a-e.*
Isernia, Biblioteca Comunale
Aus dem *ager Aeserninus* (1936)
Weißer feinkörniger Marmor H: 0,22; H (Kinn-Scheitel): 0,16. Äußerer Augenabstand: 0,08; innerer: 0,022
Das Kinn und beide Ohrmuscheln sind bestoßen, die Nasenspitze abgebrochen. Der Haaransatz ist verrieben. Die Epidermis ist an der rechten Braue und an der linken Wange leicht verletzt. Vom Scheitelzopf fehlen die beiden vorderen Elemente über der Stirn. Der Kopf ist modern in Zement aufgesockelt; dadurch ist der originale untere Abschluß nicht zu erkennen. Es bleibt ungeklärt, ob es sich um einen Einsatzkopf oder eine Büste handelte.
Unveröffentlicht
Fot.: Inst. Neg. Rom 75.2497-2501

Der Kopf, der in der Schläfenpartie breit auslädt, wird von einer eng anliegenden Haarkappe, die die Ohren freiläßt, umschlossen. Das füllige Gesicht wird von plastisch differenzierten und modellierten Flächen an Stirn und Wangen bestimmt. Die von bandartigen, wie geschwollen wirkenden Lidern umgebenen Augen ziehen die Aufmerksamkeit auf sich. Sie sind im inneren Winkel verschattet. Eine leichte Asymmetrie läßt sich feststellen: das rechte Auge ist weiter geöffnet und runder in der Form als das linke, welches eher langgezogen ist und auf dessen äußeres Ende die Braue drückt. Die Nase senkt sich an der Wurzel ein. Der kleine geschlossene Mund ist weich modelliert, die dünne Mundspalte verläuft leicht schräg nach links hin abfallend. Die Oberlippe steht über die Unterlippe vor, was besonders in der Profilansicht deutlich wird. Das rundliche Kinn ist noch ganz kindlich unausgeprägt. Die Nasolabialfalten tiefen sich in die fleischigen Wangen ein. Zwei Fettlinien sind am Hals zu erkennen.

Die Haarkappe ist als undifferenzierte Masse ohne jedes Relief wiedergegeben. Sie schließt zur Stirn hin fast waagerecht ab. Einige Ritzlinien auf der linken Seite der Stirn sollen den monotonen Abschluß auf dieser Seite unterbrechen. Auf der gesamten Kalotte sind einzelne Haarsträhnen nur hier und da in die kompakte Masse eingeritzt; die Frisur war wahrscheinlich in Malerei angegeben. Vom Wirbel aus ist zur Stirn hin ein geflochtener Scheitelzopf gelegt, der der Kalotte völlig unvermittelt aufgesetzt ist. Vier Zopfelemente (abwechselnd je ein breites von rechteckiger Form und ein eher rundes) sind noch erhalten, ursprünglich waren es sechs. Diese Elemente tragen keine weitere Verzierung [1]. Ähnlich einfache Zopffrisuren sind mir durch Vergleichsbeispiele nicht bekannt. Die von G.A.S. Snijder [2] und V. v. Gonzenbach [3] zusammengestellten Stücke sind komplizierter und weisen teilweise Scheitelschmuck auf [4]. Allein aus der Art der Bindung des Haarzopfes auf eine Zugehörigkeit des Knaben zu einer bestimmten Kultgemeinschaft schließen zu wollen, ist unzulässig [5]. Für *Aesernia* ist bislang auch keine Weihung, beispielsweise an Isis, nachzuweisen [6].

Die beobachtete Vereinfachung der Haarfrisur hat wahrscheinlich ihren Grund in der Schwierigkeit, die sich dem Bildhauer bei der technischen Ausführung der Haare stellte; ein zusätzliches Mißverständnis einer Vorlage ist nicht auszuschließen. Die Frisur geht wahrscheinlich auf den ausdrücklichen Wunsch des Auftraggebers zurück. Die Besonderheit des Kopfes wird ebenfalls durch sein Material, den Marmor, und die vergleichsweise gute Qualität unterstrichen. Es wird sich um ein Importstück aus einem städtischen Zentrum handeln, in dem man gewohnt war, Marmor zu bearbeiten, wenn auch nicht mit großer künstlerischer Brillanz.

Eine Datierung des Stücks kann nur aufgrund der plastischen Modellierung des Gesichts vorgeschlagen werden; sie ähnelt augusteisch-frühkaierzeitlichen Porträts, wie beispielsweise im Sion House [7], in Aix-en-Provence [8] und im römischen Kunsthandel [9].

(1) Daß es sich um einen Scheitelzopf und nicht um ein künstliches Scheitelband handelt, ist dadurch gesichert, daß kein Anhänger o. ä. vorgesehen war, wie aus der Auflagefläche der zwei vorderen, nicht mehr vorhandenen Elemente deutlich wird.
(2) G. A. S. SNIJDER, *Ein römischer Mädchenkopf aus Ägypten*, in: *Antike Plastik W. Amelung zum 60. Geburtstag* (1928) 239ff.
(3) V. v. GONZENBACH, *Der griechisch-römische Scheitelschmuck und die Funde von Thasos*, BCH 93, 1969, 855ff.
(4) Vgl. dazu W. TRILLMICH, *Das Torlonia-Mädchen*, AbhGöttingen 99, 1976, 12 Anm. 16; 46 Anm. 157.
(5) s. dazu ausdrücklich v. GONZENBACH a.O. (zit. in Anm. 3) 917.
(6) Das Manuskript der 31 Inschriften aus *Aesernia* vom Jahre 1810 (zitiert bei A. ZAZO, *Samnium* III, 1930, 106) nennt die Inschrift des Fabius Maximus (CIL IX 2639) « trovata nella edificazione della presente cattedrale di Isernia, che era un antico tempio dedicato ad Iside ». Diese Vermutung beruht soweit mir bekannt ist, auf keiner nachweisbaren Tatsache.
(7) W. B. GERCKE, *Untersuchungen zum römischen Kinderporträt von den Anfängen bis in hadrianische Zeit* (*Diss. Hamburg* 1968), 81.
(8) L. CURTIUS, *MdI* I, 1948, 92f Taf. 38.2; 40.1,2.
(9) GERCKE a. o. (zit. in Anm. 7), 81 FK 2.

Is 8 Weibliche Grabstatue

Taf. 8 Abb. 8.
Isernia, Antiquario Comunale
Aus der Gemarkung Quadrelle, Masseria S. Piccolo (1831)
Kalkstein H: 0,88
Der Kopf ist verloren, der Körper bis zur Hüfte erhalten. Die Oberfläche ist mehrfach bestoßen.
Unveröffentlicht
Fot.: Inst. Neg. Rom 75.2532

Die Figur ist mit Untergewand und Mantel bekleidet. Der stoffreiche Mantel hüllte ursprünglich den Hinterkopf ein, wie man aus der eng am Hals verlaufenden Stofführung schließen kann. Die rechte Hand nimmt den Mantelsaum vor dem Körper auf; der Stoff gleitet zwischen dem Daumen und den restlichen Fingern hindurch, fällt dann in einem zweiten Bogen hinab und ist über den linken nach vorn gewinkelten Unterarm gelegt. Dieses Motiv entspricht dem *sinus* bei Togastatuen. Der zweite Bogen scheint von weiblichen Figuren abgesehen zu sein, die den Gestus des Gewandraffens zeigen. Der weibliche Körper ist nur durch die leicht angedeutete linke Brust gekennzeichnet. Der schwere Stoff des Mantels wird durch schematisch und linear durchgezogene Falten gegliedert. Sie sind derb mit dem Meißel eingekerbt und überziehen, zu parallelen Gruppen geordnet, die Mantelfläche. Ihr Verlauf wird nur der Drapierung entsprechend verändert. In ihrem Kerbschnittstil erinnert die Statue an die unter Is 1-2 besprochenen Togastatuen.

Die vollkommen auf Frontalansicht konzipierte Figur stammt aufgrund ihres Fundortes aus einem Grabzusammenhang. Wahrscheinlich stand sie in einer Aedikola, wie es Beispiele aus Pompeji [1], Marano di Napoli [2], Sarsina [3], Sestino [4] und anderswo zeigen.

(1) Vgl. Is 10 Anm. 6.
(2) G. Q. GIGLIOLI, *NSc* 10, 1913, 26 Abb. 1.
(3) AURIGEMMA, *Sarsina* 46 Abb. 41a, b; 48 Abb. 43.
(4) VERZAR 385ff.

Is 9 Männliche Grabstatue

Taf. 8 Abb. 9
Isernia, Antiquario Comunale
Fundort unbekannt
Kalkstein H: 1,13
Der separat gearbeitete Kopf und die Beine vom Knie an sind verloren. Die linke Hand und die gesamte Oberfläche sind bestoßen.
Unveröffentlicht
Fot.: Inst. Neg. Rom 75.2531

Die Figur ist mit Tunika und Toga bekleidet. Die rechte Hand ist flach mit gespreizten Fingern auf den *balteus* gelegt; die linke wird eng am Körper gehalten und leicht nach vorn abgewinkelt. Der Stoff der Toga fällt in linearen Falten herab; die Auffächerung des *balteus* wird durch sich ornamental wiederholende Rillen wiedergegeben. Die Statue ist flächig gearbeitet und auf Einansichtigkeit berechnet. Die ausgeprägte Halsmuskulatur läßt auf ein realistisch gestaltetes Porträt schließen.

Die Toga läßt sich aufgrund ihrer nicht mehr ganz straff am Körper anliegenden Form und des aufgelockerten *balteus* mit spätestrepublikanischen Togastatuen in Verbindung bringen [1]. Obwohl die Herkunft des Stücks nicht sicher ist, ist eine Zugehörigkeit zu einem Grabmonument wahrscheinlich [2].

(1) Thermenmuseum, Rom (GOETHERT 44 Anm. 193 mit weiteren Beispielen).
(2) Vgl. Is 8 Anm. 1-4.

Is 10 Sitzende weibliche Gewandtsatue

Taf. 9 Abb. 10*a-c*.
Isernia, Antiquario Comunale
Fundort unbekannt
Kalkstein H: 1,18; B: 0,67; T: 0,67
Der Kopf ist verloren. Die rechte Schulter ist beschädigt. An der Plinthe verschiedene leichte Bestoßungen.
Unveröffentlicht
Fot.: Inst. Neg. Rom 75.2537-39

Als Sitz dient der Figur ein mit einem Kissen gepolsterter Kubus. Seine Seitenflächen imitieren Formen wie sie uns von antiken Holzmöbeln bekannt sind. Aus demselben Block ist eine schmale Fußbank gemeißelt, auf der ihre Füße ruhen. Die Figur ist lediglich an der Vorder- und den Nebenseiten ausgearbeitet.

Die Frau ist mit Chiton und Mantel bekleidet. Der Chiton reicht bis auf die Plinthe und läßt nur die Spitze des rechten Fußes frei. Der Mantel, in den sie fest eingewickelt ist, war bis zum Hinterkopf heraufgezogen. Der linke Arm stützt sich auf den ruhig in ihrem Schoß liegenden rechten, die Hand ist bis an das Kinn geführt. Dadurch ist ihr Oberkörper leicht geneigt. Der Mantelsaum fällt vom Halsausschnitt schalartig über den rechten Arm und weiter zwischen den Beinen bis auf die Plinthe herab. Diese Stofführung teilt den Unterkörper in fast symmetrische Hälften. Das linke Bein muß, da sein Knie etwas tiefer liegt als das des rechten Beins, leicht zurückgesetzt sein. Durch die Gewandfülle und die beiden weit auseinandergestellten, fest aufgesetzten Füße wirkt die Figur massig.

Parallele Bogenfalten überziehen in schematischer Abfolge den Stoff;

wo dieser gerafft ist, wie an der linken Schulter, sind sie gedrängter, zwischen den Knien hängen sie freier. Das Untergewand ist nur grob skizziert und in seiner anderen Konsistenz nicht unterschieden.

Der Typus der sitzenden Figur ist der der klassischen Grabstatue[1]. Das Motiv der in den Mantel gewickelten, an das Kinn geführten Hand, die sich auf den quer vor den Körper gehaltenen anderen Arm stützt, entspricht dem ' Pudicitiamotiv '[2]. Dieser Typus wird im Späthellenismus häufig für weibliche Ehren- und Grabstatuen verwendet[3]. Bereits in der Mitte des 2. Jh. s v. Chr. existierten wenigstens fünf verschiedene Redaktionen des Typus[4]. Auch die schalartig vor dem Körper herabhängenden Mantelfalten lassen sich mehrfach nachweisen[5]. Die Sitzstatue gehört in den sepulkralen Bereich; wahrscheinlich stand sie, analog den Beispielen der Gräberstraße vor der Porta di Nocera in Pompeji, in einer Aedikola auf hohem Sockel[6]. Sie ist in die spätestrepublikanische Zeit zu datieren.

(1) Vgl. griechische Grabstatue im Museo Barracco/Rom (*Helbig*[4] II 1845 = H. v. STEUBEN). Grabstatue in Berlin (BLÜMEL, *Kat. Berlin* III, *Skulpt.* 5. u. 4. *Jh. v.* Chr., (1928) K 7).

(2) G. LIPPOLD, *Kopien und Umbildungen* (1923) 218. M. BIEBER, *ProcAmPhilSoc* 103, 1959, 383ff.

(3) Oft auf Grabsteinen aus Rhodos, Smyrna etc., vgl. BIEBER, *Sculpture* 132. Eine ganze Serie von Grabstatuen mit diesem Motiv ist auch aus Rom bekannt, vgl. beispielsweise eine Statue im Konservatorenpalast/Rom (*Helbig*[4] II 1239 = H. v. HEINTZE), die zusammen mit einer männlichen Sitzstatue gefunden wurde (*Helbig*[4] II 1255 = H. v. HEINTZE).

(4) Zuletzt: D. PINKWART, *AntPl* XII, 1973, 153 Anm. 21.

(5) Beispielsweise eine Statue im Vatikan (*Helbig*[4] I 415 = W. FUCHS); Relief von der Via Statilia (*Helbig*[4] II 1631 = H. v. HEINTZE); Statue in der Villa Albani (HORN, *Gewandstatuen* 81 Taf. 40.2); Statue vom Monument des Aefionius in Sarsina (AURIGEMMA, *Sarsina* 48 Abb. 43).

(6) Pompeji, Via di Nocera (ESCHEBACH, Fondo Pacifico 6; MAU 453 Nr. 6 Abb. 267 rechts; ders. RM 3, 1888, 136). Pompeji, Via di Nocera, Monument des L. Caesius und der Titia (MAU 451 Nr. 4; ders. RM 3, 1888, 130ff Nr. 4). Pompeji, Via di Nocera (ESCHEBACH W 9. A. MAIURI, *Dall'Egeo al Tirreno* (1962) Taf. XVI). Frdl. Hinweis von V. Kockel. Weitere männliche Sitzstatue in Benevent, Museo Naz. del Sannio, Inv. 6032 und in Grottaminarda (unveröffentlicht). A. FROVA, *Due statue sedute romane*, ACl 8, 1957, 34ff Taf. XII-XIV.). G. A. MANSUELLI, RIA *NS* 7, 1958, 110. REINACH, *RepSt* I, 548 f, 554f; I, 2, 582f, 629ff.

Is 11 Männliche Stützfigur

Taf. 10 Abb. 11*a-b*.

Isernia, Antiquario Comunale
Aus Isernia, Ponte S. Giovenale
Kalkstein H: 1,41; B: 0,40; T: 0,40
Die linke Hand mit der Deckplatte ist abgebrochen, die rechte stark geglättet. Der rechte Fuß ist bestoßen, der Kopf stark korrodiert, so daß die Gesichtszüge nicht mehr kenntlich sind. An der linken Seite befinden sich in Kopfhöhe ein Gußkanal und ein Loch; damit ist der ursprüngliche tektonische Verband des Stücks gesichert.
Unveröffentlicht
Fot.: Inst. Neg. Rom 75.2534-35

Auf der Rückseite der Figur ist ein Teil des Baublocks erhalten, aus dem sie gearbeitet ist. Er zeigt, daß die Stützfigur aus architektonischem

Zusammenhang stammt, wahrscheinlich von einem Grabbau, dessen Architrav sie getragen haben könnte [1].

Die männliche Figur berührt mit dem linken Knie den Boden, das rechte Bein ist angewinkelt und auf die Basis aufgesetzt. Der linke Arm ist erhoben, die Hand stützte nach oben ab. Die rechte Hand liegt auf dem Knie. Der Oberkörper ist aufgerichtet. A. Schmidt-Colinet hat dieses Stützmotiv « Satyrschema » genannt [2]. Der Mann ist mit einer kurzärmeligen gegürteten Tunika bekleidet; darunter trägt er ein Gewand mit langen Ärmeln, die sich eng um den Unterarm wickeln und am Handgelenk gebunden sind und lange Hosen, die an den Knöcheln zusammengehalten werden. Der Kopf ist mit einer phrygischen Mütze bedeckt. Das Gesicht scheint bartlos gewesen zu sein [3]. Gewand und Kopfbedeckung kennzeichnen die Figur als einen aus dem östlichen Teil des römischen Reiches stammenden Barbaren [4]. Der Typus der nicht-mythischen, d. h. durch Physiognomie oder Tracht als Sklave oder Barbar gekennzeichneten Stützfigur, ist eine hellenistische Erfindung [5]. Monumental ist er erst für die mittlere Kaiserzeit nachgewiesen [6]. Literarisch ist er bereits für die sog. Perserhalle in Sparta, die kurz nach der Schlacht bei Plataä errichtet wurde, überliefert [7].

Die Stützfigur aus *Aesernia* läßt sich in ihrem kraftlosen Tragegestus, bei dem der Arm an der Seite erhoben ist, auf der das Knie den Boden berührt, deutlich auf späthellenistische Stützfiguren zurückführen [8].

Die Barbarenfigur ist wahrscheinlich vom sog. Partherbogen auf dem Forum Romanum beeinflußt [9], der im Jahre 19 v. Chr. für Augustus errichtet wurde und an die Rückgabe der Partherfeldzeichen erinnerte. Von Münzbildern her sind wir darüber unterrichtet, daß über den seitlichen Durchgängen Statuen von Parthern in Nationaltracht standen [10]. Vielleicht gehörte die Stützfigur aus *Aesernia* zu einem Grabmonument, das sich jemand, der an den militärischen Unternehmungen im Osten beteiligt war, hatte errichten lassen.

In der Wiedergabe der Falten, die eine Tendenz zu ornamentaler Verdichtung zeigen, weist sich das Werk als lokale Arbeit aus.

---

(1) Zu Stützfiguren allgemein s. F. SCHALLER, *Stützfiguren in der griechischen Kunst* (Diss. Wien 1973). A. SCHMIDT-COLINET, *Antike Stützfiguren* (Diss. Frankfurt 1977).

(2) SCHMIDT-COLINET a.O. (zit. in Anm. 1) 57 ff.

(3) Zur Bartlosigkeit bzw. Bärtigkeit bei Barbarengestalten s. SCHMIDT-COLINET a. O. (zit. in Anm. 1) Anm. 281.

(4) Pfeilerfiguren im Barbarenschema können eng mit dem Typus des Attis *funéraire* zusammenhängen, vgl. SCHMIDT-COLINET a. O. (zit. in Anm. 1) 56, 96. s. auch SCHALLER a. O. (zit. in Anm. 1) 172 Anm. 145.

(5) SCHMIDT-COLINET a. O. (zit. in Anm. 1) Tabelle auf S. 103f.

(6) SCHMIDT-COLINET a. O. (zit. in Anm. 1) Tabelle auf S. 103f. SCHALLER a. O. (zit. in Anm. 1) 172 Anm. 144. Beispiele: Trajansforum/Rom (SCHMIDT-COLINET Katalog Nr. M 55); Markthalle/Korinth (SCHMIDT-COLINET Katalog Nr. M 56); Pojani/Albanien (SCHMIDT-COLINET Katalog Nr. M 37).

(7) VITRUV, *De Arch.* I, 1.6. Pausanias III, 11.3. Dazu auch SCHMIDT-COLINET a. O. (zit. in Anm. 1) 55, 132.

(8) SCHMIDT-COLINET a. O. (zit. in Anm. 1) 63.

(9) P. ZANKER, *Forum Romanum. Die Neugestaltung durch Augustus* (1972) 15 Plan III.

(10) ZANKER a. O. (zit. in Anm. 9) Abb. 20-21.

Die folgenden Stücke (Is 12-18) sind 1942 in der Gemarkung Taverna della Croce gefunden worden [1]. Sie bildeten mit weiteren verschollenen, Reliefblöcken den Fries eines Grabmonuments. Die zufällig erhaltenen Friesplatten erlauben keine sichere Schlußfolgerung auf das ursprüngliche Aussehen des Frieses; dennoch werden im Anschluß an die Besprechung der einzelnen Stücke vier Rekonstruktionsvorschläge vorgelegt (Tafel B). Sie sollen unter Berücksichtigung technischer und künstlerischer Gesichtspunkte lediglich eine optische Hilfe für den Betrachter sein. Da bei den Friesplatten von *Aesernia* eine detaillierte Fundangabe, Notizen über den ursprünglichen Bauzusammenhang sowie jegliche zugehörige Architekturfragmente und epigraphische Zeugnisse fehlen, können weder die Provenienz der Stücke (wir wissen nur, daß sie aus einer der Nekropolen stammen), noch der Typus des Grabmonuments, an dem der Fries angebracht war, bestimmt werden. Auch der Grabinhaber muß unbekannt bleiben. In Analogie zu anderen, inschriftlich gesicherten Monumenten, ist es wahrscheinlich, daß es sich bei dem Grabinhaber um jemanden gehandelt hat, der während seiner Amtszeit Gladiatorenspiele gegeben hatte. Er wollte seine den Mitbürgern gegenüber gewährte *liberalitas* am Grabbau festhalten [3].

(1) A. VITI, *Archeologia* (*Roma*) 1965, 99ff. In den einzelnen Katalognummern ist auf die Angabe von Herkunft und Funddatum verzichtet.

(2) z. B. am Monument des C. Lusius Storax (COARELLI, *Storax*) oder dem Fries am Grabbau eines Triumvirn aus *Amiternum* (LA REGINA, *Triumvir*).

(3) DE RUGGIERO IV (1965) 833ff s.v. liberalitas (G. BARBIERI). s. auch PETRON, *Satyricon* 71.

Die in der Literatur besprochenen Fragmente von Gladiatorenfriesen tragen keinen inschriftlichen Text. Doch wird oft in Inschriften Bezug auf Gladiatorenspiele als Ausdruck der *liberalitas* genommen, beispielsweise: CIL XI 6357 = ILS 5057; dieser Inschrift zufolge hat der *duumvir* T. Ancharius Priscus eine Statue erhalten «ob eximias liberalitates et abundantissimas largitiones: octies spectaculum gladiatorium edidit, amplius ludos florales» CIL XIV 3663 = ILS 6234: M. Lurius Lucretianus gab in *Tibur* als er *quinquennalis* wurde «oblato XX paria/gladiatorum et venation/sua pecunia ediderit». Vgl. auch CIL XIV 4642 (Ostia); CIL XI 3807 (Veji).

Is 12 Gladiatorenrelief

Taf. 11 Abb. 12.

Isernia, Antiquario Comunale

Kalkstein H: 0,63; B: 0,62; T: 0,37

Der Block ist an der rechten und linken Kante gebrochen; an letzterer unten

ein schräger Bruch, durch den ein Teil des Schildes verloren ist. Die Oberfläche ist korrodiert.
Unveröffentlicht
Fot.: Inst. Neg. Rom 75.2527

Dargestellt ist die Kopf- und Schulterpartie eines nach links kämpfenden Gladiators. Der Kopf ist im Profil wiedergegeben. Sein Oberkörper wird von dem längsrechteckigen Schild verdeckt[1]. Außer diesem ist von der Bewaffnung der Kalottenhelm mit länglichem, nach hinten aufgebogenem Nackenschutz mit weitausladender Krempe und Ansatz einer Protome erhalten[2]. Der von den Wangenklappen freigelassene Teil des Gesichts ist etwa so groß wie bei dem Gladiator auf dem Relief in der Münchener Glyptothek[3]. Die Schulter ist so stark bestoßen, daß sich nicht mit Sicherheit entscheiden läßt, ob der Gladiator einen Panzer trug.

(1) Vgl. dazu das Relief aus Capranica, jetzt Museo Civico di Viterbo (S. RINALDI TUFI ACI 18, 1966, 65 Taf. 25, wo vom Autor ein ähnlicher Schild *parmula* genannt wird).
(2) Wie z. B. auf dem Relief in Benevent, Museo Nazionale del Sannio Inv. 617 (FACCENNA I 55 Abb. 5. U. SCERRATO, ACL 5, 1953, 93 ff Taf. 47.2). Die Helmform mit Nackenschutz gehört noch in das 1. Jh. v. Chr., in die Zeit bevor dieser durch die gleichmässig gerundete Krempe ersetzt wird (COARELLI, *Storax* 92).
(3) FACCENNA I Taf. I.

Is 13 Gladiatorenrelief

Taf. 11 Abb. 13.
Isernia, Antiquario Comunale
Kalkstein H: 0,63; B: 0,86; T: 0,30
Die linke Seite des Blocks ist schräg gebrochen. Die Kanten sind bestoßen.
Unveröffentlicht
Fot.: Inst. Neg. Rom 75.2521

Dargestellt ist die Kopf- und Schulterpartie eines nach links kämpfenden Gladiators. Der Kopf ist im Profil wiedergegeben. Der Rücken ist schräg von hinten gezeigt. Der rechte Arm ist erhoben, das Handgelenk mit einem zottigen Tierfell umwickelt. In der rechten Hand hält er einen Speer. Man kann erkennen, daß er im Begriff ist zuzustechen, da der uns erhaltene Teil schräg von unten nach oben verläuft[1]. Ein Kalottenhelm mit breiter Krempe und länglichem Nackenschutz bedeckt seinen Kopf[2], lange gelockte Haare fallen auf den Rücken herab. Die Wangenklappen lassen nur einen geringen Teil des Gesichts frei[3]. Der linke Arm hält den ovalen Schild (mit *umbo*?). Der profilierte Rand hinter seinem Schild läßt darauf schließen, daß auch der seines Gegners dargestellt ist. Ein Relief in Genua zeigt eine ähnliche Kampfsituation, die jedoch in anderer Weise perspektivisch gelöst ist[4]. Diese Kampfstellung läßt sich mit der auf dem

Relief aus Civitella S. Paolo vergleichen, auf dem der Rand des gegnerischen Schildes ebenfalls deutlich abgesetzt ist [5]. Der Typus des Helms ähnelt dem des Reliefs in Budapest [6]; auf diesem ist der Helmtopf jedoch unverziert.

(1) Vgl. dazu einen Gladiator mit Lanze und halbrundem Schild (s. Is 16 Anm. 4). Der Speer ist eigentlich nur als Waffe des *retiarius* bekannt, um den es sich hier jedoch nicht handelt.
(2) Vgl. Is 16 Anm. 4.
(3) Vgl. Is 12.
(4) Genua, Museo Archeologico Nazionale (Inst. Neg. Rom 68.1422).
(5) FACCENNA I 69 Abb. 12-13.
(6) Vgl. Relief in der Glyptothek/München (Is 12 Anm. 3) und Relief in Budapest (FACCENNA I 70 Abb. 14).

Is 14 Gladiatorenrelief

Taf. 12 Abb. 14.
Isernia, Antiquario Comunale
Kalkstein H: 0,63; B: 0,62; T: 0,36
Ein Bruch verläuft diagonal von links oben nach rechts unten, somit ist fast die Hälfte des Blocks verloren. Die Bruchkante verläuft unregelmäßig.
Unveröffentlicht
Fot.: Inst. Neg. Rom 75.2523

Es ist der Kopf eines Gladiators im Profil nach rechts dargestellt. Er trägt einen Kalottenhelm ohne Visier mit Wangenklappen. Eine Haarlocke ist am Bruchrand sichtbar. Es ist der Moment festgehalten, in dem der Schild des Gladiators mit dem seines Gegners zusammenstößt. Beide Schilde sind rechteckig und leicht gebogen. Bei dem Schild des erhaltenen Gladiators ist die Rundung noch zu erkennen. Eine ähnliche perspektivische Wiedergabe ist auch auf dem Relief in Benevent [1] und dem in Genua [2] versucht. Die Aktion der beiden Gladiatoren ähnelt der Überschneidung der Schilde auf dem Relief im Thermenmuseum [3].

(1) Vgl. Is 12 Anm. 2.
(2) Vgl. Is 13 Anm. 5.
(3) Vgl. Is 17 Anm. 3.

Is 15 Gladiatorenrelief

Taf. 12 Abb. 15.
Isernia, Antiquario Comunale
Kalkstein H: 0,64; B: 0,62; T(max): 0,36
Die Kanten des Blocks sind bestoßen.
Unveröffentlicht
Fot.: Inst. Neg. Rom 75.2528

Dargestellt ist der nach rechts gewandte Oberkörper einer männlichen Figur; der Kopf ist im Profil gegeben. Der Mann ist mit einer halbärmeligen Tunika und einem Mantel bekleidet, der schalartig über die rechte Schulter geworfen ist. Der rechte Arm ist ausgestreckt. Der Steinmetz hat versucht, die Drehung der Schulter- und Brustpartie darzustellen.

Das Gesicht wird beherrscht von dem weitgeöffneten Auge. Die Haare sind als undifferenzierte Masse gestaltet. Lediglich am Haaransatz läßt sich der Versuch erkennen, einzelne Haarsträhnen wiederzugeben. Die Frisur reicht bis tief in den Nacken, wie es der Mode in iulisch-claudischer Zeit entspricht. Der Dargestellte ist ein *lanista, incitator, magister* oder *doctor* [1]; dieser Spielleiter ist immer ohne Helm gezeigt. Sein Attribut, der Stock, fehlt auf dem Relief aus *Aesernia*.

Die Tatsache, daß die Blöcke Is 12-18 technisch wie stilistisch zusammengehören und daß uns ein *lanista* überliefert ist, beweist, daß es sich bei den Kämpfenden um Gladiatoren handelt.

(1) Vgl. Relief aus Capranica (Is 12 Anm. 1, mit weiteren Beispielen in Anm. 2-3). Mosaik in der römischen Villa von Nennig (K. PARLASCA, *Die römischen Mosaiken in Deutschland* (1959) Taf. 37). Relief aus Nesce (Sabina), Rom Thermenmuseum (abgeb. bei C. PIETRANGELI U. A., *Rieti e il suo territorio* (1976) Abb. 146).

Is 16 Gladiatorenrelief

Taf. 13 Abb. 16.
Isernia, Antiquario Comunale
Kalkstein H: 0,65; B: 1,28; T(max): 0,48; (min): 0,36 H(untere Standleiste): 0,12
Die untere Standleiste ist weitgehend abgeschlagen. Der Block ist bestoßen.
Unveröffentlicht
Fot.: Inst. Neg. Rom 75.2526

Es sind zwei Gladiatoren dargestellt. Zu dem rechten gehören die beiden im Profil wiedergegebenen und weit auseinandergestellten Beine. Der Gladiator war dem Betrachter zugewandt. Das läßt sich daran erkennen, daß der Steinmetz deutlich die Innenseite des linken Beins wiedergegeben hat. Das rechte Bein ist von der Außenseite gezeigt. Diese Beinstellung ist organisch nicht möglich und zeugt vom Unvermögen des Steinmetz im Umgang mit den Vorlagen. Daß die beiden Beine zusammengehören, ergibt sich daraus, daß keines der Beine ein mögliches Pendant haben könnte. Die Füße sind mit ganzer Sohle auf der Standleiste aufgesetzt. Die Stiefel reichen bis zur Wade und schließen mit einer Krempe ab. Der Gladiator kämpfte zu seiner rechten Seite hin, da sein rechtes Bein belastet, sein linkes entlastet ist. Diese Beinstellung kennen wir auch von einem Gladiatorenpaar auf dem Relief von der Via Ostiense/Thermenmuseum[1] oder von dem Relief aus Cantalupo in Sabina[2]. Dieselbe Art der Fußbekleidung findet sich auch auf dem Relief in Benevent[3].

Am linken Rand des Blocks ist das rechte Bein eines zweiten Gladiators dargestellt. Es ist von hinten gesehen, schräg nach links geneigt und mit einer Beinschiene bekleidet. Es muß einem nach links hin kämpfenden Gladiator gehören. Die Stellung der beiden Gladiatoren zueinander könnte man mit der Mittelfigur und der linken Figur auf dem Relief des Lusius Storax / Chieti vergleichen[4].

(1) FACCENNA I 37ff Taf. II.
(2) FACCENNA I 72ff Taf. IV; U. TARCHI, *L'arte nell'Umbria e nella Sabina I* (1936), Taf. 243.
(3) FACCENNA I 58 Abb. 7.
(4) COARELLI, *Storax* 85ff Taf. 33; E. GHISLANZONI *MonAnt*, 19, 1908, Taf. I Nr. 13-14.

Is 17 Gladiatorenrelief

Taf. 13 Abb. 17.
Isernia, Antiquario Comunale
Kalkstein H: 0,66; B: 1,12; T: 0,32; H(Standleiste): 0,12
Der Block ist links auf ca. ein Drittel der Gesamtbreite stark bestoßen.
Unveröffentlicht
Fot.: Inst. Neg. Rom 75.2522

Dargestellt sind drei zu zwei Gladiatoren gehörende Beine vom Knie abwärts; sie stehen im Profil nach rechts auf der Standleiste. Das Bein links und rechts außen gehören zu einer Person. Diese hat ihr rechtes Bein (links) zurückgestellt, der Fuß setzt nur mit dem Ballen auf; deutlich drücken sich die Zehen ab, die Ferse ist angehoben, das Bein stark nach vorn gebeugt. Offensichtlich handelt es sich um eine ausschreitende Bewegung nach rechts hin; das linke Bein der Figur (rechts) ruht mit der ganzen Fußsohle auf. Von der Fußbekleidung ist am linken Fuß nur eine Lasche zu sehen, möglicherweise von einem Stiefel wie wir ihn vom Relief Is 16 kennen; vielleicht handelt es sich aber auch um den Teil einer Beinschiene[1]. Diese Schrittstellung ist vom Relief in Corfinio her bekannt[2], jedoch ist das Motiv dort komplizierter, da diese Schrittbewegung eine andere kreuzt[3]. Hinter der besprochenen Figur ist ein weiteres Bein sichtbar, das wie die Stellung der Zehen zeigt, von außen gesehen ist. Von der Fußbekleidung ist ein über den Spann gelegtes, blattförmig zugeschnittenes Lederstück zu erkennen.

(1) Vgl. Relief aus *Amiternum* (FACCENNA I 65ft Taf. VII).
(2) Vgl. FACCENNA I 62 Abb. 11.
(3) Wie z.B. auf dem Relief im Museo di Roma (FACCENNA I 3ff Taf. I).

Is 18 Gladiatorenrelief

Taf. 13 Abb. 18.

Isernia, Antiquario Comunale
Kalkstein H: 0,62; B: 0,66; T: 0,305; H(Standleiste): 0,12
Die rechte untere Ecke des Blocks ist verloren. Die Oberfläche ist stark bestoßen.
Unveröffentlicht
Fot.: Inst. Neg. Rom 75.2525

Dargestellt sind zwei gegeneinander antretende Kämpfer. Von jedem ist nur ein Bein erhalten: vom linken, der nach rechts kämpft, nur das rechte. Vom rechten nur das linke; beide Beine sind von der Außenseite gesehen, sie berühren sich mit den Fußspitzen. Die Füße tragen Schuhe, deren Laschen über Spann und Knöchel zu erkennen sind. Das Kampfschema ist bekannt z. B. von dem Relief des Lusius Storax / Chieti [1] in der rechten Gruppe, weiterhin von dem Relief im Museo di Roma [2], dem von der Via Ostiense [3], einem im römischen Kunsthandel [4] und denen von Sepino [5].

(1) Vgl. Is 16 Anm. 4.
(2) Vgl. Is 17 Anm. 3.
(3) Vgl. Is 16 Anm. 1.
(4) Abb. in *StMisc.* X, 1966, Taf. XIV, 117.
(5) FACCENNA I 51 Taf. VI, 1.

Zur Technik der Ausführung der Gladiatorenreliefs:

Der Steinmetz hat versucht, die Figuren so über den Fries zu verteilen, daß die Fugen zwischen den einzelnen Blöcken das Bildprogramm nicht beeinträchtigen. Diese Arbeitsweise hat schon M. Floriani Squarciapino bei dem aus derselben Zeit stammenden Fries des Poplicola-Grabmals in Ostia festgestellt (FLORIANI SQUARCIAPINO 198).
Der Reliefgrund ist auf allen Blöcken mit dem Zahneisen geglättet. Die Oberfläche der Figuren dagegen ist mit dem Meißel bearbeitet; es wurde eine Meißelform mit abgerundeter Schneide benutzt (zur antiken Arbeitsweise in Stein, H. BLÜMNER, *Technologie und Terminologie der Gewerbe und Künste bei Griechen und Römern III* (1884) 192). Der Bohrer ist nicht verwendet. Um die einzelnen Figuren läuft ein ca. 1 cm breiter mit dem Meißel geglätteter Streifen, der den Kontur der Figuren gegen den Reliefgrund abhebt.

Rekonstruktionsversuche:

Der Versuch, die Anordnung der Blöcke zu rekonstruieren, wird durch die Tatsache erschwert, daß einerseits nur Blöcke mit Standleiste erhalten

sind, die von dem zu rekonstruierenden Fries zu der untersten Blockreihe gehören und andererseits Blöcke, die Kopf- und Schulterpartien
zeigen; von der Mitte des Frieses hat sich nichts erhalten. Die Zuordnung
der Blöcke ist aufgrund der Kopfhaltung bzw. Beinstellung vorgenommen
worden. Das erhaltene Material läßt keine eindeutige Anordnung der Blök-
ke zu, doch ergeben sich vier mögliche Rekonstruktionsvorschläge.

Vorhandene Blöcke:

Drei mit 0,12 m hoher Standleiste:

Is	16	17	18
Höhe	0,65	0,66	0,62
Breite	1,28	1,12	0,66

Vier mit Kopf- und Schulterpartie ohne obere Abschlußleiste:

Is	12	13	14	15
Höhe	0,63	0,63	0,63	0,64
Breite	0,62	0,86	0,62	0,62

Aus dieser tabellarischen Aufstellung geht hervor, daß die durch-
schnittliche Blockhöhe 0,64 m betragen hat. Die Figuren sind mehr oder
weniger ideal proportioniert, d.h. die Größe einer Figur läßt sich aus der
mit acht multiplizierten Kopfhöhe errechnen. Daraus ergibt sich, daß
zur Ergänzung der Gesamthöhe des Frieses eine weitere Blockreihe von
der ermittelten durchschnittlichen Höhe eingefügt werden muß. Der Fries
war also drei Blöcke à 0,64 m = 1,92 m hoch. Zu der errechneten Höhe
des Frieses muß möglicherweise noch eine obere Abschlußleiste hinzugefügt werden. Die Höhe des Frieses von ca. 2 m ist bisher singulär, wenn
man sie mit den bereits im Katalogtext zu den einzelnen Blöcken erwähnten

und anderen Gladiatorenfriesen vergleicht. Insgesamt lassen sich nach der Höhe drei Gruppen von Friesen zusammenstellen:

1) ca. 0,60-0,80 m entsprechend ca. 2-2 1/2 römische Fuß

2) ca. 1,20-1,30 m entsprechend ca. 4-4 1/2 römische Fuß

3) ca. 1,50-1,60 m entsprechend ca. 5-5 1/2 römische Fuß

Es gehören zur ersten Gruppe:

Relief des C. Lusius Storax/Chieti (Is 16 Anm. 4)	H: 0,60 m
Relief vom Monument eines Triumvirn/Chieti (s. Vorwort auf S. 115)	H: 0,60 m
Relief in Terni (Inst. Neg. Rom 71.1565)	H: 0,60 m
Relief von der Via Ostiense (Is 16 Anm. 1)	H: 0,75 m
Relief aus Cantalupo (Is 16 Anm. 2)	H: 0,81 m
Reliefs aus Civitavecchia (S. RINALDI TUFI, *BullCom* 82, 1975, Taf. 50)	H: 0,86 m

Es gehören zur zweiten Gruppe:

Relief in München (Is 12 Anm. 3)	H: 1,18 m
Relief im Thermenmuseum (Is 17 Anm. 3)	H: 1,19 m
Relief in Bologna (*Cat. Bologna* II Nr. 225; S. FERRI, *BdA* 34, 1949, Abb. 9)	H: 1,20 m
Relief aus Civitella S. Paolo (Is 13 Anm. 6) bei Annahme von zwei Blöcken à 0,58 m Höhe	H: 1,20 m (circa)
Relief aus Corfinio (Is 17 Anm. 2) bei Annahme von zwei Blöcken à 0,63 m Höhe	H: 1,30 m
Relief aus Capranica (Is 12 Anm. 1) bei Annahme von zwei Blöcken à 0,65 m Höhe	H: 1,30 m

Es gehören zur dritten Gruppe:

Reliefs aus Benevent   H: 1,50 m
(Is 12 Anm. 2; Is 16 Anm. 3)   (circa)
bei Annahme von zwei Blöcken à 0,75 m Höhe

Relief in Budapest   H: 1,60 m
(Is 13 Anm. 6)
bei Annahme von drei Blöcken à 0,56 m Höhe

Aus dieser Aufstellung geht hervor, daß die Steinmetzen in der Regel mit drei verschiedenen Formaten gearbeitet haben.

Demnach haben wir es bei dem Fries von *Aesernia* mit einer Ausnahme zu tun. Wenn man auch die Höhe des Frieses bestimmen kann, so läßt das bisher bekannte Material keinen Schluß auf die Länge des Frieses zu. Es ist nicht sicher, ob man überhaupt davon ausgehen kann, daß alle Blöcke die gleiche Länge besessen haben. Die Blöcke des Poplicola -Monuments in Ostia beispielsweise waren verschieden lang. Die mehrfach nachgewiesene Blocklänge von 0,62 m (Is 12; 14-15) bzw. 0,66 m (Is 18) könnte die ursprüngliche sein oder die Blöcke wurden bei einer eventuellen Zweitverwendung auf diese Größe zurechtgeschnitten. Ungeklärt bleibt die Länge des Blocks Is 16 sie beträgt 1,28 m.

Aus dem oben Gesagten geht hervor, daß auch die Anzahl der kämpfenden *paria* nicht festzulegen ist.

Da der *lanista* (Is 15) als Schiedsrichter doch wohl das Kampfgeschehen beobachtete, ist es aufgrund seiner Kopfdrehung nur möglich, ihn an den äußeren linken Rand zu stellen.

Klassen der Gladiatoren:

Die Klassen, denen die einzelnen Gladiatoren angehören, lassen sich nur annähernd bestimmen. Da alle mittleren Blöcke fehlen, auf denen die Bewaffnung und Ausrüstung im einzelnen näher zu erkennen gewesen sein muß, ist keine sichere Bestimmung der Gladiatoren möglich. In den Reliefs Is 12 und 16 kann man wohl einen *thraex* erkennen; ihn zeichnen hohe Beinschienen (Is 16), der Helm mit Protome und der rechteckige Schild (Is 12) aus. Auf dem Relief Is 14 ist wahrscheinlich ein *murmillo* mit Helm ohne Protome und halbrundem Schild dargestellt. Einer Untergruppe der *thraces* könnte der auf Block Is 13 Dargestellte angehören. Sein Helm ist mit einem Nackenschutz versehen, er trägt eine *manica* und ein Kurzschwert. (Zu den Gladiatorenklassen s. Literatur bei Rinaldi Tufi a. O. (zit. in Is 12 Anm. 1) 66. Ders. in *BullCom* 82, 1975, 40).

I   15 / 12, 18 / *1 parium* ergänzt (Bein von 17) / 17, 13 / 14, 16
Vier *paria* und vielleicht ein einzelner Gladiator (Is 16) oder ein *parium* (wobei der Gegner völlig zu ergänzen wäre).

II 15 / 12, 18 / 14 mit ergänztem Gegner / *1 parium* ergänzt (Bein von 17) / 13, 17, 16
Vier *paria* und vgl. I.

III 15 / *1 parium* ergänzt (Bein von 17) / 13, 17 / 14, 12, 18, 16
Drei *paria* und vgl. I.

IV 15 / *1 parium* ergänzt (Bein von 17) / 14, 12, 17 / 13, 18, 16
Drei *paria* und vgl. I.

Is 19 Gladiatorenrelief

Taf. 14 Abb. 19.
Isernia, Antiquario Comunale
Aus Isernia, Gemarkung Taverna della Croce (wie Is 12-18)
Kalkstein H: 0,83; B: 1,38; T: 0,40
Das Relief ist aus fünf Fragmenten zusammengesetzt. Das Gesicht des *cornicen* ist großteils verloren. Die Oberfläche ist stark verrieben.
Unveröffentlicht
Abgebildet mit falscher Ergänzung in Zement in EAA IV (1961) 230 s. v. Isernia (C. AMBROSETTI); ebenfalls so abgebildet in *StMisc* X, 1966, Taf. 46, 118.
Fot.: Inst. Neg. Rom 34.958 (mit falscher Ergänzung in Zement); 75.2560

Dargestellt sind die Oberkörper zweier nach rechts gewandter Figuren: links ein Hornbläser, rechts ein Gladiator. Der Hornbläser ist mit einer gegürteten Tunika bekleidet. Wie üblich ist der Kopf des Musikanten unbedeckt. Er hält mit der Linken das Instrument an seinen Mund. Mit der Rechten faßt er die querverbindende Griffstange, die auf seiner rechten Schulter aufliegt. Der Gladiator trägt einen kurzärmeligen Panzer, unter dem der faltige Ärmel des Untergewandes hervortritt. Sein Helm besitzt einen geraden Rand und einen kurzen Nackenschutz und ist mit zwei Federn geschmückt, sonst scheint die Helmkalotte unverziert zu sein. Die großen Wangenklappen schließen sich vorn und lassen nur die Augen frei[1]. Er hält einen über die Schulter gelegten Stab, in dem man ein Schwert sehen muß[2]. Hinter der Figur zeichnet sich ein halbkreisförmiger Rand ab, der wahrscheinlich als Schild zu deuten ist. Der über dem Kopf erkennbare Teil einer Lanze gehört sicherlich zu einer auf einem anschließenden Block befindlichen Figur. Die parataktische Reihung der Figuren läßt an die Darstellung einer *pompa* denken; sie ging den eigentlichen *ludi* voraus [3]. Daß eine derartige ‘Prozession’ von Musik begleitet war, ist sowohl literarisch als auch durch Denkmäler bezeugt [4].

Die Helmform mit den bereits geschlossenen Wangenklappen läßt eine Datierung des Reliefs in die ersten Jahre des 1. Jh. s n.Chr. zu [5].

Stilistisch unterscheidet sich das Relief deutlich von den anderen an gleicher Stelle gefundenen Gladiatorenreliefs. Es ist nicht so plastisch ausgearbeitet wie jene, die Figuren sind hier dichter gereiht. Aufgrund der im Anhang an die Gladiatorenreliefs (Is 12-18) vorgelegten Maßtabellen gehört das Relief in die Gruppe III. In *Aesernia* waren also mindestens zwei Grabbauten mit Gladiatorenreliefs geschmückt.

(1) s. COARELLI, *Storax* 92.
(2) Es scheint noch der Knauf erkennbar zu sein.
(3) Vgl. LA REGINA, *Triumvir* 66 Anm. 11.
(4) Literarische Quellen zusammengestellt bei DAREMBERG-SAGLIO I, 2 (1887) 1512ff s. v. cornu (E. POTTIER). Monumente: Grabbau des C. Lusius Storax (COARELLI, *Storax* 85f); Fresko aus Pompeji (MAZOIS IV Pl. 48 Abb. 1).
(5) s.o. Anm. 1.

Die beiden folgenden Reliefs (Is 20-21) gehören zu dem Fries eines Grabmonuments, von dem sonst keine weiteren Elemente erhalten sind. Die beiden Blöcke waren untereinander angebracht, wobei sich die äußere Kante des Vorderstevens von Is 21 in der Kurve, die der Bug von Is 20 beschreibt, fortsetzt. Die ursprüngliche Darstellung erstreckte sich über mehr Blöcke als erhalten sind. Nach der Beschreibung jedes Reliefs wird versucht, die Stücke in einen Sinnzusammenhang zu stellen.

Is 20 Relief mit Schiffsdarstellung

Taf. 15 Abb. 20.
Isernia, Antiquario Comunale
Fundort unbekannt
Kalkstein H: 0,525; B: 1,04; T: 0,40
Die obere Kante des Reliefs ist bestoßen.
Unveröffentlicht
Abgebildet in EAA Suppl. (1970) 379 s.v. Isernia (A. PASQUALINI). Kurz erwähnt von FLORIANI SQUARCIAPINO 207 Anm. 50.
Fot.: Inst. Neg. Rom 34.343; 75.2518

Dargestellt ist der Bug, die *prora*, eines Kriegsschiffes mit von verstärkter Metallkappe überzogenem dreigezacktem Rammsporn, *rostrum*, und dem darüber befindlichen, gegen das Oberwerk des gegnerischen Schiffes gerichteten *proembolion*; dieses ist an seinem vorderen Rand mit einem Löwenkopf verziert [1]. Von einem zweiten, sich im Hintergrund befindenden Schiff sind hinter Sporn und Balken des ersten fünf Riemen zu erkennen (der Rest eines sechsten wird unterhalb des *rostrum* sichtbar), außerdem ein Teil des Riemenkastens und der untere Teil des Vorderstevens, den man wohl Analog zu Is 21 ergänzen kann.

(1) Zu den Realia s. L. CASSON, *Ships and Seamanship in The Ancient World* (1971), 389ff; H. D. L. VIERECK, *Die römische Flotte* (1975) 274ff.

Is 21 Relief mit Schiffsdarstellung

Taf. 15 Abb. 21.
Isernia, Antiquario Comunale
Fundort unbekannt
Kalkstein H: 0,54; B: 0,92; T: 0,31
Die rechte obere Ecke des Reliefs ist bestoßen.
Für Abbildung und Erwähnung vgl. Is 20
Fot.: Inst. Neg. Rom 34.343; 75.2519

Die figürliche Darstellung nimmt in etwa die linke Hälfte des Blocks ein, der rechts verbleibende Teil ist freigelassen. Vor neutralem Hintergrund ist der Vordersteven eines nach rechts fahrenden Kriegsschiffs dargestellt. Der hochgezogene Vordersteven endet oben in einer Volute; diese trägt in Hochrelief die Schiffsinsignie, *parasemon*, in Form eines männlichen Kopfs mit struppigem, aus der Stirn gestrichenem Haar [1]. Ob es sich um die dem Schiff den Namen gebende Gottheit [2] oder die Personifikation des die Fahrt begünstigenden Windes [3] handelt, läßt sich nicht eindeutig entscheiden. Auf dem Deck sind hinter dem Vordersteven drei stehende Krieger parataktisch nach links hin aufgereiht [4], ein vierter ist nur zur Hälfte erhalten: die Darstellung setzte sich also zumindest nach links und nach unten auf anderen Blöcken fort. Niedrige Deckaufbauten verdecken das untere Ende der Schilde, mit denen die Krieger ausgerüstet sind. Die Schilde haben ovale Form, eine betonte Mittelrippe und einen runden *umbo*. In der Rechten halten die Krieger Lanzen, die nicht zum Angriff bewegt, sondern in Ruhestellung gehalten werden; ihre Spitzen sind zwischen den Helmen der Krieger sichtbar. Den Helmhauben ist zur Verstärkung des abgesetzten Randes ein Wulst aufgelegt; von einer Volutenverzierung auf der Haube sind noch Spuren vorhanden. Große halbmondförmige Wangenklappen lassen nur wenig von den Gesichtern frei. Die enge Staffelung der Soldaten, die wohl eine kampfstarke Kriegertruppe verdeutlichen soll, ergibt eine schuppenartige Überschneidung der Schilde.

Der Steinmetz hat bei der Komposition versucht, die Darstellung möglichst übersichtlich zu gestalten: eine Staffelung der Ebenen (Deckaufbauten – Schilde – Krieger – Lanzen) ist nurmehr angedeutet; die Darstellung wird flächenmäßig in erzählerischer Weise vor dem Betrachter ausgebreitet. Die Isokephalie ist bis auf den Krieger unter dem *insignium* eingehalten; dieses hatte offensichtlich für den Auftraggeber eine besondere Bedeutung und ist deshalb überdimensional wiedergegeben. Ein Datierungsanhalt des Reliefs läßt sich aus der Bewaffnung der Krieger gewinnen: Der ovale Schild mit hervorgehobener Mittelrippe vertritt typusmäßig den Langschild, wie man ihn vom Monument des Aemilius Paullus aus Delphi[5] oder von der Domitiusara[6] kennt, ist jedoch kleiner gebildet. Diese Verkleinerung ist wohl mit der marianischen Heeresreform in Zusammenhang zu bringen. In caesarischer Zeit wird er dann von dem gebogenen rechteckigen Schild ersetzt. Die Schildform auf dem Relief aus *Aesernia* tritt auch auf anderen Reliefs auf, so beispielsweise auf dem sog. Biremenrelief von Neapel[7], dem Fries vom Cimitero dei Giordani/ Rom[8], dem Fries des Grabmonuments des C. Cartilius Poplicola in Ostia[9]. Das Relief aus *Praeneste* im Vatikan[10] zeigt ihn mit dekorativer Verzierung.

Die Helme sind von einfacher Topfform, ohne Busch oder sonstige Aufsätze. Die Wangenklappen sind groß und lassen einen Teil des Gesichts frei. Hierzu lassen sich am besten Darstellungen von Gladiatoren vergleichen, beispielsweise auf dem Relief in München[11], demjenigen von der Via Ostiense[12] und zweien aus Benevent[13]. Es handelt sich um Reliefs, die noch in das 1. Jh. v. Chr. zu datieren sind. In den ersten Jahren des 1. Jh.s n. Chr. wird der Nackenschutz durch die rundgeführte Krempe ersetzt[14]. Gleichzeitig werden die Wangenklappen immer größer und schliessen sich vollkommen in den ersten Jahrzehnten des 1. Jh.s n. Chr.[15].

Die Bewaffnung der Krieger auf dem Relief von *Aesernia* läßt sich also aufgrund der genannten Vergleiche in die zweite Hälfte des 1. Jh.s v. Chr. datieren.

Die Dekoration des Schiffs selbst beschränkt sich auf das *insignium*, der Deckaufbau ist unverziert. Diese Tatsache überrascht, da dieser Teil oft durch dort befestigte Schilde ausgezeichnet ist[16]. Ohne jegliche Verzierung bleibt dieser Teil auf den Reliefs aus Pozzuoli in Neapel[17] und auf dem sog. Biremenrelief ebenfalls in Neapel[18].

Vom Schiff selbst läßt sich nur mit Sicherheit feststellen, daß es sich um ein Kriegsschiff handelt, wahrscheinlich um eine Trireme. Aufgrund von Münzvergleichen[19] kann man zu dieser Akrostolionform ein dreigezacktes *rostrum* ergänzen, wie eines auf dem Reliefblock Is 20 dargestellt ist.

Da die Krieger ihre Angriffswaffen in Ruhestellung halten, könnte man an einen Landgang denken, doch erfolgt dieser meist in Fahrtrichtung des Schiffs [20] oder es könnte der Augenblick vor einer Schiffsschlacht gewählt sein; dabei erfolgt die Aufstellung jedoch ebenfalls in Fahrtrichtung, wie man es von anderen Reliefs kennt [21]. Eine endgültige Deutung muss offen bleiben.

(1) Zur Anbringung dieser *insignia* an Schiffen s. G. M. A. HANFMANN, *A Roman Victory, Opus Nobile. Festschrift für U. Jantzen* (1969) 64ff Anm. 5ff. Dazu auch CASSON a.O. (zit. in Is 20 Anm. 1) 344ff.

(2) CASSON a.O. (zit. in Is 20 Anm. 1) 344 Anm. 2.

(3) Beispiele für Windgötter auf einem Grabstein in Alt-Ofen (*Sonderschriften des Österr. Arch. Inst. V*, 1905, 66 Abb. 45), jedoch mit symbolischer Bedeutung (CUMONT 146ff Pl. X).

(4) Daß die Soldaten stehen und nicht sitzen, ergibt sich aus dem Vergleich mit anderen Schiffsdarstellungen, beispielsweise dem Relief des Poplicola-Monuments in Ostia (FLORIANI SQUARCIAPINO 191ff Taf. 39-42,1), wo der kastenförmige Deckaufbau die Beine des vom Rücken gesehenen Soldaten verdeckt, einer Höhe also, die der unserer Krieger entspricht. Auch das Relief aus *Praeneste* im Vatikan (*Helbig*[4] I 489 = E. SIMON; CASSON a. O. (zit. in Is 20 Anm. 1) 144 Abb. 130, 132) zeigt deutlich die Höhe der Schiffsaufbauten resp. der Figuren stehender Soldaten an. Sitzende Soldaten dagegen sind durch ihre nur über den Aufbauten hervorragenden Schulterpartien und Köpfe gekennzeichnet, beispielsweise auf dem Relief aus Pozzuoli / Neapel (*Guida Ruesch* Nr. 605-606; CASSON a. O. (zit. in Is 20 Anm. 1) Abb. 129; Inst. Neg. Rom 63.269; 63.1170).

(5) C. PICARD-P. DE LA COSTE-MESSELIÈRE, *Les sculptures grecques à Delphes: Fouilles de Delphes IV*, I (1929) 40ff Pl. 78; H. KÄHLER, *Der Fries vom Reiterdenkmal des Aemilius Paullus in Delphi, Mon. Artis Romanae I* (1965).

(6) F. COARELLI, *DArch* II, 1968, 302ff.

(7) *Guida Ruesch* Nr. 642; CASSON a. O. (zit. in Is 20 Anm. 1) Abb. 119; Inst. Neg. Rom 63.268; 63.5716.

(8) C. PIETRANGELI, *BullCom* 67, 1939 (1940), 31, 36 Taf. I; FLORIANI SQUARCIAPINO Taf. 42,3.

(9) FLORIANI SQUARCIAPINO Taf. 32,3; CASSON a.O. (zit. in Is 20 Anm. 1) Abb. 125; G. BECATTI, *BullCom* 67, 1939 (1940), 36ff.

(10) s. o. Anm. 4. Vom Bogen in Orange (R. AMY U.A., *L'arc d'Orange XV*[e] *Supplement à Gallia* (1962) Taf. 75) und der Säule von Périgueux (ESPÉRANDIEU, *Recueil* II, 1908, Nr. 1294) ist er ebenfalls bekannt.

(11) s. Is 2 Anm. 3.

(12) s. Is 16 Anm. 1.

(13) s. Is 12 Anm. 2 und Museo Inv. 618 (FACCENNA I 57 Abb. 6).

(14) Wie sie die Soldaten auf dem Relief vom Cimitero dei Giordani zeigen (vgl. oben Anm. 8).

(15) Vgl. dazu COARELLI, *Storax* 92 und Relief aus *Aesernia* (Is 19).

(16) Entweder sind sie schuppenförmig ineinander geschoben wie auf den Reliefs in Ostia (s. o. Anm. 9) oder dem vom Cimitero dei Giordani (s. o. Anm. 8) oder sie sind nebeneinander befestigt, wie z. B. auf dem Relief aus *Praeneste* im Vatikan (s. o. Anm. 4).

(17) FLORIANI SQUARCIAPINO Taf. 42,2-3.

(18) s. o. Anm. 7.

(19) CASSON a. O. (zit. in Is 20 Anm. 1) Abb. 120-123; GRUEBER Taf. 95, 7-9.

(20) z.B. auf dem Relief aus *Praeneste* im Vatikan (s.o. Anm. 4). F. ZEVI, *Monumenti e aspetti culturali di Ostia repubblicana* (*Abh Göttingen* 97, 1976, 58 Anm. 26) weist die von Floriani Squarciapino 204 vorgebrachte Idee des Landgangs zurück.

(21) z. B. auf dem sog. Biremenrelief / Neapel (s. o. Anm. 7) und dem Relief vom Cimitero dei Giordani (s. o. Anm. 8).

Es stellt sich die Frage, für wen das Monument errichtet worden ist, das der Fries mit dieser für das italische Hinterland fernliegenden Thematik schmückte. Da die Herstellung des Frieses sicher relativ kostspielig war können wir annehmen, daß sein Auftraggeber kein einfacher Soldat sondern wohl ein Offizier gewesen ist[1]. Der Grabinhaber hatte wahrscheinlich an den Schiffsschlachten von Naulochos oder Aktium aktiv teilgenommen. Als er sich dann in seinem Heimatort das Grabmal bestellte, griff er jedoch nicht auf die nach den Seeschlachten in der Münzprägung[2] und dem öffentlichen Bauprogramm[3] propagierte Thematik (Schiffsschnäbel) zurück, sondern ließ sich von nicht so abstrakten Darstellung anregen. Der Fries von *Aesernia* reiht sich in seiner Themenwahl in eine größere Anzahl von Reliefdarstellungen an Grabbauten (früh-)augusteischer Zeit ein[4].

Im mittelitalischen Siedlungsgebiet ist er ein wichtiges Zeugnis für die auf aktuelle Schlachtereignisse bezogene Selbstdarstellungen von Militärs augusteischer Zeit.

(1) Aus der Kostenaufstellung für Grabmonumente bei R. DUNCAN-JONES (PBSR 20, 1965, 198ff) läßt sich eine Ausgabe von 2.000 Sesterzen als Durchschnittspreis für das Grabmal eines Soldaten ermitteln. In *Aesernia* ist eine Verkleidungsplatte eines Grabmals erhalten, deren Inschrift Text eine Summe von 2.000 Sesterzen angibt. Es handelt sich dabei um eine nur bescheiden geschmückte Anlage, soweit das aus dem erhaltenen Fragment zu schließen ist (Is 83).

(2) Siegesprägung von Aktium mit dem Bild einer *columna rostrata* (BMC EMP. I Taf. 15, 15. G. FUCHS, *Architekturdarstellungen auf römischen Münzen der Republik und der frühen Kaiserzeit* (1969) Taf. 7, 84-85.

(3) Schaufront der neuen Rednertribüne auf dem Forum Romanum (P. ZANKER, *Forum Romanum. Die Neugestaltung durch Augustus*. (1972) 13). Reliefs vom *sacellum* der *Diana in Circo* (F. COARELLI, *DArch* II, 2 1968, 191ff).

(4) Relief vom Cimitero dei Giordani (Is 21 Anm. 8); Biremenrelief in Neapel (Is 21 Anm. 7); evtl. die Reliefs aus Pozzuoli in Neapel (Is 21 Anm. 17); Relief auf dem Grabmal des C. Cartilius Poplicola (Is 21 Anm. 9, 20); zwei Proren in Aquileia (G. BRUSIN, *Il Museo Archeologico di Aquileia* (1931) 13 Abb. 28).

Is 22 Relieffragment mit Darstellung des Ixion

Taf. 16 Abb. 22.
Isernia, Antiquario Comunale
Fundort unbekannt
Kalkstein H: 0,44; B: 0,405; T: 0,405
Der Block ist an allen Seiten gebrochen, an der rechten ist dadurch die figürliche Darstellung beeinträchtigt. Der Kopf des Ixion ist so stark bestoßen, daß die Gesichtszüge nicht mehr zu erkennen sind. Die Oberfläche ist verrieben.
Unveröffentlicht
Abgebildet in EAA IV (1962) 243 s. v. Issione (C. CAPRINO)
Fot.: Inst. Neg. Rom 34.342; 75.2516

Die Darstellung gehört in einen größeren Zusammenhang, der heute nicht mehr rekonstruierbar ist. Das Bildfeld wird von einer Leiste oben begrenzt.

Ixion ist in Frontalansicht dargestellt[1]. Er ist auf ein achtspeichiges Rad mit dünnen Schlangen gefesselt; Spuren von ihnen sind vor allem am linken Arm, am rechten Handgelenk und am rechten Fuß zu erkennen. Die Arme des Mannes sind horizontal abgestreckt, die Beine gespreizt. Sein Rumpf ist plastisch modelliert. Die Brust- und Bauchmuskulatur ist symmetrisch wiedergegeben, eine tiefe Senke verläuft vom Adamsapfel zum eingetieften Bauchnabel. Durch zwei horizontale Einsenkungen sind die Rippenbögen charakterisiert. Der Leistenbogen ist scharf gegen die Schenkel abgesetzt.

Der Ixionmythos ist relativ selten dargestellt [2]. Für den Versuch einer Einordnung des Reliefs von *Aesernia* scheidet sowohl der archaische Knielauftypus [3] als auch der spätere römische Typus aus, bei dem Ixion in das Rad eingeflochten ist [4]. Wir haben es hier mit dem sog. Kreuzigungstypus zu tun, der im 4. Jh. v. Chr. im italischen Bereich aufgekommen zu sein scheint.

Es muß offen bleiben, ob die Figur des Büßers hier einen symbolischen Aussagewert besitzt, da den Ort des Geschehens bezeichnende Begleitfiguren fehlen [6]. An die furchtbare Strafe erinnern nurmehr die Schlangen; der Eindruck des rollenden Rades ist durch seine Einbindung in das oben (möglicherweise auch unten) begrenzte Relieffeld aufgehoben.

Mit der prononcierten Muskelangabe steht der Ixion aus *Aesernia* in späthellenistischer Tradition, wie aus einem Vergleich mit Figuren des etwa um 100 v.Chr. entstandenen Frieses aus Magnesia hervorgeht [7]. Von derartigen Formulierungen leiten sich dann Figuren wie die Telamonen aus den Forumsthermen in Pompeji ab [8]. In das italische Hinterland gelangen die späthellenistischen Formen in verarmter und vergröberter Prägung.

(1) CAPRINO a.O. RE X (1917) 1375ff s. v. Ixion (WASER). ROSCHER, *ML* II, 1 (1890-94) 766 ff s. v. Ixion (WEIZSÄCKER).

(2) Vgl. die zusammengestellten Bsp. bei CAPRINO a. O.; Denkmäler auch bei F. BROMMER, *Denkmälerlisten zur griechischen Heldensage. III Übrige Helden* (1976) s. v. Ixion 184. Zum Relief des Codex Pighianus jetzt C. GASPARRI, *RendLinc* Serie 8, 27, 1972, 95ff. Möglicherweise liegt dem gewählten Motiv eine sepulkrale Bedeutung zugrunde. Die Darstellung griechischer Mythen läßt sich in spätrepublikanischer Zeit auf Monumenten aus gesichertem Grabzusammenhang nachweisen, wie einigen Grabaltären und einem Sarkophag (GASPARRI a. O. 95ff).

(3) z.B. auf der Schale vom Forum Romanum im Antiquario Forense (*BullCom* 76 1956-58 (1959) 16; E. SIMON, *Ixion und die Schlangen*, *OJh* 42, 1955, Abb. 56) oder auf, dem etruskischen Bronzespiegel in London (FURTWÄNGLER, AG II 87 Taf. 18, 10; COOK, *Zeus. A Study in Ancient Religion* (1964) 198ff).

(4) z.B. Protesilaossarkophag im Vatikan (*Helbig⁴* I 527 = B. ANDREAE; SIMON a.O. (zit. in Anm. 3) Abb. 11; COOK a.O. (zit. in Anm. 3) Abb. auf S. 205). Das Relief von Stara-Zagora / Bulgarien (DIMITROV, AA 52, 1937, 69ff). Relief vom Nymphäum in Side (A.M. MANSEL, *Anatolia* II (1957) 79ff; ders. *Die Ruinen von Side* (1963) 64 Abb. 46).

(5) z.B. auf einem Rundaltar in der Villa di Montemaggio (GASPARRI a.O. (zit. in Anm. 2) 111 Nr. 4 Taf. X). Auf einer Metope vom Forum Triangolare in Pompeji (A. MAIURI, PP X, 1955, 50ff). Campanische Amphora im Museo Campano/Capua (P. MINGAZZINI, CVA *Capua, Museo Campano* I (1935) Inv. 733 b Taf. 19, 1-3; G. PATRONI, *Catalogo dei Vasi e delle Terracotte del Museo Campano* (1897-98) 11ff Taf. IX, 16). Lukanische Fußschale, Arch. Inst. Tübingen (O. W. v. VACANO, *Italische Antiken* (1971) Nr. 51. s. auch den Torso des Ixion aus Pozzuoli (erwähnt von A. MAIURI, *Die Altertümer der phlegräischen Felder⁴* (1958) 35. Für die Überlassung von Fotografien danke ich A. H. Borbein).

(6) Eine Lokalisierung im Himmel ist durch die Präsenz von Hermes und Hephaistos auf einer Amphora aus Cumae in Berlin verdeutlicht (REINACH, *RV* I 330, 3. Antiquarium F 3023; SIMON a.O. (zit. in Anm. 3) Abb. 7; COOK a.O. (zit. in Anm. 3) Abb. auf S. 203; J.D. BEAZLEY, JHS 63, 1943, 94 Nr. 2). Auf der in Anm. 5 zitierten campanischen Amphora ist Hephaistos mit zwei Nephelai(?) dargestellt. Auf einem Volutenkrater aus Ruvo in Leningrad (L. STEPHANI, *Vasensammlung der Ermitage I* (1860) Nr. 424; REINACH, *RV* I 355, 1; SIMON a.O. (zit. in Anm. 3) Abb. 8-9; COOK a.O. (zit. in Anm. 3) Abb. auf S. 201). Fresko im Vettierhaus in Pompeji (K. SCHEFOLD, *Die Wände Pompejis* (1957) 145 Taf. 8; COOK a. O. (zit. in Anm. 3) Abb. auf S. 203; G. LIPPOLD, *AbhMünchen* 33, 1951, 88ff Abb. 71). Der Ort des Geschehens ist als Hades durch die anderen beiden Frevler, Tantalos und Sisyphos, gekennzeichnet, z.B. auf dem Relief von Stara-Zagora (s. o. Anm. 4) und dem Protesilaossarkophag (s. o. Anm. 4).

(7) Paris, Louvre. BIEBER, *Sculpture* Abb. 702-03. J. CHARBONNEAUX- R. MARTIN-F. VILLARD, *Das hellenistische Griechenland* (1971) Abb. 306.

(8) Zuletzt: L. CASTIGLIONE, *Zur Plastik von Pompeji in der frühkolonialen Zeit. Neue Forschungen in Pompeji* (1975) 211ff (mit älterer Literatur).

Is 23 Relief mit Darstellung einer Schlacht

Taf. 17 Abb. 23.
Isernia, Antiquario Comunale
Fundort unbekannt [1]
Kalkstein H: 0,585; B: 1,10; T: 0,26
Die Kanten sind unregelmäßig gebrochen. Die obere Auflagefläche weist ein Einlassungsloch auf. Die Oberfläche ist bestoßen.
Lit.:
A. GARRUCCI, *AnnInstCorrA* 29, 1857, 34ff Taf. N. RIZZO 532ff Abb. 7.
A. v. SALIS, *Antike und Renaissance* (1947) 95 Taf. 22a. FUHRMANN, *Philoxenos* 212ff, 357 Anm. 28. EAA IV (1961) 230f s. v. Isernia (C. AMBROSETTI). Abgebildet in *StMisc.* X, 1966, Taf. 3, 8. BIANCHI BANDINELLI, *Rom* 29 Abb. 32.
Fot.: Inst. Neg. Rom 75.2536

Wie bereits Garrucci erkannt hat, ist in diesem Relief das Bildschema der Alexanderschlacht verwendet [2].

Die Darstellung wird oben und unten von einer Leiste begrenzt. Von links reitet ein mit Helm und Panzer gerüsteter Krieger heran; in der gesenkten Rechten hält er die Lanze, mit der er auf seinen mit kurzem Gewand bekleideten Gegner einsticht. Dieser rutscht vor ihm von seinem bereits in die Knie gesunkenen Pferd herab. Er ist in leichter Drehbewegung wiedergegeben, seine Rechte wehrt sich gegen die tödliche Waffe, seine Linke scheint erhoben zu sein. Zwischen beiden Figuren taucht im Hintergrund eine dritte auf, die mit einem gegürteten Gewand bekleidet ist. Sie stürmt ebenfalls nach rechts und wendet den behelmten Kopf zurück. Rechts von dieser Gruppe ist der von zwei Pferden nach rechts gezogene Streitwagen mit dem vierspeichigen Rad und dem Wagenkasten zu erkennen. In ihm stehen zwei Männer: einer ist dem Betrachter frontal zugewandt und streckt den rechten erhobenen Arm aus; mit seiner Linken hält er eine Lanze oder einen Speer. Der zweite Mann im Wagen ist der

Wagenlenker, der weit nach vorn gebeugt mit der Linken die straff gezogenen Zügel hält. Das Pferd im Vordergrund ist gestürzt; seine Vorderläufe sind eingeknickt, der Kopf ist auf den Boden gesunken. Das andere Pferd stürmt nach vorn; sein Kopf ist nicht erhalten. Hinter den Pferden ist eine Figur in Rückansicht mit ovalem Schild zu erkennen. Neben ihr befindet sich möglicherweise ein weiterer Pferdekopf.

In diesem Relief ist das Bildschema der Alexanderschlacht über verschiedene Zwischenstufen in einer verarmten Form erhalten[3]. Die einstige Figurenfülle ist zu einem übersichtlich erzählenden Handlungsbild reduziert. Die inhaltliche Aussage hat sich anscheinend geändert: die Kämpfenden sind nicht mehr Makedonen und Perser; das traditionelle Bildschema dient jetzt dazu, an Schlachten zu erinnern, an denen der Inhaber des Monuments, zu dem dieses Relief gehörte, vielleicht selbst teilgenommen hat.

(1) DRAGO 58 Anm. 2 gibt den Standort des Reliefs im Jahre 1926 mit Masseria Succi in der Contrada Fragnete, hinter der Gemarkung Quadrelle an. Die Zugehörigkeit des Reliefs zu einem Grabmonument wird dadurch nahegelegt.

(2) B. ANDREAE, *Das Alexandermosaik, Werkmonographie Reclam* 119 (1967) Abb. 8.

(3) Für den etruskischen Bereich hat G. DAREGGI einen ähnlichen Prozeß bei der Darstellung der Alexanderschlacht, des Iphigenieopfers, der Nereide auf einem Seepferd u.a. m. nachgewiesen (G. DAREGGI, *Urne del Territorio Perugino, QuadIstArchUnivPerugia* I (1972) passim.

Is 24 Relief mit Kampfszenen

Taf. 17 Abb. 24.
Isernia, Antiquario Comunale
Isernia, aus den Ruinen des ehem. Konvents der Celestiner (1945)
Kalkstein H: 0,465; B: 0,88; T(max): 0,30; (min): 0,175
Der Reliefblock gehörte ursprünglich in einen größeren architektonischen Zusammenhang. Er war jedoch für sich gearbeitet, wie aus den glatt geschnittenen Seitenflächen und der oberen Auflagefläche hervorgeht. Die figürliche Darstellung ist an verschiedenen Stellen bestoßen.
Unveröffentlicht
Abgebildet in *StMisc.* X, 1966, Taf. 3, 9.
Fot.: Inst. Neg. Rom 75.2533

In dem langrechteckigen Feld sind kriegerische Ereignisse dargestellt. Die Beschreibung beginnt von links:

Von einer Figur, die nach rechts ausschritt, sind noch das linke Bein bis über Kniehöhe und der vordere Körperteil erhalten[1]. Es folgt auf sie, nach links kämpfend, ein weitausschreitender, vorstürmender Krieger; er ist vom Rücken gesehen, das Gesicht ist im Profil gezeigt. Bekleidet ist er mit einem Muskelpanzer mit Pteryges, unter denen die Tunika sichtbar ist; er trägt hohe Beinschienen. Sein Helm ist mit hohem Busch, Wangenklappen, Visier und Nackenschutz versehen. Sein linker Arm wird von einem großen Rundschild mit abgesetztem Rand verdeckt; der rechte ist angewinkelt und hält die Angriffswaffe, wobei die Hand vom Körper verdeckt ist.

Ihm folgt ein ebenso gerüsteter Krieger; er ist schräg von vorn gesehen und schreitet weit nach links aus. In der erhobenen Rechten hält er die Lanze und in der Linken vor sich den großen Rundschild, der seinen ganzen Oberkörper verdeckt. Hinter diesen beiden Männern liegt ein gefallener Krieger zusammengekrümmt am Boden; er ist in gleicher Weise wie die beiden bereits beschriebenen gerüstet. Nach einem Zwischenraum folgt rechts eine Gruppe von zwei Figuren: ein frontal zum Betrachter wiedergegebener Krieger im Muskelpanzer und mit Beinschienen steht mit gespreizten Beinen fest auf dem Boden auf. Er ist im Begriff, mit seinem in der Rechten erhobenen Schwert auf den neben ihm Niedergesunkenen, den er mit der linken Hand am Haarschopf packt, einzustechen. Der Unterlegene trägt lange Haare, ist unbehelmt und mit einem einfach gegürteten, kurzen Gewand bekleidet. Offensichtlich handelt es sich um einen Barbaren. Seine Rechte hat er zur Abwehr erhoben und packt den Unterarm seines Bezwingers. Die Linke hält noch den großen Ovalschild mit *spina* und *umbo*. Hinter dieser Gruppe taucht aus dem Reliefgrund ein nackter männlicher Oberkörper auf. Der Ansatz eines Helms ist noch zu erkennen. In der Rechten hält der Mann einen Speer erhoben, seine Linke faßt den Rundschild mit abgesetztem Rand, der von einer rechts davor befindlichen, weit ausschreitenden männlichen Figur zum großen Teil verdeckt wird. Letztere ist ebenfalls unbekleidet und trägt einen buschigen Helm, der Wangenklappen und Lophos besitzt. In der gesenkten Rechten hält der Krieger seine Waffe, wohl eine Lanze, die Linke trägt den Schild; von diesem ist am rechten Bildrand noch ein Teil zu erkennen. Zwischen die weitausgreifenden Beine dieser Figur ist ein zusammengesunkener Gefallener gesetzt. Er ist voll gerüstet; seine Arme hat er nach vorn genommen, der Kopf liegt auf dem Schild, die Krempe seines Helmes ist deutlich vom Rücken abgesetzt.

Eine Interpretation der Gesamtszene ist nicht möglich. Der lokale Steinmetz hat sich bei dem Entwurf der Szene an mehreren Vorlagen orientiert. Der vom Rücken gesehene Kämpfer und sein ihm im engen Schrittmotiv gegenübergestellter Gegner am linken Bildrand sind eindeutig von Gladiatorenreliefs übernommen [2]. Der nach links über einen Gefallenen stürmende und identisch mit dem vorigen bewaffnete Krieger stammt aus einem Kampfschema, das lange tradiert wird. Die mittlere Gruppe geht auf Darstellungen zurück, die den von einem römischen Legionär getöteten

Barbaren zeigen [3]. Die Gruppe rechts außen mit den heroisch-nackten Figuren leitet sich möglicherweise von Kampfreliefs mythischen Inhalts her.

(1) Zur Technik des ' Zerschneidens ' der Figuren zur Vermeidung von auffälligen Zäsuren vgl. Bemerkungen zu den Gladiatorenreliefs (Is 12-18) S. 120.
(2) Vgl. beispielsweise das Relief im Thermenmuseum (FACCENNA II, 3).
(3) Vgl. Bronzeappliken (P. BIENKOSWKI, *Les celtes dans les arts mineurs gréco-romains* (1928) 45ff Abb. 72 (Paris); 73 (New York); 74a-b (Rom)).

Is 25 Waffenrelieffragment

Taf. 18 Abb. 25.
Isernia, Antiquario Comunale
Fundort unbekannt
Kalkstein H: 0,53: B: 0,91; T: 0,38
Der Block ist an den beiden Schmalseiten abgebrochen.
Unveröffentlicht
Fot.: Inst. Neg. Rom 75.2508

In dem langrechteckigen, oben und unten von einer Leiste gerahmten Friesfeld, sind verschiedene Waffen in übersichtlicher Häufung dargestellt. Die Beschreibung beginnt von links:

Dargestellt ist ein leicht schräg ins Bildfeld gestellter ovaler stumpfwinkeliger Schild mit abgerundeten Langseiten. Sein Mittelgrad ist mit *spina* und gerstenkornförmigem *umbo* verstärkt. Hinter ihm setzen sich deutlich zwei Profile ab, deren Bedeutung unklar ist. Typusmäßig gehört der Schild zur gallischen Bewaffnung: es handelt sich um den sog. Thyreos [1]. Rechts folgt auf ihn eine *pelta*; sie ist oft bei gallischen Trophäen dargestellt [2]. Die *pelta* verdeckt teilweise einen langgestreckten, durch einen Deckel mit Knauf verschlossenen Köcher mit Tragriemen. Der Köcher selbst ist glatt und trägt keine Verzierung. Vor der *pelta* liegt ein Helm; seine halbkugelige Glocke ist unverziert und besitzt peltenförmig geschnittene große Wangenklappen. Der untere Rand des Helmtopfes ist als Wulst gebildet, der sich nach vorn zu einem schirmartigen Stirnschutz auszieht und im Nacken nach oben aufgebogen ist. Die Stirnschiene wird von zwei rinnenartigen Eintiefungen unterteilt, so daß in der Profilansicht drei Grate deutlich werden; sie dienen der Verstärkung des Helmvorderteils, ohne daß das Metall des gesamten Helmtopfes verstärkt werden mußte und der Helm unnötig schwer wurde. Auf dem Helm sitzt ein vierspeichiges Rädchen; es handelt sich also um einen Helm gallischen Typs [3]. Seitlich oberhalb des Helms erkennt man einen Schwertgriff; er besitzt eine leichte Schwellung, der Knauf scheint kleeblattförmig gebildet zu sein. Die Parierstange ist stark bestoßen. P. Jaeckel hält Schwerter dieses Typs für galatisch [4]. Auf der Höhe der Parierstange setzt sich eine blattförmige Lanzenspitze ab; diese Form der Spitze ist in Griechenland wie in Gallien gebräuchlich. Es läßt sich daher nicht entscheiden, ob es sich hier um eine gallische Waffe handelt [5]. Als sicher der gallischen Bewaffnung zugehörig lassen sich jedoch Helm und Schild erkennen. Solche Waffenfriese sind uns in großer Zahl erhalten. Sie gehen wahrscheinlich auf pergamenische Vorbilder zurück [6]. Ihr Verwendungsbereich auf italischem Boden beschränkt sich hauptsächlich auf Grabbauten [7]. Es lassen sich vier Arten der Darstellung unterscheiden: zum einen handelt es sich, wie im vorliegenden Fall, um Friese mit überschaubarer Anhäufung von Waffen, zum anderen um solche, auf denen die Waffen streng parataktisch gereiht erscheinen. Ein dritter Typus zeigt die Waffen in Metopenfelder eingefügt [8] und schließlich gibt es regelrechte Waffenhaufen [9]. Da sich bei dem Fries aus *Aesernia* keine zugehörigen Architekturfragmente erhalten haben und epigraphische Belege fehlen, kann kein Bezug zum Grabinhaber hergestellt werden [10].

(1) Dazu s. P. COUISSIN, *Les armes gauloises figurées sur les monuments grecs, étrusques et romains*, RA 25, 1927, 43ff, 307 Abb. 62 (Milet).
(2) So auch auf den Trophäen von Milet (COUISSIN a. o. (zit. in Anm. 1) 319).
(3) Casque a rouelle (P. COUISSIN, *Les armes gauloises figurées sur les monuments grecs, étrusques et romains*, RA 26, 1927 43ff 55). Die gallischen Helme können dazu noch Halbmond, Hörner oder Federn oder Kombinationen aus diesen Elementen tragen (G. CH. PICARD-J. J. HATT, *Panneaux d'armes et trophées, L'Arc d'Orange, XVᵉ Suppl. à Gallia*, 1962, I 84; II Pl. 43 (Casques IIa-e).
(4) P. JAECKEL, *Pergamenische Waffenreliefs, Zeitschrift der Gesellschaft für historische Waffen-und Kostümkunde VII*, 1965, Heft 2, 98. Vgl. AvP II Taf. 44, 1.2 COUISSIN I 155ff.
(5) P. COUISSIN, *Les armes romaines* (1926) 359ff.
(6) s. die Balustraden der Hallen der Athenaterrasse (oben Anm. 4).
(7) Bsp. in P. GROS, MEFRA 81, 1969, 185 Anm. 2. Dazu Fries in Chieti/Mus. Naz. degli Abruzzi (*Schede del Museo V*, Inv. 10.007-9). Friesblöcke in Trasacco/Abruzzen (unveröffentlicht. Frdl. Hinweis von F. Parise Badoni). Fries in Turin/Museo Naz. d'Antichità (E. Löwy, *Die Anfänge des Triumphbogens*, Wien JbKuGesch 1928, 27 Taf. 2; G. BENDINELLI, *Un arco imperiale eretto in « Augusta Taurinorum » nel I sec. d. C.* Abb. 1-6). Fries in Parma (Löwy a. O. 27 Taf. 3; G. CH. PICARD, *Les trophées romains* (1957) 450 Taf. 26). Fries in Capua/Museo Campano (M. WEGNER, *BJb* 161, 1961, Taf. 54 Abb. 2; Inst. Neg. Rom 7842). Zur Datierung s. F. COARELLI, DArch VI, 1972, 434.
(8) z.B. die in die rechte Seite der Kathedrale von Teramo vermauerten Platten (E. GALLI, *NSc* 1939, 337ff, Abb. 1-3; H. FUHRMANN, AA 1941, 459 Abb. 56-57).
(9) Malerei des monumentalen Eingangs des *armamentarium* in Pompeji (V. SPINAZZOLA, *NSA* 1916, 429ff; DERS. *Pompei alla luce...* (1953) I, 135-138).
(10) Ein gesicherter inhaltlicher Bezug zwischen dem Verstorbenen und der Dekoration mit Waffen z.B. bei dem Grabaltar im Vatikan (*Helbig⁴* I 1038 = E. SIMON) oder auf dem Grabmal des P. Verginius Paetus / Sarsina (AURIGEMMA, *Sarsina* 89).

Is 26 Relieffragment mit Eros

Taf. 18 Abb. 26.
Isernia, am Corso Marcelli 323-325 vermauert
Fundort unbekannt
Kalkstein H: 0,99; B: 0,45

Es ist nur ein Eros mit dem Ansatz einer Girlande erhalten. Die Oberfläche ist stark korrodiert.
Unveröffentlicht
Fot.: Inst. Neg. Rom 75.2629

Unter der oberen Begrenzungsleiste ist ein schwebender Eros zu erkennen. Sein Rumpf ist leicht gedreht, das rechte Bein schräg nach vorn abgestreckt, das linke angewinkelt. Mit dem rechten erhobenen Arm faßt er eine Girlande, deren Verlauf nicht mehr mit Sicherheit zu bestimmen ist. Sie scheint mit einer weiteren, die nicht mehr erhalten ist, hinter seinem Kopf zusammengeknüpft zu sein. Eine große flache Schlaufe und der Ansatz einer zweiten sind noch über seinem Kopf zu erkennen. Man kann nicht mehr sehen, aus welchen Elementen sich die Girlande zusammensetzte. Der füllige Körper des Eros ist plastisch durchmodelliert; Einzelteile sind trotz der verriebenen Oberfläche noch sichtbar, wie etwa der vorgewölbte Leib, der von den prallen Beinchen deutlich abgehoben ist, die mit einer Rinne abgesetzte Brustpartie und der eingetiefte Nabel. Es könnte sich bei dem Fragment um den Teil eines spätrepublikanisch-frühkaiserzeitlichen Erotenfrieses handeln, der vielleicht einst zu einem Grabbau gehörte [1]. Die Art der Befestigung der Girlande findet sich ähnlich an anderen Monumenten dieser Zeit [2]. Eroten als Girlandenträger sind hellenistischen Ursprungs, was bisher hauptsächlich durch Beispiele aus der Kleinkunst belegt ist [3].

(1) Vgl. Juliermonument in St. Rémy (H. ROLLAND, *Le Mausolée de Glanum, XXIᵉ Suppl. à Gallia*, 1969, passim). Friesblöcke in Alleins (Bouches-du-Rhone) (ROLLAND a. O. 26 Pl. 49.2).
(2) z. B. Tomba delle Girlande in Pompeji (ALTMANN 60 Abb. 52). Friesblöcke in Alleins (ROLLAND a.O. (zit. in Anm. 1)).
(3) F. MATZ, *Ein römisches Meisterwerk. Der Jahreszeitensarkophag Badminton-New York*, 19.*Erg.-H.JdI*, 1958, 52ff.

Is 27 Ehrenbasis für M. Nonius

Taf. 19 Abb. 27a–c.
Isernia, Antiquario Comunale
Beim Abbruch der Chiesa dell'Annunziata gefunden (in der Zeit zwischen den beiden Weltkriegen)
Kalkstein H: 0,72; B: 0,59; T: 0,42
Die rechte obere Ecke der Vorderseite ist abgebrochen. Die Oberfläche ist stark verwittert.

Inschrift:
Attalus Noni M(arci) s(ervus)   3,2–2,9
Lit.:
FUHRMANN 45ff. AE 1953 (1954) 154. I. SCOTT RYBERG, *MemAmAc* 22, 1955, 34 Abb. 18, Pl. 9. PICARD I 234, 246ff. PICARD II 254. V. v. GONZENBACH, 193,

199 Abb. 7,2. ALFÖLDI, *Lorbeerbäume* 46ff Abb. 18-19. R. BIANCHI BANDINELLI-A. GIULIANO, *Etrusker und Italiker vor der römischen Herrschaft* (1974) Abb. 396-97. Fot.: Inst. Neg. Rom 34.338-340; 75.2553-55

Die Basis ist auf drei Seiten mit Reliefs geschmückt. Die Bilder der Vorderseite sind in drei fast gleich hohe waagerechte gerahmte Felder aufgeteilt; jedes von ihnen beinhaltet ein in sich abgeschlossenes Bild, doch sind die Szenen inhaltlich aufeinander bezogen. Im unteren Feld sind ein achtspeichiges Rad, ein Steuerruder und eine Kugel dargestellt, im mittleren die Darbringung eines Opfers: in der Mitte steht ein mit einem Bukranion geschmückter Altar. An den vorderen Ecken stecken Zweige mit kleinen runden Früchten. Ein mit der Tunika bekleideter Mann tritt feierlich von links heran und spendet (nach Fuhrmann) aus einer Opferschale in das hochflammende Feuer. Ein langes Tuch bedeckt Kopf und Rücken. Ihm folgen links ein bekränzter Hornbläser und ein *camillus*, der H. Fuhrmann zufolge in seiner Linken eine langgestielte Opferpfanne und in der Rechten wohl eine Kanne trägt. Rechts neben dem Altar sind vor den *victimarii* drei Opfertiere, ein Stier, Schaf und Schwein dargestellt. Es handelt sich also um die Darbringung eines *suovetaurilium*.

Im oberen Feld stürmt in der Mitte von links eine langgewandete weibliche Gestalt heran; durch die heftige Bewegung sind die Beine bis hoch auf den Oberschenkel von dem zurückflatternden Gewand entblößt. Sie führt ein Pferd hinter sich auf zwei weibliche Figuren zu; diese stehen frontal zum Betrachter und tragen lange Gewänder. Die linke Figur greift mit der rechten Hand an den Saum des Halsausschnitts ihres Gewandes. In ihrer Linken hält sie einen von unten nach oben sich verbreiternden brettartigen Gegenstand, der dem Steuerruder im unteren Bildfeld ähnelt. Die rechte Figur stützt sich auf ein mehrspeichiges Rad, das einer Kugel aufliegt.

Auf der Rahmenleiste zwischen oberem und mittlerem Feld befindet sich die Inschrift; ihrzufolge hat Attalus, Sklave des M. Nonius, dieses Denkmal gestiftet.

Die beiden Nebenseiten der Basis sind durch eine Leiste im oberen Drittel in zwei Felder geteilt. Sie tragen fast identische Darstellung; die rechte Seite ist die besser erhaltene. Im unteren größeren Feld ist ein Tropaion dargestellt [1]: auf einen inmitten des Bildfeldes in den Boden eingegrabenen roh zugehauenen Baumstamm ist ein halbkugeliger Helm mit aufgebogenem Rand und breiten, unten zusammengehaltenen Wangenklappen gestülpt; ihn schmücken oben ein Knauf und zwei seitliche kurze Stierhörner. Über den Baumstamm und über das kurze Querholz sind ein kurzes hemdartiges Gewand und darüber ein Panzer gezogen; dieser ist mit Metallbeschlägen an den Schulterklappen verziert und mit einem Medusenhaupt auf der Brust geschmückt. Der Gürtel wird mit einer schmalen

137

Schnalle zusammengehalten. An dem Querholz sind an jeder Seite zwei Speere angebracht, dazu links ein in einen plastischen Tierkopf endender Stab, rechts eine langstielige Axt. Vor diesem Tropaion kniet mit auf den Rücken gefesselten Händen ein riesiger muskulöser Mann. Er wendet sein grobes, von struppigen Haupt- und Barthaaren umrahmtes Gesicht nach rechts oben dem vor dem Siegesmal ruhig stehenden Krieger zu. Dieser hält in der rechten vorgestreckten Hand den Strick, mit dem die Arme des Knienden gefesselt sind. Der jugendliche Krieger mit kurzen Stiefeln hat kurzes Haar und ist bartlos. Er trägt den kurzen Chiton und darüber den Panzer, der dem des Tropaion sehr ähnelt. Über die linke Schulter fällt ein Mantelende. Die linke Hand hält den Griff eines in der Scheide steckenden langen Schwertes, das an einem über die rechte Schulter gelegten Wehrgehenk getragen wird. Im oberen kleineren Bildfeld ist ein überreich bestücktes Füllhorn dargestellt, das auf einer Kugel ruht. Die Basis hat drei voneinander abweichende Interpretationen erfahren, die hier im folgenden kurz referiert werden:

1) Deutung Fuhrmanns

F. ist der Auffassung, daß die Basis eine Votivgabe an Fortuna Nemesis sei. Er bringt sie mit der Inschrift CIL IX 2642 in Zusammenhang, die einen M. Nonius Gallus als *imperator* nennt[2]. Dieser M. Nonius hat, Dio zufolge[3], im Jahre 29/28 v. Chr. einen Aufstand der Treverer niedergeworfen. Nach F. nennt er sich nach dem siegreich verlaufenen Kampf Gallus. Aus Anlaß des Sieges haben ihn seine Soldaten zum *imperator* ausgerufen. F. zufolge ist der Sklave Attalus ein Treverer, den M. Nonius ins heimatliche *Aesernia* mitgebracht hat. Er kniet unter dem Tropaion; sein Herr ist der Offizier und derjenige, der auf der Vorderseite der Basis am Altar opfert.

2) Deutung Picards

P. akzeptiert die von Fuhrmann vorgeschlagene Verbindung mit der genannten Inschrift. Das Tropaion deutet er als Zeichen für das «charisme victorieux du chef» (PICARD I 247), das eigentlich Oktavian vorbehalten ist und hier in einem Ausnahmefall (dem letzten) von einem einfachen Magistraten, nicht vom Kaiser selbst, gestiftet wird[4]. P. deutet den Opfernden am Altar im mittleren Bildfeld als M. Nonius *capite velato* (PICARD I 246).

3) Deutung Alföldis

A. lehnt die Verbindung zur genannten Inschrift ab: sie stehe auf Rasur und sei zudem nicht vollständig. Die Zweige am Altar seien Lorbeerbäume, also handele es sich hierbei um die Einweihung des Kults des *numen Augusti.* Da die Lorbeerbäume erst seit dem Jahre 27 v. Chr. vor dem Hause des Augustus gepflanzt waren, könne der Kult im Jahre 29 v. Chr. noch nicht bestanden haben. Die Darstellung der verkümmerten Bäume setze erst in der Zeit des Tiberius ein. Der muskulöse Gefangene stimme stilistisch mit den tiberischen Reliefbechern aus Vindonissa überein. Der Offizier könne kein Privatmann sein, es ist der Kaiser Tiberius. Die Weltherrschaftssymbole bestätigten dies. Der Opfernde trägt nur das *ricinium*, sei also ein Sklave. A. akzeptiert die Bestimmung der Basis als Weihung an Nemesis. Zitat [5]: «auf dem Cippus von Isernia stehen im Zentrum wieder die Lorbeerbäume als Bildzeichen für das *numen* des durch Nemesis zur Weltherrschaft erkorenen Augustus».

Der Vorschlag Alföldis, daß es sich bei den beiden Sträuchern am Altar um die Lorbeerbäumchen des Augustus handele, ist nicht auszuschließen. Seit dem Jahre 27 v. Chr. finden sie sich als Symbolzeichen auf jeder Münze [6]. Die Deutung der Basis als *ara numinis Augusti* scheint mir jedoch auf einer Überinterpretation zu beruhen.

Die Verbindung mit der Inschrift ist überzeugend. Der Opfernde am Altar ist der Sklave selbst (Beweis: Kleidung). Er verherrlicht den Sieg seines Herrn. Er ist stolz auf ihn und präsentiert ihn in Siegespose. Eine Parallele hierzu kann man in den Freigelassenen sehen, die sich auf den Grabsteinen stolz mit ihren Patroni zeigen [7]. Attalus ist der Fortuna dankbar, daß Nonius die Barbaren besiegt hat und daß er der Sklave eines solchen *dominus* ist; er selbst muß keineswegs ein Treverer sein. Die von H. Fuhrmann vorgeschlagene Datierung wohl bald nach 27 v. Chr. ist durch die Verbindung mit der genannten Inschrift und die Darstellung der Lorbeerbäumchen wahrscheinlich.

Die Basis als Weihung an Fortuna Nemesis zu interpretieren, scheint mir überzeugend, denn die Sklaven gehörten zu denjenigen, die den Unbillen des Schicksals am meisten ausgesetzt waren. Globus und Füllhorn symbolisieren die Pax Augusta [8]. Die Basis ist Zeugnis dafür, daß Attalus als Sklave eine gewisse Unabhängigkeit genoß, sonst hätte er nicht ein solches Monument errichten können.

Was auf der Basis stand, läßt sich nicht näher bestimmen.

---

(1) Zur Tradition dieser Bildformel s. K. WOELCKE, *BJb* 120, 1911, 179; auch V. v. GONZENBACH 199.

(2) s. Is 33.

(3) DIO LI, 20.5.

(4) SALMON 393 stimmt ihm zu.

(5) ALFÖLDI, *Lorbeerbäume* 47.

(6) ALFÖLDI, *Lorbeerbäume* 15ff Taf. I-III.

(7) Relief des *Magister Saliorum* Antistius Sarculo, London British Museum (VESSBERG 204f Taf. 44,3; CIL VI 2170-71. P. ZANKER, *JdI* 90, 1975, 296 Abb. 34). Relief der Licinii, London British Museum (A. BURFORD, *Craftsmen in Greek and Roman Society* (1972) Abb. 46. ZANKER a. O. 298 Abb. 36).

(8) Vgl. den sog. Altar der Gens Augusta von Karthago (L. Poinssot, *L'autel de la Gens Augusta à Carthage* (1929) Taf. 8; I. Scott Ryberg, *MemAmAc* 22, 1955, 89ff Taf. 27; Th. Kraus, *Das römische Weltreich, PropKg* 2 (1967) Abb. 187).

Im Folgenden werden mit dorischen Friesen geschmückte Basen und Fragmente von dorischen Friesen. behandelt (Is 28-40). M. Torelli hat vor kurzem römische würfelförmige Grabmonumente mit dekorativem dorischen Fries zusammengestellt (Torelli a. O.).

Die mit einem dorischen Fries geschmückte Basis kann, von Pulvini bekrönt, die Funktion eines Altars übernehmen oder als Basis für Statuen oder Weihgeschenke oder als Grabmal dienen.

Torelli hat herausarbeiten können, daß sich im italischen Raum dorische Friese mit verzierten Metopen im Bereich der Kunst der Oberschicht etwa von sullanischer Zeit (Heiligtum von *Palaestrina*) bis zur Mitte des 1. Jh.s v. Chr. (Propyläen des Appius Claudius Pulcher in Eleusis) großer Beliebtheit erfreuten. Einen gewissen Abschluß fand ihre Verwendung in den beiden monumentalen Grabbauten in Gaeta (L. Munatius Plancus; L. Sempronius Atratinus).

Eine Übernahme der dorischen Friese in die mittleren Schichten der Gesellschaft (für die entsprechenden Monumente s. Torelli 32ff.) läßt sich erst mit einer gewissen Verzögerung feststellen. Sie beginnt in der Zeit des zweiten Triumvirats, die Zeit ihrer häufigsten Verwendung reicht von frühaugusteischer Zeit bis zum Beginn des 1. Jh. s n. Chr. Diese architektonischen Formeln haben sich nicht zufällig vor allem in den Gebieten verbreiten können, in denen die militärische Kolonisation im 1. Jh. v. Chr. sehr intensiv war; sie fehlen dagegen in Gebieten, die ältere Kunsttraditionen oder eigene Bestattungs- oder spezifische soziale Traditionen besitzen, wie große Teile von Etrurien, die apulische Halbinsel und Kalabrien. Daraus wird deutlich, daß das im Kolonisationsgebiet vorhandene Kultursubstrat in großem Maße entscheidend für eine Aufnahme oder Ablehnung dieser Kunstformen war. So entsprechen die Gebiete, in denen sich derartige späthellenistische Formeln am längsten hielten, den Gegenden, in denen die italisch-hellenistische Kultur seit dem 2. Jh. v. Chr. besonders starke Verbreitung gefunden hatte, wie Mittelitalien, die Täler des Po und der Rhone.

Die Auftraggeber der in dieser Form ausgestatteten Monumente sind uns durch die Inschriften oft bekannt; sie gehören in den Landstädten in der Regel der lokalen Oberschicht an, d. h. der eigentlichen Aristokratie und der reichen Schicht der durch Handelsgeschäfte arrivierten Personen, meistens Freigelassene. In einigen Fällen, abgesehen von Standardmotiven wie z. B. Sakralsymbolen und Rosetten, beziehen sich die Darstellungen in den Metopen, vor allem im mittelitalischen Raum, auf Ereignisse im Leben der Geehrten oder Verstorbenen.

Is 28 Ehrenbasis für Sex. Appuleius

Taf. 20 Abb. 28*a-d*.
Isernia, Antiquario Comunale
Fundort unbekannt
Kalkstein H: 1,06; B: 0,69; T: 1,68
Die Basis besteht aus zwei übereinandergesetzten Blöcken. Der untere ist vertikal auf der rechten Seite gebrochen; die äußeren Triglyphen sind bestoßen. Es fehlen Sockel- und Abchlußprofile. Die Oberfläche ist verrieben.

Inschrift:

Sex(to) Appuleio Sex(ti) f(ilio)	6,2-5
imp(eratori) co(n)s(uli) auguri	5,9-5,2
patrono	

Lit.:

CIL IX 2637 = ILS 894 (vgl. P.I.R.² I 186 nr. 961). CURTIUS, *Beiträge* 198ff Abb. 7-9. Zitiert in AA 50, 1935, 582 (O. BRENDEL). FUHRMANN 46 Anm. 2 (er gibt irrtümlicherweise die Breite mit 1,40 m an). TORELLI 44 Abb. 10
Fot.: Inst. Neg. Rom 33.1491-93; 75.2584-87

Die Basis ist Teil eines Ehrenmonuments [1]. Sie ist an der Vorderseite und den beiden Langseiten oben mit einem dorischen Metopen-Triglyphen-Fries geschmückt; an der Vorderseite befinden sich drei Triglyphen und zwei Metopen, an den Langseiten je sieben Triglyphen und sechs Metopen. Die Vorderseite trägt unter dem Fries die Inschrift. Ihr zufolge ist das Monument dem *consul, imperator* und *augur* Sex. Appuleius, einem *patronus* des Munizipiums von den Bürgern Aesernias gesetzt worden. Bei der Identifizierung des Genannten folge ich P. v. Rohden [2] und M. Torelli [3], die den Vorschlag H. Dessaus akzeptieren, in ihm den *consul* des Jahres 29 v. Chr. zu sehen [4]. Th. Mommsen [5] dagegen identifizierte ihn mit dem gleichnamigen *consul* des Jahres 14 n. Chr., von dem wir wissen, daß er zusammen mit Sex. Pompeius Konsul gewesen ist [6]. Nach Torellis Ansicht hätte der *consul* des Jahres 14 n. Chr. sich nicht mehr *imperator* nennen können, da schon in den ersten Regierungsjahren des Augustus die Akklamationen auf die Angehörigen der kaiserlichen Familie beschränkt wurden [7]. Sex. Appuleius war eng mit dem Kaiserhaus verbunden: er war Sohn der Octavia, der Schwester des Augustus [8].

Die Metopen zeigen folgende Motive: Vorderseite von links: 1) Hund auf einem Hirsch. 2) Von einem Hund angegriffener Hirsch [9].

Rechte Langseite:

1) Wölfin, die vor dem Feigenbaum die Zwillinge säugt. 2) Nach links gelehnter Muskelpanzer mit zwei Reihen von Pteryges; darunter sichtbar das Untergewand. Dahinter eine quergelegte Lanze mit nach links gewendeter Spitze. 3) Im Profil nach links gestellter Kalottenhelm

mit runder Krempe, geschwungenen Wangenklappen und Busch in Form eines Pferdeschwanzes. Quer dahinter eine Lanze mit in die rechte Ecke weisender Spitze. 4) Nach rechts stürmender Krieger mit großem ovalen Schild [10]. 5) Zwei gekreuzte Beinschienen, die linke über der rechten. 6) Halbzylindrischer Schild, dahinter zwei gekreuzte Stäbe, deren Spitzen in die rechte Ecke zeigen [11].

Linke Langseite:

1) Rundschild mit Löwenemblem, dahinter zwei sich kreuzende Lanzen. 2) Von innen gesehener Rundschild, dahinter zwei sich kreuzende Lanzen. 3) Zwei gekreuzte hexagonale Schilde, die an ihrer Außenseite mit Relieflinien verziert sind. 4) Muskelpanzer, nach rechts gelehnt, identisch mit dem der rechten Langseite. 5) Kalottenhelm mit rundem Stirnschutz und Helmschmuck in Form einer kleinen Kugel, Wangenklappen. 6) Stierprotome.

Von besonderem Interesse ist die Szene in der ersten Metope der rechten Langseite: die Wölfin mit den Zwillingen. Es handelt sich dabei um ein Motiv, das u.a. bereits auf den römisch-kampanischen Kupferprägungen der Mitte des 3. Jh.s v. Chr. auftritt [12]. Es wiederholt wahrscheinlich eine berühmte Bronzegruppe. Unter Augustus wird die Gründungssage dann in propagandistischer Weise neu gewertet. In der Kaiserzeit ist das Motiv in fast allen Denkmälergattungen anzutreffen. Seine Herkunft und Bedeutung auf Grabmonumenten hat jüngst K. Schauenburg untersucht [13]; er ist dabei auch auf frühere diesbezügliche Interpretationsversuche eingegangen. Eine spezifisch sepulkrale Bedeutung scheidet jedoch in unserem Falle sicher aus, da es sich eindeutig um eine Statuenbasis handelt [14]. Aufgrund der vorgegebenen Tatsachen (enge Verwandtschaft des Geehrten zum Kaiserhaus, Zeitpunkt der Errichtung der Basis post quem 27 v. Chr., wohl nicht sehr viel später) ist es naheliegend, in der Darstellung der Wölfin einen politischen Sinngehalt zu sehen. Allerdings überrascht das frühe Datum: der Zeitpunkt der Errichtung der Ara Pacis, an deren äußeren Einfassung der Westseite das Motiv wiedergegeben ist [15], liegt noch fern. Die Darstellung an diesem Staatsmonument ist das bislang früheste monumental ausgeprägte Beispiel mit sicherem Bezug zum augusteischen Staatsmythos. Es ist allerdings naheliegend, daß dieser neue politische Sinngehalt auch schon vor der Errichtung der Ara Pacis bekannt gewesen ist. Die Basis aus *Aesernia* wäre bislang der einzige Beleg für diese Annahme [16]. Die neue politische Interpretation der Gründungssage war direkt auf Augustus bezogen, dem man in jenen Jahren sogar den Ehrentitel Romulus verleihen wollte. Daß der Träger derartiger Propaganda ein

142

naher Verwandter des Kaisers selbst ist, verwundert nicht. Sex. Appuleius wurde möglicherweise als Repräsentant der Gruppe um Oktavian, der seine sicheren Anhänger als eine Art ' Gauleiter ' einsetzte[17], nach *Aesernia* geschickt. Offensichtlich waren die Bürger von *Aesernia*, die ihrem *patronus* dieses Ehrenmal setzten, mit der neuen Ideologie vertraut.

Bei dieser Deutung bleibt freilich die Tatsache verwunderlich, daß eine derart bedeutungsträchtige Szene auf einer Nebenseite dargestellt wird. Nicht unerwähnt soll eine weitere Lupa-Zwillinge-Darstellung auf einer Metope eines dorischen Frieses (ebenfalls Nebenseite) bleiben. Es handelt sich um ein auf Dekret der Dekurionen errichtetes Monument für einen gewissen L. Fannius[18].

(1) Wahrscheinlich eines Reiterstandbildes (vgl. Fresko aus Pompeji (Pompeji II, 4, 3. K. SCHEFOLD, *Die Wände Pompejis* (1957) 54; MAU Abb. 18-19), wie schon FUHRMANN 46 Anm. 2 vorgeschlagen hat. In identischer Funktion Is 29-30, 31-32, 34-36).

(2) RE II (1896) 258 Nr. 17 s.v. Appuleius (P. v. ROHDEN).

(3) TORELLI 52 Anm. 31.

(4) Zu seiner politischen Karriere s. J. SCHEID, *Les Frères Arvales. Recrutement et origine sociale sous les empereurs julio-claudiens* (1975) 61. Als *procunsul ex Hispania* triumphierte er am 26.1.26 v. Chr. Die Akklamation erhielt er im Jahre 28 v. oder 27 v. Chr. in Spanien. Wir besitzen keine Nachricht von Bauten anläßlich seines Triumphs; evtl. hat er nur eine Straße repariert (F. W. SHIPLEY, *MemAmAc* 9, 1931, 36).

(5) s. CIL IX 2637.

(6) RE a. O. (zit. in Anm. 2) 259 Nr. 18, wo eine derartige Identifikation abgelehnt wird, vielmehr ist er Sohn des *consul* vom Jahre 29 v. Chr.

(7) R. COMBÈS, *Imperator. Recherches sur l'emploi et la signification du titre de imperator dans la Rome républicaine* (1966) 157, 169ff. C. sieht hier ebenfalls die dynastische Bedeutung dieses Aktes, hält aber eine Anwendung des republikanischen Prinzips betreffs der Amtsgewalt von Promagistraten für wahrscheinlicher.

(8) RE a.O. (zit. in Anm. 2). Der Vater des Sex. Appuleius ist der gleichnamige Appuleius, der mit einer Statue und einem Begräbnis im Augustusmausoleum geehrt wurde (ILS 8963; AE 1953, 7, 18; WEINSTOCK, JRS 47, 1957, 151). Der Bruder, M. Appuleius, ist in einer Inschrift in Trient erwähnt (CIL V 5027).

(9) CURTIUS, *Beiträge* 199.

(10) Laut CURTIUS, *Beiträge* 199.

(11) CURTIUS, *Beiträge* 199: Unverständliches Bild.

(12) K. SCHAUENBURG, *JdI* 81, 1966, 262 Anm. 4. Neun römisch-kampanische Sesterzen aus *Aesernia* die auf der Vs. die die Zwillinge säugende Wölfin zeigen, sind im 2. Weltkrieg verloren; erwähnt von DRAGO 64ff.

(13) SCHAUENBURG a.O. (zit. in Anm. 12) 261ff.

(14) V. v. GONZENBACH 190 Anm. 70 bezeichnet sie fälschlicherweise als Grabmal.

(15) E. SIMON, *Ara Pacis Augustae. Mon. Artis Antiquae* I (1967) 24ff Taf. 1, 2, 28.

(16) Die Darstellung der Wölfin mit den Zwillingen auf dem Panzer des M. Vipsanius Agrippa auf der von L. Curtius (CURTIUS, *Beiträge* 192 Abb. 6 Taf. 28-29) bekanntgemachte Gemme, hält dieser für das Emblem der *legio VI ferrata;* diese trug die *lupa* als ihr Zeichen. Die Gemme soll kurz vor 40 v. Chr. gearbeitet sein. Daß auch auf der Metopendarstellung der Basis von *Aesernia* ein Legionsabzeichen gemeint sein könnte, halte ich für unwahrscheinlich.

(17) CASTRÉN, *Ordo Populusque* 95, 96, 98, 103, 106, 164. B. GALLOTTA, *Nuovo contributo della conoscenza della cultura romano-italica e del fondamento ideologico del regime augusteo*, C.S.D.I.R. ATTI VOL. VI, 1974/75, 139ff.

(18) CIL IX 2659 (*Aesernia*). Vielleicht ist er in irgendeiner Weise lokaler Mitarbeiter des Sex. Appuleius gewesen. Die Ansicht Engessers 271, daß er das Patronat als Einheimischer bzw. als Gutsbesitzer und nicht aus politischen Motiven erhalten habe, ist zurückzuweisen.

Is 29 Ehrenbasis für M. Cominius Pansa

Taf. 21 Abb. *29a-b.*

Isernia, S. Maria delle Monache

Während der Restaurierung der Kirche aus der rechten Türlaibung befreit, wo sie in zweiter Verwendung vermauert gewesen ist (1972)

Kalkstein H: 0,51 (es fehlt die untere Blockschicht); B: 0,71; T: 1,70

Bei der Entfernung aus der Türlaibung zerbrochen und später wieder zusammengesetzt. Die Abschlußprofile fehlen. Die beiden Frontmetopen sind völlig verscheuert. Verschiedene kleinere Abreibungen finden sich an der gesamten Basis. Eine schräge Eintiefung befindet sich in der ersten Zeile der Inschrift.

Inschrift:

M(arco) Cominio Cn(aei) f(ilio)[1]	7,5
Tro(mentina) Pansae IIII vir(o)[2]	6,9

Unveröffentlicht

Fot.: Inst. Neg. Rom 75.2594-95 (noch in der Kirche vermauert)

In Analogie zu ähnlichen Stücken des Antiquario Comunale von Isernia trug die Basis einst wohl ein Reiterstandbild [3].

Sie ist oben auf drei Seiten mit einem dorischen Fries geschmückt. Auf der Vorderseite befinden sich zwei Metopen und drei Triglyphen, auf den Langseiten je sechs Metopen und sieben Triglyphen. Die Angabe des Amtes des *quattuorvir* in der Inschrift weist die Datierung der Basis frühestens in die 2. Hälfte des 1. Jh. s v. Chr. Die Metopen zeigen folgende Motive:

Vorderseite

Die Darstellung ist nicht mehr zu erkennen.

Rechte Langseite

1) Rundschild mit *umbo.* 2) Zwei überkreuzte Beinschienen, die rechte über der linken. 3) Nach links geneigter Muskelpanzer mit dem Kreuzband, das den Bogen hält. 4) Nach links geneigter rechteckiger Schild, von innen gesehen; oben ein Kurzschwert mit Futteral, das mit einem Band geschmückt ist; schräg nach hinten eine Lanze. 5) Männlicher Kopf im Profil mit Kalottenhelm, der die Stirn vollständig bedeckt und drei Verstärkungsschienen besitzt; niedriger Nackenschutz; große Wangenklappen in Form einer *pelta.* 6) Nackte männliche kniende Figur, linkes Bein vorgestellt hinter großem ovalen Schild [4]. Rechts hängt die Schwertscheide.

Linke Langseite:

1) *Torques.* 2) Lorbeerkranz. 3) Phalerageflecht. 4) Panzer. 5) Lorbeerkrone. 6) *Torques.*

---

(1) CASTRÉN, *Ordo Populusque* Nr. 124: Die Cominii leiten sich von dem oskischen Praenomen ' komnis ' ab; das Gentilicium ist in oskischen Inschriften aus der Basilikata be-

zeugt, später in Kampanien häufig. E. VETTER, *Handbuch der italischen Dialekte* (1957) Nr. 148 leitet das Nomen vom Praenomen Comius ab.
(2) KAJANTO, s. v. *Pansa* 17, 105, 241.
(3) Vgl. Is 28, 31-36.
(4) Thyreos (s. Is 25 Anm. 1) und *Torques* könnten darauf deuten, daß hier gallische Waffen gemeint sind.

Is 30 Ehrenbasis für L. Vibius Gallus

Taf. 22 Abb. 30*a-b*.
Isernia, Antiquario Comunale
Aus Isernia, Ruinen der Kirche S. Maria delle Monache (1954)
Kalkstein H: 0,595 (es fehlt die untere Blockschicht); B: 0,575; T: 0,24
Der Block ist vertikal in der Breite durchgesägt, so daß nur die Frontmetopen und ein Teil der Langseiten erhalten sind.

Inschrift:

L(ucius) Vibius L(uci) f(ilius) M(arci) n(epos)   6,5-6,2
Gallus frater   5,3-5
L(uci) Vibi L(uci) f(ilii)   8,5-8

Die dritte in größeren Buchstaben gemeißelte Zeile ist wohl nachträglich hinzugefügt worden.
Unveröffentlicht
Fot.: Inst. Neg. Rom 75.2556-57

Die Ehrenbasis stand ursprünglich wohl auf einem öffentlichen Platz, vielleicht auf dem Forum [1].

Ihr oberer Abschluß ist mit einem Rankenfries verziert, der von einfachen Rahmenleisten eingefaßt wird. Aus einem mittleren Akanthuskelch entspringt symmetrisch nach beiden Seiten je ein Rankenstamm; er bildet, von dem Hüllblattknoten ausgehend, lange Blätter. Von der Ranke zweigt sich ein Stengel ab, der sich zum mittleren Kelch hin einrollt und in einer Art Rebblatt endet. Am nächsten Knoten des Rankenstamms entspringt ein weiterer Stengel, der sich nach oben aufringelt und eine vierblätterige Blüte bildet. Der zur Verfügung stehende Bildraum ist auf diese Weise gleichmäßig gefüllt. Die Einzelteile sind nur grob mit dem Meißel herausgearbeitet, die Ranke wirkt wie dem Hintergrund aufgelegt, nicht aus ihm hervorwachsend [2]. Darin ähnelt sie z. B. einem Fries im Antiquario Comunale in Rom, den Th. Kraus in caesarische Zeit datiert [3].

Eine Datierung in etwa diese Zeit wird durch einen Vergleich mit dem Friesdekor des Socellii-Monuments in Pietrabbondante bestätigt [4].

Aus der Inschrift geht hervor, daß die Familie des L. Vibius Gallus, der uns durch eine weitere Inschrift aus *Aesernia* bekannt ist [5], hier bereits seit längerer Zeit ansässig gewesen ist. Von dieser Familie stammen Trebonianus Gallus und Volusianus in direkter Linie ab. Ein Mitglied der

Familie der Vibii Galli, Vibius Gallus Proculeianus, war im 2. Jh. n. Chr. in *Perugia patronus Perusinorum*[6].

(1) Hierfür könnte die Herkunft aus S. Maria delle Monache sprechen: die Kirche ist im frühen Mittelalter unter reicher Verwendung antiken Steinmaterials erbaut worden, das wohl sicher aus dem alten Stadtgebiet stammt; es befinden sich darunter noch vier weitere Ehrenbasen (Is 28-29, 31-32).

(2) Eine ähnliche Dekorform findet sich auf einem Architekturfragment eines Grabmonuments aus *Aesernia* wieder (Is 83).

(3) TH. KRAUS, *Die Ranken der Ara Pacis* (1953) 36 Anm. 70.

(4) W. v. SYDOW, RM 84, 1977, 267ff Taf. 129ff.

(5) Es handelt sich um eine unverzierte Grabstele, die im Antiquario Comunale aufbewahrt wird. Sie ist 1933 in der Nekropole Quadrelle gefunden worden (DRAGO 68). Inschrift: Gallus Vibius / L(uci) f(ilius) Tro(mentina) / L(ucio) (mulieris) leib(erto) Felici. Die beiden Inschriften beziehen sich sicherlich auf dieselbe Person, obwohl sie den Namen in unterschiedlicher Weise wiedergeben; in der Ehreninschrift erscheint die offizielle onomastische Formel. Auf sie folgt die Bezeichnung *frater*, sie soll den Inhaber des Ehrenmonuments von seinem Bruder unterscheiden, dessen Name in der dritten Zeile hinzugefügt worden ist. In der Grabinschrift dagegen steht das Cognomen an erster Stelle, eben um eine Verwechslung mit dem Namen des Bruders zu vermeiden (vgl. I. KAJANTO, *Onomastic Studies in The Early Christian Inscriptions of Rome and Carthage* (*Acta Instituti Romani Finlandiae* II, 1, 1963, 3).

(6) CIL XI 1926 = ILS 6616. Die Herkunft der Vibii Galli aus *Aesernia* und nicht aus *Perusia* (beide Städte sind in die *Tribus Tromentina* eingeschrieben), wo sie erst spät bezeugt sind, wird nicht so sehr durch den Ehrentitel nahegelegt, der für sich genommen nicht aussagekräftig genug ist, sondern vielmehr durch die Grabinschrift des Freigelassenen (s. o. Anm. 5). Zwei weitere Vibii sind in *Aesernia* bezeugt (CIL IX 2672; 2753), wo im übrigen auch einige Afinii belegt sind. Mit diesen kann man Afinia Gemina Baebiana (CIL XI 1927 = ILS 527), Frau des Trebonianus Gallus und Mutter von Volusianus (Imperator Caesar C. Vibius Afinius Gallus Veldumnianus Volusianus) in Verbindung bringen. Mit derselben Familie der Vibii aus *Aesernia*, wenn nicht sogar direkt mit demselben L. Vibius der Ehrenbasis, muß man sicherlich den L. Vibius L.f.Tro verknüpfen, dessen Grabrelief sich im Vatikan befindet (*Helbig*[4] I 381 = H.v.HEINTZE); CIL VI 28.774. H.-G. FRENZ, *Untersuchungen zu den frühen römischen Grabreliefs* (*Diss. Frankfurt*, 1977) Kat. I 1). Zum Stemma der Vibii Galli s. Anhang S. 287.

Is 31 Ehrenbasis für C. Septumuleius Obola

Taf. 23 Abb. 31*a-c*.
Isernia, Antiquario Comunale
Fundort unbekannt[1]
Kalkstein H: 0,98; B: 0,69; T: 1,78
Die Vorderseite ist stark bestoßen. Sockel -und Abschlußprofil fehlen. Die Inschrift ist rechts unten bestoßen, aber eindeutig lesbar. Die Oberfläche ist versintert.
Auf den Langseiten weist die Basis Sprünge auf.

Inschrift:

C(aio) Septumuleio C(ai) f(ilio)	8,2-7
Tro(mentina) Obolae IIII vir(o)	6,6-5,8
ex testamen[to]	6-5

Lit.:
CIL IX 2668. TORELLI 44 Abb. 11.
Fot.: Inst. Neg. Rom 34.955; 75.2588-90

Die Basis ist Teil eines Ehrenmonuments[2]. Vorder- und Langseiten sind mit einem dorischen Fries geschmückt. Auf der Vorderseite befinden sich zwei Metopen und drei Triglyphen, auf den Langseiten je sechs Metopen und sieben Triglyphen. Die Vorderseite trägt unter dem Fries die Inschrift. In ihr wird der Inhaber des Monuments als einheimischer *quattuorvir* bezeichnet. Die Basis läßt sich aufgrund des Charakters der Buchstaben der Inschrift[3] und ihrer typologischen Nähe zu Is 28 in die spätestrepublikanische- bzw. früheste Kaiserzeit datieren. Die Metopen zeigen folgende Motive:

Vorderseite von links

1) Zwei nach rechts stürmende Hunde, die an Leinen gehalten werden. 2) Zwei Hirsche.

Rechte Langseite

1) Nach links laufendes Wildschwein, auf dessen Rücken sich ein Hund festgebissen hat 2). Nach rechts gelehnter Muskelpanzer mit kurzem Untergewand und Pteryges. 3) Zwei parataktisch gestellte Beinschienen. 4) Eine mit vierblätteriger Blüte verzierte *parma*; die Staubgefäße treten aus dem Blütenboden hervor. Dahinter zwei Lanzen mit nach unten weisenden geflügelten Spitzen. 5) *Patera* (?) und ?. 6) Kalottenhelm ohne Busch mit doppeltem Visier. Wangenklappen in Form von halbmondförmigen *peltae*. Helmtopf am unteren Rand mit drei Metallstreifen verstärkt.

Linke Langseite

1) Baum mit mehreren Ästen[4]. 2) Frontal zum Betrachter gewandter *bestiarius* in weit nach rechts ausschreitender Bewegung; die Lanze hält er horizontal vor den Körper. 3) Hirschprotome. 4) Ein Horn, wie es als Musikinstrument bei Gladiatorenspielen und Triumphzügen in Gebrauch war. 5) In Drachenmäulern endende Doppeltrompete. 6) Mit *infulae* geschmückte Stierprotome.

---

(1) Für das 17. Jh. ist der Standort der Basis in der Nähe der Kathedrale bezeugt, was evtl. ein Hinweis auf die Herkunft vom anliegenden Forum sein könnte (J. V. CIARLANTI, *Memorie historiche del Sannio* (1644) 33; vgl. auch G. M. GALANTI, *Descrizione dello stato antico ed attuale del Contado di Molise* I (1781) 64).

(2) Die Formel «ex testamento» impliziert nicht unbedingt eine sepulkrale Bestimmung der Inschrift (TORELLI 52 Anm. 31); sie kann eine Klausel sein, die Septumuleius Obola in sein eigenes Testament eingebracht hatte. Er sicherte sich damit vielleicht als Ausgleich für seinen Nachlaß, den er der Stadt überließ, die Errichtung eines Reiterstandbilds auf entsprechender Basis mit Inschrift (vgl. ILS 6468: M. AMELOTTI, *Il testamento romano attraverso la prassi documentale. I. Le forme classiche di testamento* (1966) 20 Nr. 20, wo im Testament die Errichtung einer Statue von der Stadt gefordert wird; vgl. CIL II 1923, 4020; CIL VIII 11.201 = ILS 5494). Schon R. Garrucci, wie M. Torelli (s.o.) ist der Ansicht, daß die Darstellungen in den Metopen Anspielungen auf *ludi* seien, die Obola gegeben hat (R. GARRUCCI,

Monografia dell'Antica Isernia, in P. ALBINO, *Ricordi Storici e Monumentali del Sannio Pentro e Della Frentana* I (1879) 78).
(3) Vgl. Basis in Terni, Museum (ILLRP, *Imagines* Nr. 186).
(4) GARRUCCI, *Isernia* 102 erkannte hier noch ein halbes Wildschwein, das aus niedrigem Gebüsch oder Sumpf entwich.

Is 32 Ehrenbasis für C. Flavius Celer

Taf. 24 Abb. 32.
Isernia, S. Maria delle Monache
Bei der Restaurierung der Kirche entdeckt (1972)
Kalkstein H: 1,23; B: 0,93; T: 1,75
Die Profile sind verloren. Die rechte obere Ecke des Frieses ist beschädigt. Die Oberfläche ist leicht verrieben.

Inschrift:

C(aio) Flavio C(ai) fil(io)	5
Tro(mentina) Celeri	5,1-5
eq(uiti) R(omano) pat(rono) col(oniae)	4,9
Laur(entium) Lav(inatium) flam(ini) d(ivi) Aug(usti)	4,9
5 *cur(atori) r(ei) p(ublicae) col(oniae) Bovianens(ium)*[1]	5,1
cur(atori) r(ei) p(ublicae) Saepinatium	4,8-4,5
itemq(ue) Cluviens(ium) Carric(inorum)[2]	4,8
postulatu populi	4,6-4,4
ordo splendidissimu(s)	4,8
10 *decrevit*	4,6

Lit.:
F. CASTAGNOLI, *Lavinium* I (1972) 117 (mit Foto)
Fot.: Foto nach CASTAGNOLI a. O.

Die Basis entspricht dem Typus, wie er in anderen Beispielen aus *Aesernia* erhalten ist (Is 28-29, 31, 33-36). Unter dem dorischen Fries, dessen Metopen keine Verzierung tragen, ist auf der Vorderseite die Ehreninschrift für C. Flavius Celer eingemeißelt. Sie läßt sich in die 2. H. des 2. Jh. s n. Chr. datieren und stellt ein wichtiges Dokument für die Verwaltung Samniums in jener Zeit dar. Außerdem hat sie für unsere Kenntnis von der Geschichte Laviniums Bedeutung, da die Stadt hier ausdrücklich als *colonia* bezeichnet wird. C. Flavius Celer hat in *Aesernia* selbst offensichtlich kein Amt bekleidet; die Basis wird ihm wohl wegen seiner Verdienste in den anderen Städten, möglicherweise aus Stolz der Bürger von *Aesernia*, Heimatort eines so berühmten Mannes zu sein, errichtet worden sein.

(1) Dazu DE RUGGIERO II, 2 (1961) 1345ff s.v. curator rei publicae (G. MANCINI).
(2) Zur Identifikation von *Cluviae* im heutigen Ort Piano Laroma s. A. LA REGINA, *RendLinc* Serie 8, 22, fasc. 5-6, 1967, 87ff.

Is **33** Basis eines Grabaltars für C. Nonius

Taf. 24 Abb. 33.
Isernia, im Corso Marcelli 140 vermauert
Fundort unbekannt
Kalkstein H: 1,20; B: 0,69
Es ist nur die Vorderseite der Basis sichtbar. Die Sockelprofile und das obere
Abschlußprofil fehlen.

Inschrift:

C(aio) Nonio C(ai) f(ilio) M(arci) n(epoti) IIII vir(o)	5,3-4,5
quinq(uennali) M(arcus) Nonius Gallus	4-3,6
imp(erator) VII vir epul(onum) filius	4,2-3,3
posuit	4,5-4,2

Lit.:

CIL IX 2642 = ILS 895 (vgl. P.I.R.[1] II 412 nr. 105). FUHRMANN 59ff. A. DEGRASSI,
Inscriptiones Italiae XIII, fasc. I (1947) 58f, 135. TORELLI 32ff Abb. 1.
Fot.: Inst. Neg. Rom 75.2628

Die Basis ist Teil eines Grabaltars[1]. Sie trägt über der Inschrift einen
dorischen Fries mit zwei Metopen und drei Triglyphen. Die Metopenfelder
sind mit je einer Stierprotome verziert. Es handelt sich um sog. Voll-
köpfe mit quadratischem Maul und seitlich gestellten kugeligen Augen[2].
Unter den kurzen spitzen Hörnern umgibt eine Wollbinde die Stirn; sie
ist hinter die Ohren geführt und fällt leicht gedreht zu seiten des Kopfes
herab. Das Vlies ist über dem Maul und am Schädel weich und flockig
wiedergegeben.

Die Inschrift (vielleicht auf Rasur) befindet sich in der oberen Hälfte
des Blocks in einem in die Oberfläche leicht eingetieften Feld; ihr zufolge
hat M. Nonius Gallus, selbst *imperator*[3] und *septemvir epulonum*[4], seinem
Vater, dem *quattuorvir quinquennalis*, C. Nonius dieses Denkmal gesetzt.
Seit H. Dessau[5] wird der in der Inschrift genannte Stifter dem aus der
literarischen Überlieferung bei Dio[6] bekannten Nonius Gallus gleichge-
setzt, der im Jahre 29 v. Chr. einen Aufstand der Treverer niederwarf und
deshalb die Imperatorenakklamation erhielt[7]. Aus *Aesernia* ist uns ein
zweites Monument für diesen Mann erhalten[8].

Aus der Inschrift lassen sich einige Anhaltspunkte für die gesellschaftliche Umschichtung, die sich bei Besetzung der hohen Verwaltungsämter
in Rom in spätrepublikanischer- und früher Kaiserzeit vollzogen, gewinnen:
der Stifter des Monuments stammt aus traditionsreicher ortsansässiger
Familie. Drei ihm vorangehende Generationen zählt er auf; einerseits aus
Stolz auf seine Familientradition, andererseits wohl aber auch um zu zeigen,
in welcher Art und Weise er selbst Karriere gemacht hat. Sein Vater hatte
noch in der Landstadt die ranghöchste Magistratur bekleidet. Er, der Sohn,
wagte den Schritt nach Rom und war auf militärischem Gebiet erfolgreich;

er gehörte dem Senatorenstand an, was sich aus der Tatsache ergibt, daß er als *septemvir epulonum* Mitglied eines der vier höchsten stadtrömischen Priesterkollegien war [9].

In M. Nonius Gallus haben wir einen Vertreter munizipaler Familien vor uns, die an die Stelle der Angehörigen der alten stadtrömischen Notabelnfamilien traten und nun die hohen Staatsämter bekleideten.

(1) Vgl. die Zusammenfassung der Untersuchung von M. TORELLI (S. 140).
(2) NAPP 2.
(3) Vgl. die Ehrenbasis für Sex. Appuleius (Is 28 Anm. 7).
(4) RE 2. Reihe II (1921) 1552 s.v. septemviri (KLOTZ); DE RUGGIERO II, 3 (1961) 2140ff s.v. epulones.
(5) ILS 895.
(6) s. Is 27 Anm. 3.
(7) s. Is 27. Ob sich die Inschrift eines Freigelassenen Noni l. auf den M. Nonius aus *Aesernia* bezieht, ist ungewiß. Inschrift aus Cassino: M. ALASSIO, *Seviri Augustales da Cassino, Studi di Storia Antica in Memoria di Luca de Regibus* (1969) 215ff).
(8) Is 27.
(9) Vor Bekleidung dieses hohen Sakralamts ist er wahrscheinlich Magistrat gewesen.

Is 34 Basis mit dorischem Fries

Taf. 25 Abb. 34*a-b*.
Isernia, S. Maria delle Monache
Bei der Restaurierung der Kirche gefunden (1973)
Kalkstein H(max): 1,00; B: 0,62; T: 0,65
Metopenfelder: 0,165 × 0,145
Es fehlen das Sockel- und Abschlußprofil. Die zweite Metope der rechten Langseite ist nur zur Hälfte erhalten.
Unveröffentlicht
Fot.: Inst. Neg. Rom 75.2607-08

Die Funktion der Basis, die keine Inschrift trägt, läßt sich nicht eindeutig bestimmen; sie kann Teil eines Ehren-oder Grabmonuments sein [1]. Sie ist an ihrem oberen Abschluß mit einem dorischen Fries geschmückt; auf allen drei Seiten befinden sich je zwei Metopen und drei Triglyphen. Die Basis gehört wohl in Analogie zu den anderen erhaltenen Basen der spätrepublikanischen bzw. der frühen Kaiserzeit an [2]. Die Metopen zeigen folgende Motive:

Vorderseite (von links)

1) Schräg in die Fläche gestellter Ovalschild; dahinter in die rechte obere Ecke weisende Doppelaxt. 2) wie 1) nur seitenverkehrt.

Rechte Langseite

1) Köcher; dahinter ein Bogen. 2) Hochrechteckiger Schild, in den man von oben einsieht; die restliche Darstellung ist durch Bruch verunklärt [3].

Linke Langseite

1) Langrechteckiger Schild; Gladiatorenhelm daneben auf der Erde.
2) Langrechteckiger Schild; *parma* (?) in der linken oberen Ecke.

(1) Vgl. Is 28-29, 31, 33, 35-36.
(2) s. Anm. 1.
(3) Vgl. Fries aus Nola (H. FELLMANN, *Das Grab des L. Munatius Plancus bei Gaeta* (1957) Taf. 7, 6).

Is 35 Fragment einer Basis mit dorischem Fries

Ohne Abb.
Isernia, S. Maria delle Monache
Bei der Restaurierung der Kirche gefunden (1973)
Kalkstein H: 0,64; B: 0,63; T: 0,39
Es sind zwei Metopen erhalten, die von einer Triglyphe getrennt werden und zwei Ecktriglyphen. Es fehlen die Abschlußprofile. Die Oberfläche ist bestoßen.
Unveröffentlicht

Das fast quadratische Maß der Basis ist auf ihre Wiederverwendung zurückzuführen. Die Basis ist an ihrem oberen Abschluß mit einem dorischen Fries verziert. Die Metopenfelder tragen keinerlei figürliche Darstellung. Ähnliche Basen sind aus *Aesernia* mehrfach erhalten [1]. Man kann vermuten, daß sie in Serie vorgefertigt wurden. Eine Datierung ist aufgrund der nicht vorhandenen Inschrift und fehlender figürlicher Darstellung nicht möglich.

(1) Vgl. Is 28-29, 31-34, 36.

Is 36 Fragment einer Basis mit dorischem Fries

Taf. 25 Abb. 36.
Isernia, S. Maria delle Monache
Bei der Restaurierung der Kirche gefunden (1973)
Kalkstein H: 0,76; B: 0,81; T: 0,38
Die Kanten sind gebrochen. Zwei Metopen sind vollständig, eine dritte teilweise erhalten. Es fehlt das obere Abschlußprofil. Die Oberfläche ist stark verrieben.
Unveröffentlicht
Fot.: Inst. Neg. Rom 75.2609

Das fast quadratische Maß der Basis ist auf ihre Wiederverwendung zurückzuführen. Die Basis ist an ihrem oberen Abschluß mit einem dorischen Fries geschmückt. Die Metopenfelder tragen keinerlei figürliche

Darstellung. Ähnliche Basen sind aus *Aesernia* mehrfach erhalten [1]. Eine Datierung ist aufgrund der nicht' vorhandenen Inschrift und fehlender figürlicher Darstellung nicht möglich.

(1) Vgl. Is 28-29, 31-35, 40.

Is 37 Fragment eines dorischen Frieses

Taf. 26 Abb. 37.
Isernia, S. Maria delle Monache
Bei der Restaurierung der Kirche gefunden (1973)
Kalkstein H: 0,26; B: 1,02
Es sind drei Metopen und drei Triglyphen erhalten.
Die Oberfläche ist leicht verrieben.
Unveröffentlicht
Fot.: Inst. Neg. Rom 75.2603

Der Fries gehörte wahrscheinlich zu einer Basis [1]. Die Metopen zeigen folgende Motive (von links): 1) Nach links gelehnter Panzer mit Schulterklappen und Untergewand. 2) Rundschild mit profiliertem Schildbuckel. Dahinter zwei sich kreuzende Lanzen. 3) Mit *vittae* umwundene Stierprotome. Die Hautfalten sind durch Kerbung angegeben.
Das Fragment läßt sich in die spätrepublikanische oder die frühe Kaiserzeit datieren.

(1) Vgl. Is 28-29, 31-36.

Is 38 Fragment eines dorischen Frieses

Taf. 26 Abb. 38.
Isernia, in Piazza S. Francesco Nr. 1 über dem linken Fenster im 1. Stock vermauert.
Fundort unbekannt
Kalkstein. Maße unbekannt
Das Fragment ist weiß übertüncht. Erhalten sind vier Metopen und fünf Triglyphen.
Unveröffentlicht
Fot.: Inst. Neg. Rom 75.2593

Der Fries könnte zu einer Basis gehören [1]. Die Metopen zeigen folgende Motive (von links): 1) Zwei überkreuzte Schilde, einer von ovaler, der andere von rechteckiger Form. 2) Adler mit geöffneten Schwingen. 3) Aufrechtstehende Glockenblume. 4) Mit *vittae* geschmückte Stierprotome. Ähnliche Schilde sind auf der Basis des Sex. Appuleius in der 3. Metope der linken Langseite dargestellt [2]. Die Stierprotome ähnelt der Basis des Grabaltars für C. Nonius. Somit läßt sich das Fragment in die spätrepublikanische oder die frühe Kaiserzeit datieren.

(1) Wie Is 28-29, 31-36.
(2) Is 28.
(3) Is 33.

Is 39 Fragment eines dorischen Frieses

Taf. 26 Abb. 39.
Isernia, Antiquario Comunale
Fundort unbekannt
Kalkstein H: 0,33; B: 1,20; T: 0,28
Die Kanten sind gebrochen. Erhalten sind drei und eine halbe Metope und drei Triglyphen.
Unveröffentlicht
Fot.: Inst. Neg. Rom 75.2577

Der Fries könnte zu einer Basis gehören[1]. Die Metopen zeigen folgende Motive (von links): 1) Es scheinen zwei überkreuzte Beinschienen dargestellt zu sein. 2) Von einer Binde zusammengehaltener Lorbeerkranz. 3) *parma*, hinter der sich zwei Lanzen kreuzen. 4) Gorgonenhaupt. Die Beinschienen sind mit denen der 5. Metope der rechten Langseite der Basis des Sex. Appuleius identisch[2]. Der Rundschild ähnelt dem der 1. Metope der rechten Langseite der Basis des M. Cominius Pansa[3]. Das Fragment läßt sich somit in die spätrepublikanische oder die frühe Kaiserzeit datieren.

(1) Wie Is 28-29, 31-36.
(2) Is 28.
(3) Is 29.

Is 40 Vier Fragmente von dorischen Friesen

Taf. 27 Abb. 40a-d.
Isernia, Antiquario Comunale
Fundort unbekannt
Kalkstein
a) H: 0,33; B: 0,61; T: 0,33
b) H: 0,33; B: 0,78; T: 0,33
c) H: 0,32; B: 0,38; T: 0,33
d) H: 0,30; B: 0,38; T: 0,37
Unveröffentlicht
Fot.: Inst. Neg. Rom 75.2530; b) 75.2511; c) 75.2509; d) 75.2510

a) Erhalten sind zwei Triglyphen und eine Metope mit der Darstellung einer Rosette. b) Erhalten sind zwei Metopen, eine vollständige Triglyphe und die Reste von zwei seitlichen. In der linken Metope sind

Palästrageräte dargestellt (zwei Schaber, Ölflasche am Ring); in der rechten Metope eine Kanne auf hohem Fuß, daneben ein Spiegel mit gedrehtem Griff. *c)* Erhalten ist eine Metope, vom linken Triglyphon noch zwei Glypha; in der Metope ist eine mit *vittae* behangene Stierprotome dargestellt. Das Fell ist an der Stirn durch Kerbung wiedergegeben, ebenso die Hautfalten über dem Maul. *d)* Erhalten ist eine Metope und zwei rahmende Glypha. Wie bei *c)* ist eine Stierprotome in der Metope dargestellt. Die Inskriptionen sind wesentlich graphischer eingetragen.

Bei den folgenden Stücken (Is 41-52) handelt es sich um einen zusammenhängenden Urnenkomplex aus dem Grabbau des *collegium fabrum*. Der Fundort all dieser Urnen ist Isernia, Gemarkung Quadrelle (1961). Für alle Stücke gilt die bei Is 41 zitierte Literatur.

Is 41 Aschenurne des M. Petronius Modestus und seiner Frau

Taf. 28 Abb. 41.
Isernia, Antiquario Comunale
Kalkstein Kasten: H: 0,65; B: 0,81; T: 0,46
           Deckel: H: 0,31; B: 0,79; T: 0,46
Der untere Rand des Kastens ist leicht abgestoßen.

Inschrift:
M(arcus) Petronius M(arci) l(ibertus) [1]	6-4,5
Modestus sibi et coniugi [2]	4,3-2,6
v(ivus) f(ecit)	6,2-5

Lit.:
BLANCK, *Funde* 330ff. Abb. 79-80. EAA *Suppl.* (1970) 379 s. v. Isernia (A. PASQUALINI)
Fot.: Inst. Neg. Rom 75.2547

Die Aschenurne setzt sich aus zwei Teilen zusammen: dem Urnenkasten der in der oberen Auflagefläche zwei Mulden zur Aufnahme der Asche besitzt, und dem Deckel.

Der Urnenkasten ist nur an der Vorderseite bearbeitet, die in zwei Zonen unterteilt ist: die obere, kleinere, enthält, als tabula ansata gebildet, die Inschrift; die untere ist seitlich gerahmt und weist auf glattem Spiegel die beiden Buchstaben *vf* auf. Der Deckel sitzt dem Kasten in voller Breite auf. Er ist aus einem Stück gearbeitet, imitiert jedoch veristisch zwei nebeneinanderstehende hölzerne oder metallene *arcae* [3]. Sie besitzen rechteckige Form und konvexe Wände, weshalb ähnlich geformte Urnen in Corfinio von G. Colonna ' a cofanetto ' genannt worden sind [4]. Wir wollen diese Bezeichnungm mit dem Ausdruck ' Geldtruhenurnen ' übernehmen [5].

Die Truhen sind einmal von ihrer Langseite und einmal von ihrer Vorderseite gezeigt; dort sitzen die Verschlüsse, die es offenbar zu zeigen galt. Bei der linken sitzt das Schlüsselloch in einer mit vier Nägeln befestigten viereckigen Metallplatte mit ausgezogenen Enden; rechts und links davon ist ein wahrscheinlich um die gesamte Truhe umlaufendes metallenes Band zu sehen, das, zusammen mit einer Kreuzverstrebung unter dem Schlüsselloch, die Truhe zusätzlich sicherte. Die rechte Truhe zeigt eine mit acht Nägeln befestigte Scheibe, in der das Schlüsselloch sitzt; darunter ist der Griff mit zwei Nägeln, denen runde Metallscheiben hinterlegt sind, befestigt [6]. Vier vier bzw. achtblätterige Rosetten sind als Appliken dazugesetzt. Die linke Truhe weist einen auf drei Seiten verlaufenden abgesetzten Rand, die rechte nur eine obere Abschlußleiste auf.

(1) CASTRÉN, *Ordo Populusque* 203 Nr. 305: Das Gentilicium Petronius ist umbrischer Herkunft; nach dem Bundesgenossenkrieg ist es oft in Kampanien bezeugt.
(2) KAJANTO s. v. *Modestus* 68, 69, 263.
(3) RE II (1896) 435 S.V. arca (HABEL). s. auch die Truhen aus Pompeji (E. PERNICE, *Die hellenistische Kunst in Pompeji*, V (1932) 76ff). Vgl. auch die Bronzebeschläge einer derartigen Truhe im Cambridge University Museum (J. LIVERSIDGE, *Furniture in Roman Britain* (1955) 62ff Abb. 66-67).
(4) COLONNA 299.
(5) s. Kommentar auf S. 161f.
(6) Zu Schlüsseln und Verschlüssen: A. GEHEIß, *Das römische Tür und Kastenschloß*, ÖJh 26, 1930, 233ff. H. JACOBI, *Der keltische Schlüssel und der Schlüssel der Penelope. Ein Beitrag zur Geschichte des antiken Verschlusses (Festschrift Schumacher* (1930) 213ff). Darstellung eines Schlosses auf einem Grabstein: CIL IX 4635 (Cascia).

Is 42 Aschenurnenkasten des L. Lucilius Olymphus und der Agria Fausta

Taf. 28 Abb. 42.
Isernia, Antiquario Comunale
Kalkstein H: 0,57; B: 0,87; T: 0,40
Der untere Rand ist leicht abgestoßen.

Inschrift:

L(ucius) Lucilius Olymphus [1]	5,5-4,8
sibi et Agriae L(uci) l(ibertae) Faustae [2]	3,5-3
v(ivus) f(ecit	5-4,5
Fot.: Inst. Neg. Rom 75.2565	

Der Urnenkasten wiederholt in Aufbau und Dekoration den unter Is 41 beschriebenen Typus. In der Inschrift sind zwei Personen erwähnt, deren Asche in den beiden Mulden der oberen Auflagefläche aufbewahrt wurde.

Das Fehlen der Filiation läßt an die Herkunft des Vaters aus dem Sklavenstand schließen.

(1) Zur orthographischen Eigenart Olymphus für Olympus s. A. OXÉ, *BJb* 116, 1907, 21. OXÉ zufolge ist diese Art der Schreibung ein Datierungsanhalt für die Zeit der späten Republik oder der frühen Kaiserzeit.
(2) KAJANTO s. v. *Faustus* 29, 30, 41, 72bis, 73, 134, 272.

Is 43 Aschenurnenkasten des Q. Trebellius Donatus und der Trebellia
Capriola

Taf. 29 Abb. 43.
Isernia, Antiquario Comunale
Kalkstein H: 0,59; B: 0,53; T: 0,35
Die beiden oberen Ecken des Kastens sind leicht abgestoßen.

Inschrift:

Q(uintus) Trebellius	6,8-6,5
Q(uinti) l(ibertus) Donatus [1]	5,6-4
sibi et Trebelliae	5,5-3,3
Capriolae [2]	5,5-2,6
5 v(ivus) f(ecit)	4,1-3,5

Fot.: Inst. Neg. Rom 75.2549

Der unverzierte Kasten besitzt hochrechteckige Form. Die Inschrift
ist ungleichmäßig in fünf Zeilen über die neutrale Grundfläche verteilt;
Buchstabenhöhe wie - charakter sind uneinheitlich. Die obere Auflagefläche
weist zwei Mulden für die Aufnahme der Asche der in der Inschrift genannten Personen auf. Das Fehlen der Filiation läßt auf die Herkunft
des Vaters aus dem Sklavenstand schließen. Die Gens Trebellia ist in *Aesernia* mit weiteren vier Mitgliedern belegt [3].

(1) KAJANTO s.v. *Donatus* 18bis, 20, 75, 76, 93, 298 (351).
(2) KAJANTO s.v. *Capriolus* 86, 326.
(3) CIL IX 2723 (= Is 71), 2729, 2750. Vgl. auch 2654.

Is 44 Aschenurne des Q Minucius Saturninus und seiner Frau

Taf. 29 Abb. 44.
Isernia, Antiquario Comunale
Kalkstein Kasten: H: 0,597; B: 0,66; T: 0,44
            Deckel: H: 0,305; B: 0,58; T: 0,44
Die Kanten des Kastens sind leicht abgestoßen.

Inschrift:

Q(uintus) Minucius	6,4-5,5
Saturninus sibi et [1]	6,2-4,7
contubernali	5,2-3,6
v(ivus) f(ecit)	4-3,7

Fot.: Inst. Neg. Rom 75.2563

Der Urnenkasten besitzt fast quadratische Form Die Inschrift ist
in ein mit einfachen Profilen gerahmtes, leicht vertieftes Feld eingemeißelt.
Die Geldtruhen des Deckels, die auf kurzen Beinchen stehen, sind hier

im Vergleich zur Urne des M. Petronius Modestus (Is 41) umgestellt. Die Bezeichnung der Frau als *contubernalis* [2] läßt vermuten, daß auch der Mann ursprünglich Sklave gewesen ist, was auch durch das Fehlen der Filiation nahegelegt wird Die Gens Minucia ist seit dem 1. Jh. v. Chr. oft in Kampanien bezeugt, wohin sie wahrscheinlich durch die römische Kolonisation gelangt ist [3].

(1) KAJANTO s. v. *Saturninus* 18bis, 20, 30bis, 54, 55, 58, 76, 113, 213.
(2) Vgl. RE IV (1901) 1164 s. v. contubernium (FIEBIGER).
(3) CASTRÉN, *Ordo Popolusque* 192 Nr. 255.

Is 45 Aschenurnenkasten des C. Pomponius Gemellus und der Aletia Prima

Taf. 30 Abb. 45.
Isernia, Antiquario Comunale
Kalkstein H: 0,63; B: 0,705; T: 0,32
Die obere Auflagefläche weist verschiedene Löcher zur Verzapfung des Deckels auf. Alle Kanten sind leicht abgestoßen.

Inschrift:

C(aio) Pomponio Gemello [1]	5-2,5
et Aletiae Primae [2]	4,5-4
v(ivis) f(actum)	4
Fot.: Inst. Neg. Rom 75.2562	

Der Urnenkasten ist im Aufbau mit dem unter Is 44 beschriebenen identisch. Die Inschrift ist in die obere Hälfte des vertieften Feldes eingemeißelt. Das Fehlen der Filiation läßt auf die Herkunft des Vaters aus dem Sklavenstand schließen.

(1) KAJANTO s. v. *Gemellus* 75, 295.
(2) KAJANTO s.v. *Primus* 29, 30, 73, 74, 76, 77, 134 (276), 291.

Is 46 Aschenurnenkasten des C. Pomponius Auctus und der Oppia Rufilla

Taf. 30 Abb. 46.
Isernia, Antiquario Comunale
Kalkstein H: 0,52; B: 0,345; T.: 0,34
Vollständig erhalten.

Inschrift:

C(aio) Pomponio	6-5,5
C(ai) l(iberto) Aucto [1]	4,5-4

Oppiae (mulieris) l(ibertae)   4,5-4
Rufillae[2]   4-3,7
Fot.: Inst. Neg. Rom 75.2541

Der Urnenkasten besitzt rechteckige Form. Die Inschrift ist in ein mit einfachen profilierten Leisten gerahmtes, leicht vertieftes Feld eingemeißelt.

(1) KAJANTO s. v. *Auctus* 18 (?), 350.
(2) KAJANTO s. v. *Rufillus* 27.229.

Is 47 Deckel einer Aschenurne

Taf. 29 Abb. 47.
Isernia, Antiquario Comunale
Kalkstein H: 0,252; B: 0,565; T: 0,39
Vollständig erhalten.
Fot.: Inst. Neg. Rom 75.2549

In Analogie zu Is 48-50 handelt es sich um einen Urnendeckel vom Typus der Geldtruhenurne. Dargestellt sind wie üblich zwei Seiten der Truhe. Die linke gibt eine Vorderseite wieder; sie trägt eine viereckige, mit vier Nägeln befestigte Metallscheibe, in die das Schlüsselloch eingesetzt ist. Ein dünner Metall imitierender Streifen verläuft vom Schlüsselloch zum oberen Rand der Truhe. Unter dem Verschluß sitzt der Griff. Zu seiten des Schlosses weist die rechte Truhe je zwei gekreuzte Verstrebungen auf, während die linke an dieser Stelle zwei vierblätterige Blüten als Appliken trägt; anstelle des Griffs kreuzen sich zwei Verstrebungen. Der Deckel gehört wahrscheinlich zum Kasten Is 43.

Is 48 Deckelfragment einer Aschenurne

Taf. 31 Abb. 48.
Isernia, Antiquario Comunale
Kalkstein H: 0,25; B: 0,30; T: 0,345
Es ist nur die Hälfte eines Deckels erhalten. Die Bruchfläche auf der rechten Seite macht deutlich, daß es sich nicht um eine Urne für nur eine Person handelte.
Fot.: Inst. Neg. Rom 75.2592

Analog zu Is 41, 47, 49-50 handelt es sich um einen Urnendeckel vom Typus der Geldtruhenurne mit Schloss, Griff und Appliken, oben in Form von zwei sechsblätterigen Blüten, unten in Form von Kleeblättern. Die Truhe steht auf vier kurzen Beinchen.

Is 49 Deckelfragment einer Aschenurne

Taf. 31 Abb. 49.
Isernia, Antiquario Comunale
Kalkstein H: 0,28; B: 0,30; T: 0,40
Es ist nur die Hälfte eines Deckels erhalten. Die Bruchfläche auf der rechten Seite macht deutlich, daß es sich nicht um eine Urne für nur eine Person handelte.
Fot.: Inst. Neg. Rom 75.2566

Analog zu Is 41, 47-48, 50 handelt es sich um einen Urnendeckel vom Typus der Geldtruhenurne mit Schloss, Griff und Appliken, oben in Form von siebenblätterigen Blüten, unten in Form von fünfblätterigen Blüten.

Is 50 Deckelfragment einer Aschenurne

Taf. 31 Abb. 50.
Isernia, Antiquario Comunale
Kalkstein H: 0,235; B: 0,315; T: 0,265
Es ist nur die Hälfte eines Deckels erhalten. Die Bruchfläche auf der rechten Seite macht deutlich, daß es sich nicht um eine Urne für nur eine Person handelte.
Fot.: Inst. Neg. Rom 75.2567

Analog zu Is 41, 47-49 handelt es sich um einen Urnendeckel vom Typus der Geldtruhenurne mit Schloss, Griff und Appliken, oben in Form von sternförmigen, unten von Vierpaßblüten. Die Truhe steht auf vier kurzen Beinchen.

Is 51 Aschenurne des M. Petronius Faustillus

Taf. 32 Abb. 51.
Isernia, Antiquario Comunale
Kalkstein H: 0,74; B: 0,89; T: 0,57
Es fehlt der Deckel. Die Kanten sind leicht abgestoßen

Inschrift:

M(arco) Petronio Faustillo [1]
5-4,5
VI vir(o) Aug(ustali) Aufidena(e)
4,5-4
quinq(uennali) collegium
4,4-3,9
fabr(um)
4-3,8
Fot.: Inst. Neg. Rom 75.2548

Durch die 0,50 × 0,36 m messende tiefe Mulde in der oberen Auflagefläche ist das Monument als Aschenurne für eine Person charakterisiert. Ein profilierter Rahmen, dem seitlich je ein Fascium beigestellt ist, umgibt das leicht vertiefte Inschriftfeld. Unter der sehr gleichmäßig und sorgfältig eingemeißelten Inschrift sind ein *bisellium* mit Kissen und Kranz darauf und darunter ein *suppedaneum* dargestellt. Die Urne unterscheidet sich also in Dimension und Dekoration erheblich von den unter Is 41-50 besprochenen Stücken. Das *collegium fabrum* hat in dieser Urne ihr angesehenstes Mitglied, das für fünf Jahre im Amt blieb, beigesetzt [2]. Es ist sicher kein Zufall, daß der Geehrte *sevir Augustalis* war; wahrscheinlich hat er dem *collegium* gegenüber private finanzielle Großzügigkeit walten lassen. Dafür hat man ihn zum *quinquennalis* gewählt und ihm schließlich die Urne gestiftet [3].

Im figürlichen Schmuck der Urne wird durch die Darstellung der *ornamenta decuronalia* auf die dem Faustillus verliehenen Privilegien hingewiesen [3a], eine interessante Tatsache, wenn man damit die Dekorationsmotivation der Inhaber der Geldtruhenurnen vergleicht [4]. Durch die Nennung des Sevirats kann die Urne in die augusteische oder iulisch-claudische Zeit datiert werden.

Wir besitzen aus *Aesernia* eine weitere Inschrift, aus der hervorgeht, daß ein Mann *sevir Augustalis* in *Aesernia* und *Aufidena* gewesen ist [5].

R. Duthoy [6] hat neuerdings das soziale Milieu untersucht, aus dem die *seviri Augustales* und die *Augustales* stammen. Seiner Inschriftenauswertung zufolge sind 85 Prozent der *seviri Augustales* und 92 Prozent der *Augustales* Freigelassene, während der Satz bei den *seviri* nur bei 66 Prozent liegt. Da diesem Personenkreis aufgrund seiner Abkunft die offizielle munizipale Laufbahn verschlossen blieb, diese Schicht aber sehr ambitiös und ökonomisch erfolgreich war, war der Sevirat für sie eine Art Ersatzmagistratur. Wer innerhalb der Schicht der Freigelassenen zum Sevirat aufstieg, hatte in sozialer und finanzieller Hinsicht Karriere gemacht; sein Ansehen stieg bei den Mitbürgern erheblich. In der offiziellen Ämterkarriere gab es wie innerhalb der Pseudomagistratur eine Stufung; Munifizenz wurde in jedem Fall erwartet [7]. Bei M. Petronius Faustillus haben wir dafür keinen direkten Beweis. In der Tatsache, daß er die *ornamenta decurionalia* erhalten hat und zum *quinquennalis* des *collegium* gewählt worden ist, kann man jedoch eine gewisse Resonanz sehen. Es ist allzu verständlich, daß Leute aus dieser Schicht voller Stolz ihre Karriereabzeichen auf auf ihren Grabmonumenten verewigt wissen wollten [8].

---

(1) Kajanto s. v. *Faustillus* 272.
(2) RE IV (1901) 387 s.v. collegium (Kornemann). De Ruggiero II, 1 (1961) 377 s. v. collegium (Waltzing).
(3) s. o. Anm. 2. Vgl. auch CIL X 2683.
(3a) Castrén, *Ordo Populusque* 62.
(4) s. u. Kommentar auf S. 161f.
(5) CIL IX 2658 = ILS 6517.
(6) R. Duthoy, *La fonction sociale de l'Augustalité, Epigraphica* 35, 1-2, 1974, 134ff. s. auch L. Ross Taylor, *Augustales, Seviri Augustales and Seviri: A chronological Study.* TAPHA 45, 1914, 231ff. A.D. Nock, *Seviri And Augustales. Mélanges Bidez* II (*Annuaire de l'Institut de Philologie et d'Histoire,* Tome 2,2 (1934) 627ff.

(7) Vgl. P. VEYNE, *Panem et circenses: L'évergétisme devant les sciences humaines*, *AnnalesEconSocCiv* 24, 1969, 785ff.

(8) Weitere Bsp. s. Is 64, 67-69. Auch E. M. STAERMAN-M. K. TROFIMOVA, *La schiavitù nell'Italia imperiale, I-III secolo*, 1975, 123ff.

Is 52 Aschenurne des L. Marius Auctus

Taf. 30 Abb. 52.

Isernia, Antiquario Comunale

Kalkstein H: 0,53; B: 0,63; T: 0,38; Deckelhöhe 0,31

Die rechte untere Kante des Kastens sowie der Rand des Deckels sind leicht abgestoßen.

Inschrift:

L(*uci*) *Mari* L(*uci*) *l*(*iberti*)	7-6,2
Aucti [1]	6,5-5,8

Fot.: Inst. Neg. Rom 75.2564

Zwei runde Mulden in der oberen Auflagefläche des Kastens erlauben das Monument als Aschenurne zu bezeichnen.

Dem rechteckigen Kasten sitzt der halbrunde Deckel auf. Er ist aufgrund seiner Dimensionen und Dekoration mit Profilleiste dem Kasten als zugehörig zu betrachten [2]. Der Urnenkasten trägt an der Vorderseite in einem leicht eingetieften und mit profiliertem Rahmen versehenen Feld die Inschrift; sie beansprucht nur die obere Hälfte des zur Verfügung stehenden Raums. Da die Urne für die Aufnahme der Asche von zwei Personen vorgesehen ist, ist anzunehmen, daß der verbleibende Teil des Inschriftfeldes den Namen der weiteren Person aufnehmen sollte.

Die Urne stammt aus demselben Fundkomplex wie die Geldtruhenurnen (Is 41-50) und der Aschenurne des M. Petronius Faustillus (Is 51), sie fällt jedoch aus dieser homogenen Gruppe durch ihre Schmucklosigkeit heraus. Auch in der Abfassung der Inschrift im Genitiv weicht sie von den anderen ab. Eine definitive Erklärung dafür ist nicht möglich, evtl. ist die Urne erst später den anderen beigestellt worden.

(1) KAJANTO s. v. *Auctus* 18, 350.

(2) Vgl. die sehr ähnliche Form eines Grabsteins (Is 71).

Der Typus der Aschenurne, der in Isernia in zwei Exemplaren vollständig erhalten ist (Is 41, 44), ist bisher nur in wenigen Beispielen aus dem Gebiet der heutigen Region Abruzzen, aus dem antiken Gebiet der Peligner und dort vor allem aus *Corfinium* nachgewiesen. Es sind Aschenurnen, die den Urnendeckeln von Isernia ähneln. G. Colonna hat drei derartige Urnen aus *Corfinium* und eine weitere aus dem Valle del Pescara bekannt gemacht [1]. Die Stücke in Isernia sind formal anders gestaltet:

die pelignischen truhenförmigen Urnenkästen sind selbst Aschenträger, während die Urnen in Isernia nur ihren Deckel truhenförmig gestaltet haben. Aufgrund der unterschiedlichen Funktion variiert auch die dekorative Gestaltung. Auf den von G. Colonna veröffentlichten Exemplaren ist die Dekoration in mehreren Registern ringsum auf alle vier Seiten verteilt. Die Urnen von Isernia sind durch ihre Aufstellung (s.u.) auf eine Schauseite hin angelegt; Inschrift und Dekor sind deshalb auf diese Ansichtsseite beschränkt. Mit dieser formalen Variante geht jedoch kein Unterschied in der inhaltlichen Aussage einher. Sie ist eindeutig: man will zeigen, daß man es zu etwas gebracht hat, nämlich zu einem ansehnlichen Vermögen, das in Truhen, wie sie die Reichen in den Atrien ihrer Wohnhäuser aufstellten, verwahrt werden will. Der besondere Wert, der den Verschlüssen und den zusätzlich sichernden Metallstreifen zugemessen wird, weisen eindeutig in diese Richtung[2]. Dieses materialistische Denken ist typisch für die Klasse derjenigen, die die Urnen bei Lebzeiten in Auftrag gaben; sie gehören ohne Ausnahme der Schicht der Freigelassenen an. Über ihr Milieu, die ökonomischen Verhältnisse und den daraus erwachsenden repräsentativen Bedürfnissen sind wir hinreichend informiert[3]. Die Urnen wurden in einem Grabbau der Nekropole an der antiken Verbindungsstraße *Aesernia-Venafrum*, in der heutigen Gemarkung Quadrelle geborgen[4]. Die Grabanlage[5], die noch auf eine Publikation wartet, besteht aus zwei Teilen: eine Exedra, die sich zur Straße hin öffnet und ein später (?) hinzugesetzter Anbau, der mit der Exedra nicht in Verbindung steht und nur von der Seite her zugänglich ist. Nach A. La Regina ist mit einiger Wahrscheinlichkeit anzunehmen, daß die Urnen nebeneinander aufgereiht an der Wand der Exedra standen[6]. Die zusammen mit den Urnen gefundene Inschrift des *conlegium fabrum Aeserninorum*[7] sichert den Grabbau als die Begräbnisstätte dieses Kollegiums.

Das Motiv für einen Zusammenschluß der Freigelassenen in einem Kollegium liegt in dem Bestreben, repräsentativ begraben zu werden und hat seine Parallele in den Columbarien der kaiserlichen Freigelassenen in Rom[8]. Vom finanziellen Aufwand her jedoch kam für jeden von ihnen die Errichtung einer eigenen kostspieligen Grabananlage wahrscheinlich nicht infrage. Da sie aus dem Sklavenstand kamen, konnten sie innerhalb ihrer

---

(1) COLONNA a.O. M. MATTEINI CHIARI, *Terventum*. *QuadIstTopAntUnivRoma* VI, 1974, 171 berichtet von einer Urne « del tipo isernino » aus den Grabungen des Santuario di S. Maria del Canneto.

(2) Ähnlich äußert sich auch BLANCK, *Funde*. Evtl. ähnlich zu deuten ist ein Geldsack als Grabbekrönung (AA 1968, 579f Abb. 45. Frdl. Hinweis von V. Kockel).

(3) s. o. Is 51. J. GAGÉ, *Les classes sociales dans l'empire romain* (1971) 138ff.

(4) A. VITI, *Archeologia* (Roma), 1964, 190. LA REGINA, *Triumvir* 45 Anm. 8. BLANCK, *Funde* a.O. weist die Urnen irrtümlicherweise den *seviri* zu. PASQUALINI a. O.

(5) Die Wände der Exedra bestehen aus *opus caementicium*, das mit *opus testaceum* ver-

Familie keine Ahnen vorweisen, im Gegensatz zu anderen gesellschaftlichen Gruppen. Durch die Einzahlung eines regelmäßigen Beitrags in die Vereinskasse sicherten sie sich jedoch das Anrecht auf einen Grabplatz in einem repräsentativen Grabmal an der belebten Ausfallstraße. Inschriftlich ist die Organisation der Sterbekassen in *Aesernia* bis in das 2. Jh.n.Chr. nachgewiesen [9]. Eine fortlaufende Belegung des Grabbaus wäre also denkbar, wofür die aus dem einheitlichen Komplex der Geldtruhenurnen fallende Urne Is 52 ein beweiskräftiges Exemplar sein könnte.

kleidet ist. Diese Bauart ist von der Zeit der späten Republik an üblich (G. Lugli, *La tecnica edilizia romana* I (1957) 532ff). Der Fußboden besteht aus *opus spicatum*. Die Ziegelsteine kamen vielleicht aus dem nahegelegenen *Venafrum*, wo im 2. Jh.v.Chr. eine blühende Ziegelindustrie bezeugt ist. Auch der augusteische Aquädukt ist aus Ziegeln aufgemauert (M. E. Blake, *Ancient Roman Construction in Italy from the Prehistoric Period to Augustus* (1947) 286 Anm 66).

(6) s. o. Anm. 4.

(7) Die Inschrift befindet sich im Antiquario Comunale von Isernia Taf. 32. (Abb. 51a.) Inst. Neg. Rom 75.2545. Kalkstein H: 0,92; B: 0,60; T: 0,21. Aufgrund des Charakters der Buchstaben kann die Inschrift in die augusteische Zeit datiert werden. Man beachte die nicht vorgenommene Assimilation. Dazu s. auch Th. Mommsen, *Eph. Epigr.* I, 1872, 79.

(8) Vgl. beispielsweise das Grab zwischen der Via Appia und der Via Latina: Nash II, 333 s. v. Sepulcra Familiae Marcellae et Aliorum. In *Aesernia* ist inschriftlich ein Freigelassener als Patronus eines *collegium* bekannt (CIL IX 2679); vgl. auch P. Veyne, *Vie Trimalcion*, Annales EconSocCiv 16, 1961, 243.

(9) s. S. 32f.

Is 53 Fragment eines Rundaltars

Taf. 33 Abb. 53a-d.

Isernia, Antiquario Comunale

Aus Isernia, bei der Restaurierung der Kirche S. Maria delle Monache gefunden (1973)

Kalkstein H: 0,33; Ø: 0,398

Erhalten ist der obere Teil der Schafts mit Teilen des Epistyls. Der Schaft ist unten unregelmäßig abgebrochen, oben befindet sich eine tiefgreifende Beschädigung.

Unveröffentlicht

Fot.: Inst. Neg. Rom 75.2578-81

Das Fragment kann aufgrund seines tektonischen Aufbaus als Rest eines Rundaltars bestimmt werden. Die ursprüngliche Höhe des Schafts läßt sich nicht mehr feststellen, ebenso bleibt ungeklärt, ob er dekoriert gewesen ist und (oder) eine Inschrift getragen hat.

Das obere Ende des Schafts ist mit einer Frieszone geschmückt; acht Metopenfelder, durch Triglyphen voneinander abgesetzt, sind auf den Umfang verteilt. Auf den Fries folgt der Zahnschnitt und eine Reihe von unverzierten Profilen, die, wie es scheint, in die flache zylindrische Abdeckplatte übergingen. Vom *focus* ist nichts erhalten. Es gibt keinerlei

Indizien für eine rechteckige Abdeckplatte mit Pulvini[1]. Die Metopen weisen folgende Motive auf:

1) Kanne auf niedrigem Fuß mit bandförmigem Henkel und langem Schnabel; sie ahmt offensichtlich ein Metallgefäß nach.

2) Mit Blättern in Relief verzierte *patera* mit mittlerem *umbo*.

3) Palmette.

4) Stierprotome, die mit *vittae* geschmückt ist.

5) Größtenteils zerstörte Darstellung. Zu erkennen sind noch zwei kleeblattförmige Blätter mit abgesetztem Rand.

6) Größtenteils zerstörte Darstellung. Zu erkennen sind noch zwei überkreuzte Gegenstände. Sie sind an ihrem unteren Ende verdickt und verjüngen sich nach oben keulenartig. Ihre Oberfläche weist eine regelmäßige Lochmusterung auf[2].

7) Skyphos mit vorspringendem Rand und ringförmigen vertikalen Henkeln; er ahmt offensichtlich ein Metallgefäß nach.

8) Zwei überkreuzte *peltae* in Aufsicht.

Eine Untersuchung über das Auftreten des Rundaltars in Italien ist bisher nur für das adriatische Einzugsgebiet vorgelegt worden[3]. Da in dieser Studie die Herkunft der Form und ihre Übernahme in den Westen umfassend behandelt wird, kann in unserem Zusammenhang darauf verwiesen werden. Vom Rundaltar, einer ionischen Form, bilden sich im Hellenismus zwei Typen aus[4], die von Großgriechenland aus in Mittelitalien Verbreitung finden[5]. Ein Typus weist als Dekor den dorischen Metopen-Triglyphen-Fries auf, der als Schmuckglied erst im Westen auf Postamente übertragen worden ist[6]. Er ist bis in die frühe Kaiserzeit nachgewiesen[7]. Über dem Fries folgen in der Regel ein ionisches Kyma und ein Zahnschnitt, der im Osten generell fehlt.

Der Typus des mit dorischem Fries und Zahnschnitt verzierten Rundaltars ist monumental in Mittel- und Süditalien bisher selten nachgewiesen[8], jedoch sind die zahlreich überlieferten Tonmündungen mit Triglyphenschmuck den Rundaltären nachgebildet[9].

Einen Anhaltspunkt für die Datierung des Stücks kann die Form des Zahnschnitts geben: seine breiten, in relativ weitem Abstand zueinander gesetzten Zähne lassen sich z.B. mit denen eines Epistyls in Cassino verbinden und könnten etwa zeitgleich, wohl spätrepublikanisch sein[10]. Für die Deutung des Altars soll im folgenden ein Vorschlag angeboten werden:

Man darf annehmen, daß den Metopenbildern des Frieses ein kultischer Bezug zugrunde liegen kann, daß sie also mit der Funktion des Altars in Zusammenhang stehen. Von den acht Metopenbildern läßt sich in der Tat für alle, mit Ausnahme von zweien (Nr. 3 und 5), ein kultischer Bezug herstellen. Der Skyphos schließlich ermöglicht es, Herkules als Kultempfänger zu bestimmen [11]. Die Gottheit ist durch ihr typisches Kultgerät und die beim Kultvollzug allgemein üblichen Gerätschaften vertreten. Bukranion und Rosette gehören ebenfalls in diesen Bereich. Die *peltae* weisen wahrscheinlich auf die Kämpfe des Herakles gegen die Amazonen hin [12]. Der Herkuleskult war im italischen Raum weitverbreitet, durch zahlreiche oskische Inschriften ist er in dem betrachteten Siedlungsgebiet bezeugt [13]. Auch in *Aesernia* selbst ist Herkules durch die Inschrift einer Kultgemeinschaft überliefert [14]. Die geringen Dimensionen des Altars könnten für seine Verwendung im privaten Bereich sprechen. Stimmt man der hier vorgelegten Interpretation zu, so liegt in diesem Fragment ein bisher unbeachtet gebliebenes Kultmonument vor, das bei der Erforschung der religiösen Verehrung in mittelitalischen Landstädten berücksichtigt werden müßte.

(1) Bsp. bei W. HERMANN, *Römische Götteraltäre* (1961) Nr. 32 A 50, 24*a*. Pompeji, s. Zeichung bei F. WINTER, RM 5, 1890, 251.
(2) Um Keulen kann es sich nicht handeln. Ihre Verdoppelung wäre sinnlos. Man kann die beiden Gegenstände als Räucherwerk deuten, wie es beim Opfer gebraucht wurde (vgl. eine Darstellung auf einer Hydria aus Cumae in der Ermitage (H. HEYDEMANN, 13. *HallWPr*, 1888,1 14 Anm. 57 und Abb. auf S. 18).
(3) GABELMANN 87ff und Verbreitungskarte auf S. 89.
(4) GABELMANN 89f.
(5) GABELMANN 90 Anm. 25. TORELLI Anm. 23 und 25. Nach der Ansicht von Watzinger nahm Tarent die Vermittlerrolle ein (C. WATZINGER, *Studien zur unteritalischen Vasenmalerei* (1890) 5 Anm. 5 (anhand des Kelchkraters des Python aus S. Agata dei Goti). Kelchkrater des Niobidenmalers aus Samaria (J. W. CROWFOOT-G.M. CROWFOOT-K.M.KENYON, *The Objects from Samaria* (1957) 215 Nr. 16).
(6) GABELMANN 90 Anm. 25.
(7) Augustusaltar auf Thera (C. G. YAVIS, *Greek Altars* (1949) 151 Nr. 133).
(8) E. PERNICE, *Die hellenistische Kunst in Pompeji*, V (1932) 70 zitiert die Zeichnung von WINTER (s. o. Anm. 1) und erwähnt einen tönernen Altar aus Capua.
(9) PERNICE a. O. (zit. in Anm. 8) Taf. 9,6; 10; 11,4.6; 12.
(10) TORELLI Abb. 1-2.
(11) K. LATTE, *Römische Religionsgeschichte*, HdArch V, 4 (1960) 217 mit Anm. 3. Für Bedeutung und Gebrauch des Skyphos als Attribut des Herkules s. auch M. PALLOTTINO, *NSc* 10, 1934, 147 Anm. 1. Skyphos zusammen mit anderen Gerätschaften des Herkules auf Votivaltären: s. Zusammenstellung bei ROSCHER, *ML*, I, 2 (1886-1890) 2914 (R. PETER). Rundaltar im Kapitolinischen Museum in Rom (STUART JONES 346 Nr. 6*a* Taf. 89). Weihealtar aus Anguillara Sabazia (PALLOTTINO a. O. 146ff Abb. 1 und 2; 147 Anm. 2 weiteres Bsp. zitiert).
(12) Verzeichnis der Denkmäler bei F. BROMMER, *Denkmälerlisten zur griechischen Heldensage I, Herakles* (1971) 20ff.
(13) Zusammenstellung bei ROSCHER, *ML* I, 2 (1886-1890) 3002 ff (R. PETER).
(14) CIL IX 2679 = ILS 7323.

Is 54 Fragment eines Pulvinus

Taf. 34 Abb. 54
Isernia, Antiquario Comunale

Fundort unbekannt
Kalkstein Gesamthöhe: 0,42; B: 0,375; L: 0,50;
        Höhe des Untersatzes: 0,17;
        Durchmesser der Trommel: 0,25
Es ist weniger als die Hälfte des Pulvinus erhalten. Die Oberfläche ist leicht verscheuert.
Unveröffentlicht
Fot.: Inst. Neg. Rom 75.2571

Der an seiner Vorderseite mit einer Blüte verzierte Pulvinus besitzt einen lorbeerblattgeschmückten Polsterablauf. Die Blüte weist vier lanzenförmige Blätter mit mittlerer Einkerbung und abgesetztem Rand auf. In die zwischen der Rundform des Polsters und den Blättern entstehenden Zwickel ist jeweils eine langstielige lilienartige Rispe gesetzt. Der mittlere Blütenknoten wird durch ein Blatt verdeckt, welches in Form eines zweigeteilten Delphinschwanzes nach oben züngelt. Die Form der Blätter ähnelt derjenigen eines Deckenfragments aus Cales, das M. Verzar in die 1. H. des 1. Jh. s v. Chr. datiert [1]. Der Blattschmuck des Polsters ist rhombenförmig systematisiert. Die einzelnen Blätter besitzen eine mittlere Rippe.

Der Trommel ist ein unverzierter Untersatz angearbeitet, wie es bei Altaraufsätzen allgemein üblich ist. Er lag in derselben Höhe der die Pulvini untereinander verbindenden Abdeckplatte über dem oberen Abschlußprofil des Altarkörpers. Aufgrund der Dimensionen läßt sich das Fragment mit einiger Sicherheit einem Grabmonument in Form eines Altars zuweisen. Beispiele für derartige Grabmonumente sind in Pompeji in großer Anzahl erhalten [2].

(1) Verzar 401 Abb. 38a-b.
(2) Grab N 37 an der Gräberstraße vor der Porta di Ercolano: Grab des Alleius Luccius Libella (Mazois I Pl.17 Abb. 1-3; Overbeck-Mau 410 Abb. 206); Durchmesser der Trommel des Pulvinus: 0,30 m; Höhe des Untersatzes: 0,30 m. Grab S 22 an derselben Gräberstraße: Grab der Naevoleia Tyche (Mazois I Pl. 21 Abb. 1; Pl. 22 Abb. 4-5; Overbeck-Mau 413 Abb. 211); Durchmesser der Trommel des Pulvinus: 0,15 m; Höhe des Untersatzes: 0,15 m.
Weiteres Fragment vor dem Grab O 3 an derselben Gräberstraße: Durchmesser der Trommel des Pulvinus: 0,28 m; Höhe des Untersatzes: 0,23 m (Frdl. Hinweis von V. Kockel).

Is 55 Fragment von der Bekrönung eines Altars

Taf. 34 Abb. 55.
Isernia, Antiquario Comunale
Fundort unbekannt
Kalkstein H: 0,48; B: 1,56; T: 0,82
Von der in zwei Blöcken gearbeiteten Bekrönung ist ein Block erhalten. Eine Metope und das Ecktriglyphon auf der Langseite sind verloren. Das Gesims ist leicht bestoßen, die Oberfläche verrieben.

Unveröffentlicht
Fot.: Inst. Neg. Rom 75.2591

Erhalten ist der obere Teil eines Altars mit dorischem Fries und Gesims. An der Langseite sind sechs Metopen und sieben Triglyphen, an den Schmalseiten zwei Metopen und drei Triglyphen erhalten. Die Metopen weisen abwechselnd *Paterae* und Bukranien auf. Über dem Fries folgt eine unverzierte Profilleiste, darüber befindet sich der Zahnschnitt, der enggestellte, hohe Zähne aufweist. Über ihm sitzt ein Astragalband, dessen Perlen oval geformt sind. Als oberer Abschluß folgt die gekehlte Gesimsplatte.

Der Zahnschnitt bietet einen Anhaltspunkt für die Datierung des Stücks. Er läßt sich mit dem der Tür des Tempels von Cori vergleichen [1] und weist Ähnlichkeit mit dem des Podiums im Apsidensaal des Heiligtums von Palestrina auf [2]. Von Zahnschnitten, wie dem des Girlandengrabs an der Gräberstraße vor der Porta di Ercolano in Pompeji [3] hebt er sich in seiner engeren Reihung der einzelnen Zähne und deren schlankes Format ab.

Eine Datierung um die Mitte des 1. Jh. s v. Chr. scheint daher wohl angemessen zu sein.

(1) R. DELBRÜCK, *Hellenistische Bauten in Latium II* (1907) Taf. 17; ILLRP, *Imagines* Nr. 119 a-c.
(2) F. FASOLO-G. GULLINI, *Il Santuario della Fortuna Primigenia* (1957) Taf. 25,3.
(3) A. MAIURI, NSc 4, 1943, 303 Abb. 19 (Zeichnung); V. SPINAZZOLA, *Le arti decorative in Pompei e nel Museo Nazionale di Napoli* (1928) 18 (Foto).

Is **56** Grabrelief der Graccha Polla

Taf. 35 Abb. 56.
Isernia, Antiquario Comunale
Bei der Ponte della Rava, Gemarkung Quadrelle gefunden (1934)
Kalkstein H: 1,26; B: 0,63; T: 0,39
Die Giebelspitze ist abgebrochen. Das untere Ende des Reliefs ist nicht glatt abgearbeitet; die Bosse läßt auf seine Befestigung in einem Stelenschuh oder eine direkte Einlassung in die Erde schließen.

Inschrift:

Graccha M(arci) f(ilia)	9-8,5
Polla si(bi) v(iva) f(ecit) [1]	7-6,5
et M(arco) Graccho	6,7-6,2
M(arci) f(ilio) Tusco patri	5,7-5
5 *et Valeriae C(ai) f(iliae)*	6-5,2
mairi et C(aio) Ofillio	5,8-5
C(ai) l(iberto) Philarcuro [2]	5,8-5

6. Zeile: mairi steht für matri.
Unveröffentlicht
Fot.: Inst. Neg. Rom 73.2570

Der hochrechteckige Pfeiler, der an seiner Vorderseite die Inschrft trägt, wird von einem dreieckigen Giebel bekrönt, dessen Ecken stilisierte Flammenpalmetten aufweisen. In dem Giebelfeld ist ein männlicher Kopf in Vorderansicht in flachem Relief dargestellt; sein Umriß ist in den Stein eingeschnitten. Die Einzelformen sind nur grob skizzierend in das Gesicht eingetragen; die Ohren in die Fläche geklappt; der Adamsapfel ist durch eine ihn umgebende Furche hervorgehoben. Die Haare sind in Strähnen in die Stirn gestrichen. All diese Einzelangaben sind nicht als individuelle Züge des Dargestellten aufzufassen.

Die Stifterin des Grabreliefs, Graccha Polla, gehört einer seit mindestens drei Generationen frei geborenen Familie an; die Herkunft der Familie aus Etrurien läßt sich nicht beweisen. Das Cognomen Tuscus ist nicht als Ethnikon zu erfassen [3]. Der in der Inschrift genannte C. Ofillius Philarcurus könnte theoretisch der Freigelassene des C. Ofillius der Inschrift CIL IX 2735 sein [4].

Aufgrund des Charakters der Buchstaben ist eine Datierung des Reliefs gegen die Mitte des 1. Jh. s v. Chr. wahrscheinlich [5].

(1) Zur orthographischen Eigenheit von Polla für Paulla s. A. Oxé, *BJb* 116, 1907, 21.
(2) KAJANTO s. v. *Philarcurus* 13.
(3) H. SOLIN, *Beiträge zu den griechischen Personennamen in Rom* (*Commentationes Humanorum Litterarumque*) I, 1971, 121f.
(4) Die Gens Ofillia ist in *Aesernia* noch in weiteren drei Inschriften belegt: CIL IX 2667; 2681; 2736.
(5) Vgl. ILLRP, *Imagines* Nr. 241.

Is 57 Grabrelief der Paccii

Taf. 36 Abb. 57.
Am Eingang des Dorfes Miranda (IS) vermauert
Aus Vallone S. Lucia, zwei Kilometer von Miranda entfernt.
Kalkstein H: 0,93; B: 1,53; T: 0,47
Die linke Randleiste und die rechte obere Ecke sind abgestoßen. Allen Dargestellten fehlt die Nase.

Inschrift:
C(aius) Paccius L(uci) f(ilius) Ultinia Capito et sibi et suis fieri i[ussit] [1] 5
L(ucio) Paccio fatri Neratia matri Pacciae sorori 5
1. Zeile: Ultinia für Voltinia [2].
2. Zeile: Für fatri lies patri eher als fratri.
Unveröffentlicht
Fot.: Inst. Neg. Rom 75.2652

In dem langrechteckigen, nur leicht vertieften und von Randleisten umgebenen Relieffeld sind vier Personen im Hüftbildausschnitt nebeneinander aufgereiht. Alle haben den rechten Arm angewinkelt vor den Körper genommen und die rechte Hand auf die linke Brust gelegt.

Die beiden äußeren Figuren, die rechte ist kleiner gebildet, sind hinter zylindrischen Behältern dargestellt; der linke ist mit Sicherheit als *scrinium* zu identifizieren. Beim rechten scheint es sich um ein Gefäß zu handeln.

Laut Inschrift handelt es sich bei den Dargestellten um Angehörige einer Familie: links C. Paccius, der Sohn, der das Grabrelief hat setzen lassen, neben ihm sein Vater, L. Paccius, an dessen Seite die Mutter, Neratia [3], und rechts außen die Schwester Paccia.

Die Bekleidung der vier Personen ist nur sehr summarisch angegeben: die Männer tragen Tunika und Toga [4], die einen breiten, von parallelen Graten gefurchten *balteus* aufweist; er ist über die rechte Schulter gelegt. Die Stoffmasse wirkt wie festgebügelt und verhärtet. Dasselbe gilt für die Gewänder der weiblichen Familienmitglieder. Sie tragen über einem Untergewand einen Mantel, den die Mutter bis auf den Hinterkopf hinaufgezogen hat. Die Kleidung der Schwester scheint eher der der Männer zu gleichen, der Kopf ist unbedeckt. Die Gesichter sind grobkantig und wenig differenziert geschnitten. Einzelformen stehen hart nebeneinander: die dicht zusammengeschobenen Augen, die nur durch groben Kerbschnitt angegeben sind, die kaum eingetiefte Mundspalte mit den schmalen Lippen und den herabgezogenen Mundwinkeln und die in die Fläche gestellten Ohren. Die Frisuren sind nur angedeutet: die Männer und die Schwester scheinen nach vorn gestrichenes Haar zu tragen. Die Frisur der Mutter ist nicht klar ablesbar. Auf der bis auf den Kopf hochgezogenen *palla* scheint sich ein flaches, breites Element abzuzeichnen. Aufgrund der rohen handwerklichen Ausführung des Reliefs lassen sich keine stilistischen Vergleiche ziehen.

Der Typus des Grabreliefs, aus dem die Dargestellten als Halbfigur dem Betrachter frontal zugewandt sind, ist in der späten Republik und der frühen Kaiserzeit sehr verbreitet [5]. Hier ist es in den bescheidenen Formen einer lokalen Werkstatt realisiert, die fast ohne Berührung mit den Ausdrucksmitteln hellenistischer Kunst ihre Aufträge ausführt.

Das Nomen Paccius ist ein latinisierter oskischer Name [6]; da es weit verbreitet war im mittelitalischen Raum, läßt sich daraus kein Schluß auf den Herkunftsort unseres Paccius gewinnen. Er könnte aus dem Gebiet von *Saepinum* stammen, wo sicherlich die Gens Neratia, der die Mutter angehört, heimisch ist [7].

Man kann vermuten, daß er gestorben ist, bevor es ihm möglich war das Bürgerrecht zu erhalten. Wir wissen, daß im Jahre 87 v. Chr. die Samniten als einzige der Italiker noch mit Rom im Streite lagen [8]; dieser Zustand zog sich wahrscheinlich bis zum Jahre 80 v. Chr. hin [9].

Der Sohn C. Paccius dagegen weist die Tribusangabe in seiner onomastischen Formel auf; er ist wie die gesamte Bevölkerung der *Samnites*

Pentri in die *Tribus Voltinia* eingeschrieben [9a]. Er ist also der erste der Familie, der mit vollem Bürgerrecht ausgestattet ist; stolz läßt er sich als Glied der munizipalen Elite in der Toga darstellen.

Die Form *Ultinia* für den Namen der Tribus, statt des üblicheren *Vol(tinia)* ist durch andere Beispiele bekannt, kann aber in diesem Fall als Indiz für eine noch nicht häufige Verwendung gewertet werden.

Aus den genannten Gründen läßt sich das Relief wohl ungefähr in die Zeit bald nach der Mitte des 1. Jh. s v. Chr. datieren.

Das *scrinium*, das deutlich und mit voller Absicht in die vordere Reliefebene gestellt ist, könnte ein Hinweis auf eventuelle aktive Teilnahme des C. Paccius an der Munizipalverwaltung sein. Ein *scrinium* diente als Aufbewahrungsort und Transportbehälter für Gegenstände verschiedenster Art, vor allem aber für Schriftrollen und Dokumente [10]. Es ist häufig als Stütze römischen Togastatuen beigegeben und kennzeichnet die Dargestellten als Persönlichkeiten des öffentlichen Lebens. Dieselbe Bedeutung haben die *capsae* im Zusammenhang mit den *bisellia* auf Grabsteinen von Angehörigen der Munizipalverwaltung [11].

Ob C. Paccius vielleicht *capsarius* gewesen ist, bleibt ungewiß [12]; vielleicht will er nur darauf aufmerksam machen, daß er lesen und schreiben konnte. Aus derartiger Motivation heraus läßt sich wahrscheinlich auch die Isokephalie erklären, in der er mit seinen Eltern dargestellt ist. Zufällig ist sie sicher nicht.

Bei dem Gefäß, das sich vor der Schwester befindet, könnte es sich um einen Topf oder Kessel handeln: mit der Darstellung des Hausgeräts wird häufig auf den häuslichen Bereich in dem Frauen wirkten Bezug genommen [13]. Es könnte sich aber auch um ein kostbares Metallgefäß handeln, wie es aus den hellenistischen Kunstzentren eingeführt und von den reichen Provinzfamilien wohl auch gekauft wurde [14].

(1) KAJANTO s. v. CAPITO 17, 118, 119, 120, 235.

(2) V U ist haplografiert worden (s. O. PRINZ, *De O et U Vocabulis inter se permutatis in Lingua Latina. Questiones Epigraphicae (Diss. Halle* 1932). s. auch TH. BIRT, *Sprach man avrum oder aurum ? RhMusPhil, Erg.-H.* NF 52, 1897.

(3) Neratia stammte wahrscheinlich aus *Saepinum,* wo das Gentilizium sehr verbreitet ist (CIL IX 2440; 2450-55; 2457-59; 2484-85; 2511-17; 2531). Im vorliegenden Stück ist uns vielleicht das früheste inschriftliche Zeugnis erhalten.

(4) Ich nehme an, daß es sich um Togen handelt, da in *Aesernia* aus ungefähr derselben Zeit ähnliche Togati erhalten sind (Is 1-2).

(5) Zum Typus s. P. ZANKER, *JdI* 90, 1975, 268ff. H.-G. FRENZ, *Untersuchungen zu den frühen römischen Grabreliefs (Diss, Frankfurt* 1977). Für den großen Büstenausschnitt vgl. Is 58 Anm. 1ff.

(6) Das Nomen Paccius (resp. Paccia) leitet sich von einem Praenomen ab, welches vor allem bei oskischen Völkern in Gebrauch war (M. FREDERIKSEN, PBSR 27, 1959, 115).

(7) s. RE XVI (1935) 2539 s. v. Neratius (GROAG).

(8) LIVIUS, *Per.* LXXX.

(9) SALMON 378.

(9a) RE *Suppl.* 10 (1965) 1117 s. v. Voltinia (CHR. HABICHT).

(10) s. RE II² (1923) 893ff s.v. scrinium (SEECK). DAREMBERG-SAGLIO IV, 2 (1897) 1124ff s. v. scrinium (LÉCRIVAIN).

(11) COLINI passim. Sepino, Grabmal des C. Ennius Marsus (COARELLI, *Goleto* Abb. 26. EAA V (1963) 183 Abb. 266 (G. A. MANSUELLI)).

(12) RE III (1897) 1553 s. v. capsarius (A. MAU).

(13) Vgl. das Relief des C. Licinius, Teramo Palazzo Comunale (P. ZANKER, *JdI* 90, 1975, 275 Abb. 7). Relief in Ancona (Inst. Neg. Rom 8268). Grabeippus aus dem Gebiet von San Benedetto dei Marsi/Chieti Museo Nazionale (LETTA-D'AMATO 30 Nr. 23bis Taf. 10). Grabaltar aus dem Gebiet von Ortona (LETTA-D'AMATO 153 Nr. 104 Taf. 34). Für östliche Beispiele des *mundus muliebris* s. E. PFUHL, *Das Beiwerk auf den ostgriechischen Grabreliefs, JdI* 20, 1905, 47ff, 123ff, passim. E. PFUHL - H. MÖBIUS, *Die ostgriechischen Grabreliefs* (1977) Taf. 60ff, passim.

(14) Gemaltes Silbergeschirr im Grab des C. Vestorius Priscus in Pompeji (G. SPANO, *La tomba dell'edile C. Vestorio Prisco, MemAccLinc*, Serie VII, 3, 1943, 237ff. 226 Abb. 8. Dazu A. GIULIANO, *StMisc* X, 1966, 36 Anm. 7. BIANCHI BANDINELLI, *Rom* 42 Abb. 45). Echtes silbernes Tafelgeschirr im Hause des Menader (A. MAIURI, *La casa del Menandro e il suo tesoro di argenterie* (1932) 241ff Taf. 53).

Is 58 Grabrelief mit drei Halbfiguren

Taf. 36 Abb. 58.
Isernia, Antiquario Comunale
Fundort unbekannt
Kalkstein H: 0,95; B: 1,52; T: 0,42
Die rechte obere Ecke ist bestoßen. Die Oberfläche, vor allem der Gesichter, ist verrieben.

Lit.:
A. VITI, *Archeologia* (Roma) I n. 3, 1963, 12.
Fot.: Inst. Neg. Rom 75.2502

In dem langrechteckigen, nur leicht vertieften und auf allen Seiten von einer rahmenden Leiste eingefaßten Relieffeld sind nebeneinander drei Halbfiguren frontal zum Betrachter aufgereiht: in der Mitte eine Frau, ihr zu seiten zwei Männer, von denen der auf der rechten Seite durch Halsfalten als alter Mann charakterisiert ist. Alle drei Personen halten im üblichen Gestus den linken Arm vor dem Körper angewinkelt, die Hand liegt flach ausgebreitet unterhalb der Schulter auf der Brust. Die Männer sind mit Tunika und Toga bekleidet, die Frau trägt über einem Untergewand den Mantel mit bis auf den Hinterkopf heraufgezogenem Saum; nur durch dieses Detail ist sie als weiblich zu identifizieren: in ihrer Haltung und der durch kerbschnittartige Eintiefungen nur grob skizzierenden Wiedergabe des Stoffs unterscheidet sich ihr Gewand und ihr Körper nicht von denen der Männer. Keiner der Dargestellten ist durch irgendein Attribut gekennzeichnet.

Mit dem großen, fast bis zur Hüfte reichenden Bildausschnitt schließt sich das Relief Beispielen aus Kampanien an, wie sie aus Benevent [1], Avellino [2], S. Guglielmo al Goleto [3], Capua [4] und Padula [5] bekannt sind; die Reliefs aus Latium, Stadt Rom und Umgebung [6] und den Abruzzen [7] zeigen in der Regel wesentlich kürzere Bildausschnitte.

Das Relief gehört wahrscheinlich der Zeit des zweiten Triumvirats oder des Augustus an. Eine genauere Datierung ist aufgrund der Kunstlosigkeit der Ausführung nicht möglich.

(1) Benevent, Museo Naz. del Sannio Inv. 627-30, 63334, 636, 1813-16, 1834, Benevent, Kathedrale (Abb. bei M. BIEBER, *ProcAmPhilSoc*, vol. 103 nr. 3, 1959, 392 Abb. 29).
(2) Avellino, Museo Irpino Inv. 5, 7, 21, 62, 114, 119, 133 (vgl. M. DELLA CORTE, *NSc* 4, 1928, 380-381 Abb. 1). Avellino, vermauert in Corso Umberto (unveröffentlicht).
(3) COARELLI, *Goleto* Abb. 23.
(4) Capua, Museo Campano: Grabstele der Vinuleia Vassa (L. FORTI, *MemAccNapoli* 6, 1942, 56 Nr. 25 Taf. 8 Abb. 24; VESSBERG 205 f Taf. 45, 2). Grabstele (FORTI a.O. 49 Nr. 8 Taf. 3 Abb. 8). Grabstele (FORTI a. O. 52 Nr. 16 Taf. 5. Abb. 16). Grabstele (FORTI a. O. 51 Nr. 1, Nr. 13 Taf. 4 Abb. 13). Grabstele (FORTI a. O. 51 Nr. 14 Taf. 4 Abb. 12).
(5) NEUTSCH 114 Abb. 3-4.
(6) s. die Zusammenstellung bei P. ZANKER, *JdI* 90, 1975, 267ff und FRENZ a.O. (zit. in Is 57 Anm. 5).
(7) Grabrelief in Penne, S. Domenico (A. LA REGINA, *MemAccLinc* Serie VIII, vol. XIII, fasc. 5, 1968, 417 Anm. 327 Taf. 23 Abb. 49.).

Is 59 Grabrelief

Taf. 37 Abb. 59.
Isernia, Antiquario Comunale
Fundort unbekannt
Kalkstein H: 0,69; B: 0,65; T: 0,33
Das Relief ist schräg in Augenhöhe der Figur abgebrochen, wodurch die Gestaltung des oberen Abschlußes unsicher bleibt. Die Randleisten sind abgestoßen Oberfläche verrieben.

Lit.:
Erwähnt und abgebildet bei P. ZANKER, *JdI* 90, 1975, 302 Abb. 40
Fot.: Inst. Neg. Rom 75.2552

In dem hochrechteckigen, leicht vertieften und von Randleisten gerahmten Feld ist die Halbfigur eines Mannes dargestellt. Er ist wie üblich mit Tunika und Toga bekleidet und streng frontal dem Betrachter zugewandt. In der linken Hand hält er ein aufgeschlagenes Klapptäfelchen, in der Rechten, deutlich darüber sichtbar, zeigt er den *stilus*. Mit diesen Gerätschaften weist er wahrscheinlich stolz auf seinen Beruf als Schreiber oder Sekretär des Munizipiums hin. Als solcher war er eine angesehene Persönlichkeit in der Landstadt[1]. Aus *Aesernia* ist ein *scriba* inschriftlich überliefert[2]. Das Relief läßt sich aus typologischen Gründen in die spätrepublikanische bzw. die frühe Kaiserzeit datieren.

(1) s. dazu CASTRÉN, *Ordo Populusque* 65 und Anm. 1,2. Auch M. L. GORDON, JRS 21, 1931, 72ff. Vgl. Grabstein des L. Caninius in Turin, Museo Naz. (DÜTSCHKE IV 20). Grabstein in Sulmona, Museo Civico, mit Schreibgeräten (unveröffentlicht).
(2) CIL IX 2675.

Is 60 Grabrelief

Taf. 37 Abb. 60.
Isernia, Antiquario Comunale
Fundort unbekannt
Kalkstein H: 0,82; B: 0,58; T: 0,30
Die untere Randleiste fehlt, die linke sowie der Giebel sind abgestoßen.
Die Oberfläche ist verrieben.
Unveröffentlicht
Fot.: Inst. Neg. Rom 75.2551

Das hochrechteckige Relief wird von einem dreieckigen Giebel bekrönt[1]; an seiner rechten Seite ist noch der Ansatz eines Akroters zu erkennen.

In dem leicht vertieften und von Randleisten gerahmten Bildfeld ist die Halbfigur einer durch den bis auf den Hinterkopf heraufgezogenen Mantelsaum als weiblich zu identifizierenden Person dargestellt. Den rechten Arm hat sie in den Mantel eingewickelt und vor die linke Brust erhoben. Der Zustand der Oberfläche läßt keine Gesichtszüge mehr erkennen. Aus typologischen Gründen stammt das Relief aus der 2. H. des 1. Jh. s v. Chr. oder aus der frühen Kaiserzeit.

(1) Diese Form ist mehrfach in Süditalien bezeugt (in Padula: NEUTSCH Abb. 3ff).

Is 61 Grabrelief

Taf. 37 Abb. 61.
Isernia, Antiquario Comunale
Fundort unbekannt
Kalkstein H: 0,67; B: 0,70; T: 0,30
Die untere Randleiste und der untere Teil der rechten Seitenrahmung fehlen.
Das Relief ist modern in Zement zu kurz ergänzt, wodurch seine Gesamtproportionen entstellt sind. Die Oberfläche ist stark verrieben.
Unveröffentlicht
Fot.: Inst. Neg. Rom 75.2550

Das hochrechteckige Relief wird von einem dreieckigen Giebel bekrönt. In dem leicht vertieften und von Randleisten gerahmten Bildfeld ist die Halbfigur einer durch den bis auf den Hinterkopf heraufgezogenen Mantelsaum als weiblich zu identifizierenden Person dargestellt. Die Art wie sie sich in den Mantel hüllt und ihn drapiert, entspricht dem Pudicitia-Motiv[1].

Das Relief läßt sich wie Is 58-60 in die Reihe der spätrepublikanisch-frühaugusteischen Grabreliefs einordnen.

(1) Vgl. Is 10 Anm. 5.

Taf. 38 Abb. 62.
Paris, Louvre (Gipsabguß im Museo Civico in Baranello)
Aus Isernia, Contrada Trinità di Macchia
Kalkstein H: 0,93; B: 0,585; T: 0,31
Alle Kanten sind unregelmäßig gebrochen.

Inschrift:

L(ucius) Calidius Eroticus [1]	5-4,5
sibi et Fanniae Voluptati v(ivus) f(ecit)	3,5-3
« copo computemus » « habes vini I pane(m)	2,8-2,5
a(ssem) I pulmentar(ium) a(sses) II » « convenit » « puell(am)	3,2-5
5 a(sses) VIII » « et hoc convenit » « faenum	3-2,5
mulo a(sses) II » « iste mulus me ad factum	3-2,5
dabit »	3

Lit.:
CIL IX 2689 = ILS 7478 O. JAHN, *Darstellungen antiker Reliefs, welche sich auf Handwerk und Handelsverkehr beziehen, Berichte Leipzig IV*, 1862, 369 Taf. 10,6. TH.SCHREIBER, *Kulturhistorischer Bilderatlas, I Altertum* (1885) 306 Taf. 62, 12. CATALOGO DELLA MOSTRA AUGUSTEA DELLA ROMANITÀ, 3. Auflage (1938) XXXVII, 4 mit bibliographischem Anhang. T. KLEBERG, *Hotels, Restaurants et Cabarets dans L'antiquité romaine* (1957) 90, 118 Abb. 7. A. VITI, *Ad Calidium. L'insegna del piacere nel rilievo di Lucio Erotico* (1970). Erwähnt bei ST.MROZEK, *Prix et Rémunération dans l'occident romain (31 av. n. è. – 250 de n. è.)*, 1975, 15 Anm. 15.
Fot.: Inst. Neg. Rom 72.22 (vom Gipsabdruck im Museo della Civiltà Romana, Rom); 75.2718 (vom Gipsabdruck im Museo Civico in Baranello)

Das Relief ist bereits seit dem 17. Jh. bekannt; es war in den Händen verschiedener Besitzer, bis es 1901 an den Louvre verkauft worden ist. Seiner wechselvollen Geschichte ist jüngst A. Viti nachgegangen [2].

Die ursprüngliche Form des Reliefs ist nicht mehr zu ermitteln, da es an der oberen wie unteren Kante abgebrochen ist.

In dem oben und unten von einer profilierten Leiste gerahmten Bildfeld sind unter der siebenzeiligen Inschrift zwei Personen dargestellt: links ein Mädchen in langärmeligem Gewand. Es wendet sich mit linkem ausgestrecktem Arm nach rechts einem Mann im knielangen Kapuzenmantel zu [3]; dieser zieht sein gesatteltes Maultier am Halfter hinter sich her. Die Inschrift illustriert die Darstellung und kennzeichnet sie als Wirtshausszene. Die Diskussion zwischen den beiden dargestellten Personen entzündet sich an der Abrechnung, die das Mädchen an den Fingern herzählt [4]: einen *sextarius* (Schoppen) Wein; Brot für ein As; *pulmentar* (Fleischeinlage) für zwei As. Mit dem Preis ist der Mann einverstanden. Ein Mädchen für acht As. Der Preis scheint ihm angemessen. Hafer für das Maultier für zwei As. Diese Ausgabe ärgert ihn; er sagt, der Esel treibe ihn in den Ruin [5].

Aufgrund der Inschrift und der Darstellung hat das Relief schon bald nach seiner Entdeckung und später immer wieder das Interesse der Gelehrten gefunden, die seine Eigenartigkeit und Einzigartigkeit herausgestellt haben, ohne jedoch Kriterien beizubringen, die gestatteten, es in seinem Kontext anzusiedeln. Seine Funktion wurde unterschiedlich bald als Grabrelief, bald als Parodie einer Theaterszene, als Anspielung auf die Namen der beiden in der Inschrift genannten Personen oder als Wirtshausschild, wie A. Maiuri es vorgeschlagen hat [6], gedeutet. Meines Erachtens läßt die Formulierung 'vivus fecit' keinen Zweifel daran, daß es sich um ein Grabrelief handelt. Das Material ist der ortsübliche Kalkstein [6a], nicht Marmor, wie A. Viti behauptet, der u.a. mit dieser Feststellung seine Deutung auf ein als Grabrelief getarntes Wirtshausschild eines *fundus Calidianus* zu untermauern suchte.

Es handelt sich um eine Grabinschrift für zwei Personen, die zu Lebzeiten eine Taverne bewirtschafteten. Daß die Namen Anspielungen auf das von Beiden betriebene Gewerbe sein könnten, möchte ich nicht ausschließen; doch muß man andere Inschriften berücksichtigen, die ähnliche Kombinationen von Namen aufweisen und mit Sicherheit ebenfalls Grabreliefs sind [7].

(1) Die beiden sind sicherlich Freigelassene, wie die griechischen Cognomina zeigen (vgl. H.Thylander, *Etude sur l'epigraphie latine* (1952) 123ff; I. Kajanto, *Latomus* 27, 1968, 517ff; H. Solin, *Beiträge zur Kenntnis der griechischen Personennamen in Rom* (1971).
(2) Viti a. O.
(3) Dazu F. Kolb, *Römische Mäntel paenula, lacerna*, RM 80, 1973, 69ff.
(4) Vgl. ähnlichen Gestus des Fingerzählens auf einem Cippus aus *Amiterno* (F. Weege, RM 23, 1908, 30 Abb. 4).
(5) Über Preise allgemein, erläutert an Bsp. aus Pompeji, vgl. W. Krenkel, *Pompejanische Inschriften* (1962) 56ff.
(6) A. Maiuri, *Passeggiate campane* (1950)[2] 285, eine Quelle, die A. Viti a. O. benutzt, aber nicht anführt.
(6a) Für die Überprüfung am Original danke ich M. F. Tammaro.
(7) CIL IX 3223 (Nepi) nennt zusammen einen Pothos, eine Voluptas und einen Eroticus. CIL X 6189 = CIL XIV 1737: eine Voluptas setzt einer Vedia Venus und einem P. Ostiensius Epaphroditus eine Inschrift. CIL X 1209 (Abella) nennt einen gewissen Q. Calidius Epaphroditus.

Is 63 Fragment eines Grabreliefs

Taf. 35 Abb. 63.
Isernia, Antiquario Comunale
Aus der Nekropole nordöstlich der Stadt (1957)
Kalkstein H: 0,79; B: 0,45; T: 0,17
Es ist nur der obere Teil des Reliefs erhalten. Der Bruch verläuft horizontal. Die obere Leiste ist abgestoßen, die Oberfläche stark verrieben.

Inschrift:

[– – –]
[– – –]
filiabusque suis fecit

Unveröffentlicht
Fot.: Foto Sopr. 73/Is 011

Das Grabrelief besaß wahrscheinlich hochrechteckige Form und war von einem Giebel bekrönt.

In dem von breiten rahmenden Leisten umgebenen leicht vertieften Bildfeld sind auf glattem Grund mindestens zwei Figuren in Ganzfigur dargestellt [1]. Links steht (?) eine männliche Figur, die fast an den oberen Rahmen anstößt; sie ist nur bis kurz unter Schulterhöhe erhalten. Soweit sich erkennen läßt, ist sie mit Chiton und Mantel bekleidet und wendet sich nach links der anderen, wesentlich kleineren Figur zu, die sie mit der linken Hand am Kopf zu berühren scheint.

Die Deutung der Szene ist nicht möglich; aus der erhaltenen Inschriftzeile geht jedoch eindeutig hervor, daß es sich um ein Grabrelief handelt.

Der Typus des Reliefs mit in ganzer Figur dargestellten Personen fällt völlig aus den sonst in Samnium bekannten Grabrelieftypen heraus [2]. Derart 'bewegte Handlungsbilder' sind jedoch aus dem hellenistischen Osten [3] und auf italischem Boden aus stark hellenistisch beeinflußten Gebieten mit Städten wie Neapel [4] und Capua [5] bekannt.

---

(1) Diese Schlußfolgerung beruht auf einem Analogieschluß aus den unter Anm. 3-5 angeführten Beispielen.

(2) Vgl. Is 56-60.

(3) z.B. N. FIRATLI, *Les stèles funéraires de Byzance gréco-romaine* (1964) Pl. 41, 165-166; Pl. 68, 220.

(4) Dazu A. ROCCO, *Stele provenienti dal territorio dell'antica Napoli*, *RendAccNapoli* 12, 1942, 79ff.

(5) L. FORTI, *Un gruppo di stele del Museo Campano*, *MemAccNapoli* 6, 1942, 43ff und DIES. *Stele campane*, ebd. 299ff.

Is 64 Grabrelief des C. Aebutius Iucundus und der Cincia Sircina

Taf. 39 Abb. 64.
Isernia, Antiquario Comunale
Fundort unbekannt
Kalkstein H: 0,64; B: 0,62; T: 0,14
Der obere Abschluß und die untere Kante des Reliefs sind verloren. Die Kanten sind leicht abgestoßen. Die Inschrift und die figürliche Darstellung sind stark verrieben.

Inschrift:

sex vir Augustalis	2,7-2,4
C(aius) Aebutius C(ai) l(ibertus) [1]	5,5-5
Iucundus sibi et [2]	3,3
Cinciae Sircinae uxori	2,7-2

Lit.:
CIL IX 2692
Fot.: Inst. Neg. Rom 75.2559

Das Bild- und Inschriftfeld des hochrechteckigen Reliefs wird seitlich von je einer profilierten Leiste mit Faszium eingefaßt. Nach oben schließt das Relief mit einem halbrunden Giebel ab, in dessen Feld ein Rundschild vor einer schräg gestellten Lanze dargestellt ist. Die in flachem Relief ausgeführte figürliche Szene zeigt einen nach rechts gewandten Esel, dem ein hinter ihm stehender Mann den Sattel auflegt.

Die Inschrift ist über der figürlichen Darstellung in einem leicht vorspringenden Feld angebracht; die erste Zeile mit der Angabe des von C. Aebutius Iucundus bekleideten Amts ist in die Leiste, die den Giebel abtrennt, eingeritzt [3]. Der Sevirat berechtigte ihn die Amtsabzeichen, in diesem Falle nur die Faszien, zu zeigen.

Die Inschrift trägt nicht zu einer Interpretation der Szene bei. Die Beschäftigung mit dem Tier könnte berufsspezifisch gemeint sein [4]. Kommen handwerkliche Tätigkeit und munizipale Karriere zusammen, wird auf den Grabreliefs gern auf beides hingewiesen, wie wahrscheinlich auch in diesem Falle [5].

(1) CASTRÉN, *Ordo Populusque* 130 Nr. 9: Die Aebutii stammen wahrscheinlich aus *Latium Vetus*. Mit C. Aebutius Iucundus ist wahrscheinlich der *quattuorvir iterum* CIL IX 2657 verwandt (M. TORELLI, *StMisc* 10 (1966) 64-65).
(2) KAJANTO s. v. *Iucundus* 72, 73 bis, 283.
(3) Die Lesung des CIL ist in jedem Falle auszuschließen.
(4) Vgl. die Grabstele eines Weinhändlers (?), Benevent, Museo Naz. del Sannio Inv. 636 (M. ROTILI, *Il Museo Nazionale del Sannio* (1967) 13 Taf. 21b). Grabcippus in Aquileia (*Cat. Bologna* I Taf. 76, 152; II Nr. 311). Grabstele des Q. Veiquasius Optatus (*Cat. Bologna* I Taf. 118, 242; II Nr. 369).
(5) Vgl. Grabrelief in Verona, Museo Maffeiano (*Cat. Bologna* I Taf. 103, 208; II Nr. 340). CIL IX 2680: VI vir aug(ustalis) et medicus. Petron, Satyricon 65,5: ' Habinnas sevir est idemque lapidarius, qui videtur monumenta optime facere '. Zu den Berufen von *Augustales* und *seviri*: DE RUGGIERO I (1961) 824ff s.v. Augustales (v. PREMERSTEIN).

Is 65 Grabrelief des L. Taminius Rufus

Taf. 39 Abb. 65.

Isernia, im Hause des Rechtsanwalts De Baggis. Nach Auskunft des CIL aus der vigna Ricci, unweit des Ponte di Giancanise und des Vallone Campanise.

Kalkstein H: 0,92; B: 0,72; T: 0,62; Ø Büste: 0,30

Im 2. Weltkrieg beschädigt. Der obere originale Abschluß ist verloren. Die Figuren sind bestoßen, die Oberfläche stark verrieben. An der rechten Seite modern mit Ziegeln ergänzt.

Inschrift:

L(ucio) Taminio L(uci) f(ilio) Tro(mentina) Rufo [1]	4,8-3,8
Princeps l(ibertus) fecit et sibi et suis [2]	3,2-3

Im Feld der figürlichen Szene
Ø F $\overline{X}$ *III* $\overline{X}$ *VIIII*
$\overline{XIX}$ *IVIIII*
Vor dem Tisch
vigul[*a - - -*]   3
cape   3,8
  ••
Lit.:

CIL IX 2749. Der Grabstein ist erwähnt von O. JAHN, *SB Leipzig* 14, 1861, 349 Anm. 220. Die letzten beiden Zeilen der Inschrift sind wiedergegeben bei F. BUECHELER – A. RIESE, *Carmina Latina Epigraphica* II (1895) Nr. 36. Fot.: Inst. Neg. Rom 75.2632

Die Vorderseite des Kubus ist mit Relief und Inschrift versehen. Sie ist in mehrere Zonen unterteilt: im oberen Teil über der Inschrift ist eine männliche Büste in eine kreisförmige Vertiefung eingesetzt. Es handelt sich wahrscheinlich um den *patronus* L. Taminius Rufus. Seine Gesichtszüge sind nicht mehr zu erkennen. Unter der Inschrift in einem leicht vertieften und seitlich gerahmten Feld ist eine figürliche Szene dargestellt. Es handelt sich wohl um eine berufsspezifische Darstellung: links zu seiten eines Tisches sitzt auf einem Schemel ein Mann in kurzer Tunika, mit der Linken greift er einen Gegenstand, der einem Diptychon ähnelt[3]. Hinter dem Tisch, auf dem ein Korb[4] steht, sitzt ein zweiter Mann; er ist mit Dingen, die auf dem Tisch dargestellt waren, beschäftigt. Wahrscheinlich handelt es sich in Analogie zu anderen Monumenten[5] um die Darstellung eines Handelskontors. Der hinter dem Tisch sitzende Mann scheint den Betrieb zu leiten, möglicherweise ist es der in der Inschrift genannte Freigelassene Princeps, der andere assistiert ihm und kontrolliert die einzelnen Posten oder schreibt diese auf.

Die beigeschriebenen Zahlen, die nur noch undeutlich zu erkennen sind, erläuterten die Szene zusätzlich[6]. Unterhalb des Tisches ist eine zweizeilige Inschrift angebracht, die heute nur noch in Bruchstücken erhalten ist; eine sichere Lesung ist deshalb ausgeschlossen.

Berufsspezifische Darstellungen auf Grabreliefs sind aus Italien[7] und vor allem aus späterer Zeit aus den Rheinprovinzen[8] in großer Zahl bekannt.

Für eine Datierung bietet das Relief keine direkten Anhaltspunkte. Das Porträt im Clipeus ist ein der gehobenen Bildersprache entlehntes Element, das besonders im 1. Jh. n. Chr. auf Grabsteinen beliebt gewesen ist[9]. Aus dem Gebiet von *Venafrum* ist es ein weiteres Mal bezeugt[10].

(1) KAJANTO s. v. *Rufus* 19fnl, 26, 27, 30, 64, 65, 121, 134, 229.
(2) KAJANTO s. v. *Princeps* 18bis, 74, 75, 134 (276), 291.   Princeps ist ein Synonym für Primigenius, Primitivus, *Primus*.
(3) GARRUCCI, *Isernia* 151 Nr. 80.
(4) GARRUCCI, *Isernia*, a. O.

(5) s. Anm. 7.

(6) Ich halte es für unwahrscheinlich, daß die Zahlen sich auf die Kosten des Grabsteins beziehen. GARRUCCI 157 hält die Zahlen für Kurswerte des Wechslers.

(7) Aus *Aesernia* selbst vgl. Is 64, evtl. Is 57, 59, 62. Dazu H. GUMMERUS, *JdI* 28, 1913, 92ff. A. BURFORD, *Craftsmen in Greek and Roman Society* (1972) passim. H. BLÜMNER, *Die gewerbliche Tätigkeit der Völker des klassischen Altertums* (Reprint 1969). A. CARETTONI, *Banchieri ed operazioni bancarie. Civiltà Romana* 3, *Mostra Augustea della Romanità* (1938) 5ff. Unveröffentliches Relief in S. Vittorino / Amiterno.

(8) Relief in Belgrad (M. ROSTOVTZEFF, *RM* 26, 1911, 278ff Abb. 2, dort weitere Bsp. zitiert). Reliefs in Trier (F. HETTNER, *Die römischen Steindenkmäler des Provinzialmuseums zu Trier* (1893) 113 Nr. 2; R. SCHINDLER, *Landesmuseum Trier. Führer durch die vorgeschichtliche und römische Abteilung* (1970) 42ff Abb. 125-27, 129, 139-140, 149, 151-152.

(9) s. G. SENA CHIESA, *Stele funerarie a ritratto di Altino* (1969) 62 Anm. 2. Relief der Bennii, Kapitolinisches Museum / Rom (*Helbig*[4] II 1738 = H.v. HEINTZE, das in claudische Zeit datiert wird (Datierung VESSBERGS: 0-20 n. Chr. ist sicherlich zu hoch)). W. B. GERCKE, *Untersuchungen zum römischen Kinderporträt von den Anfängen bis in hadrienische Zeit* (Diss. Hamburg, 1968) 171, führt diese Form der Dekoration auf die wirkliche Einstellung von Büsten in Nischen zurück. Dazu auch P. ZANKER, *JdI* 90, 1975, 311. Relief des L. Antistius Sarculo / London (H.-J. FRENZ, *Untersuchungen zu den frühen römischen Grabreliefs* (*Diss. Frankfurt* 1977) Kat. J 5).

(10) Vf. 48.

Is 66 Grabstein des C. Maius Clemens

Taf. 39 Abb. 66.

Isernia, Antiquario Comunale

In der Trennungswand zwischen dem Museum und der anliegenden Kirche S. Maria delle Monache gefunden (1948)

Kalkstein H: 0,75; B: 0,58; T: ;0,12

Durch einen horizontal verlaufenden Bruch sind der obere Abschluß und die erste Zeile der Inschrift teilweise verloren. Die Oberfläche ist verrieben.

Inschrift:

C(aio) Maio L(uci) f(ilio) [1]	4
Volt(inia)	6-5,6
Clementi [2]	5,5-5,3
IIII vir(o) Aesern(inorum) [3]	4,7-4
5 Maia Helpis f(ilia) et	4,4-4
Maia [Ampli]ata l(iberta)	4-3,7

Unveröffentlicht. Erwähnt von A. DEGRASSI, *Epigraphica III, MemLinc Serie* VIII, Vol. XIII, 1967, 11f = *Scritti vari d'antichità* (1967) 102.

Fot.: Inst. Neg. Rom 75.2558

Der hochrechteckige Grabstein trägt an seiner Vorderseite die Inschrift, die seitlich von je einem Faszium begrenzt wird. Die Nennung des Verstorbenen als *quattuorvir* [4] gestattet es, in den Faszien und in dem nur sehr schematisch ausgeführten Dekor unter der Inschrift die Amtsabzeichen des Magistraten zu erkennen: es handelt sich um eine *sella curulis* [5] mit einem Kissen darauf und ein *suppedaneum*. In ihrer schematischen Wiedergabe ähnelt die *sella curulis* den *bisellia* auf den Grabreliefs von *seviri Augustales* aus *Aesernia* [6].

Der epigraphische Text ist in sich nicht aussagekräftig genug, um entscheiden zu können, ob es sich um eine Grab- oder Ehreninschrift handelt; wahrscheinlicher jedoch ist die Deutung als Grabinschrift, zumal die Stifter die Tochter und eine Freigelassene des Mannes sind.

Für einen *quattuorvir* nimmt sich der Grabstein bescheiden aus, wenn man ihn z.B. mit dem Grabaltar für C. Nonius (Is 33) vergleicht.

(1) Das Nomen Maius, das von Holder (A. HOLDER, *Alt-celtischer Sprachschatz* II (1904) 393) als keltisch angesehen wird, ist wahrscheinlich eher italischer Abkunft (Frdl. Hinweis von A. La Regina).

(2) KAJANTO s. v. *Clemens* 66, 69, 263.

(3) DEGRASSI a. O. löst die vierte Zeile der Inschrift in *Aesern(ia)* und weist daraufhin, daß die Hinzufügung von *Aesern(ia)* den Mann als aus einer anderen Stadt stammend ausweist; die Tribusangabe bestätigt dies. Zur *Tribus Voltinia* s. RE Suppl. 10 (1965) 1117 (CHR. HABICHT).

(4) Vgl. RE XXIV (1963) 851ff s.v. quattuorvir (WESENER). C. AMBROSETTI, EAA IV (1961) 230ff s.v. Isernia nennt das Quattuorvirat in *Aesernia* erst von augusteischer Zeit an als höchste Magistratur(s.dazu S. 7f).

(5) RE 2, Reihe II (1923) 1310ff s. v. sella curulis (KÜBLER).

(6) Is 64, 67-69.

Die folgenden drei Grabsteine, die *seviri Augustales* gehören (Is 67-69), stammen aus einem Grabbau der Nekropole von *Aesernia* in der heutigen Gemarkung Quadrelle. Zwei sind heute noch dort in der Ruine eines Bauernhauses vermauert. Dies ist auf den Überresten eines Grabmonuments errichtet. Das Grabmonument befindet sich neben dem des *collegium fabrum* (s. S. 162). Sein Typus läßt sich noch bestimmen: ein quadratischer Sockel von ca. 16 × 16 m Grundfläche trug einen zylindrischen Aufbau von ca. 6 m Höhe. Der Bau ist noch nicht erforscht. Da zahlreiche Blöcke sowohl vom Sockel als auch vom Rundbau mit seinem abschließenden Gesims in allernächster Nähe verstreut erhalten sind, ist von der Soprintendenza alle Antichità, Monumenti e Belle Arti del Molise eine Rekonstruktion des Grabmonuments geplant (frdl. Hinweis von A. La Regina). Wahrscheinlich handelt es sich um den Grabplatz der möglicherweise zu einem Kollegium vereinten *seviri Augustales*.

Weitere *collegia* sind durch Grabinschriften in der Nekropole bezeugt: außer dem genannten *collegium fabrum*, das *collegium cultorum statuarum et clipeorum* (CIL IX 2654) und das *collegium centonarium* (CIL IX 2686) (nach Angaben des CIL und des von A. ZAZO, *Samnium III*, 1930, 106ff wiedergegebenen Manuskripts der 31 im Jahre 1810 gesammelten Inschriften aus *Aesernia*). Die Grabinschrift eines *sevir Augustalis*, die von einem Rundgrab stammt, läßt sich nicht als sicher zugehörig bestimmen (CIL IX 2681).

Is 67 Grabstein des M. Servilius Primigenius und der Septimia Restituta

Taf. 39 Abb. 67.
Isernia, Antiquario Comunale
Aus der Gemarkung Quadrelle (1961)
Kalkstein H: 0,50; B: 0,72; T: 0,11
Alle Kanten sind leicht abgestoßen.

Inschrift:

M(arco) Servilio	7,5-7
Primigenio sev(iro) [1]	6,5-5,9
aug(ustali) sibi et	5
Septimiae Restitutae [2] [3]	5,1-2,5
5 v(ivis) f(actum) [4]	4,2-4

Unveröffentlicht
Fot.: Inst. Neg. Rom 75.2546

In den langrechteckigen Block ist unter die sehr sorgfältig und gleichmäßig eingemeißelte Inschrift ein *bisellium* mit gedrechselten Beinen eingeschnitten; ein von Binden umwundener Kranz liegt darauf, ein *suppedaneum* steht darunter. Inschrift und figürliche Darstellung werden seitlich von je einem schräg zum Bildrand gerichteten Faszium gerahmt. Diese Attribute sind die Amtsinsignien des in der Inschrift genannten *sevir Augustalis* [5]. Der Kranz scheint in diesem Zusammenhang keine spezifische Aussage zu besitzen [6]. Aufgrund des Charakters der Buchstaben der Inschrift und der Nennung des Sevirats ist eine Datierung des Reliefs in die frühe Kaiserzeit wahrscheinlich.

Die Art der ursprünglichen Anbringung (Vermauerung, Aufstellung) des Reliefs ist unbekannt.

(1) KAJANTO s. v. *Primigenius* 18 bis, 74, 75, 77, 134, 290.
(2) CASTRÉN, *Ordo Populusque* 219 Nr. 365: Die Septimii stammen möglicherweise aus sabinischem Gebiet.
(3) KAJANTO s. v. *Restitutus* 356.
(4) Die Inschrift ist grammatikalisch unlogisch. Die angegebene Auflösung der 5. Zeile bezieht sich auf die beiden Namen im Dativ. Das ' sibi ' der 3. Zeile bleibt dabei unberücksichtigt. Eine andere mögliche Lesung ist: v(ivus) f(ecit) mit dem Bezug auf den von 'sibi' zwar geforderten, aber nicht vorhandenen Nominativ.
(5) s. Is 51 Anm. 3*a* und Kommentar bei Is 51.
(6) RE IV (1901) 1638ff s.v.corona (HAEBLER). Von Kränzen wurde bei vielen Gelegenheiten ausgedehnter Gebrauch gemacht. Der von einer Binde umwundene Kranz in Verbindung mit dem *bisellium* läßt sich auf weiteren Grabsteinen nachweisen(s. Is 68-69; CIL IX 2681; Relief im Thermenmuseum / Rom (COARELLI, *Goleto* Abb. 35); Grab des Calventius Quietus / Pompeji (MAU 441 Abb. 260-261)).

Is 68 Grabstein des Cn. Rullius Calais und der Maria Corintis

Taf. 40 Abb. 68.
Isernia, in der Gemarkung Quadrelle in der Masseria S. Piccolo vermauert
In situ als Baumaterial verwendet

Kalkstein H: 0,74; B: 0,39; T: 0,22

Der obere Abschluß ist unkenntlich. Ein großer Teil des Blocks ist links unten abgeschlagen. Sehr starke Beeinträchtigung durch Witterungseinflüße.

Inschrift:

Cn(aeus) Rullius	4,7-4,2
Calais	4-3,7
sexvir Aug(ustalis)	3
sibi et Mariae	2,2-2
5 *[C]orintidi*	3
[con]tuber(nali)	2,8-2,2
v(ivus) f(ecit)	2,4-2,2

Lit.:

CIL IX 2682. COLINI 102 Nr. 31.
Fot.: Inst. Neg. Rom 75.2612

Der hochrechteckige Block wird links und rechts von je einem Faszium begrenzt. Für das Feld zwischen den Faszien war ursprünglich wohl eine andere Aufteilung vorgesehen, was aus der noch sichtbaren Felderrahmung deutlich wird [1]. Die endgültige Dekoration berücksichtigt diese vorgegebene Disposition nicht.

Die Amtsabzeichen des *sevir Augustalis* sind zwischen der dritten und vierten Zeile der Inschrift dargestellt [2].

(1) Diese Tatsache könnte ein Hinweis darauf sein, daß die Grabsteine in der lokalen Werkstatt möglicherweise bis zu einem gewissen Grade in Serie vorgefertigt wurden.
(2) Vgl. Is 67, 69.

Is 69 Grabstein des L. Albanus Martialis und der Obinia Calletyche

Taf. 40 Abb. 69.
Isernia, in der Gemarkung Quadrelle in der Masseria S. Piccolo vermauert
In situ als Baumaterial verwendet
Kalkstein H: 0,86; B: 0,41
Der Block ist vertikal durchgebrochen. Eine zusätzliche Beschädigung beeinträchtigt stark die Lesbarkeit der Inschrift.

Inschrift:

[L(ucio) Albano]	5,2
[M]ar tial(i) [1]	5,2
[sex] vir(o) aug(ustali)	5
[ite]m quinq(uennali) [2]	4,8
5 *[Au]gusta l (ium) et*	4,8-4,4
[Obi]niae Ca llety(che) [3]	4,8-4,4

⟦⟦cult⟧ori⟧ arae [4]   4,5-4

⟦⟦geni(i)⟧⟧ municipi(i)   4,5-4

⟦⟦pat⟧rono   4

Lit.:
CIL IX 2678. COLINI 103 Nr. 32
Fot.: Inst. Neg. Rom 75.2613

Der hochrechteckige Block wird rechts von einem Faszium begrenzt. Auf der linken Seite kann man in Analogie zu Is 68 ein zweites ergänzen. Unter der ursprünglich neunzeiligen Inschrift ist ein *bisellium* mit Kranz darauf dargestellt. Diese Disposition findet sich auf den beiden zuvor besprochenen Grabreliefs von *seviri Augustales* wieder (Is 67-68). Der Kommentar des CIL erwähnt, daß der Grabstein zusammen mit einer Statue gefunden worden ist [5].

(1) KAJANTO s. v. *Martialis* 18bis, 20, 30, 54, 55, 76, 212.
(2) Das CIL gibt 'iter' wieder, eine Lesung, die ich für unwahrscheinlich halte, Man. vgl. dazu andere Inschriften, die von einer Ämterakkumulation berichten, z.B. CIL XIV 396 = ILS 8346: sevir Augustalis, idem quinquennalis et curator. CIL IX 816 = ILS 6479: Apol(linaris) idem Augustalis. CIL XIV 4140 = ILS 6155: sevir August(alis) et q(uin) q(uennalis) eiusdem ordinis. Wenn dagegen ein Amt iteriert wird, heißt es z.B. ILS 157: VI vir aug(ustalis) iter(um).
(3) Zu diesem Cognomen und seinen verschiedenen Schreibweisen s. M. MELLO, *Paestum Romana. Ricerche Storiche, Studi pubbl. dall'Istituto Italiano per la Storia Antica* 24, 1974, 30.
(4) Zu Ämtern, Ehrenposten etc. s. DE RUGGIERO II, 2 (1961) 1310ff s. v. cultores (E. BRECCIA).
(5) Vgl. dazu SCHIESS 70 mit Anm. 217, der meint, daß das Kollegium dem Patron die Inschrift gesetzt habe. Er führt (a. O.) Inschriften an, in denen eine Statuenaufstellung genannt ist (CIL X 5654; CIL IX 4885; CIL XI 2702). Ein Manukript vom Jahre 1824 gibt an, daß es sich um eine Reiterstatue gehandelt hat (A. ZAZO, *Le iscrizioni lapidarie di Isernia in un manoscritto del* 1824, *Samnium XXV*, 1953, 94 Nr. XIII).

Is 70 Grabstein des C. Numisius Ampliatus und der Decitia Itace

Taf. 40 Abb. 70.
Isernia, Antiquario Comunale
Fundort unbekannt
Kalkstein H: 0,84; B: 0,73; T: 0,24
Der Block ist nicht in seiner originalen Höhe erhalten.
Die Oberfläche ist leicht verscheuert.

Inschrift:

C(aius) Numisius   7,5-6,7
Ampliatus sibi et [1]   6,5-5,9
Decitiae Itaceni [2]   6-4,9
v(ivus) f(ecit)   4,5-4

Unveröffentlicht
Fot.: Inst. Neg. Rom 75.2506

Der hochrechteckige, oben halbrund abschließende Grabstein wird durch eine einfache flache Profilleiste in Inschriftfeld und Giebel aufgeteilt. Die figürliche Dekoration beschränkt sich auf das Feld des Giebels, in dem ein Rundschild mit *umbo* dargestellt ist.

Das Gentilizium Numisius ist in *Aesernia* nur ein weiteres Mal bezeugt (CIL IX 2630). In *Saepinum* gehörte das aus augusteischer Zeit stammende Grabmal vor der Porta di Boiano der Familie der Numisii [3].

Der Grabstein läßt sich aufgrund des Charakters der Buchstaben der Inschrift und der einfachen Profilleiste in die Zeit der ausgehenden Republik oder in die frühe Kaiserzeit datieren [4].

(1) KAJANTO s. v. *Ampliatus* 349.
(2) Die Gens Decitia ist eine alte samnitische Familie. Nachweise bei A. LA REGINA, *PP* 161, 1975, 168: Anm. 24: Numerius Decitius dux Samnitium, der im Jahre 217 v. Chr. auf seiten der Römer gegen Hannibal kämpfte. Anm. 25: ein Decitis wird in der Vikturrai-Inschrift von Pietrabbondante genannt. Anm. 23: Decitius Samnis, der von Sulla proskribiert worden ist. Die Decidii in Pompeji: CASTRÉN, *Ordo Populusque* 162 Nr. 149.
(3) CIL IX 2532; AE 59, 276-284.
(4) Vgl. z. B. die Basis in Terni (ILLRP, *Imagines* Nr. 186).

Is 71 Grabstein der Hostilia Procale und des Q. Trebellius Venustus

Taf. 40 Abb. 71.
Isernia, Antiquario Comunale
Aus der Gemarkung Quadrelle, Masseria S. Piccolo (1831)
Kalkstein H: 0,50; B: 0,675; T: 0,41
Der rechte obere Rand ist abgesplittert.

Inschrift:

Hostilia Procale [1]	6-5
sibi et	5-4,8
Q(uinto) Trebellio Q(uinti) l(iberto)	5-4,8
Venusto	4,6
5 *contubernali*	4,8-4,2

Lit.:
CIL IX 2723
Fot.: Inst. Neg. Rom 75.2520

Der Grabstein stammt aus demselben Bauernhaus in der Gemarkung Quadrelle wie die Grabsteine der *seviri Augustales* (Is 67-69). In seinen Maßen ist er den Aschenurnenkästen aus dem Grabmonument des *collegium fabrum* eng verwandt; sein Profil ist sogar identisch mit dem des Urnenkastens Is 45. Aus dem Grabkomplex des *collegium fabrum* ist ein Urnenkasten bekannt (Is 43), der möglicherweise zwei Mitfreigelassenen des auf dem vorliegenden Grabstein genannten Q. Trebellius Venustus gehört. Im Unterschied zu jenen Urnen, ist es hier die Frau, die den Grabstein hat setzen lassen.

(1) Die Lesung des CIL kann mit Sicherheit verbessert werden.

Is 72 Fragment eines Grabsteins

Taf. 41 Abb. 72.
Isernia, Antiquario Comunale
Aus Forli del Sannio, Loc. Colle Finocchio (1964)
Travertin H: 0,51; B: 0,55; T: 0,165
Die Oberfläche ist stark porös und weist deutliche Verwitterungsspuren auf.
Unveröffentlicht
Fot.: Inst. Neg. Rom 75.2524

Das erhaltene Fragment ist der Mittelteil des Giebels eines Grabsteins. In die den Giebel rahmende Leiste ist in rudimentär wirkenden Buchstaben 'selpul' eingeritzt [1].

Die Mitte des Giebelfeldes nimmt ein Medusenkopf ein. Er ist nur sehr grob angelegt, die Angaben von Augen, Mund und Nase scheinen nur skizzierend durch kerbschnittartige Eintiefungen vorgenommen zu sein. Die Haarkappe ist als dicke Rolle geformt und liegt dem Kopf unverbunden an. Es läßt sich nicht entscheiden, ob die figürliche Darstellung ursprünglich auf das Giebelfeld beschränkt war oder sich auf die gesamte Höhe des Grabsteins ausdehnte.

(1) 'Selpul' steht wohl für 'sepul(turae locus ?)'.

Is 73 Giebel eines Grabsteins

Taf. 41 Abb. 73.
Isernia, Antiquario Comunale
Fundort unbekannt
Kalkstein H: 0,23; B: 0,60; T: 0,31
Der untere Rand ist leicht abgestoßen.
Unveröffentlicht
Fot.: Inst. Neg. Rom 75.2540

Der Giebel ist oben gerundet; seine Ecken sind als stilisierte Palmetten gebildet. In der Mitte des glatten Giebelfeldes ist ein kleiner Muskelpanzer mit bewegten Pteryges dargestellt. Dieses Motiv findet sich häufig in Metopen der dorischen Friese [1] und ist wohl als dekoratives Versatzstück beliebig verwendet worden. Man kann allein aus der Darstellung des Panzers, ohne zugehörige Inschrift, nicht auf den Beruf des Grabinhabers schließen.

(1) Vgl. Is 28, 31. Sepino Friesfragment in der Masseria Danello (Inst. Neg. Rom 75, 2676).

Is 74 Eckfragment eines dorischen Frieses

Taf. 41 Abb. 74*a-b*.
Isernia, Antiquario Comunale
Aus der Gemarkung Taverna della Croce (wie Is 12-19) (1965)
Kalkstein H: 0,62; B: 1,27; T: 0,37
Metopenfelder: 0,335 × 0,335
Es sind auf der einen Seite eine Metope und ein Triglyphon erhalten. Von einer zweiten Metope ist die rechte untere Ecke abgeplatzt. Auf der anderen Seite ist eine halbe Metope erhalten. Von dem Ecktriglyphon ist das zentrale Glyphon weggebrochen. Die obere Auflagefläche weist sechs unregelmäßig gesetzte Löcher auf; der Block gehört also in einen tektonischen Verband.

Lit.:
A. VITI, *Archeologia* (Roma) 1965, 262ff.
Fot.: Inst. Neg. Rom 75.2634-35

Die Metopen zeigen folgende Motive: eine Stierprotome, vom Typus des sog. Vollkopfs[1]; eine Binde, die über die Stirn geführt und um die kurzen Hörner gelegt ist, fällt zu seiten des Kopfs in leichter Drehung herab. Einkerbungen sollen den Eindruck von Hautfalten, vor allem an den Augen, an den Nüstern und an der Stirn hervorrufen. Die Haarbüschel auf der Stirn sind ornamental in vier parallele Reihen kurviger Rillen geordnet. Die zur Hälfte erhaltene Metope zeigt das gleiche Motiv. In der anderen Metope ist eine sechsblätterige Rosette mit zentralem Pollenstand dargestellt. Die länglichen, spitz zulaufenden Blätter sind in der Mitte gefurcht, ihr Rand ist durch eine Rille abgesetzt. Mit diesen Blättern wechseln dünne Stengel ab, die in einer kleinen vierblätterigen Blüte enden. Die Rosette läßt sich in Typus und Ausführung mit denen des dorischen Frieses des Podiums im Apsidensaal des Fortuna Primigenia-Heiligtums in *Palestrina* vergleichen[2]; auch ein Fragment im Kapitolinischen Museum / Rom weist große Ähnlichkeit auf[3].

Aufgrund der Dimensionen könnte das Fragment zu einem würfelförmigen Grabmonument gehört haben[4].

(1) NAPP 2.
(2) Abb. bei TORELLI Abb. 14.
(3) MUSTILLI 13, Nr. 28-34 Taf. 9, 32.
(4) Vgl. z. B. den Grabbau der Aefionii in Sarsina (AURIGEMMA, *Sarsina* 23ff; dortige Frieshöhe: 0,455 m). Weitere Bsp. bei TORELLI a. O. Von demselben Fundplatz stammt ein Gesimsblock, der möglicherweise ebenfalls zu dem Monument gehört hat (Museo Comunale H: 0,21; B: 1,16; T: 0,37. Inst. Neg. Rom 75.2512).

Is 75 Fragment einer Grabtür

Taf. 42 Abb. 75.
Isernia, Antiquario Comunale
Fundort unbekannt
Kalkstein H: 1,07; B: 0,66; T: 0,21
Es ist ein Teil des rechten Türflügels erhalten. Auf der linken Seite verläuft ein schräger Bruch. Rechts, oben und unten ist der Block regelmäßig zugeschnitten, was auf eine Wiederverwendung schließen lassen könnte.
Unveröffentlicht
Fot.: Inst. Neg. Rom 75.2529

Es handelt sich um die hochrechteckige, geschlossene zweiflügelige Tür eines Grabmonuments [1].

Der erhaltene Teil des rechten Türflügels weist zwei profilierte Spiegel auf, deren ursprüngliche Höhe sich nicht mehr bestimmen läßt. Der obere Spiegel besitzt eine Applike: auf einem profilierten Sockel steht eine Viktoria archaistischen Typs. Sie ist mit einem bis auf die Füße reichenden chitonartigen Gewand bekleidet, das hoch unter der Brust gegürtet ist. Die Hände hält sie vor dem Körper verschränkt; die Flügel sind ‘ vorgeklappt ’.

In dem unteren Spiegel sieht man einen Türklopfer in Form eines Löwenkopfs. Großer Wert ist auf die detaillierte Darstellung der muskulösen Wangen- und Stirnpartie des Löwen gelegt. Die Mähne umgibt den Kopf in symmetrisch geordneten Strähnen.

Die die Spiegel trennenden Rahmen sind mit runden Metallbeschlägen besetzt, eine häufig auftretende Dekorationsform.

An Grabbauten z. B. in Pompeji [2] und Sarsina [3] sind derartige Grabtüren noch in ihrer originalen Anbringung erhalten. Die *porta inferi*, ob gemalt oder skulptiert, steht für den Übergang vom Diesseits ins Jenseits [4]. Sie ist als Motiv in hellenistischer Zeit besonders beliebt und in Alexandria schon im 3.Jh. v. Chr. nachgewiesen [5]. In Etrurien tritt sie ebenfalls früh auf [6], ihr Sinngehalt im etruskischen Bereich ist jedoch umstritten [7]. In römischer Zeit wird sie zu einem weitverbreiteten Motiv auf Urnen, Stelen und Sarkophagen [8].

Aufgrund der Dimensionen des Fragments kann man annehmen, daß die Grabtür aus *Aesernia* wahrscheinlich zu einem repräsentativen, mehrere Meter hohen Grabbau gehört hat.

(1) Grabmonumente konnten auch mit Scheintüren versehen sein, vor allem in hellenistischer Zeit (ENGEMANN 28ff). Bei dem vorliegenden Fragment handelt es sich wahrscheinlich nicht um einen Teil einer Stele in Türform, wie sie außer in Norditalien auch im Gebiet der Marser bekannt sind (LETTA-D'AMATO). Es fehlen jedoch sichere Anhaltspunkte, um diese Möglichkeit eindeutig ausschließen zu können, denn weder der eventuell die Inschrift tragende Architrav noch der Giebel sind erhalten.
(2) MAZOIS I 39 Taf. XIX, 4.

(3) Monument des Obulaccus (AURIGEMMA, *Sarsina* Abb. 66-67). Monument der Aefionii (AURIGEMMA, *Sarsina* 23ff Abb. 15-16).

(4) CUMONT 39, 59 Anm. 1. RIGHINI 395.

(5) ENGEMANN 30.

(6) Etruskische Aschenurnen (BRUNN-KÖRTE, *I Rilievi delle Urne Etrusche III* (1916) 58-59, 226 Taf. XLIX, 10; Taf. L, 12; Taf. CLIII, 10). Gräber von Tarquinia (M. PALLOTTINO, *La peinture étrusque* (1952) 37ff; G. BECATTI-F. MAGI, *Le pitture della tomba degli Auguri e del Pulcinella* (1955) 6ff, 12ff, Abb. 3ff Taf. 1ff; M. MORETTI, *Nuovi monumenti della pittura etrusca* (1966) 94ff (Nr. 809); 136ff (Nr. 1701); 300 ff (Nr. 1868).

(7) ENGEMANN 28 Anm. 80.

(8) z. B. Urne der Vergilia Veneria / Kunsthandel Rom (Inst. Neg. Rom 2925). Urne in Bologna (G. SUSINI, *Il lapidario greco e romano di Bologna* (1960) Taf. 17). Stele der Titia Prima (zuletzt: RIGHINI 417 Nr. 4 Abb. 7). Stele der Helvia Arbuscula (zuletzt: RIGHINI 418 Nr. 5 Abb. 8). Stele des P. Rameius Hilarus (G. SENA CHIESA, *AquilNos* 24/25, 1953/54, 74 Abb. 1; SCRINARI, *Aquileia* 204 Nr. 649 Abb. 649). Stele des C. Rufinius (L. FRANZONI, *Verona. Testimonianze archeologiche* (1965) 119; *NSc* 10, 1913, 195ff (A. DA LISCA)).

Is 76 Fragment der Decke eines Grabmonuments

Taf. 42 Abb. 76.
Isernia, Antiquario Comunale
Fundort unbekannt
Kalkstein H: 0,52; B: 1,27; T: 0,26
Eine Kante ist bestoßen.
Unveröffentlicht. Erwähnt von VERZAR 402 Abb. 40
Fot.: Inst. Neg. Rom 75.2517

Das Fragment ist folgendermaßen gegliedert: in das von glatten Leisten seitlich gerahmte Feld ist ein Rhombus eingeschrieben. Seine Ecken berühren jeweils die Mitte von Lang- und Schmalseiten; die entstehenden Zwickel sind mit Delphinen gefüllt. In dem rhombischen Mittelfeld ist ein ellipsenförmiges Gebilde dargestellt, das möglicherweise ein Mittelemblem besessen hat; ein vertiefter Ansatz ist noch erhalten. Der Ellipsenrand und der spitze Winkel des Rhombus sind durch einen schmalen Streifen miteinander verbunden. Ein weiteres Deckenfragment ist an der Fontana Fraterna in Isernia als Brunneneinfassung wiederverwendet [1]. Die Dekoration mit Delphinen folgt ganz dem gängigen Repertoire [2].

Für eine Datierung kann das einfache Dekorationssystem, ohne Stufung der Rahmenleisten und ohne komplizierte Segmentformen keinen präzisen Anhalt bieten. Das Stück läßt sich lose an die von M. Verzar zusammengestellten Beispiele aus dem späten 1. Jh. v. Chr. anschließen [3].

Das Fragment gehört zu einer Decke, deren Mittelteil sich aus zwei Platten dieser Art zusammensetzte [4]. Die glatten Randleisten des Fragments sind nicht breit genug, als daß sie auf den Außenmauern aufliegen könnten. Daraus folgt, daß die Decke sich aus mehreren Blöcken zusammensetzte und die glatten seitlichen Rahmen nur als Trennstreifen zum nächsten Block zu verstehen sind.

Die Form des Grabbaus läßt sich anhand des vorliegenden Fragments nicht bestimmen, es könnte sich sowohl um einen Naiskos als auch um einen Monopteros gehandelt haben [5].

(1) Is 79.
(2) Über Delphine als beliebtes Motiv in sepulkraler Verwendung, zuletzt behandelt bei VERZAR 404 Anm. 2. Vgl. Is 78. GARRUCCI, *Isernia*, 149f berichtet von den Resten eines Grabmonuments bei S. Maria delle Grazie in der Gemarkung Terravecchia jenseits des Flußes Vandra. Er erwähnt das Fragment einer Decke mit Darstellung eines in eine Meermuschel blasenden Triton (vgl. Giebelfragment einer Stele mit Triton, aus Teano (E. GABRICI, *MonAnt* XX, 1910, 14 Abb. 5)). Zur symbolischen Bedeutung von Tritonen: B. ANDREAE, *Studien zur römischen Grabkunst.* 9.Erg.-H. *RM*, 1963, 74.
(3) VERZAR 401.
(4) Die Decken konnten auch aus einem Block sein (s. Fragment von der Via Appia: *Capitolium* 43, 1968, Abb. 36 Nr. 34).
(5) Bsp. für verschiedene Deckenformen bei VERZAR Abb. 38aff.

Is 77 Fragment der Decke eines Grabmonuments

Taf. 42 Abb. 77.
Isernia, als Brüstung der Fontana Fraterna in Piazza Concezione eingemauert
Fundort unbekannt
Kalkstein H: 0,75; B: 1,80; T: 0,17
Die erhaltene Platte stellt ungefähr eine halbe Decke dar.
Eine Langseite weist durch die Wiederverwendung entstandene Eintiefungen auf.
Unveröffentlicht. Abgebildet bei A. MAIURI, *Passeggiate campane* (1950) Taf. 42
Fot.: Inst. Neg. Rom 31.2999-3000; 75.2630

Der figürliche Schmuck des Blocks ist dem des unter Is 76 beschriebenen sehr ähnlich; das Fragment stammt jedoch von einer größeren Decke.

Eine Blüte schmückt das quadratische Mittelfeld; sie ist auf einen Kranz von abwechselnd zungenförmigen und akanthischen Blättern gesetzt. Der Akanthus weist spitze, gleichmäßig gezackte, stark auf dekorative Wirkung abzielende Blätter auf. In dieser Stilisierung der Form geht er weiter als z. B. zwei Fragmente aus Cales, die in die 1. H. des 1. Jh.s v.Chr. datiert worden sind [1]. Das Fragment aus *Aesernia* wird wohl gegen die Mitte des Jahrhunderts zu datieren sein.

(1) VERZAR, 401 Abb. 38a-b.

Is 78 Fragment der Decke eines Grabmonuments

Taf. 42 Abb. 78.
Pesche/ Isernia, in der Kirche Madonna del Bagno vor der Stadt vermauert
Fundort unbekannt
Kalkstein H: 0,90; B: 1,08

Zwei Kanten des Blocks sind halbrund abgeschlagen, die anderen sind gerade zugeschnitten. Die Oberfläche ist verrieben.
Unveröffentlicht
Fot.: Foto Sopr.

In das von glatten Leisten gerahmte Feld ist ein Rhombus eingeschrieben; seine Ecken berühren wohl jeweils die Mitte der Seiten. Die entstehenden Zwickel sind mit Delphinen gefüllt. In die Mitte des rhombischen Feldes ist eine große Blüte auf einen doppelten Kranz von Blättern gesetzt, die abwechselnd zungenförmig und spitz-akanthisch gestaltet sind.

Das vorliegende Fragment ähnelt Stücken aus Cales und wird wie jene in die 1. H. des 1. Jh. s v. Chr. zu datieren sein [1].

(1) VERZAR 401 Abb. 38b.

Is 79 Kassette eines Grabmonuments

Taf. 42 Abb. 79.
Isernia, Antiquario Comunale
Fundort unbekannt
Kalkstein H: 0,86; B: 0,84; T: 0,29
Inneres Feld: 0,38 × 0,51
Der Block ist auf drei Seiten zwecks einer leichteren Versetzung im tektonischen Verband abgeschrägt. Die Oberfläche ist an mehreren Stellen abgestoßen.
Unveröffentlicht
Fot.: Inst. Neg. Rom 75.2569

Die Kassette ist ein Teil der Decke eines Grabmonuments, von dem sich keine weiteren Elemente erhalten haben. Das Bildfeld ist mit einer sechsblätterigen Blüte mit dickem Mittelknoten geschmückt. Die Blätter sind in sich kerbschnittartig gerillt.

In dieser einfachen künstlerischen Ausführung könnte man die Blätter mit denen der Kassetten des Tempels in Cori vergleichen und käme somit zu einer Datierung in die 1. H. des 1. Jh. s v. Chr. [1]. Ebenfalls vergleichbar ist eine Blüte eines dorischen Frieses im Kapitolinischen Museum / Rom, den Mustilli in das ausgehende 2. Jh. v. Chr. oder an den Beginn des 1. Jh. s v. Chr. datiert [2].

(1) P. BRANDIZZI VITUCCI, Cora (Forma Italiae, Regio I, 5) 1968, 62 Abb. 92. Datierung vor 91 v. Chr.: A. DEGRASSI, ILLRP I Nr. 60.
(2) MUSTILLI 28 Taf. 9.

Is 80 Fragment der Bedachung eines Grabmonument

Taf. 42 Abb. 80.
Isernia, Antiquario Comunale
Fundort unbekannt

Kalkstein H: 0,77; B: 0,48: T: 0,30
Die Oberfläche ist verscheuert.
Unveröffentlicht
Fot.: Inst. Neg. Rom 75.2507

Das Fragment ist wahrscheinlich ein Teil eines Kegeldachs. Mehrere derartige Blöcke von trapezoider Form ergaben das schuppenverzierte Dach. Grabbauten mit Kegeldächern sind vor allem in Norditalien verbreitet gewesen[1].

Da keine weiteren, sicher zuweisbaren Fragmente des eigentlichen Baukörpers erhalten sind, lassen sich weder über die Höhe des Monuments noch über sein Aussehen im einzelnen Vermutungen anstellen.

(1) H. GABELMANN, *BJb* 173, 1973, 190 Anm. 94.

Is 81 Relieffragment mit Rahmen einer Grabinschrift (?)

Taf. 43 Abb. 81.
Isernia, Antiquario Comunale
Fundort unbekannt
Kalkstein H: 0,495; B: 0,86; T: 0,34
Alle Kanten sind leicht abgestoßen. Die Oberfläche ist stellenweise verrieben.
Unveröffentlicht
Fot.: Inst. Neg. Rom 75.2515

Das Fragment ist Teil eines Rahmens, der wahrscheinlich die Inschrift eines Grabmonuments umgab. Ein Inschriftfeld konnte aus mehreren Blöcken zusammengesetzt sein[1].

Rechts außen, an ein Rundprofil anschließend, verläuft vertikal ein karges Rankenornament. Der Verlauf des Rankenstammes läßt sich aufgrund der starken Bestoßung nicht klar nachvollziehen. Dem gekerbten Hüllblattkelch entwachsen Blüten, von denen eine fünfblätterige noch zu erkennen ist. Links davon im Feld zwischen dem erwähnten Profil und einem weiteren an der linken Seite, das aus zwei flachen Leisten und einem breiten Rundstab besteht, sind zwei Faszien und zwei Stäbe dargestellt; sie sind leicht schräg nach links geneigt. Aufgrund der Faszien läßt sich mit einiger Sicherheit vermuten, daß der erhaltene Block zum Grabmal eines Magistraten[2] oder eines *sevir*[3] gehört hat.

Die Stäbe gehörten den *apparitores*, die den Beamten in der Stadt den Weg bahnten[4]. Sie werden beispielsweise auf dem kleinen Fries der Ara Pacis[5] und auf der Aschenurne eines Magistraten in Volterra[6] dargestellt.

(1) Vgl. Grabmonument in Polla (V. SPINAZZOLA, *NSc* 7, 1910, 73ff Abb. 5). Ähnlich ist ein Fragment in Benevent, beim Arco del Sacramento (Unveröffentlicht).
(2) Vgl. Is 66.

(3) Vgl. Is 51, 67-69.
(4) RE II (1896) 191ff s. v. apparitores (HABEL). DE RUGGIERO I (1961) 523ff s. v. apparitores (DE RUGGIERO).
(5) G. MORETTI, *Ara Pacis Augustae* (1948) Taf. 34-35. I. SCOTT RYBERG, *MemAmAc* 22, 1955, Abb. 22a-b Pl. XI. E. SIMON, *Ara Pacis Augustae, Monumenta Artis Antiquae* I, 1967, Abb. 9.
(6) COLINI 105 Nr. 37 Abb. 39.

Is 82 Relieffragment mit Darstellung eines Fasziums

Taf. 43 Abb. 82.
In der Gemarkung Quadrelle in der Masseria S. Piccolo als linker Türpfosten vermauert
Fundort unbekannt, es stammt wahrscheinlich aus der Nekropole Quadrelle
Kalkstein H: 0,70; B. 0,295; T: 0,215
Die Oberfläche ist stark verscheuert.
Unveröffentlicht
Fot.: Inst. Neg. Rom 75.2610

Der Eckblock trägt auf zwei Seiten eine figürliche Darstellung: auf der einen Seite ist ein Faszium dargestellt, auf der anderen zwei vertikal parallel geführte Stäbe[1]. Da das Fragment in demselben Bauernhaus wie die Grabsteine der *seviri Augustales*[2] eingemauert ist, kann man vermuten, daß es Teil eines Grabsteins oder Teil der Verkleidung evtl. des gemeinsamen Grabbaus gewesen ist[3].

(1) Zu der Bedeutung der Stäbe vgl. Is 81.
(2) Vgl. Is 67-69.
(3) s. S. 162.

Is 83 Verkleidungsblock eines Grabmonuments für einen Mann aus der *Tribus Sergia*

Taf. 43 Abb. 83.
Isernia, Antiquario Comunale
Bei Km 166.760 der Nationalstraße Isernia-Castel di Sangro bei der Ortschaft Taverna della Vandra gefunden (1954)[1]
Kalkstein H: 0,59; B: 1,03; T: 0,16
In der oberen Auflagefläche befindet sich links ein Loch für die Bleivergießung; der Block stammt also aus einem größeren tektonischen Zusammenhang.

Inschrift:

[– – –] M(ani) f(ilius) Ser(gia)	6
[– – –] ex testamento fieri iussit	6-5,5
[HS] Ø Ø	5,5-5

Lit.:

G. COLONNA, NSc 13, 1959, 287 Abb. 1. A. DEGRASSI, *Epigrafica III, MemLinc* Serie VIII, Vol. XIII (1967) 11, 12 = *Scritti vari d'antichità* (1967) 102
Fot.: Inst. Neg. Rom 75.2505

Der erhaltene Block stellt den rechten Teil einer mit Inschrift versehenen Verkleidungsplatte eines Grabbaus dar. Die Wandfläche war durch
Pilaster gegliedert; der Eckpilaster mit Kapitell ist an der rechten Seite
noch erhalten. Über dem Inschriftfeld verläuft ein durch eine Leiste abge-
grenzter Rankenfries [1a].

In die *Tribus Sergia* waren aus der *Regio IV* nur die Marser und die
Peligner eingeschrieben [2], weshalb A. Degrassi den Mann für einen *incola*
oder einen seiner Nachkommen hält. G. Colonna zufolge war der Name
wahrscheinlich ohne Cognomen angegeben; deshalb und aufgrund der
Tatsache, daß Zahlzeichen verwendet sind, datiert er die Inschrift in die
1. H. des 1. Jh.s n. Chr. [3]. R. Duncan-Jones datiert ähnlich geschriebene
Zahlzeichen auf Grabsteinen allgemein vor ungefähr 100 n. Chr. [4].

Eine Ausgabe von 2.000 Sesterzen für ein Grabmonument konnten
sich durchaus breitere Schichten der Bevölkerung leisten. Die von R.
Duncan-Jones zusammengestellten Beispiele dieser Preisklasse gehören
vorwiegend Soldaten [5].

Aus der näheren Umgebung von *Aesernia* stammen zwei weitere
Grabsteine mit Preisangaben [6].

(1) COLONNA a. O. L. MARIANI, *Mon Ant* X, 1901, 412ff.
(1a) Es muß unentschieden bleiben, ob es sich bei dem vorliegenden Stück um einen
Block des Podiums eines Grabmonuments handelt. Vgl. das Rundmonument in Pietrabbondante (W. v. SYDOW, RM 84, 1977, 292f).
(2) L. ROSS TAYLOR, *Voting Districts of the Roman Republic*, PapMonAmAcRome XX,
1960, 111; 275.
(3) COLONNA a. O.
(4) R. DUNCAN-JONES, *An Epigraphic Survey of Costs in Roman Italy*, PBSR 33, 1965,
244 Nr. 612-613, 617. Vgl. auch die Liste bei S. MROZEK, *Die Sesterz-und Denarbezeichnung
auf römischen Inschriften während des Prinzipats*, Eos 57, 1967/68, 288ff. MROZEK geht von
datierten Inschriften aus und kann 580 nachweisen. Bei ihnen ist das Zeichen HS das am
häufigsten auftretende für Sesterzbezeichnung. Für das 1. Jh. n. Chr. führt er nur zwei da-
tierte Inschriften auf, für das 2. Jh. n. Chr. dann wesentlich mehr.
(5) s. die Aufzählung bei DUNCAN-JONES a. O. (zit. in Anm. 4) 244-245.
(6) aus *Venafrum:* CIL X 4929; 4967.

Die folgenden fünf Stücke (Is 84*a-e*) sind Fragmente von Verkleidungsplatten von Grabmonumenten. Diese Bauten lassen sich aufgrund des
Fehlens weiterer sicher zugehöriger Elemente nicht näher bestimmen.

Der allgemeine Typus, dem sie angehören, ist durch Monumente beispielsweise aus Pompeji gut bekannt. Es handelt sich dabei um durch
Pilaster gegliederte mehr oder weniger hohe Sockelbauten von Gräbern,
die einen mehrstöckigen Aufbau tragen konnten (vgl. das Girlandengrab
(Is 10 Anm. 6) oder das Grab bei der Porta Maggiore / Rom (TORELLI 38
Anm. 19 Abb. 7) und das Grabmonument des P. Verginius Paetus in Sarsina (AURIGEMMA, *Sarsina* 89ff)).

Is 84a Fragment der Verkleidungsplatte eines Grabmonuments

Taf. 43 Abb. 84a/1 und 84a/2.
Isernia, Antiquario Comunale
Fundort unbekannt
Kalkstein H: 0,88; B: 0,76; T: 0,31
Der Block ist an der rechten und linken Seite oben abgeschlagen. Die Helices des Kapitells sind bestoßen, Blütenstengel und Abakusblüte abgebrochen. Die linke Girlande ist abgerieben. Die obere Auflagefläche weist zwei Einlassungslöcher auf.
Unveröffentlicht
Fot.: Inst. Neg. Rom 34.959 (links). Auf diesem Foto ist der Block noch in seiner originalen Höhe erhalten, später ist die untere Hälfte abgesägt worden. Inst. Neg. Rom 75.2576 gibt den heutigen Zustand wieder.

Die glatte Wandfläche war durch unkannelierte Pilaster mit korinthischem Kapitell gegliedert, zwischen denen Girlanden aufgehängt sind. Eine täniengeschmückte Girlande ist noch erhalten. Ihre Zusammensetzung ist unklar: links ist noch ein Teil einer Weintraube zwischen fleischigen, spitz zulaufenden Blättern zu erkennen, rechts scheint es sich um stark stilisierte Spiralblüten zu handeln. Das Kapitell ist vom Typus des korinthischen Normalkapitells[1]. Es zeichnet sich durch die steife, holzschnittartige Darstellung der Einzelteile aus, die dem Kalathos flach anliegen. Kranz- und Hochblätter besitzen einen gezackten Umriß und sind ornamental in die Fläche gebreitet; die Faltungen innerhalb der Blätter sind nur grob skizzierend eingetieft. Die seitlichen Hochblätter sind leicht nach innen geneigt, die senkrechten Caulisstämme sind kanneliert. Stilistisch gehört das Kapitell in die Gruppe der provinziellen Stücke, die im Nachklang des Stils des 2. Triumvirats stehen[2]. In seinem Schnitzstil ist es Kapitellen wie dem am Bogen von Aquino[3], zwei Kapitellen in Ostia[4] und den Kapitellen des Rundmonuments in Pietrabbondante[5] ähnlich. Damit ergibt sich eine ungefähre Datierung in die Jahre nach 40 v. Chr.

(1) HEILMEYER 12ff.
(2) Zur stilistischen Abfolge zuletzt HEILMEYER 36ff; VERZAR 393-394.
(3) KÄHLER, *Kapitelle* Beilage 2,5.
(4) PENSABENE 54, 55 Nr. 208, 209 Taf. 19.
(5) W. v. SYDOW, RM 84, 1977, 283f Taf. 129.3.

Is 84b Fragment der Verkleidungsplatte eines Grabmonuments

Taf. 43 Abb. 84b.
Isernia, Antiquario Comunale
Fundort unbekannt
Der Block gehört zu Is 84a. Die Platte wurde ebenfalls durchgesägt, wie aus

einem alten Foto hervorgeht. Die Platte schließt direkt an Is 84a an. Die Oberfläche ist verscheuert, die obere und die rechte Kante sind abgestoßen.
Unveröffentlicht
Fot.: Inst. Neg. Rom 34.959; 75.2513

An der rechten Seite ist noch die Abarbeitung des Pilasters mit dem korinthischen Kapitell zu erkennen. Auf dem Block ist eine Girlande dargestellt; sie ist zu ihrem Mittelpunkt hin konzipiert, der mit einer achtblätterigen Blüte geschmückt ist. Die Blätter der Girlande sind fleischig und laufen spitz zu; sie ähneln Palmblättern. Die Tänien hängen dünn und leblos herab.

Die Girlande wirkt, als ob sie dem Hintergrund aufgebügelt wäre.

In der Lunette ist ein *scrinium* dargestellt, deutlich erkennbar an den kurzen Füßchen, dem beweglichen Henkel und dem Verschluß[1]. Vielleicht soll es eine Anspielung auf die Tätigkeit des Verstorbenen als Magistrat oder sonstiger Vertreter des öffentlichen Lebens sein, dem Buchrollen oder Dokumente anvertraut gewesen sind[2].

(1) RE II² (1923) 893ff s. v. scrinium (SEECK).
(2) Vgl. *scrinium* und *stilus* auf einem Grabstein in *Trebula Mutuesca* (CIL IX 4909).

Is 84c Fragment der Verkleidungsplatte eines Grabmonuments

Taf. 44 Abb. 84c.
Isernia, Antiquario Comunale
Fundort unbekannt
Der Block ist auf der rechten Seite abgebrochen; auf der linken und unteren Seite ist er glatt abgesägt. Die Eckvoluten des Kapitells sind abgeschlagen, die Abakusplatte abgebrochen.
Unveröffentlicht
Fot.: Inst. Neg. Rom 75.2513

Die Wandfläche war durch kannelierte Pilaster mit korinthischem Kapitell gegliedert. Ein Teil des Eckpilasters ist erhalten. Die glatten Blätter des Kapitells liegen in zwei Reihen dem Kalathos eng an. Die Caules sind kaum zu erkennen. Das Kapitell läßt sich in der Art, wie die Blätter geführt sind und in deren Verhältnis zur Gesamthöhe mit einem in die 1. H. des 1. Jh. s n. Chr. datierten Kapitell in Ostia[1] und dem Kapitell einer Halbsäule der Portikus der *Horrea Agrippiana*[2], die ebenfalls in diese Zeit gehört, vergleichen.

(1) PENSABENE 112 Nr. 410 Taf. 42.
(2) HEILMEYER 141 Anm. 617. NASH Abb. 585-586 s. v. Horrea Agrippiana.

Is 84 d Fragment der Verkleidungsplatte eines Grabmonuments

Taf. 44 Abb. 84*d*.
Isernia, Antiquario Comunale
Kalkstein H: 0,55; B: 0,55; T: 0,29
Der Block ist an allen vier Kanten abgestoßen; die rechte Kante scheint glatt
gesägt gewesen zu sein. Voluten und Helices des Kapitells sind abgeschlagen.
Unveröffentlicht
Fot.: Inst. Neg. Rom 75.2514

Die Wandfläche war durch unkannelierte Pilaster mit korinthischem
Kapitell gegliedert. Ein Pilaster ist noch erhalten. Das Kapitell entspricht
im Aufbau dem unter Is 84*a* beschriebenen. Ebenso wie dort sind die Blatt-
umrisse gezackt. Zwischen den Blattzähnen sind längliche Augen gebildet.
Zwischen Helices und Voluten ist eine kleine Rosette als Füllornament
eingesetzt.

Den bei Is 84*a* genannten Vergleichsbeispielen gegenüber ist das vorliegende Kapitell noch stilisierter, was eventuell auf eine etwas spätere
Entstehungszeit hinweisen könnte, die man jedoch wohl immer noch
innerhalb des letzten Drittels des 1. Jh. s v. Chr. ansetzen muß.

Die Rosette ist ein typisches Element bei Kapitellen der Zeit des 2.
Triumvirats[1].

(1) Vgl. z.B. ein Kapitell vom Tempel des *Divus Iulius* (KÄHLER, *Kapitelle* Beilage
2,8) oder eines vom Cäsarforum (KÄHLER, *Kapitelle* Beilage 2,9).

Is 84 e Fragment der Verkleidungsplatte eines Grabmonuments

Taf. 44 Abb. 84*e*.
Isernia, S. Maria delle Monache
Fundort unbekannt
Kalkstein H: 0,61; B: 0,38; T: 0,84; H (Kapitell): 0,36
Der Block ist an allen Kanten abgebrochen. Die überfallenden Lappen der Kranz-
und Hochblätter des Kapitells und die Abakusblüte sind bestoßen.
Unveröffentlicht
Fot.: Inst. Neg. Rom 75.2606

Die Wandfläche war durch unkannelierte Pilaster gegliedert. Vom
Kapitell des Eckpilasters ist nur noch eine Seite erhalten. Die Akanthusblätter sind durch den einheitlichen Blattumriß gekennzeichnet; zwischen
den Blattzähnen sind längliche Augen gebildet. Die Caules wachsen steil
auf und sind gerillt. Zwischen den Schnecken der Helices, die nicht zusam-
menstoßen, ist der Stengel der Abakusblüte hindurchgeführt. Ein Nachklang von Plastizität ist noch spürbar. Das Kapitell setzt sich von den anderen Stücken (Is 84*a-d*) ab und nähert sich eher Kapitellen, die dem Beginn des 1. Jh. s v. Chr. angehören, wie einem Kapitell vom Rundtempel

des Largo Argentina[1] und einem vom Bau des Kollegiums der *tibicines* auf dem Esquilin[2]. Möglicherweise ist es noch in der 1. H. des 1. Jh. s v. Chr. entstanden.

(1) KÄHLER, *Kapitelle* Beilage 1,4.
(2) M. GÜTSCHOW, *JdI* 1921, 68 Beilage III, 7.

Is 85 Architravfragment mit figürlichem Fries

Taf. 44 Abb. 85*a-b*.
Isernia, Antiquario Comunale
Fundort unbekannt
Kalkstein H: 0,45; B: 1,39; T: 0,215
Der Block ist an der linken Kante abgebrochen. Die Oberfläche ist verrieben.
Unveröffentlicht
Fot.: Inst. Neg. Rom 75.2543-44

Über dem Zweifaszienarchitrav ist in der oben und unten von einer schmalen Leiste begrenzten Frieszone eine figürliche Darstellung wiedergegeben. Zu seiten eines Gefäßes mit Fuß und Standplatte sind antithetisch zwei Löwengreifen mit Hundekopf dargestellt; sie haben eine Tatze auf den Rand des Gefäßes gelegt. Ihre Schwanzenden gehen in Ranken über, von deren Hauptstamm sich ein Stengel mit dreiblätteriger Blüte abzweigt[1]. Die Fläche über der Schale ist unregelmäßig gekerbt, möglicherweise sollen damit Flammen angedeutet werden.

Dem Relief mangelt es an plastischer Wirkung; die Tiere mit ihren derb eingekerbten Inskriptionen an Bauch, Mähne und Flügeln wirken wie aus Holz geschnitzt. Man könnte hierzu vielleicht den Helmbusch des Mars auf der Basis von Civita Castellana vergleichen, der ähnlich charakterisiert ist[2]. Auch in dem Verhältnis der Figuren zum Hintergrund lassen sich bei beiden Stücken Gemeinsamkeiten feststellen: durch eine durchgezogene Umrißlinie scheinen die Figuren mehr Plastizität zu erhalten, als sie in Wirklichkeit besitzen. R. Herbig datiert die Basis um 40 v. Chr.[3], womit auch für das vorliegende Fragment ein Datierungsanhalt gewonnen werden kann.

Das Fragment gehört wahrscheinlich zu einem Grabbau; die gegenständigen Greifen sind ein in der Grabsymbolik überaus beliebtes Motiv[4].

(1) Dies findet sich z. B. auch auf Campanareliefs (H. v. ROHDEN-H. WINNEFELD, 66, 67, 101.1, 118.1).
(2) R. HERBIG, RM 42, 1927, Beilage 17.
(3) HERBIG a. O.
(4) EAA III (1960) 1061 s. v. grifo (G. MANGANARO). ALTMANN Nr. 175ff. E. PASCHINGER, *Funerärsymbolik auf römischen Grabsteinen und ihre Wurzeln in der etruskischen Kunst* (1972) 21. (P. will die Symbolik aus der etruskischen Kunst ableiten). E. SIMON, *Zur Bedeutung des Greifen in der Kunst der Kaiserzeit, Latomus* 21, 1962, 749ff; 766. I. FLAGGE, *Untersuchungen zur Bedeutung des Greifen* (1975).

Is 86 Architravfragment mit Fries

Taf. 44 Abb. 86*a-b*.
Isernia, Antiquario Comunale
Fundort unbekannt
Kalkstein H: 0,52; B: 1,44; T: 0,44
Es ist vor allem die linke Seite abgestoßen.
Unveröffentlicht. Mit Abbildung erwähnt von VERZAR 398, Abb. 32
Fot.: Inst. Neg. Rom 75.2542; 75.2568

Es handelt sich um einen Eckblock. Über dem Faszienarchitrav ist ein Rankenfries dargestellt, der sich auf der rechten Seite fortsetzt.

Der Hauptrankenstamm, der eine durchlaufende Kerbung aufweist, ist dem Hintergrund in gleichmäßiger Stärke aufgelegt, ohne sich mit ihm zu verbinden. Dem Stamm entwächst an den kurzen, dreifach umwundenen Hüllblattkelchen eine Rankenspirale, die abwechselnd nach unten eine Blüte und eine Traube, nach oben nur eine Blüte ausbildet. Die Blüten- bzw. Traubenspiralen unterscheiden sich in ihrer Konsistenz nur wenig von der der Hauptranke, der sie sich in ihrer Führung völlig unterordnen. Die Hüllblätter sind spitz geformt. Die Art der Blüten variiert leicht: zwei sind sechsblätterig mit oval zulaufenden Blättern, die andere besitzt eher herzförmige Blätter. Die Rankenstämme der Vorder- und Nebenseite verschlingen sich an der Ecke zu einem Heraklesknoten und laufen in herzförmige Blätter aus.

Die formale Ableitung des nur relativ selten nachgewiesenen Motivs des Heraklesknotens hat jüngst M. Verzar dargelegt [1].

Die Ranke ist in ihrer unlebendigen Führung und ihrem Verhältnis zum Hintergrund einem aus stilistischen Gründen um 30 v. Chr. datierten Fries eines Grabmonuments im Antiquarium in Rom vergleichbar [2]. Es lassen sich eine Friesplatte in Benevent [3], ein Fries in Aquino [4] und ein weiterer aus der Umgebung von Cassino [5] anschließen.

(1) VERZAR 396ff. Weiteres Bsp. für einen Heraklesknoten: Marmorplatte wohl augusteischer Zeit, im Dom von Capua wiederverwendet (A. DE FRANCISCIS, *NSc* 11, 1957, 359 Abb. 1).
(2) TH. KRAUS, *Die Ranken der Ara Pacis* (1953) 36 Anm. 70.
(3) VERZAR 400 Abb. 36.
(4) VERZAR 400 Anm. 2.
(5) A. GIANNETTI, *Ricognizione epigrafica nel territorio di Casinum, Interamna Lirenas ed Aquinum, RendLinc* 24, 1969, 77 Taf. 11,4.

Is 87 Architravfragment mit Fries

Taf. 45 Abb. 87
Isernia, S. Maria delle Monache
Bei der Restaurierung der Kirche gefunden (1973)

Kalkstein H: 0,45; B: 0,74; T: 0,33
Der Block ist an beiden Seiten und oben gebrochen.
Die Oberfläche ist stark verrieben.
Unveröffentlicht
Fot.: Inst. Neg. Rom 75.2604

Es handelt sich um einen Eckblock. Über dem Zweifaszienarchitrav entwickelt sich ein Rankenfries. Zu erkennen ist auf der Langseite noch der Teil eines Rankenstamms, aus dessen Hüllblattkelch sich nach oben eine von einem Rebblatt bedeckte Traube bildet und nach unten eine Ringelblume. Das Motiv auf der Schmalseite besteht in einer nach unten gerichteten Sonnenblume.

Aufgrund der Bestoßung der Ecke ist nicht klar erkennbar, ob sich die Ranke der Vorderseite auf der Nebenseite fortsetzte oder an der Ecke neu einsetzte.

Is 88 a Friesfragment

Taf. 45 Abb. 88a.
Isernia, Antiquario Comunale
Fundort unbekannt
Kalkstein H: 0,275; B: 0,62; T: 0,29
Die obere Auflagefläche weist auf der linken Seite ein schwalbenschwanzförmiges Einlaßloch auf. Die Oberfläche ist stark verrieben.
Unveröffentlicht
Fot.: Inst. Neg. Rom 75.2583

Das Fragment gehört wahrscheinlich zu einem Grabmonument, dessen Wandfläche mit an Bukranien befestigten Girlanden geschmückt war. Auf der linken Seite ist ein vollständiges Bukranion, auf der rechten Seite der Teil eines weiteren erhalten [1]. Zwischen ihnen ist die Girlande aufgehängt, deren Einzelteile jedoch nicht mehr zu erkennen sind.

(1) Diese Form hat Napp 3ff Hautschädel genannt.

Is 88 b Friesfragment

Taf. 45 Abb. 88b.
Isernia, S. Maria delle Monache
Bei der Restaurierung der Kirche gefunden (1973)
Kalkstein H: 0,55; B: 1,10; T: 0,30
Die Oberfläche ist verrieben.
Unveröffentlicht
Fot.: Inst. Neg. Rom 75.2605

Der Palmettenfries wird unten und oben von einer glatten Leiste gerahmt. Die alternierend stehenden und hängenden Palmetten sind stark stilisiert. Sie sind in unpflanzlich wirkende Rahmen eingebunden, die kreisförmig gestaltet und miteinander verknotet sind. Die Zwickel zwischen Randleiste und Kreisform sind jeweils mit einer Pfeilspitze gefüllt. Die einförmige parataktische Reihung der Einzelmotive und der grobe Kerbschnittstil in dem sie ausgeführt sind, geben dem Fries eine unlebendige, jeder Spannung entbehrende Wirkung; in der Wahl des Ornaments ist allein von seiner dekorativen Wirkung ausgegangen worden.

Ähnliche Ziermotive finden sich auf Tonreliefs[1] und auch an Grabsteinen[2] wieder.

(1) H.v. ROHDEN-H.WINNEFELD, Taf. 65, 1.
(2) Grabstein in Imola (F. MANCINI-G. A.MANSUELLI-G.SUSINI, *Storia di Imola. Imola nell'antichità* (1957) 275 Taf. 16,1 und 17,3). Vgl. auch den Fries über dem Eingang des aus spätrepublikanischer Zeit stammenden Grabmals der Sempronii (NASH II 357 s.v. sepulcrum Semproniorum Abb. 1133-1134).

Is 88 c Friesfragment

Taf. 45 Abb. 88c.
Isernia, S. Maria delle Monache
Bei der Restaurierung der Kirche gefunden (1973)
Kalkstein H: 0,44: B: 0,49; T: 0,80
Der Block besitzt an seiner unteren Seite eine Aussparung, die möglicherweise nicht antik ist. Die Oberfläche ist stark zerstört, so daß die Dekoration kaum noch zu erkennen ist.
Unveröffentlicht
Fot.: Foto Sopr.

Dargestellt ist ein Rankenfries.

Is 88 d Friesfragment

Taf. 45 Abb. 88d.
Isernia, Giardino Comunale
Fundort unbekannt
Kalkstein H: 0,44; B: 0,50; T: 0,29
Der Block ist aus zwei Teilen mit Zement zusammengesetzt.
Alle Kanten sind abgebrochen.
Unveröffentlicht
Fot.: Foto Sopr.

Über einem glatten unverzierten Streifen ist ein stark stilisierter Rankenfries dargestellt. Der von einem Band umwundene Hauptrankenstamm weist der Länge nach eine Kerbung auf. An dem Hüllkelch entspringt ein große Spiralrosette mit dickem Mittelknoten[1]. An der linken Bruchkante ist noch ein Element sichtbar, das durch vier parallele, horizontal geführte Rillen gekerbt ist. Es könnte sich um einen stark stilisierten Flügel einer Viktoria oder eines Löwengreifen handeln, die in irgendeiner Weise die Ranke stützten.

Eine ähnlich umwickelte Ranke findet sich auf einem Relieffragment in Civita di Bagno / L'Aquila [2].

(1) Dasselbe Motiv ist mehrfach in Friesen in Venafro (Vf 53 Taf. 74; Vf 58 Taf.75; Vf 82c Taf. 82) und in Pietrabbondante (W. v. SYDOW, RM 84, 1977, 286 Taf. 129.3; 131.2) bezeugt.

(2) Unveröffentlicht (Frdl. Hinweis von A. La Regina).

Is 88 e Friesfragment

Taf. 45 Abb. 88*e*.
Isernia, in Via Castello 25 im ersten Stock unter dem Fensterbrett vermauert
Fundort unbekannt
Kalkstein H: 0,45; B: 1,51
Die originale Umrandung des Frieses ist auf der linken Seite und unten verloren.
Die Oberfläche ist abgestoßen.
Unveröffentlicht
Fot.: Inst. Neg. Rom 75.2631

Der Rankenfries entwickelt sich von einem Akanthuskelch in der Mitte ausgehend symmetrisch nach beiden Seiten. Der Rankenstamm ist als anorganisches, mehrfach durch Rillen gefurchtes Element gebildet. Die auf einem Ring aufsetzenden Hüllblattkelche bilden eine in einer Traube endende Spirale aus; an der Traube pickt ein Vogel (auf der rechten Seite erhalten) [1]. Die anschließenden beiden Rankenwindungen sind mit je drei Mohnkapseln gefüllt; zu den Seiten schließt eine kleine vierblätterige Rosette ab. Der Fries vermittelt einen starren und ornamentalen Gesamteindruck, der vor allem durch den gleichmäßig gekerbten Rankenstamm hervorgerufen wird; in seiner leicht durchhängenden Form ähnelt er eher gezogenen Stoffalten als pflanzlichen Gebilden. Dies wird noch dadurch verstärkt, daß die Ranke sich an keiner Stelle mit dem Hintergrund verbindet, sondern ihm flach, wie aufgeklebt aufliegt. In seinen erstarrten Formen, bei denen jedes Teil fast einen Eigenwert erhält und ein die Ranke durchlaufender Rhythmus fehlt, läßt sich der Fries schwer datieren. Er ähnelt in gewisserweise dem des Rundmonuments in Pietrabbondante [2]. Da alle Elemente der Ranke in ihrem tiefsten Punkt eine imaginäre Linie nicht unterschreiten, ist anzunehmen, daß dort die originale untere Begrenzungsleiste des Frieses angebracht war; sie scheint abgearbeitet worden zu sein.

(1) Zur Symbolik der Vögel an Grabbauten: VERZAR 399 Anm. 4.
(2) W. v. SYDOW, RM 84, 1977, 285f Taf. 129.3; 131.2.

Is 89a Kapitell

Taf. 46 Abb. 89a.

Isernia, Antiquario Comunale
Fundort unbekannt
Kalkstein H: 0,375; Abakus: 0,045; Kranzblätter: 0,11; Hochblätter: 0,23
Es fehlen die Eckvoluten. Die vorlappenden Teile der Blätter sind zum großen
Teil abgebrochen. Das Kapitell ist modern aufzementiert.
Unveröffentlicht
Fot.: Inst. Neg. Rom 75.2575

Das Kompositkapitell baut sich aus Kranz- und Hochblättern auf;
letztere werden von vorlappenden Blättern bedeckt. Darüber befindet
sich ein halbierter Eierstab, der direkt ohne Vermittlung eines Astragals
aufsitzt; die Eier sind nur grob durch eine Rille von den Schalen getrennt.
Aus dem Eierstab entwachsen die bandartigen Voluten, die bis auf den
Hochblätterkranz herabdrücken. Die Abakusblüte füllt den freien Raum
zwischen den Voluten und bedeckt den Rand der Abakusplatte.

Kranz- und Hochblätter laden weit und weichlappig aus, sie besitzen
einen gerundeten Kontur. Die einzelnen Blattfinger sind durch ösenför-
mige Bohrungen voneinander getrennt. Vergleichsbeispiele sind mir nicht
bekannt.

Die unglücklichen Proportionen des Kapitells und die unkanonische
Abfolge der einzelnen Motive sind wohl dem lokalen Steinmetz anzulasten;
er könnte eine Vorlage mißverstanden haben oder der vorhandene Stein-
block hat zur Ausführung des Kapitells nicht ausgereicht, so daß er die
Einzelmotive zusammendrücken mußte, um sie auf der zur Verfügung
stehenden Höhe unterzubringen. Als Vorbild könnte möglicherweise ein
Kompositkapitell des 2. Jh.s v. Chr. gedient haben.

Is 89b Kapitell

Taf. 46 Abb. 89b.

Isernia, Antiquario Comunale
Fundort unbekannt
Kalkstein H: 0,375; Kranzblätter: 0,12; Hochblätter: 0,22
Die Abakusplatte ist an einer Seite abgeschlagen.
Das Kapitell ist modern aufzementiert.
Unveröffentlicht
Fot.: Inst. Neg. Rom 75.2574

Das Kapitell wiederholt in Dimension, Aufbau und Stil das unter
Is 89a beschriebene. Wahrscheinlich gehörten beide zu einem Bau.

202

Is 90 Kapitell

Taf. 46 Abb. 90.
Isernia, Antiquario Comunale
Fundort unbekannt
Kalkstein H: 0,475; Kranzblätter: 0,16; Hochblätter: 0,29; Durchmesser: 0,58
Das Kapitell ist an verschiedenen Punkten bestoßen.
Unveröffentlicht
Fot.: Inst. Neg. Rom 75.2572

Die zackigen Spitzen der Kranzblätter berühren sich untereinander, so daß der untere Rand des Kapitells wie von einem Netz von rhomboiden oder dreieckigen Formen zwischen den Blättern umspannt ist. Die Hochblätter bestehen aus einem von zwei Rillen begleiteten Mittelsteg. Seitlich von diesen Rillen ist die Fläche glatt gelassen. Sie wird oben vom Umriß des untersten Blattlappens begrenzt, der sich mit seinem Gegenüber zu einer einheitlichen Furche zusammengeschlossen hat; die klar begrenzte glatte Fläche dient den Kranzblättern als Hintergrund. Die Caules verschwinden fast vollständig zwischen den Hochblättern. Die Helices besitzen kantige Zungenform.

In seiner fächerförmigen Umspannung des Kalathos, in dem Verzicht auf organische Wirkung und in der Bevorzugung von Ornamentwerten geht das Kapitell weiter als z. B. ein Kapitell in Ostia [1], das in das 2. Viertel des 3. Jh. s n. Chr. datiert wird. Es läßt sich an Beispiele aus dem 4. Jh. n. Chr. anschließen [2].

(1) PENSABENE 96 Nr. 399 Taf. 34. Ähnlich ebd. 99 Nr. 355 Taf. 35.
(2) R. KAUTZSCH, *Kapitellstudien* (1936) 51 Nr. 159 Taf. 12; Nr. 163 Taf. 12. F. W. DEICHMANN-H.THIERSCH, RM 54, 1939, Taf. 24,5 (Rom, S. Paolo fuori le mura).

Is 91 Kapitell

Taf. 46 Abb. 91.
Isernia, Antiquario Comunale
Fundort unbekannt
Kalkstein H: 0,40;
Guter Erhaltungszustand. Die Oberfläche ist leicht verrieben.
Unveröffentlicht
Fot.: Inst. Neg. Rom 75.2573

Das Kapitell besitzt drei übereinandergestaffelte Blattkränze, die den Kalathos völlig verdecken und flach umschließen.

Der untere Blattkranz besteht aus zwölf breit gefächerten Akanthusblättern ohne überfallende Blattlappen, der mittlere aus zwölf länglichen Orchideenblättern mit mittlerer Rippe, der obere aus acht stark stilisierten Akanthusblättern. Durch das Fehlen der Voluten verliert die zur Aufnah-

203

me der Voluten notwendige Auskragung des Abakus ihren Zweck und ist stark zurückgebildet. Der Abakus besitzt einen quadratischen Grundriß.

Das Kapitell ist wahrscheinlich im 5. Jh. n. Chr. entstanden (s. Vergleichsbeispiele bei R. KAUTZSCH, *Kapitellstudien* (1936) Taf. 44).

Is 92 Fragment eines Tischbeins

Taf. 45 Abb. 92.
Isernia, in Vico Storto Ciro Murilli 10 vermauert
Fundort unbekannt
Kalkstein H: 0,32
Es ist der obere Teil mit einem Löwenkopf und einem Teil der Auflageplatte erhalten. Die Oberfläche ist stark verrieben.
Unveröffentlicht
Fot.: Inst. Neg. Rom 75.2627

Das Fragment gehörte wahrscheinlich zu einem der dreibeinigen Tische, wie sie in zahlreichen Beispielen erhalten sind[1]. Als Einzelformen sind vom Kopf des Löwen noch die Nüstern, das Maul und die Augen zu erkennen. Die runden Ohren reichen bis an die Deckplatte heran. Die Mähne ist durch Furchen in Büschel unterteilt, die spitz zulaufen und glatt nach hinten gestrichen sind.

Der Tischfuß ist bisher das einzige Zeugnis für ' Wohnkultur ' in *Aesernia*. Aus *Bovianum* ist ein Trapezophorfragment augusteischer Zeit von ausgezeichneter Qualität erhalten[2].

(1) s. dazu G.M.A. RICHTER, *The Furniture of the Greeks, Etruscans and Romans* (1966) 110ff.
(2) Boiano, Giardino Comunale. Unveröffentlicht. Inst. Neg. Rom 75.2722-23.

V
KATALOG VENAFRUM

RUNDPLASTIK

Vf	1	Weiblicher Idealkopf
Vf	2	Männliche Grabstatue
Vf	3	Männliche Grabstatue
Vf	4	Weiblicher Kopf
Vf	5	Fragment eines männlichen Kopfs
Vf	6	Fragment einer weiblichen Gewandfigur
Vf	7	Weibliche Gewandstatue im Typus der Venus Genetrix
Vf	8	Knabentorso
Vf	9	Männliche Porträtstatue
Vf	10	Männliche Porträtstatue
Vf	11	Männlicher Porträtkopf
Vf	12	Weiblicher Kopf
Vf	13	Männlicher Porträtkopf
Vf	14	Knabenstatue
Vf	15	Satyrstatue
Vf	16	Fragment eines Beins mit Stütze
Vf	17	Männlicher Porträtkopf
Vf	18	Statuette der Hygieia
Vf	19	Weibliche Gewandstatuette
Vf	20	Weiblicher Kopf
Vf	21	Fragment einer Dionysosstatuette
Vf	22	Statuette des Ganymed
Vf	23	Statue der Venus vom Typus Landolina
Vf	24	Fragment einer Kybelestatuette
Vf	25	Fragment einer weiblichen Gewandfigur
Vf	26	Fragment einer nackten männlichen Statue
Vf	27	Fragment einer weiblichen Gewandfigur
Vf	28	Fragment einer weiblichen Gewandfigur in Statuettengröße

FIGÜRLICHE BAUPLASTIK

Vf	29	Relief mit *dona militaria*
Vf	30	Relief mit *dona militaria*
Vf	31	Relief mit *dona militaria*
Vf	32	Relief mit Feldzeichen
Vf	33	Cippus von einem Rundgrab
Vf	34	Waffenrelieffragment
Vf	35	Reliefblock mit behelmtem Kopf
Vf	36-38	Fragmente von Verkleidungsplatten von Grabmonumenten
Vf	39	Fragment eines Gladiatorenfrieses

Vf 1 Weiblicher Idealkopf

Taf. 47 Abb. 92 *a-c.*
Venafro, S. Chiara
Fundort unbekannt
Marmor H: 0,44; H (Kinn-Scheitel): 0,235
Der Kopf ist zum Einsetzen in eine Statue gearbeitet.
Die Nase fehlt, im Gesicht finden sich starke Bestoßungen. Die Haarpartien über
beiden Schläfen und der Hinterkopf waren angestückt. Die geglättete Ansatzfläche
auf der Rückseite weist hierfür in der Mitte ein Loch von 2 × 3 cm auf[1].
Der gesamte Kopf ist stark versintert.
Unveröffentlicht
Fot.: Inst. Neg. Rom 75.2774-76

Der lebensgroße Kopf ist stark zu seiner rechten Seite gedreht und
nach oben gewandt. Am langen fleischigen Hals zeichnen sich zwei Ve-
nusringe ab. Die Augen liegen tief und sind über dem inneren Winkel stark
verschattet. Der Augapfel wölbt sich stark vor. Der Kontur der fülligen
Wangen läuft in einem sanften Bogen im runden Kinn aus.

Die Haarkappe liegt dem Schädel eng an und fügt sich in den ovalen
Gesamtkontur ein. Vom Mittelscheitel aus sind die leicht gewellten Haare
zur Seite zurückgestrichen, bedecken den oberen Rand der Ohren und
waren wohl wie bei der knidischen Aphrodite hinten in einen lockeren
Knoten zusammengefaßt[2]. Das zweifach um den Kopf geschlungene Band
hält die Frisur zusammen und drückt sich nur leicht in die Haarmasse ein.
Das bewegte Haar ist durch wenige Rillen in Strähnen gegliedert.

In den aufeinanderstoßenden Achsen von Hals und Kopf, der Über-
länge des Halses, dem pathetischen Ausdruck der Augen und dem inten-
dierten Sfumato zeigen sich die hellenistischen Stilelemente besonders
deutlich[3].

Für eine Datierung des Kopfs lassen sich zum Vergleich die Haare
der Baebia aus der Fundgruppe Magnesia heranziehen[4]. Beide Köpfe
weisen wie erstarrt wirkende Haarwellen auf. Der Kopf aus *Venafrum*
zeigt in seiner Kopfwendung eine größere Lebendigkeit und Stofflichkeit
als derjenige aus Magnesia. Ähnliche Stiltendenzen weist auch der Frauen-
kopf vom Weiherelief des Lakreitides auf[5]. Durch diese Vergleiche ergibt
sich eine Datierung des Kopfs in die Jahre nach 100 v. Chr.; möglicherweise hat es sich um eine Muse oder Aphrodite gehandelt[6].

Dieses Stück steht in seiner Art und mit seiner Datierung in der künstlerischen Produktion von *Venafrum* vereinzelt da; es handelt sich offensichtlich um ein Importstück.

(1) Zusammenstellung der *capita desecta* bei J. R. CRAWFORD, *MemAmAc* I, 1917, 103ff. Ergänzung dieser Liste bei VESSBERG 221ff. Zu Ergänzungen in Stuck: V. M. STROCKA, *JdI* 82, 1967, 117ff.

(2) s. Replikenliste bei W. KLEIN, *Praxiteles* (1898) 251 Anm. 2.

(3) Vgl. z.B. Kopf der Aphrodite in Melos: R. HORN, RM 53, 1938, 83f Taf. 15,1; 16,2. Kopf der Niobe aus dem Schiffsfund von Mahdia: W. FUCHS, *Der Schiffsfund von Mahdia* (1963) 36 Taf. 55.

(4) Zuletzt: D. PINKWART, *AntPl* XII (1973) 149,1 Taf. 49-50. Kopf abgeb. bei HORN a.O. (zit. in Anm. 3) 85 Taf. 18.2.

(5) Eleusis, Museum. Abb. bei HORN a. O. (zit. in Anm. 3) Taf. 19.1.

(6) Vgl. die Bemerkungen von H. DÖHL, AA 1967, 418f.

Vf 2 Männliche Grabstatue

Taf. 48 Abb. 93.
Venafro, S. Chiara
Venafro, bei Ponte Nuovo rechts der Straße nach Caianello gefunden (1934) [1]
Kalkstein H: 1,30
Es fehlen der Kopf, der eingesetzt war, die Beine vom Knie ab und die linke Hand. Die Oberfläche ist verrieben und teilweise abgestoßen.
Unveröffentlicht
Fot.: Inst. Neg. Rom 75.2769

Die männliche Figur ist mit Tunika und Toga bekleidet. Im üblichen Schema greift die rechte Hand in den *balteus*, der linke Arm hängt am Körper herab. Der Mann hat sein rechtes Bein leicht nach außen gestellt, das Knie drückt sich durch den Stoff, der dem Körper eng anliegt. Die Gewandfalten sind nur summarisch durch grobe Furchen angegeben.

Eine ungefähre Datierung der Statue ist durch eine typologische Einordnung der Togaform möglich. Sie weist einen schon leicht aufgelockerten *balteus* gegenüber strafferen Formen der Mitte des I. Jh.s v. Chr. auf und läßt sich daher mit spätestrepublikanischen Togen, vergleichen wie sie etwa zwei Statuen im Thermenmuseum / Rom [2] oder eine andere in römischem Privatbesitz [3] tragen.

(1) In der heutigen Ortschaft Ponte Nuovo sind noch Reste von Grabplätzen zu sehen (LA REGINA, *Venafro* 57 Anm. 17).

(2) L. M. WILSON, *The Roman Toga* (1924) Abb. 9-10.

(3) WILSON a.O. (zit. in Anm. 2) Abb. 11. s. auch F. W. GOETHERT, RM 54, 1939, 179.

Vf 3 Männliche Grabstatue

Taf. 48 Abb. 94.
Venafro, S. Chiara
Vom gleichen Fundort wie Vf 2

Kalkstein H: 1,55
Es fehlen der Kopf, der angearbeitet gewesen ist, die linke Hand und die Füße.
Die Oberfläche ist stark verrieben
Unveröffentlicht
Fot.: Inst. Neg. Rom 75.2678

Die männliche Figur ähnelt in Haltung, Gewanddrapierung und Toga-form der unter Vf 2 besprochenen.

Die stark ausgeprägten Halsnicker weisen auf ein realistisch wieder-gegebenes Altersporträt hin.

Vf 4 Weiblicher Kopf

Taf. 48 Abb. 95 *a-b*
Venafro, ehemals in der Masseria Del Prete an der Abzweigung nach S. Maria dell'Oliveto auf dem Brunnen vermauert. Seit September 1975 verschollen !
Fundort unbekannt
Kalkstein Maße unbekannt
An der Nase, am Mund, am Kinn und am Zopf über der Stirn sind verschiedene Bestoßungen zu bemerken. Die Oberfläche ist stark verrieben.
Unveröffentlicht
Fot.: Foto Sopr.

Der Kopf gehörte wahrscheinlich zu einer Grabstatue. Es läßt sich nicht entscheiden ob zu einer Sitz- oder Standfigur. Die Frau hat den Man-tel im üblichen Schema weiblicher Grabstatuen über den Hinterkopf gezogen.

Das volle großflächige Gesicht wird von den unverbunden nebeneinan-derstehenden Einzelformen, wie den weitgeöffneten Augen mit leicht vorgewölbten Augäpfeln und dem festgeschlossenen Mund mit herabge-zogenen Mundwinkeln, beherrscht. Von der Frisur ist noch der Nodus über der Stirn zu erkennen. Er scheint nicht sehr hoch gewesen zu sein. Das restliche Haar ist wellenförmig nach hinten genommen. Durch diese Haar-tracht ist eine ungefähre Datierung des Kopfs möglich. Die Nodustracht ist für die 'Oktaviazeit' typisch; sie hält sich jedoch mindestens bis zur Zeit der Ara Pacis[1].

(1) GOETHERT 37 L. FURNÉE-VAN ZWET, *Fashion in Women's Hair-Dress in the First Century of the Roman Empire*, *BABesch* 31, 1956, 1-6. K. POLASCHEK, *TrZ* 35, 1972, 150-151. Die Frisur findet sich z.B. noch bei der älteren Frau auf dem Grabrelief des Ampudius in London / British Museum (GOETHERT 45: datiert in die zwanziger Jahre des 1. Jh.s v. Chr. VESSBERG 203 akzeptiert diese Datierung. H.-G. FRENZ, *Untersuchungen zu den frühen rö-mischen Grabreliefs* (*Diss. Frankfurt* 1977) Kat. D 22 datiert, wohl richtiger, in die spätere augusteische Zeit).

Vf 5 Fragment eines männlichen Kopfs

Taf. 48 Abb. 96.
Venafro, in Via de Amicis 6 vermauert
Fundort unbekannt
Marmor H: 0,19; innerer Augenabstand: 0,035;
äußerer Augenabstand: 0,09
Es ist nur eine flache Scheibe vom Gesicht, und zwar vom Haaransatz bis zur Unterlippe erhalten[1]. Zementbrösel beeinträchtigen die Epidermis. Die Brauen und die Nase sind bestoßen.
Unveröffentlicht
Fot.: Inst. Neg. Rom 75.2759

Es handelt sich um das Porträt eines alten Mannes: das Gesicht erhält seinen prägnanten Ausdruck durch die stark vorgewölbte Stirn mit drei scharf eingeritzten Horizontalfalten, durch die stark hervortretenden Wangenknochen, durch die tiefe Nasolabialfalte und den fest geschlossenen, schmallippigen Mund.

Die kleinen Augen sind mandelförmig gebildet und werden von wulstigen Lidern umschlossen. Der Übergang vom leicht gerundeten Augapfel zu den Lidern ist verschliffen. Die Brauen sind sehr kräftig gebildet und verschatten die inneren Augenwinkel. Kurze Haarsträhnen begrenzen die hohe Stirn. Die Haare sind in flachem Relief angegeben; die Spitzen der Strähnen sind teilweise in die Haut eingeritzt.

Die beschriebenen Charakteristika lassen sich z.B. mit einem spätrepublikanischen Porträtkopf in Este[2] und einer Porträtbüste im Magazin des Antiquariums in Rom[3] vergleichen.

Der Dargestellte wird bewußt als alter Mann charakterisiert. In dieser Darstellungsart reiht sich das vorliegende Porträt in eine große Anzahl von Bildnissen aus der Mittelschicht Roms und provinzieller Porträts ein, für deren Datierung noch keine eindeutigen Kriterien gefunden sind. Wahrscheinlich stammt der Kopf aus dem 3. Viertel des 1. Jh. s v. Chr. Er kann aber auch schon der augusteischen Zeit angehören[4].

Es läßt sich nicht entscheiden, ob der Kopf rundplastisch gearbeitet gewesen ist oder zu einem Relief gehört hat; ebenfalls bleibt seine originale Bestimmung ungeklärt. Das Material (Marmor) spricht für einen wohlhabenden Auftraggeber. Es bleibt unentschieden, ob das Stück evtl. aus sepulkralem Zusammenhang stammt.

---

(1) Nach Aussage des Besitzers des Hauses, der das Stück eigenhändig vermauert hat.
(2) Este, Museo Atestino (VESSBERG 230 Taf. 70, 1).
(3) VESSBERG 232 Taf. 75, 3-4.
(4) Zum gesamten Argument s. P. ZANKER, *Zur Rezeption des hellenistischen Individualporträts in Rom und in den italischen Städten* (*Abh Göttingen* 97, 1976) 581ff.

Vf 6 Fragment einer weiblichen Gewandfigur

Taf. 48 Abb. 97.
Venafro, in Via Redenzione 35 unter dem Balkon im 1. Stockwerk vermauert
Fundort unbekannt
Kalkstein Maße unbekannt
Es fehlen der Kopf, die linke Hand, der Unterkörper von der Taille an (falls es
sich um eine Ganzfigur gehandelt hat[1]). Die rechte Hand ist verrieben. Die unter
dem Fragment eingemauerte Inschrift ist nicht zugehörig (CIL X 4976).
Unveröffentlicht
Fot.: Inst. Neg. Rom 75.2765

Die Frau ist mit Chiton und Mantel bekleidet und im Typus der sog.
Pudicitia dargestellt[2], d. h. der Mantel war über den Hinterkopf gezogen
(wie die Bruchstelle am Hals deutlich zeigt) und wird von der Rechten in
Höhe des Kinns gerafft. Der linke Arm ist ebenfalls in den Mantel eingehüllt
und waagerecht vor den Körper geführt.

Die Faltenbildung ist sehr sorgfältig. Das Motiv des sich fest in den
Mantel Einhüllens kommt deutlich am linken Unterarm zum Ausdruck,
wo sich die Falten eng zusammenschieben und sich mit runden Rücken
stauen, während der auseinandergezogene Stoff auf dem Oberarm durch
weitauseinanderliegende Zugfalten mit schmäleren, härteren Stegen gekennzeichnet ist. Das Motiv des Mantelsaums ist am rechten Handgelenk
ganz organisch aufgefaßt: durch den hochgenommenen Arm fällt der
Stoff in weichem Umriß und bildet fast eine Schlaufe, deren unterer Rand
mit den ersten drei Rundfalten des um den Arm gespannten Stoffs ineinan-
derfließt. Der Stoffcharakter wird am Ausschnitt deutlich, wo sich der
Saum in weicher Bewegung mit scharfen Rändern hinabschwingt.

In den beschriebenen Charakteristika läßt sich eine weibliche Statue
im Garten der Villa Albani vergleichen, die von R. Horn in die augusteische Zeit datiert worden ist[3].

---

(1) Wie z.B. die Figuren auf dem Relief von der Via Statilia (*Helbig*[4] II 1631 = H.v.
HEINTZE).
(2) Zum Typus und seinen verschiedenen Redaktionen s. Is 10 Anm. 4; auch HORN,
Gewandstatuen 65ff. Weibliche Figuren im Pudicitiamotiv sind zahlreich als Grabstatuen oder
auf Grabreliefs erhalten (s. Anm. 1; E. E. SCHMIDT, *Römische Frauenstatuen* (1957) 18 Anm.
89f. BIEBER, *Sculpture* 132ff).
(3) EA 4502. HORN, *Gewandstatuen* 81 Taf. 40. 2. SCHMIDT a.O. (zit. in Anm. 2) 22.

Vf 7 Weibliche Gewandstatue im Typus der Venus Genetrix

Taf. 49 Abb. 98 *a-d.*
Venafro, S. Chiara
Fundort unbekannt
Marmor H: 1,10

Es fehlen der Kopf, der angearbeitet war, beide Arme, beide Unterschenkel.
Der Mantel ist nur an den Stellen erhalten, an denen er dem Körper direkt anliegt.
Unveröffentlicht
Fot.: Inst. Neg. Rom 75.2787-90

Die weibliche Gewandstatue stellt in ihrer Ponderation und in ihrem
Gewandmotiv eine seitenverkehrte Umbildung der Venus Genetrix dar [1].
Es handelt sich um eine Parallele zur sog. Charis vom Palatin [2].

Bei der Statue aus *Venafrum* ist jedoch das Mantelmotiv verändert. Der Mantel fällt wie eine Folie über den Rücken und liegt auf
der linken Schulter als Bausch auf. Der gesenkte rechte Arm muß in
irgendeiner Weise den Mantel gehalten haben [3]. Der linke Arm war
gehoben.

Das Untergewand liegt dem Körper « wie naß » an und läßt deutlich seine Formen heraustreten. Wenige zu Bündeln zusammengefaßte
Zugfalten führen schnurartig von der linken Schulter über den Leib zum
Schoß. Die starke Dehnung und Herauswölbung der rechten Hüfte wird
vom Kontur, der durch den glatt über sie gespannten Stoff klar umrissen
wird, unterstrichen. Die enge Fältelung des Chitonsaums unter der rechten Brust hebt die nackte Brust mit der Schulter stark ab. Die Falten am
Oberkörper weisen breite Rücken auf, die wie flachgebügelt wirken; in
ihre Oberfläche sind leichte Vertiefungen eingesetzt. Feine dazwischen
eingesenkte Ritzlinien dienen zur Belebung der Oberfläche; durch sie soll
eine knitterige Konsistenz des Stoffs hervorgerufen werden. Das Gewand
ist stark verstofflicht im Sinne des Hellenismus.

Die Statue aus *Venafrum* ist mit ihren gelängten Formen und mit
ihrer stark plastisch empfundenen Körperlichkeit noch ganz späthellenistischer Formtradition verpflichtet.

In der Wiedergabe der Falten läßt sich die Statue zwischen das frühaugusteische Grabrelief der Egnatia Chila in Rimini [4] und Figuren auf
der tiberischen Basis von Pozzuoli [5] einreihen.

Die spiegelbildliche Darstellung der Statue der Venus Genetrix diente
sicherlich dekorativen Zwecken und läßt ein Pendant erwarten.

(1) Dazu W. FUCHS, *Festschrift Schweitzer* (1954) 215 Taf. 50, 2. F. HILLER, *Formge-
schichtliche Untersuchungen zur griechischen Statue des späten 5. Jh. s v. Chr.* (1972) 3ff.
(2) Rom, Thermenmuseum (*Helbig*⁴ III 2284 = H. v. STEUBEN). Sie ist ein späthelle-
nistisches Werk. Zu einer seitenverkehrten Kopie des Apoxyomenos: H. LAUTER, *BJb*
167, 1967, 119ff. Zu Verdoppelungen auch W. TRILLMICH, *JdI* 88, 1973, 275ff.
(3) Evtl. wie bei der Statue in Neapel EA 498.
(4) *Cat. Bologna* I Taf. 14; II 129 Nr. 198 (G. A. MANSUELLI datiert frühaugusteisch,
damit übereinstimmend HORN, *Gewandstatuen* 75 Anm. 1). R. BIANCHI BANDINELLI, *Rom.
Das Ende der Antike* (1971) 110 Abb. 97.
(5) BrBr 575 (SIEVEKING). E. STRONG, *La scultura romana* I (1923) Taf. 18. Zuletzt:
P. MINGAZZINI, RM 83, 1976, 425.

Vf 8 Knabentorso

Taf. 50 Abb. 99 *a-d*.
Venafro, S. Chiara
Fundort unbekannt
Marmor H: 0,51 (H insgesamt ca. 1,20 m)
Erhalten ist der Rumpf. Die Beine waren vom oberen Drittel der Oberschenkel an separat gearbeitet und angestückt; ebenso die Arme. Dübellöcher sind noch erhalten. Der ursprünglich angearbeitete Kopf ist verloren. Der über die linke Schulter nach vorn fallende Mantelzipfel ist gänzlich weggebrochen, seine Auflagefläche aber noch deutlich zu erkennen. Alle freigearbeiteten Mantelteile fehlen. Die Oberfläche ist versintert.
Unveröffentlicht
Fot.: Inst. Neg. Rom 75.2783-86

In seiner Haltung mit dem geschwungenen Oberkörper ist der Torso an Vorbildern des 4. Jh. s v. Chr. orientiert.

Die gehobene und herausgedrückte rechte Hüfte zeigt, daß das rechte Bein das Standbein gewesen ist. Der Kopf war zur Spielbeinseite gewandt. Der Mantel war dem Knaben wohl einst um die Beine geschlagen (noch kenntlich in der rechten Seitenansicht Abb. 99 *c*) und lag der linken Schulter auf. Völlig flach und als ungegliederte Masse ist er quer über den Rücken gezogen. Durch den linken erhobenen und in der Schulter hochgestemmten Arm ist die linke Körperseite stark gedehnt, was vor allem in der breiteren Brustpartie deutlich wird. Die von diesem Motiv geforderte Stütze wird durch die auf der linken Seite (s. Abb. 99 *b*) in Höhe des Brustkorbs teilweise rauh gelassene Oberfläche bestätigt. Der vom linken waagerecht abgestreckten Arm herabfallende Mantel wird die Funktion der Stütze übernommen haben. Dies wird zum einen verdeutlicht durch die auf dem Rücken in nach links ansteigendem Bogen hochgeführten Falten, zum anderen war der Einblick in die Partie zwischen Körper und Gewand auf der linken Seite verwehrt, wie im Vergleich mit der rechten Seitenansicht deutlich wird, wo die Rückenwölbung durch eine verschattete Linie abgehoben ist.

Die Haltung des rechten Arms ist nicht mehr eindeutig zu bestimmen, wahrscheinlich war er weniger erhoben als der linke und vom Körper abgestreckt, was der Ansatz der Anstückungsstelle und die gut ausgebildete Achselhöhle nahelegen.

Eine Rekonstruktion der Statue könnte sich an Pothosdarstellungen orientieren [1], allerdings ist die Stellung der Beine nicht mehr zu klären. Das Motiv des Mantels, der unterhalb des Genitals nach vorn gezogen war, etwa wie bei einer halbbekleideten Statue des Apollon Lykaios in Dijon aus Toulon [2], weicht aber vom Typus des Pothos ab. Man könnte vermuten, daß es sich bei dem Torso aus *Venafrum* um eine eklektische Statue handelt.

Die fehlende Pubes und die weiche Inkarnatmodellierung, die bereits die Rumpfmuskulatur ahnen läßt, zeigen, daß es sich um den Körper eines Knaben handelt. So sind auch die einzelnen Muskelkompartimente nicht scharf gegeneinander abgegrenzt. Besonders deutlich wird dies bei dem weichen Übergang der Leistenlinie zum sich vorwölbenden Bauch und zu den Oberschenkeln. Die linea alba verliert sich in Verlauf und Form zwischen den Hebungen und Senkungen der Bauch- und Brustpartie. Eine weiche Mulde leitet von der verhältnismäßig fleischigen Brust zur Bauchregion über. In der rechten Seitenansicht müßte man durch den hochgenommenen Arm einen flachen, klar umgrenzten Brustumriß erwarten; der Torso zeigt jedoch einen verschwimmenden Übergang von der Brustpartie zur Seite, deren Inkarnat weich und unbestimmt wiedergegeben ist.

Für eine Datierung des Torso kann man eine Athletenstatue tiberisch-claudischer Zeit heranziehen [3]. Hier findet sich eine ähnliche Behandlung der Oberfläche mit weicher Modellierung und unklarer Absetzung von Brust- und Bauchinskriptionen [4]. Beide Körper verbindet die durch Hautverschiebungen hervorgerufene Unruhe der Oberfläche. In den Seitenansichten der beiden Statuen wird das weiche schwimmende Inkarnat besonders deutlich. Die flache Leistenlinie läuft zum Rücken wie zu den Seiten unbestimmt aus. Der Torso aus *Venafrum* weist dies in verstärktem Maße auf.

Die Verbindung des Torso zum Apollon Lykaios und zum Pothos deuten auf eine Verwendung innerhalb eines dekorativen Ausstattungsprogramms hin.

(1) G. BECATTI, *Il Pothos di Scopa, Le Arti* 3, 1941, 401ff. H. BULLE, *Zum Pothos des Skopas, JdK* 56, 1941, 121ff. W. MÜLLER, *Zum Pothos des Skopas, JdK* 58, 1943, 154ff. E. Simon, AA 1968, 148ff. *Helbig* [4] II 1644 = H. v. Steuben.

(2) J. MARTHA, *Note sur une statue grecque conservée au musée de Dijon*, BCH 6, 1882, 292ff Pl. 5. J. OVERBECK, *Griechische Kunstmythologie* III (1889) 189 Nr. 5. W. KLEIN, *Praxiteles* (1898) 168 IV Nr. 6.

(3) Statue ehem. in Neapel, jetziger Aufenthaltsort unbekannt (ZANKER, *Klassizistische Statuen* 10 Nr. 8 Taf. 5, 3; 6, 1; 7, 5).

(4) Bei dem Vergleich muß berücksichtigt werden, daß es sich bei der Replik des Doryphoros (s. Anm. 3) nicht um den Körper eines Knaben, sondern eines erwachsenen Mannes mit vollausgebildeter Muskulatur handelt.

Vf 9 Männliche Porträtstatue

Taf. 51-53 Abb. 100 a-g.
Neapel, Museo Nazionale
Aus Venafro, Loc. Terme di S. Aniello (1919) (wie Vf 10-11, 14-15, 21, 60-67, 69-70, 74-75, 77)
Marmor H: 2,18 (inkl. Plinthe)
Basisplatte: 0,70 × 0,51 × 0,09
Kopfhöhe: 0,29 Innerer Augenabstand: 0,03
Äußerer Augenabstand: 0,213

Nackter Torso und Mantelunterteil sind getrennt gearbeitet und zusammengesetzt. Die Kontaktlinie ist mit Zement verschmiert. Es fehlen der rechte Arm, der separat gearbeitet und mit drei Zapfen eingesetzt war, die Zapfenlöcher sind im Kugelgelenk noch erhalten, ferner die ebenfalls angestückte linke Hand, die Aurigemma a.O. noch abbildet und Teile der Finger der rechten Hand. Zwei kleine Gewandstücke am herabfallenden Mantelstück sind wieder angesetzt. An der linken Hüfte hinter dem Mantel befinden sich eine glatte Ansatzfläche und ein rechteckiges Einlaßloch (Tiefe: 0,045; Maße: 0,05 × 0,05), vielleicht für eine zusätzliche Stütze. Die Plinthe (0,52 × 0,47 × 0,09) ist in eine Basisplatte eingelassen. Der Porträtkopf sitzt ungebrochen auf; er ist an beiden Schläfen leicht abgestoßen. Ein Teil der Kalotte war auf der linken Seite angestückt. Drei Nägel sind noch vorhanden; auf der rechten vollständigen Kopfseite befinden sich ebenfalls drei Löcher mit Resten von Bronzenägeln, die zu einem Dreieck angeordnet sind. Ihr Vorhandensein läßt sich nicht für eine Anstückung der Haare erklären, möglicherweise war der Statue in späterer Zeit ein Kranz aufgesetzt. Die Ohren sind leicht bestoßen, ebenso der linke Kiefer. Spuren von Wurzelfasern finden sich auf der gesamten Statue. Die Bearbeitung des Marmors mit dem Meißel wird besonders in der linken Seitenansicht deutlich.

Lit.:

S. Aurigemma, *BdA* 1922, fasc. 2, 64ff Abb. 6-7. K. Lehmann-Hartleben, AA 1926, 124. A. De Franciscis, *Guida del Museo Archeologico di Napoli* [2], 1967, 37. Erwähnt von Th. Lorenz, *Polyklet* (1972) 71 (mit Datierung in spätrepublikanische Zeit). A. Dähn, *Zur Ikonographie und Bedeutung einiger Typen der römischen männlichen Porträtstatuen* (*Diss. Marburg* 1973) 86 Nr. 45.

Fot.: Inst. Neg. Rom 75.2704-10

Die überlebensgroße Figur ist im sog. Hüftmanteltypus dargestellt [1]. Sie steht auf dem rechten Bein, der rechte Fuß ist leicht nach außen gestellt. An der Außenseite dieses Beins befindet sich eine bis in Kniehöhe reichende Baumstütze. Das Spielbein ist zur Seite und nach hinten gesetzt, der Fuß ruht mit der Innenseite des Ballens auf. Dem Standmotiv entsprechend ist die linke Hüfte gesenkt und die rechte tritt heraus. Der stark angehobene rechte Arm hielt wahrscheinlich eine Lanze (in Analogie zu Vf 10). Der vom Mantel umhüllte linke Arm ist gesenkt, im Ellenbogen angewinkelt und nach vorn gestreckt. Die Hand hielt, der Abb. bei Aurigemma zufolge, möglicherweise eine Patera (Aurigemma a. O. nennt den Gegenstand « globo »).

Der Kopf ist zur linken Seite gedreht und leicht angehoben. Die fehlenden Alterszüge, wie Stirn- und Nasolabialfalten, weisen den Dargestellten als Mann mittleren Alters aus. Der schmale Kopf mit dem spitz zulaufenden Kinn zeigt einen geschlossenen Umriß. Der Hauptakzent des Gesichts liegt durch die vorspringende Brauenpartie auf den verhältnismäßig kleinen verschatteten Augen. Die geschwungenen Brauen bilden eine scharfkantige horizontale Zäsur zwischen der hohen Stirn und der Augenpartie. Das Orbital wird nur über den äußeren Augenwinkeln als Hautwulst sichtbar. Im Gegensatz zum scharf geschnittenen Oberlid sind Unterlid und Tränenkarunkel weich artikuliert. Die Nase ist scharf geschnitten. Ihr Rücken weist einen Buckel auf. Der kleine, schmallippige Mund wird von einer leicht vorstehenden Oberlippe und einer fülligeren Unterlippe gebildet. Die gesamte Mundpartie ist weich in ihre Umgebung eingebettet und steht damit im Gegensatz zum Inkarnant des Gesichts, das vor allem über Stirn, Jochbeinen und Wangenknochen straff gespannt ist und das Knochengerüst heraustreten läßt.

Die Haare sind nur um die Stirn und im Nacken ausgearbeitet. Die weit bis in den Nacken hinabreichenden Strähnen entsprechen der iulisch-claudischen Haarmode. Die Oberfläche der Haare wirkt wie geschnitzt. Die einzelnen Locken sind kantig und durch unregelmäßige Kerben voneinander getrennt. In der Stirn enden sie in fein auslaufenden Spitzen, während sie hinter dem Ohr und im Nacken gröber behauen sind. Während die gleichförmigen Haare und die harte Ausführung des Gesichts noch in die tiberische Zeit weisen [3], könnte die weiche Augen- und Mundpartie für eine Datierung in caliguleisch [3] - claudische Zeit [4] sprechen.

Dieser zeitliche Ansatz wird durch die Gestaltung des Gewands bestätigt. Der Mantel ist als schwerer Stoff gekennzeichnet, der den Körper völlig verhängt. Auffallend ist die Bildung des Mantelwulstes. Er wirkt wie in die Fläche «geklappt», seine Drehung ist nicht plastisch geformt, sondern die Rundung wird durch in die Gewandmassen eingeschnittene und begradigte Tiefen angedeutet. Eine leichte Aufwölbung am Faltenende soll den Eindruck von Stofflichkeit erwecken. Diese Tendenz ist auch in den übrigen Gewandpartien zu beobachten, wo sich in die breiteren Zugfalten flache Mulden, die in eine runde Kerbung auslaufen, einziehen. Die unstoffliche, lineare Bildung der Falten wird besonders im steif über den linken Arm herabhängenden Mantelzipfel deutlich. Die in gleichmäßiger Stärke durchgezogenen Rillen gliedern den Stoffall nur durch unterschiedliche Länge und Richtung ihres Verlaufs. Der Vergleich mit Hüftmantelstatuen von Mitgliedern des iulisch-claudischen Kaiserhauses, wie z. B. mit dem Germanicus im Vatikan [5] und dem Drusus Minor in Kopenhagen [6] zeigt, daß die Statue in caligulaeisch-claudische Zeit gehört. Gewandbäusche ähnlicher Anlage zeigen weibliche Gewandstatuen caligulaeischer Zeit, wie z. B. eine Statue der älteren Agrippina in Parma [7]. Hier überwiegen ebenfalls die graphischen Elemente in dem horizontal vor den Leib gelegten Gewandpartien. Die Statue aus *Venafrum* weist diesen Vergleichen gegenüber eine größere Verflächigung in der Gewandbehandlung auf. Dies und das fleischiger gewordene Inkarnat des Körpers weisen eher in die spätere, claudische Zeit.

Da keinerlei Übereinstimmung mit den Frisuren und der Physiognomie der iulisch-claudischen Kaiser oder Angehörigen des Kaiserhauses besteht, wird es sich bei dem Dargestellten um ein Privatporträt handeln [8].

(1) Statuen im Hüftmanteltypus: Augustus / Saloniki (NIEMEYER Taf. 24, 3); Tiberius / Leiden (NIEMEYER 75 Taf. 24, 2); Tiberius / Vaison-La-Romaine (NIEMEYER 78 Taf.

24, 4); Tiberius / Tripolis (NIEMEYER 77 Taf. 25); Tiberius / Kopenhagen (NIEMEYER 74 Taf. 24, 1); Germanicus aus Gabii (R. WEST, *Römische Porträtplastik* I (1933) Taf. 48, 213); Claudius / Louvre (NIEMEYER 79 Taf. 26, 1); Nero / Louvre (NIEMEYER 81 Taf. 26, 2); Unbekannter / Louvre (WEST a.O. Taf. 48, 214); Unbekannter / Neapel (WEST a.O. Taf. 65, 277). Zum Typus s. DÄHN a.O. 18ff.

(2) Tiberius / Kopenhagen (POULSEN, *Portraits* Nr. 46 Taf. 78-80), bei dem die Lider noch eine schärfere Augenbildung aufweisen.

(3) Caligula / Louvre MA 1234. Inst. Neg. Rom 35.760-62. J.-G. FAUR, *ActaArch* 42, 1971, 40 Abb. 9. Er zeigt in der Gestaltung der Oberfläche eine große Übereinstimmung mit dem Kopf der Statue aus *Venafrum*, nur daß der Caligula eine wesentlich qualitätvollere Arbeit ist, was u.a. an der differenzierteren Frisur deutlich wird.

(4) Vgl. Büste im Vatikan (*Helbig*[4] I 1055 = H. v. HEINTZE, die claudisch datiert; dagegen A. GIULIANO, *Catalogo dei ritratti del Museo Lateranense* (1957) Nr. 38 Taf. 25-26, der, wohl richtiger, caliguleisch datiert).

(5) GIULIANO a.O. (zit. in Anm. 4) Nr. 17 Taf. 7-8. *Helbig*[4] I 1131 = H. v. HEINTZE.

(6) Ny Carlsberg Glyptotek (POULSEN, *Portraits* Nr. 48 Taf. 83).

(7) Inst. Neg. Rom 67.1585. C. SALETTI, *Il ciclo statuario della Basilica di Velleia* (1968) Taf. 7. Dazu auch K.-P. GOETHERT, RM 79, 1972, 235ff.

(8) K. FITTSCHEN, Rezension zu NIEMEYER, *BJb* 170, 1970, 542 betont, daß bei der Bildnisaufstellung im privaten Bereich völlige Freiheit geherrscht habe. Private Porträtstatuen im Hüftmanteltypus sind verschiedentlich erhalten, z.B. der Feldherr aus Tivoli, Rom / Thermenmuseum (*Helbig*[4] III 2304 = H. v. HEINTZE; FELLETTI MAJ 45; BIANCHI BANDINELLI, *Rom* 85f Abb. 93); Sulpicius Platorinus (*Helbig*[4] III 2168 = H. v. HEINTZE); FELLETTI MAJ 104); die Fundgruppe aus Formia (S. AURIGEMMA, *BdA* 2. Serie 1, 1921-22, 309ff. F. W. GOETHERT, RM 54, 1939, 184f).

AURIGEMMA a.O. meinte in dem Dargestellten Augustus zu sehen, was schon von K. Lehmann-Hartleben zurückgewiesen wurde, der die Statue für eine augusteische und den Kopf für eine claudische Arbeit hielt.

Vf 10 Männliche Porträtstatue

Taf. 54 Abb. 101 *a-c.*

Neapel, Museo Nazionale Inv. 141.835

Aus Venafro, Loc. Terme di S. Aniello (1919) (wie Vf 9, 11, 14-15, 21, 60-67, 69-70, 74-75, 77)

Marmor H: 2,12 (inkl. Plinthe)

Statue und Plinthe sind aus einem Block gearbeitet, während der Kopf separat angefertigt war; der heute der Statue aufgesetzte Kopf (Vf 11) ist nicht zugehörig. Es fehlt die linke Hand, die angestückt gewesen ist. Der Mittelfinger der rechten Hand ist verloren. Reste eines Verbindungsstegs zwischen Daumen und Zeigefinger sind noch erhalten. Der untere Teil des über den linken Arm herabhängenden Mantelstücks ist mit Zement angesetzt. Der rechte große Zeh ist abgebrochen. Spuren von Wurzelfasern finden sich auf der gesamten Oberfläche.

Lit.:

s.o. Vf 9

Fot.: Inst. Neg. Rom 75.2711-13

Die Statue wiederholt den Typus und in der Art der Modellierung des Körpers die Statue Vf 9. Der Körper wirkt etwas breitflächiger, da das Gewand an der rechten Hüfte zum Rücken hin höher hinaufgezogen ist und der linken Körperseite anliegt.

Die Statue läßt sich in stilistischer Hinsicht mit der unter Vf 9 besprochenen vergleichen. Die Mantelfalten wirken kantig, wie geschnitzt,

219

ihre Täler sind unregelmäßiger im Verlauf und in der Gestaltung; dadurch entsteht ein gröberer Gewandductus. Die große Übereinstimmung in Form und Behandlung des Wulstes jedoch mit den unorganisch einschneidenden Faltentälern und die übereinstimmende Körperbehandlung schließen die Statuen in ihrer Entstehungszeit wieder eng zusammen. Man könnte also an die gleiche Werkstatt denken, in der zwei unterschiedliche Bildhauer arbeiteten.

Auch die Gestaltung der Statuenstütze weist in die caliguleisch-claudische Zeit [1].

(1) Vgl. Statue des Claudius in Olympia, Museum (NIEMEYER Nr. 96 Taf. 34, 2. Detailaufnahme der Stütze bei MUTHMANN Taf. 3, 8).

Vf 11 Männlicher Porträtkopf

Taf. 55 Abb. 102 a-c.
Neapel, Museo Nazionale
Aus Venafro, Loc. Terme di S. Aniello (1919) (wie Vf 9-10, 14-15, 21, 60-67, 69-70, 74-75, 77)
    Marmor H: 0,28; Innerer Augenabstand: 0,035
              Äußerer Augenabstand: 0,11
Der Kopf ist der Statue Vf 10 aufgesetzt aber nicht zugehörig, wie der Abstand von einem knappen Zentimeter vom Halsrand des Kopfs bis zum Körper der Statue zeigt. Der Kopf ist ungereinigt; er weist verschiedentlich Mörtelspuren auf. Reste von Wurzelfasern sind besonders in der linken Seitenansicht deutlich zu erkennen (Abb. 102 b). Spuren der Bearbeitung mit dem Zahneisen sind noch am linken Ohr zu erkennen.

Lit.:
s.o. Vf 9. AURIGEMMA a. o. 68 ff Abb. 9-10.
Fot.: Inst. Neg. Rom 75.2714-16

Der Porträtkopf stellt einen älteren Mann dar. Das Alter wird durch die kurzen Horizontalfalten auf der Stirn, die Nasolabialfalten, die Tränensäcke und die welken Hautpartien charakterisiert. Die kleinen länglichen Augen sind von schmalen weichen Lidern umrahmt und werden an der Nasenwurzel und durch die Oberlider leicht verschattet. Das vorquellende Orbital geht in die Brauenpartie über. Auffallend ist die Form des Augapfels, der flach und ohne Krümmung angegeben ist. Der obere Rand des Unterlids wölbt sich leicht zum Augapfel auf; der Übergang zum Tränensack und zur Wangenpartie ist fließend gestaltet. Die breitrückige Nase verdickt sich zum vorderen Ende hin. Der Mund ist schief gebildet durch die schmale, auf der linken Seite verkürzte Oberlippe. Die Lippen sind zusammengepreßt. Die gesamte Mundpartie wirkt fleischig verquollen. Sie wird von den Nasolabialfalten und dem tiefen Einschnitt zum kleinen runden Kinn umgrenzt. In der Seitenansicht werden der dickliche Kehlkopf, der spitz vortretende Adamsapfel und die fleischigen Halsfalten deutlich.

Die Haarfrisur ist nur in den vorderen Partien und am Oberkopf ausgearbeitet. Man kann noch erkennen, daß die Haare gemäß iulisch-claudischer Mode weit in den Nacken heruntergeführt waren. Charakteristisch für die Frisur sind die spitz zulaufenden kurzen, leicht gewellten Haarsträhnen. Unregelmäßige kurze Einkerbungen lockern sie auf.

Der Übergang zum Hinterkopf ist in einer kantigen vertikalen Linie blockartig gestaltet.

Vergleichbar für Gesichts- und Haargestaltung sind Porträtköpfe des Claudius[1], bei denen das Inkarnat durch eingeschnittene Falten ähnlich bewegt ist. Auch die Haarlocken mit ihrem fast dreikantigen Umriß und doch undeutlicher Absetzung voneinander lassen sich vergleichen.

(1) z.B. Claudiusporträt in Kopenhagen (POULSEN, *Portraits* Nr. 59 Taf. 98-99).

Vf 12 Weiblicher Kopf

Taf. 56 Abb. 103.
Venafro, in Via Cotugno 35 vermauert
Fundort unbekannt
Material und Maße sind aufgrund der hohen Vermauerung nicht zu bestimmen
Durch sehr starke Korrosion sind sämtliche Einzelformen unkenntlich.
Unveröffentlicht
Fot.: Inst. Neg. Rom 75.2750

Der Kopf ist nur noch in seinen Umrißformen erhalten. Die Frisur mit den stark ausgeprägten Wellen könnte ein Hinweis für eine Datierung in caligulische Zeit sein[1].

(1) Vgl. K. POLASCHEK, *TrZ* 35, 1972, 172.

Vf 13 Männlicher Porträtkopf

Taf. 56 Abb. 104.
Venafro, in Via dei Giardini links von Nr. 1 vermauert
Fundort unbekannt
Marmor H: 0,205; Innerer Augenabstand: 0,04
               Äußerer Augenabstand: 0,14
Es handelt sich um ein rundplastisches Bildnis. Der Kopf ist auf mittlerer Stirnhöhe waagerecht abgeschlagen. Es fehlt der Hals. Die zahlreichen Bestoßungen betreffen die Brauen, die Lider, vor allem das linke, die Nase und das Kinn. Große Partien der Oberfläche sind versintert und wohl durch Brand geschwärzt.
Unveröffentlicht
Fot.: Inst. Neg. Rom 75.2752

Durch die Reste der kurzen Locken, die vor die Ohren gestrichen sind, läßt sich der Kopf als Männerporträt identifizieren[1]. Die Reste eines Lorbeerkranzes sind noch über dem rechten Ohr zu erkennen.

Charakteristisch für die Gesichtsmodellierung sind die weichen Hebungen und Senkungen. Eine leichte Vertiefung neben den Wangenknochen hebt die Wangenpartie zu seiten der Nasenflügel heraus. Sie senkt sich nach unten ein, um sich zu seiten der Mundwinkel erneut herauszuwölben; dadurch wird der kleine Mund mit den vollen Lippen betont und gleichzeitig in seine Umgebung eingebettet. Eine gewisse Vergrößerung des Mundes kommt durch die nach unten gebogene Mundspalte zustande. Die weitgeöffneten Augen mit den flachen Aufgäpfeln werden von schmalen Lidern, die sich am äußeren Augenwinkel leicht überschneiden, umrandet. Das wulstige Orbital wölbt sich vor und lastet auf dem äußeren Oberlid. Das Unterlid verdickt sich am oberen Rand. Eine weiche vor der Tränenkarunkel beginnende Einziehung verliert sich in der Wangenpartie.

In der Augenbildung läßt sich der Kopf aus *Venafrum* mit Porträts der tiberisch-claudischen Zeit vergleichen, so mit zwei Frauenporträts in Kopenhagen[2]. In der Art der Oberflächenbehandlung ähnelt er einem Caligulakopf in Mailand[3], der jedoch eine verschwimmendere Augengestaltung aufweist. Das Vorhandensein des Lorbeerkranzes deutet darauf hin, daß es sich bei dem Dargestellten um einen Träger des *imperium* handeln muß[4]. Eine Benennung wage ich nicht auszusprechen.

(1) Die Frauen tragen in dieser Zeit seitlich nach hinten gestrichenes Haar. Dazu K. POLASCHEK, *TrZ* 35, 1972, 174ff. DIES. *Porträttypen einer claudischen Kaiserin*, *Studia Archaeologica* 17 (1973).
(2) Porträt der Agrippina Minor: POULSEN, *Portraits* Nr. 62 Taf. 104-105. Büste einer Römerin: POULSEN, *Portraits* Nr. 75 Taf. 130-131.
(3) Inst. Neg. Rom 30.559-61.
(4) s. dazu H. JUCKER, *Das Bildnis im Blätterkelch* (1961) 53f.

Vf **14** Knabenstatue

Taf. 57 Abb. 105a-b.
Venafro, S. Chiara
Aus Venafro, Loc. Terme di S. Aniello (1919) (wie Vf 9-11, 15, 21, 60-67, 74-75, 77)
Marmor H: 0,98; (ursprgl. ca. 1,25)
Es fehlen der zum Einsetzen gearbeitete Kopf, der linke, separat gearbeitete Arm, das Genital, das linke Bein vom Knie ab, der rechte Fuß vom Knöchel an und die Plinthe. Der rechte Arm ist kurz unterhalb der Achsel abgebrochen. An der rechten Körperseite finden sich verschiedene Bestoßungen. Die Oberfläche ist versintert.

Lit.:
AURIGEMMA a. O. (zit. bei Vf 9), 72-74 Nr. 1 Abb. 11. REINACH, *RSt* V, 518.7.
Fot.: Inst. Neg. Rom 75.2781-82

Der nur mit einer Chlamys bekleidete Knabe lehnt sich gegen eine schräg geführte Baumstütze, die dem rechten Standbein bis zur Kniehöhe Halt gibt. Das linke Bein ist leicht zur Seite gestellt. Der linke Arm scheint abgestreckt gewesen zu sein, da am Körper keine Stegspuren erhalten sind. Der rechte Arm war am Körper entlanggeführt und lag möglicherweise dort, in Hüfthöhe an, wo sich jetzt die große Bruchfläche befindet.

Die Chlamys ist mit einer Fibel auf der rechten Schulter befestigt, bedeckt die gesamte linke Brust und fällt von der linken Schulter über den Rücken bis zu den Waden als steife, ungegliederte Masse herab. Sie bildet somit die Folie, vor der sich die Figur abhebt. Graphisch eingeritzte Linien sollen Faltenbahnen angeben.

Der Körper ist entsprechend dem Alter des Dargestellten nicht klar in seine Muskelkompartimente gegliedert, Inskriptionen fehlen völlig. Der Lyrabogen ist im Vergleich zu den übrigen Kompartimenten etwas deutlicher durch einen Wulst angegeben. In der flachen bewegten Oberfläche, deren Formen ineinander übergehen, ähnelt er z. B. dem Diskophoros in Basel[1] der jedoch, in Erinnerung des polykletischen Vorbilds und in der Angabe einer anderen Altersstufe, stärkere Körpergliederung angibt.

In den schweren Gewandstoff schneiden die Faltentäler tief und unvermittelt ein. Die stehengebliebenen Faltenrücken besitzen scharfe Ränder; flache Mulden sind in ihre Oberfläche eingetieft. In diesen Charakteristika läßt sich die Wiedergabe des Stoffs mit der einer posthum, in claudischer Zeit gearbeiteten Togastatue des Augustus in Aquileia vergleichen[2].

Für eine Identifikation des Dargestellten fehlen jegliche Indizien. Der Rest einer Binde auf der linken Schulter könnte auf einen bekränzten Porträtkopf schließen lassen und die Deutung auf einen Prinzen des Kaiserhauses nahelegen.

Im statuarischen Typus nimmt die Figur allgemein Werke der Idealplastik klassischer Zeit auf, ohne daß sich ein Prototypus näher bestimmen ließe[3].

Die Statuenstütze mit der gerippten Rinde und den Astlöchern unterstützt die Datierung in claudische Zeit[4].

(1) ZANKER, *Klassizistische Statuen* 5 Nr. 10 Taf. 2,1; 2,2; 2,4; 2,5.
(2) NIEMEYER Kat. Nr. 9 Taf. 4, 1.   SCRINARI, *Cat. Aquileia* Kat. Nr. 82.
(3) Vgl. Vf 10 Anm. 1.
(4) Vgl. die Statue eines Knaben der kaiserlichen Familie (REINACH, *RSt* I 577, 6).

Vf 15 Satyrstatue

Taf. 57 Abb. 106 *a-c.*
Venafro, S. Chiara
Aus Venafro, Loc. Terme di S. Aniello (1919) (wie Vf 9-11, 14, 21, 60-67, 69-70, 74-75, 77)

Marmor H: 0,63

Verloren sind der Kopf und beide Arme, die separat gearbeitet waren (Stiftlöcher mit runder Ansatzstelle sind noch vorhanden). Das Genital ist weggebrochen. Beide Beine sind in Kniehöhe abgebrochen, der rechte Unterschenkel ist erhalten. Neben der rechten Brustwarze befindet sich ein Eisennagel. Spuren einer Stütze am rechten Oberschenkel. Verschiedene kleinere Bestoßungen am ganzen Körper und auf dem Fell.

Lit.:

AURIGEMMA a.O. (zit. bei Vf 9) 73 Nr. 2 Abb. 12. REINACH, *RSt* V 477, 4
Fot.: Inst. Neg. Rom 75.2777-78

Der jugendliche Satyr hatte sich wahrscheinlich in einem Tanzmotiv auf die Zehen erhoben. Er hat das rechte Bein vor, das linke zurückgesetzt und wendet in einer Drehbewegung den Oberkörper in die Gegenrichtung. Die Standfestigkeit der Figur war durch eine Stütze am rechten Bein gewährleistet. Der linke Arm war hoch nach oben gestreckt, der rechte gesenkt und möglicherweise im Unterarm nach vorn gewinkelt. Die Kopfhaltung läßt sich nicht mehr bestimmen. Die tänzelnde Stellung der Beine geht wohl allgemein auf einen Typus wie den Satyr Borghese zurück [1], ohne jedoch dessen spiralförmige Drehung um die eigene Achse zu besitzen. Der verhältnismäßig massige Leib wächst über den schlanken langen Beinen auf und ist stark nach vorn herausgedrückt; die Biegung wird durch das Fell kaschiert. Das Pantherfell ist auf der Brust verknotet und fällt im Rücken bis über die Glutäen herab. Die Drehbewegung ist im Oberkörper nur verhalten angedeutet, die linea alba verläuft vom Nabel bis unter das geknotete Fell in sanfter Schwingung.

Der erschlafften Körperbewegung entspricht die Modellierung des Leibes: Brust- und Bauchpartie sind mit einiger Sorgfalt gestaltet, doch ist eine Muskelbewegung nicht nachvollziehbar; die einzelnen Kompartimente sind nicht deutlich artikuliert. Inskriptionen sind nur sehr zurückhaltend eingesetzt, sie beschränken sich auf die linea alba und eine leichte Einziehung des Rippenbogens sowie eine weich gebettete Leistenlinie. Die weich modellierte Oberfläche weist die Statue in die claudische Zeit und läßt sich mit der Diskophor-Variante in Basel vergleichen [2].

Die Pubes ist durch Haarlöckchen und Ritzungen gekennzeichnet; vereinzelte Bohrungen sind in die Schamhaare gesetzt. Das Fell ist nur additiv angegeben. Zur Reizsteigerung, wie bei der aus antoninischer Zeit stammenden Dionysosstatuette [3] vom gleichen Fundort, trägt es in keiner Weise bei, im Gegenteil: die verfestigten Fellsäume grenzen die Figur zu den Seiten hin ab und geben ihr einen festen Kontur. Durch diese Rahmung wird die in der Drehung angelegte Bewegung stark eingeengt und der Figur ihre einzige Ansichtsseite zugewiesen.

Stimmt man C. Dierks-Kiehl zu, die im Satyr Barracco früheren Satyrn gegenüber eine gewisse Ermattung der Züge sieht [4], so ist in dem Satyr aus *Venafrum* diese Erschlaffung noch weiter fortgeschritten. Der Reiz, der in der Drehung einer bewegten Figur liegt, ist hier stark abgeschwächt. In der Überlängung der Proportionen und dem verhältnismäßig kurzen Oberkörper spiegelt sich noch hellenistische Manier. Die reliefartig flächige Komposition teilt die Figur mit dem Satyr aus Lamia [5]. Die Drapierung des auf der Brust geknoteten Fells tritt auch bei anderen Satyrstatuen auf [6].

(1) Bieber *Sculpure* Abb. 94; Helbig [3] II 1564.
(2) Vf 14 Anm. 1.
(3) Vf 21. Abb. 112 a-c. Taf. 60.
(4) C. Dierks-Kiehl, *Zu späthellenistischen bewegten Figuren der 2. Hälfte des 2. Jh.s v. Chr. (Diss. Köln 1973)* 88 Anm. 27 Abb. 10-11.
(5) L.v.Sybel, *Katalog der Skulpturen zu Athen* (1881) 49 Nr. 269. Dierks-Kiehl a.O. (zit. in Anm. 4) 62ff.
(6) z.B. Satyrstatue aus Agram (K. Hadaczek, *ÖJh* 1907, 318 Abb. 93. Dierks-Kiehl a.o. (zit. in Anm. 4) 50ff Taf. 3-4 Abb. 5-7).

Vf 16 Fragment eines Beins mit Stütze

Taf. 57 Abb. 107
Venafro, S. Chiara
Fundort unbekannt
Marmor H(Bein): 0,625; H (Stütze): 0,46
Erhalten ist ein Teil eines linken nackten Beins mit Baumstütze.
Die Brüche verlaufen in Höhe des Oberschenkels und der Wade.
Unveröffentlicht
Fot.: Inst. Neg. Rom 75.2794

Daß es sich um das Standbein einer männlichen Figur handelt, ist an dem durchgedrückten Knie und auch an der Baumstütze zu erkennen.
Die Gesamthöhe der Statue läßt sich auf ca. 1,15 m rekonstruieren. Die Baumstütze mit Angabe der Astlöcher und der Riefelung findet sich ähnlich bei einer Panzerstatue des Claudius [1] und einer Knabenfigur aus *Venafrum* [2] wieder.

(1) Muthmann 29 Taf. 3, 8.
(2) Vf 14. Taf. 57. Abb. 105 a-b.

Vf 17 Männlicher Porträtkopf

Taf. 58 Abb. 108 a-b.
Venafro, in Via de Amicis 6 vermauert
Fundort unbekannt
Marmor H: 0,21
Erhalten ist nur die linke Seite des Kopfs. Die Oberfläche weist zahlreiche Mörtelspuren auf, ist abgerieben und versintert. Aufgrund der fragmentarischen Erhaltung

läßt sich nicht entscheiden, ob der Kopf zu einem Relief gehört hat oder ein freiplastisches Bildnis darstellte.
Unveröffentlicht
Fot.: Inst. Neg. Rom 75.2760-61

Das Stück läßt in der Gestaltung des Ohrs und der Haare noch eine vorzügliche Marmorarbeit erkennen.

Die Haarfrisur mit ihren Sichellocken, die sich weit in den Nacken hinabziehen, ist mit Porträts der iulisch-claudischen Familie, besonders mit einem Werk wie dem Augustusporträt im Actium- Typus in Florenz zu vergleichen [1]. Beide Köpfe zeigen eine deutliche Schichtung der Haare; die dichte Haarkappe gliedert sich in flockige Locken auf, die zumeist spitz zulaufen und durch Einkerbungen unterteilt sind. Der nervöse Eindruck wird durch die Meißelarbeit, die die Lockenform scharf umreißt, hervorgerufen. Die weit ausholenden Sichellocken mit den Leerstellen findet man in vergleichbarer Form auch bei der tiberisch-claudischen Wiederholung des Prima Porta Typus im Konservatorenpalast [2].

(1) P. Zanker, *Studien zu den Augustus-Porträts I. Der Actium-Typus. AbhGöttingen* 85, 1973, 14 Nr. 2 Taf. 4-6 *a*.
(2) R. Horn, AA 1937, 390f. Abb. 14. *Helbig* [4] II 1588 = H. v. Heintze. R. Brilliant, *ActaIRN* 4, 1969, 17.

Vf 18 Statuette der Hygieia

Taf. 59 Abb. 109 *a-b*.
Venafro, S. Chiara
Fundort unbekannt
Marmor H: 0,77; Plinthe: 0,17 × 0,37 × 0,24
Die Figur ist in zwei anpassenden Teilen erhalten. Der Bruch verläuft über den Füßen. Verloren sind der Kopf, der rechte Arm vom Schultergelenk an und ein Teil des linken Unterarms mit der Hand. Reste von Haarlocken befinden sich auf beiden Schultern. Größere Bestoßungen sind auf der rechten Seite des Rückens sowie an der rechten Brust und am linken Knie zu sehen. Das Gewand ist an mehreren Stellen leicht abgestoßen.
Unveröffentlicht
Fot.: Inst. Neg. Rom 75.2779-80

Dargestellt ist eine stehende weibliche Figur in Chiton und Mantel. Reste einer Schlange auf dem Mantel und am rechten Oberschenkel sichern ihre Benennung als Hygieia.

Die schlanke Figur steht auf dem rechten Bein, die rechte Hüfte ist herausgedrückt, das Spielbein abgewinkelt und deutlich zurückgesetzt. Der Körper weist eine leichte Drehbewegung auf, die sich in der herausgedrückten rechten Hüfte, der leicht vorgenommenen linken Schulter und dem die Bewegung der Schulter aufnehmenden Kopf ausdrückt. Der

226

linke Arm ist am Oberkörper entlanggeführt und im Ellenbogen nach vorn abgewinkelt, der rechte hing am Körper herab und war, den Spuren eines Stegs auf der rechten Seite des Mantels zufolge mit der Schlange beschäftigt. Der hoch unter der Brust mit einem doppelt geknoteten Band gegürtete Chiton betont die Körperformen. Ein kleiner Hängebausch fällt unter der rechten Brust über den Gürtel. Der Chiton ist kaum gefältelt, die Einzelfalten sind eckig und nur hier und da durch leicht verschattete Täler plastisch belebt. Er staut sich über den Füßen. Seine breite Mittelfalte wird von schmalrückigeren Falten begleitet. Über dem rechten Fuß bildet der Stoff einen u-förmigen Haken. Durch das zur Seite gesetzte Spielbein ist der Saum an dieser Stelle aufgefächert, was durch halbmondförmige, parallel geführte Falten ausgedrückt wird.

Ein bedeutender Anteil an der Gesamtwirkung der Statuette kommt dem Mantel zu: um den linken Arm geschlungen ist er auf die linke Schulter hochgenommen, über den Rücken gezogen und wird unterhalb der rechten Hüfte vor dem Körper wieder zum linken Arm heraufgeführt, um dann steif an der Außenseite des Spielbeins herabzufallen. Er verbreitert somit optisch die Vorderansicht der Figur und legt ihre Hauptansichtsseite fest. Durch die Schrägführung des Mantels vor dem Körper wird das nur vom Chiton umspannte Spielbein freigelegt, das mit der Stofffülle des Mantels kontrastiert. Der Mantel ist zwar durch wenige diagonale Zugfalten als schwerfallender Stoff charakterisiert, wirkt jedoch seiner Konsistenz nach recht unstofflich, da sich zwischen den einzelnen Falten kein kleinteiliges Faltenspiel entwickelt und plastisch unbelebte Flächen stehenbleiben. Durch den Hüftschwung und die Drehung im Oberkörper ist ein gewisses Körpervolumen zu spüren, das besonders durch den die Hüfte geradezu präsentierenden Mantel betont ist.

Die Statuette wiederholt im unteren Teil ihrer Drapierung den « Cerestypus »[1]. Der Oberkörper ist nur mit dem knapp unter den Brüsten gegürteten Chiton bekleidet. Diese Verbindung ist gerade beim Cerestypus häufig; er kann mit anderen festgelegten Typen oder vom Künstler frei variierten verbunden werden[2]. Da die frühesten Ceresstatuen erst am Ausgang des 1. Jh.s n. Chr. einsetzen, ist eine Datierung des Stücks vor traianischer Zeit nicht möglich. Eine Datierung in die traianische Zeit ergibt sich sowohl aus den stofflich schweren Gewändern als auch aus der gerundeten Plinthenform[3].

Aufgrund der Statuettengröße kann man vermuten, daß die Hygieia möglicherweise ein Weihgeschenk gewesen ist oder ihren Platz in einem dekorativen Zwecken dienenden Ausstattungsensemble gehabt hat.

---

(1) Zum Cerestypus zuletzt: H.-J. KRUSE, *Römische weibliche Gewandstatuen des 2. Jh.s n. Chr. (Diss. Göttingen* (1968 (1975)) 3ff.

(2) Vgl. KRUSE a.O. (zit. in Anm. 1) 230 Anm. 384. Zu entsprechendem bei der Kleinen Herkulanenserin KRUSE a.O. 183 Anm. 291.

(3) Vgl. KRUSE a.O. (zit. in Anm. 1) Taf. 1ff. Zur Charakterisierung des traianischen Stils KRUSE 106ff.

Vf 19 Weibliche Gewandstatuette

Taf. 59 Abb. 110 *a-b*.
Pozzilli, im Hof des Palazzo der Familie Del Prete. In den Besitzungen der Familie Del Prete gefunden.
Marmor H: 1, 12
Der originale Kopf ist verloren. Der rechte Arm fehlt, die linke Hand ist abgebrochen. Die Plinthe ist nur an der Vorderseite erhalten. Der Mantel ist an verschiedenen Stellen bestoßen.
Unveröffentlicht
Fot.: Foto Sopr.

Das Mädchen ist mit hoch unter der Brust gegürtetem Chiton und Mantel bekleidet. Es steht auf dem linken Bein, das rechte ist angewinkelt und leicht zurückgesetzt; beide Fußspitzen treten unter dem Chiton hervor. Der um den linken Arm gewickelte Mantel ist über die Schulter und quer über den Rücken gezogen und kommt an der rechten Hüfte wieder zum Vorschein; sein oberer Saum ist vor dem Leib zu einem Wulst gedreht und zum linken Arm heraufgeführt, über den er dann herabfällt. Chiton- und Mantelstoff sind in ihrer schweren Stofflichkeit kaum unterschieden, trotzdem drückt sich der Bauchnabel durch den Chiton und soll so den Eindruck von dünnem Stoff erwecken. Der Mantel ist nur durch wenige Falten belebt, der Bausch durch parallele Rillen gekennzeichnet. Die Statuette ist wohl eine Arbeit des frühen 2. Jh.s n. Chr.

Der ihr aufsitzende Kopf gehört aufgrund seiner Dimensionen nicht zum Körper. Trotz aller Bestoßungen läßt sich noch erkennen, daß es sich um ein volles Kindergesicht handelt. Die Haare scheinen von einem Reif gehalten und im Nacken gebunden zu sein. Der Rest einer Hand ist auf dem Kopf zu erkennen. Damit wird die zum Kopf gehörige Figur wohl zu einer Gruppe gehört haben.

Vf 20 Weiblicher Kopf

Taf. 56 Abb. 111.
Venafro, in Via De Utris 21 vermauert
Fundort unbekannt
Material und Maße sind aufgrund der hohen Vermauerung nicht bestimmbar.
Durch die starke Korrosion sind alle Einzelformen verrieben.
Unveröffentlicht
Fot.: Foto Sopr.

Möglicherweise läßt sich der Kopf aufgrund des Umrisses der Haar-kappe und des flachen Haaraufbaus in die hadrianische Zeit datieren [1].

(1) Vgl. z. B. Porträts der Sabina aus mittelhadrianischer Zeit (A. CARANDINI, *Vibia Sabina* (1969) 148 Kat. Nr. 19 Abb. 62, 64, 66, 67; 151 Kat. Nr. 22 Abb. 61, 63, 65).

Vf 21 Fragment einer Dionysosstatuette

Taf. 60 Abb. 112 *a-c*.
Venafro, S. Chiara
Venafro, Loc. Terme di S. Aniello (1919) (wie Vf 9-11, 14-15, 60-67, 69-70, 74-75, 77)
Marmor mit rötlichen Adern H: 0,20
Bei der Auffindung war die Statuette nur noch fragmentarisch erhalten (Abb. 112a). Es fehlten der Kopf, der linke Arm, die rechte Hand; vom linken Bein war nur noch der Ansatz, vom rechten der Oberschenkel einschliesslich des Knies erhalten. Der heutige Erhaltungszustand (Abb. 112 b-c) zeigt nur noch den Oberkörper der Figur vom Halsansatz bis unter den Brustbogen. Der rechte Arm ist bis über den Ellenbogen weggebrochen.

Lit.:
AURIGEMMA a. O. (zit. bei Vf 9) 74 Nr. 3 Abb. 13. REINACH, *RSt* V477, 3 Fot.: Inst. Neg. Rom 75.2770-71 AURIGEMMA s. o.

Durch die Nebris und die Haarbinde läßt sich die Figur eindeutig als Dionysos identifizieren.

Das Standmotiv ist nicht zu erkennen. Beide Arme waren gesenkt, der rechte in Höhe des Handgelenks durch einen Steg mit dem Oberschenkel verbunden. Aurigemma hat noch Spuren eines Gegenstands, den die Figur wahrscheinlich in der Hand gehalten hat, über dem rechten Knie gesehen.

Die Nebris liegt der linken Schulter auf, bedeckt den Rücken und ist oberhalb der Scham auffällig geknotet. Auf beide Schultern fallen die Enden einer Haarbinde. Der Körper ist sehr differenziert modelliert, was sich noch in der Nackenpartie und an der Brust erkennen läßt. Gut vergleichen läßt sich eine Apollonstatue aus antoninischer Zeit aus Tripolis[1]. Der Fellcharakter der Nebris wird durch feine Ritzung zum Ausdruck gebracht und steht in stofflichem Kontrast zur nackten glatten Haut. In dieser reizsteigernden Art ist auch die Nebris drapiert; ihr Knoten sitzt nicht zufällig als Blickfang über dem Glied [2].

(1) ZANKER, *Klassizistische Statuen* 89 Nr. 4.1 Taf. 54.4.
(2) Vgl. ZANKER, *Klassizistische Statuen* 103 Nr. 5 Taf. 27.2 (Dionysosstatue aus der Villa Hadriana, dort weitere Bsp. genannt). Hinzufügen kann man den Antinous Casali (ZANKER, *Klassizistische Statuen* 98 Anm. 11) und einen Dionysostorso in Mariemont (G. FA-IEDER-FEYTMANS, *Les Antiquités du Musée de Mariemont* (1952) G 24 Taf. 26).

Vf 22 Statuette des Ganymed

Taf. 61 Abb. 113 *a-b*.
Venafro, S. Chiara
Fundort unbekannt
Marmor H: 0,53 (inkl. Plinthe)
Plinthe: 0,05 × 0,285 × 0,155
Die Statuette ist in zwei Teilen erhalten. Der Bruch verläuft im rechten Unter-
schenkel der Figur. Es fehlen der Kopf, der rechte Arm vom Oberarm an, die linke
Hand, der linke Unterschenkel und der Mantelzipfel. Plinthe und Gewandfalten sind
abgestoßen. Die Oberfläche ist verrieben. Der Adler läßt sich aus mehreren Frag-
menten zusammensetzen.
Unveröffentlicht
Fot.: Inst. Neg. Rom 75.2772-73

Der nur mit der Chlamys bekleidete Knabe läßt sich aufgrund des
Adlers an der Stütze als Ganymed benennen.

Der Knabe steht mit seinen stämmigen, mit Schuhwerk versehenen
Beinen in breitem Stand. Das rechte Bein ist durch die herausgedrückte
Hüfte als Standbein gekennzeichnet, es lehnt sich an eine Baumstütze, vor
der der Adler hockt. Dieser blickt zum Knaben auf, der mit seiner Kopfwendung sicherlich einst auf das Tier Bezug genommen hat. Der rechte Arm
des Knaben war dem erhaltenen Ansatz zufolge gesenkt, doch nicht in
die Hüfte eingestützt, sondern hielt wahrscheinlich etwas in der vorgestreckten Hand. Die Linke ist eng an den Körper genommen und im Ellenbogen abgewinkelt. Über den Unterarm fällt die Chlamys, die, auf der
rechten Schulter zusammengehalten, Brust und Rücken bedeckt. Der
Gewandzipfel ist in Höhe des linken Knies durch einen Steg mit dem
Schenkel verbunden gewesen.

Die Körperformen sind dem Kindesalter entsprechend füllig und
weichfließend. Die Hautoberfläche wirkt glatt und fett; ihre plastischen
Werte beschränken sich auf Hebungen und Senkungen. Eine ähnliche
Körperbehandlung zeigt eine Ganymedgruppe in Venedig[1]. Auch eine
Knabenstatue im Prado / Madrid ist im füllligen Inkarnat der glatten, wie
poliert wirkenden Oberfläche vergleichbar[2].

Wie aus dem Katalog von H. Sichtermann hervorgeht, ist die rundplastische Darstellung des Ganymed ein beliebtes Motiv der hadrianisch-
antoninischen Zeit[3]. Die vorliegende Statuette läßt sich aufgrund ihres
Stils ebenfalls in die antoninische Zeit datieren.

Ein weiterer außerstilistischer Datierungshinweis ist durch die abge-
rundete Plinthenform gegeben[4].

Die Statuette ist eine rein dekorative Arbeit. Sie gehört der Gruppe
von Ganymeddarstellungen an, die, wie Sichtermann herausgearbeitet
hat[5], «nur Ganymed darstellen» d. h. es wird keine bestimmte Hand-
lungssituation geschildert.

In der Altstadt von Venafro ist eine Inschriftbasis vermauert, deren Text einen gewissen Vetedius Iustus als Stifter eines 'signum Ganymedes' nennt; ihre Zugehörigkeit zur Statuette läßt sich nicht erweisen [6].

(1) H. SICHTERMANN, *Ganymed, Mythos und Gestalt in der antiken Kunst* (o.J.) Kat. Nr. 108.
(2) SICHTERMANN a.O. (zit. in Anm. 1) 102 Nr. 4.
(3) SICHTERMANN a.O. (zit. in Anm. 1) 8off.
(4) Vgl. KRUSE a.O. (zit. Vf 18 Anm. 1) Taf. 1ff.
(5) SICHTERMANN a.O. (zit. in Anm. 1) 68.
(6) CIL X 4891. Sie ist in Via Della Valle links von Nr. 1 wiederverwendet; dadurch ist es nicht möglich, ihre obere Auflagefläche auf eventuell vorhandene Einlaßspuren hin zu untersuchen. Die unexakte Lesung des CIL ist fast vollständig von S. AURIGEMMA, *NSc* 21, 1924, 86 berichtigt worden. Aurigemmas Lesung ist dahingehend zu korrigieren, daß in der 5. Zeile das ' n ' am Anfang zu erkennen und ein ' y ' statt eines ' i ' zu lesen ist. Basismaße: H: 1,48; B(erhalten): 0,80; Aurigemma a.O. datiert die Basis spät, ohne jedoch zu anzugeben, was er unter spät versteht.

Vf 23 Statue der Venus vom Typus Landolina

Taf. 62 Abb. 114 *a-d*.
Chieti, Museo Nazionale
Venafro, 1957 bei Bauarbeiten in der Nähe des Amphitheaters gefunden
Marmor H: 1,93 m (inkl. Plinthe)
Plinthe: 0,12 × 0,54 × 0,44
Es fehlen bis auf den Daumen alle Finger der rechten Hand; die Fingerspitzen sind auf dem linken Oberarm erhalten. Die Nase, ein Teil der Oberlippe und des Kinns sind abgeschlagen. Verschiedene geringfügige Bestoßungen an den Armen.
Abgeb. in *Archeologia* Anno 5, II Nr. 1 Juni 1972, 239 (mit Verweis auf EAA II (1959) 278 s.v. Callipige (GIULIANO)).
Fot.: Inst. Neg. Rom 60.33; 60.387-390.

Die Statue aus Venafro wiederholt den Typus der Aphrodite Landolina / Syrakus [1]. Diese gilt als späthellenistische Variante der Knidischen Aphrodite [2]. Gegenüber der Statue in Syrakus bestehen leichte Abweichungen: das Gewand ist insgesamt stoffärmer, die Präsentation der nackten Beine ist schlichter, da der Stoff den Beinen enger anliegt, an ihnen hinabgleitet und sich nicht wie ein Segel hinter ihnen aufbläht. Becken und Scham sind verhüllter als bei der Syrakusaner Statue.

Der ungebrochen aufsitzende Idealkopf wiederholt den der sog. Kapitolinischen Venus [3].

Die Haarbehandlung mit groben, schattenfangenden Bohrgängen, die stark polierte Oberfläche und die Gewandbehandlung datieren die Statue in antoninische Zeit.

(1) G. LIBERTINI, *Il Regio Museo archeologico di Siracusa* (1929) 166ff Taf. III. H. BULLE, *Der schöne Mensch im Altertum* (1912) 340 Taf. 157. A. DELLA SETA, *Il nudo nell'arte* (1930) 450ff Abb. 151. B. PACE, *Arte e Civiltà della Sicilia antica* II, 1938, 134ff. A. GIULIANO, ACl V, 1953, 210ff Taf. C-CI.
(2) Liste der Repliken und Varianten bei J. J. BERNOULLI, *Aphrodite* (1873) 255ff. Er-

weiterte Liste bei G. Caputo - G. Traversari, *Le sculture del Teatro di Leptis Magna* (1976) 58 Nr. 37. s. auch J. Huskinson, *Roman Sculpture from Cyrenaica in the British Museum* (C.S.I.R. *Great Britain Vol.* II, 1 (1977) Nr. 10 Taf. 3).
   (3) *Helbig*[4] II 1277 = H. v. Steuben.

Vf 24 Fragment einer Kybelestatuette

Taf. 63 Abb. 115 *a-d*.
ehem. Pozzilli, im Hof des Palazzo der Familie Del Prete, jetzt Venafro, S. Chiara
Aus den Besitzungen der Familie Del Prete
Kalkstein H: 0,56
Der Oberkörper ist bis unterhalb der Brust abgebrochen, ebenfalls die Arme, von denen nur noch Spuren am Schoß erhalten sind. Das rechte Knie, beide Füße und die Vorderseite der Plinthe sind abgestoßen.
Unveröffentlicht
Fot.: Foto Sopr.

Die weibliche Figur sitzt auf einem aus Steinen aufgeschichteten Felsensitz, der auf einer Plinthe aufruht. Sie hat die Beine weitauseinandergestellt; an den Füßen trägt sie Sandalen, der rechte Fuß berührt nur mit der Spitze die Plinthe.

Die Figur ist mit Chiton und Mantel bekleidet; die hohe Gürtung des Chitons ist noch über der ornamental von den Falten umrahmten Bauchpartie zu erkennen. Der Mantel ist lose fallend drapiert. Er ist vom Rücken unterhalb des rechten Arms nach vorn genommen, sein Saum ist zu einem Wulst gedreht, der auf dem Schoß liegt. Der Mantel umhüllt die Beine und fällt an der linken Seite herab. Zwischen den Beinen bildet er schwere Diagonalfalten, die in groben Furchen Schatten fangen. Ein Mantelzipfel mit gewichtbeschwerter Trottel ist auf dem Rücken erkennbar, ein weiterer fällt über den Sitz an der linken Seite herab.

Auf der linken Seite des Schoßes ist noch der Rest eines kleinen Löwen zu erkennen. Dieses Tier zusammen mit dem Stellungs- und Gewandmotiv gestatten es, in dem vorliegenden Fragment eine Statuette der Magna Mater zu erkennen. Der Erhaltungszustand läßt keine Rekonstruktion der Armhaltung zu. Der Fels als Sitz für die Göttermutter ist seltener als der für sie bezeichnende Thron nachzuweisen[1]. Aus dem *liber coloniarum* wissen wir, daß Augustus einem Tempel der Magna Mater bestimmte Ländereien zugewiesen hatte, möglicherweise im Zusammenhang mit den Landverteilungen[2].

Epigraphisch ist die Existenz ihres Kults ebenfalls bezeugt (CIL X 4844). Von der in der Inschrift genannten Sabidia Cornelia besitzen wir aus *Rufrae* eine weitere Inschrift, die sie dort nach Vollbringung eines Tauroboliums setzen ließ[3]. Die entsprechenden Kultgebäude sind bisher nicht lokalisiert worden: vielleicht lagen sie am Ufer des Volturno, an dem Schwefelquellen bezeugt sind [4]. Der Kult ist oft mit Thermalquellen verbunden [5].

(1) POULSEN, *Cat. Sculpt.* Nr. 333 (aus der Nähe von Formia). Bei der Statue in Boston handelt es sich um einen ungeschmückten Sockel (AJA 26, 1922, 419 Abb. 5).
(2) s.S. 60 Anm. 118.
(3) CIL X 4829. R. DUTHOY, *The Taurobolium, Its Evolution and Terminology* (1969) Nr. 51.
(4) PLINIUS, *n.h.* XXXI, 9.
(5) H. GRAILLOT, *Le culte de Cybèle, Mère des Dieux, à Rome et dans l'empire romain* (1912) 409.

Vf 25 Fragment einer weiblichen Gewandfigur

Taf. 64 Abb. 116 *a-c.*

Ehemals Venafro, Piazza Marconi 21 (den eigenen Angaben der Besitzerin des Hauses zufolge im Frühjahr 1975 als Müll beseitigt!)

Im Hause selbst gefunden, zusammen mit Architekturfragmenten und einigen Inschriften, die allesamt verloren sind.

Marmor H: 0,20; (ursprgl. Gesamthöhe ca. 1,15; Einhöhlung zur Aufnahme des Kopfs: Ø 0,16

Erhalten ist der Oberkörper. Der Kopf war separat gearbeitet und eingesetzt, er ist verloren. Beide Arme sind im Oberarm gebrochen. Die gerade Schnittfläche verläuft kurz unterhalb der Gürtung; der untere Teil des Körpers war wahrscheinlich angestückt. Die Oberfläche ist versintert.

Unveröffentlicht

Fot.: Foto Sopr.

Die Statuette ist mit einem ärmellosen, gegürteten Chiton mit Überschlag bekleidet. Er entblößt die rechte Schulter; auf der linken ist er mit einer Fibel zusammengehalten.

Beide Arme waren gesenkt; die Figur stützte sich wahrscheinlich auf die rechte Seite, da die rechte Brust der linken gegenüber leicht angehoben ist; das Gewand schiebt sich unter der Achsel zu mehreren Falten zusammen. Das Stützmotiv ist nicht konsequent durchgeführt, jedenfalls verläuft der Kolpos nicht der Bewegung der Brüste entsprechend. Der Chiton legt sich weich über den Oberkörper, es entstehen einige differenzierte Querfalten zwischen den Brüsten und einige Zugfalten von den Brüsten zum Überschlag. Das Faltenspiel bewegt leise die Oberfläche. Die Falten unter der rechten Achsel sind mit schattenfangenden Tälern unterschnitten.

In der fein bewegten Stoffoberfläche läßt sich das Fragment mit einer Statue im Typus der Venus Genetrix im Konservatorenpalast / Rom vergleichen und wohl wie jene in die frühe Kaiserzeit datieren [1].

Die Rückseite ist fast unbearbeitet, was für eine einansichtige Aufstellung spricht. Die Statuette scheint keinen bestimmten Typus zu kopieren. Von Aphroditestatuen ist der Fall des Gewands mit entblößter Schulter entlehnt [2].

(1) STUART-JONES, *Mus. Cap.* 164 Nr. 17 Taf. 55.
(2) z. B. Aphrodite Este / Wien (LIPPOLD, *HdArch* III (1950) 298 Anm. 7 Taf. 104.2). Auch W. FUCHS, *Festschrift für B. Schweitzer* (1954) 216 Anm. 59.

Vf 26 Fragment einer nackten männlichen Statue

Taf. 65 Abb. 117.
Venafro, in Via Pilla 21 vermauert
Fundort unbekannt
Marmor H: 1,04
Verloren sind der Kopf, beide Arme, das rechte Bein, der linke Fuß von oberhalb des Knöchels an. Über dem Torso ist ein Arm vermauert, der wahrscheinlich zur Statue gehört. Seine Länge ist nicht zu bestimmen, da nur der Durchmesser des Armstumpfs sichtbar ist. Die Oberfläche des Torso ist stark verrieben und korrodiert. Ein Bruch verläuft von der rechten Schulter im Bogen zur linken Körperseite.
Unveröffentlicht
Fot.: Inst. Neg. Rom 75.2748

Der jugendliche Mann stand auf dem fehlenden rechten Bein, wie aus der hochgedrückten Hüfte deutlich wird. Das Spielbein ist im Knie nach hinten abgewinkelt, war also wahrscheinlich leicht zur Seite gestellt. Der rechte Arm war dem erhaltenen Ansatz zufolge nach unten geführt und vom Körper abgestreckt, der Kopf zur Standbeinseite gedreht. Die Ponderation der Figur drückt sich in der Führung der linea alba aus, die in leichtem S-Schwung von der Halsgrube bis zum eingetieften Bauchnabel sichtbar verläuft; entsprechend ist die Pubes etwas schräg nach links gerichtet.

In ihren Proportionen und ihrem Standmotiv ist die Figur an frühklassischen Vorbildern orientiert [1].

Die starke Verwaschung der Oberfläche macht eine Datierung unmöglich.

(1) Zeit des Omphalosapollon (LIPPOLD, III (1950) 102,1. Taf. 32, 1. E. PARIBENI, *Museo Nazionale Romano, Sculture greche* 1953 Nr. 16. *Helbig* [4] II 1385 = H. v. STEUBEN). Jüngling von Monteverde (PARIBENI a.O. Nr. 30. F. P. JOHNSON, *Corinth* IX (1931) 7ff. *Helbig* [4] III 2201 = P. ZANKER).

Vf 27 Fragment einer weiblichen Gewandfigur

Taf. 65 Abb. 118.
Venafro, in Via de Amicis 4 vermauert
Fundort unbekannt
Marmor H: 0,32; B: 0,35; T: 0,18

Erhalten ist der Ansatz des linken Oberschenkels mit Resten des Peplos und des Chitons. Das Fragment bricht in mittlerer Höhe der Oberschenkel ab. Alle Kanten sind unregelmäßig abgebrochen. Die Oberfläche ist vor allem im unteren Teil stark bestoßen.

Unveröffentlicht

Fot.: Foto Sopr. A 12/22 A.

Die mit gegürtetem Peplos und Chiton bekleidete Figur stand auf dem rechten Bein und hatte das Spielbein leicht zur Seite gesetzt, wie aus der Richtung der Falten unterhalb des horizontal geführten Peplossaums ersichtlich ist. Der Überschlag ist kaum unterschnitten. Über der Innenseite des Spielbeins bildet er eine kantige Tütenfalte aus. Der Chiton fällt zwischen den Beinen in breiten, flachen und kantigen Falten herab, während er den linken Schenkel enger umspannt. Eine Zugfalte verläuft diagonal vom Saum des Überschlags auf dem Schenkel auf und wird von einer entgegengesetzt verlaufenden Falte überschnitten. Die Faltenrücken zwischen den Beinen wirken wie flachgebügelt und setzen sich nur gering von den sie begleitenden Tälern ab. Mulden sind in die Faltenrücken eingetieft.

Die Art der Faltenwiedergabe läßt sich mit der der Koren vom Augustusforum vergleichen und legt eine entsprechende Datierung nahe[1].

(1) E. E. Schmidt, *Die Kopien der Erechtheionkoren*, AntPl XIII, 1973, 7ff Taf. 2-3.

Vf 28 Fragment einer weiblichen Gewandfigur in Statuettengröße

Taf. 65 Abb. 119.
Pozzilli, im Hof des Palazzo der Familie Del Prete
Aus den Besitzungen der Familie Del Prete
Marmor H: 0,16; Plinthe: 0,06 × 0,33 × 0,21
Auf der Plinthe sind Teile des rechten Fußes mit dem Gewand, Reste der Steilfalten zwischen den Beinen sowie die Standspur des linken Fußes erhalten.
Unveröffentlicht
Fot.: Foto Sopr.

Von einer weiblichen Gewandfigur ist der vordere Teil des rechten Fußes mit der Sandale erhalten. Die Sohle ist zwischen den beiden ersten Zehen eingezogen; von den Riemen ist ein Rest am kleinen Zeh sichtbar. Die Zehen sind kräftig durchgeformt, der kleine Zeh leicht einwärts gekrümmt.

Auf der Außenseite des Fußes und oberhalb des Zehenansatzes haben sich die Staufalten des Gewands erhalten, die seitlich auf die Plinthe aufstoßen. Vier doppelte Faltenrücken und der auf der Plinthe rund auslaufende Saum mit einer den Umriß begleitenden Linie sind noch zu erkennen. Die Stellung des linken Fußes ist aufgrund der Standspur auf der Plinthe sichtbar. Demnach war das Bein leicht nach hinten und nach außen gestellt, der Fuß setzte mit der vollen Sohle auf.

Die plastisch durchgebildeten Zehen zeugen von der Qualität des Stücks. Man könnte sie mit denen eines Fragments vom Augustusforum vergleichen und das vorliegende Fragment in die frühe Kaiserzeit datieren [1].

(1) E. E. SCHMIDT, *Die Kopien der Erechtheionkoren*, AntPl XIII, 1973, 11 AF 4 Abb. 5.

Vf 29 Relief mit *dona militaria*

Taf. 65 Abb. 120.
Venafro, in der Außenwand der rechten Apsis der Kathedrale vermauert
Fundort unbekannt
Kalkstein H: 1,16; B: 0,54
Von der ursprünglichen Größe der Darstellung ist nicht viel mehr als ein Drittel erhalten. Die Oberfläche ist stark bestoßen.
Unveröffentlicht
Fot.: Foto Sopr. A 9 / 18 A

Dargestellt sind militärische Auszeichnungen, *dona phalerae* [1]. Das Riemengeflecht, auf dem die *phalerae* befestigt sind, weist drei vertikale und zwei horizontale Lederstreifen auf; ein dritter ist zu ergänzen. Diagonale Riemen sind hinzugefügt. Auf den Schnittstellen sind runde unverzierte Scheiben befestigt. In der Regel gehören zu einem Satz neun *phalerae*, durch Zwischenglieder kann diese Zahl vermehrt werden [2], wie es hier der Fall ist. Es lassen sich bei Ergänzung der unteren Hälfte des Riemengeflechts 24 *phalerae* anbringen. Über Anordnung und Befestigung der *phalerae* auf Panzern von Soldaten sind wir durch Darstellungen auf zahlreichen Grabsteinen gut unterrichtet [3]. Der bedeutendste Fund von Originalphalerae ist der von Lauersfort [4]. Wahrscheinlich stammt das vorliegende Relief vom Grabmonument eines Soldaten, der mit *phalerae* ausgezeichnet worden ist [5].

Eine Datierung des Fragments ist nicht möglich.

(1) BÜTTNER 147ff.
(2) STEINER Taf. 1,4; 2,4; 454; Modena ebd. 458. ESPÉRANDIEU, *Recueil* I 420 Nr. 684.
(3) Zusammenstellung bei BÜTTNER 164ff; COARELLI, *Goleto* 56 Abb. 16. Relief in der Kathedrale von Benevent vermauert (unveröffentlicht).
(4) F. MATZ, *Die Lauersforter phalerae*, 92. BWPr, 1932, 1ff. Weiterhin die Exemplare von Fürstenberg bei Xanten (H. LEHNER, *Das Römerlager Vetera bei Xanten* (1926). BÜTTNER Taf. 7,2; 8.
(5) Auf dem Grabstein eines während seiner Dienstzeit in Mainz gestorbenen Soldaten aus *Venafrum* sind ebenfalls *phalerae* dargestellt: CIL XIII,4 11.837. BÜTTNER 169 Nr. 21 Taf. 12,2 datiert ca. 30 n.Chr. RE XII (1925) 1761ff s.v. legio XVI (RITTERLING) datiert vor 43 n.Chr. s. auch CIL X 4939, offensichtlich Teil eines Grabsteins, der ebenfalls mit *phalerae* geschmückt war. Der Name des Soldaten ist nicht mehr erhalten.

236

Vf 30 Relief mit *dona militaria*

Taf. 66 Abb. 121.
Venafro, in der Außenwand der mittleren Apsis der Kathedrale vermauert
Fundort unbekannt
Kalkstein H: 0,78; B: 0,76
Der erhaltene Block gibt nur einen Ausschnitt aus einer mehrere Blöcke umfassenden Darstellung wieder. Die Oberfläche ist verrieben.
Unveröffentlicht
Fot.: Inst. Neg. Rom 75.2808

Dargestellt sind *dona militaria*. Links der Rest eines Fahnentuchs, eines *vexillum*; daneben zu seiten einer *hasta* der untere Teil zweier Kränze, von denen stilisierte, in gegenläufigen Schleifen komponierte Bänder herabhängen.

Für eine Datierung des Reliefs gibt es keine direkten Anhaltspunkte, wahrscheinlich gehört es jedoch wie die anderen Reliefs mit Militärabzeichen der frühen Kaiserzeit an.

Vf 31 Relief mit *dona militaria*

Taf. 66 Abb. 122; 123 *a-b*.
Venafro, in der Außenwand der mittleren Apsis der Kathedrale vermauert
Fundort unbekannt
Kalkstein H: 0,75; B: 1,21
Der an der oberen Kante unregelmäßig abgebrochene Block gibt nur einen Ausschnitt aus einer mehrere Blöcke umfassenden Darstellung wieder.
Unveröffentlicht. Abgebildet bei COARELLI, *Goleto* 54 Abb. 32
Fot.: Inst. Neg. Rom 75.2808; 75.2812-13

Es sind verschiedene *dona militaria* dargestellt.

Ganz links, durch die Reliefkante halbiert, ein auf der Spitze einer *hasta* befestigter Lorbeerkranz; er ist mit Bändern umwunden [1], die ähnlich wie auf dem darunter vermauerten Fragment Vf 30 wiedergegeben sind. Daneben befindet sich eine geschmückte *hasta*: über einem Medaillon mit Darstellung eines stark verriebenen Kopfs ein Ovalschild, der auf einer waagerechten Stange angebracht ist, die seitlich in je einem kleinen konkaven Kreis endet. Darüber ist ein Schild von eher rechteckiger Form befestigt. Die Spitze der *hasta* ist oben sichtbar. In einigem Abstand weiter rechts ist eine *corona muralis* in Form einer kleinen, in perspektivischer Aufsicht wiedergegebenen Festung mit Mauern und Türmen dargestellt. Man kann sechs zinnengekrönte Türme und ein Tor erkennen.

Die *corona muralis* ist eine hohe militärische Auszeichnung. Sie wurde demjenigen verliehen, der bei der Eroberung einer feindichen Stadt als erster die Mauern erstieg und sich dort behaupten konnte [2]. Darstellun-

237

gen der *corona muralis* finden sich relativ selten. Die Metopen 2, 27, 40, 82, 95, 120 des Mausoleums des L. Munatius Plancus bei Gaeta zeigen eine ähnliche Darstellung in Aufsicht, jedoch fehlt bei dem Relief aus *Venafrum* der dort vorhandene ringförmige Untersatz [3]. Die *corona muralis* ist auch auf Münzen des Agrippa dargestellt [4]. A. Büttner konnte sie auch auf einer Inschriftplatte aus Allersdorf in Kärnten nachweisen [5]. Es handelt sich um einen Typus, der fast unverändert von Bildern hellenistischer Gottheiten mit Mauerkronen übernommen ist [6].

Die *dona militaria* auf der rechten Seite wiederholen die links dargestellten; der Kopf im Medaillon ist hier ebenfalls zu verrieben, um eine Identifikation zu gestatten. Wahrscheinlich ist das Relief in die frühe Kaiserzeit zu datieren, aus der wohl auch die anderen Darstellungen mit militärischen Abzeichen stammen.

(1) Vgl. auch einen Grabstein in Forli (BÜTTNER Taf. 13, 1).
(2) STEINER 33 Anm. 4-6 (dort literarische Quellen zusammengestellt).
(3) R. FELLMANN, *Das Grab des L. Munatius Plancus bei Gaeta* (1957) 42 s.v. Mauerkronen.
(4) H. COHEN, *Médailles Impériales* I (1930) 177.2 und 178.6. BABELON, *II* (1886) 418.12. STEINER 34 Anm. 2.
(5) BÜTTNER 156 Anm. 161.
(6) STEINER 32ff. BÜTTNER 155ff. Severisch ist der Grabstein des Sex. Vibius Gallus aus Amastris / Istanbul Antikenmuseum (BÜTTNER 165 Nr. 4 Taf. 11).

Vf 32 Relief mit Feldzeichen

Taf. 66 Abb. 124 *a-b*.
Venafro, im Corso Lucenteforte 7 vermauert
Fundort unbekannt
Kalkstein H: 0,94; B: 0,81
Der Reliefblock gehört in einen größeren Zusammenhang; die figürliche Darstellung gibt nur einen Ausschnitt aus einer mehrere Blöcke umfassenden Dekoration wieder. Der Block besitzt originale Höhe. Bei seiner Wiederverwendung ist der obere Abschluß in ein Profil umgearbeitet worden, um ihn der Sockelgliederung des Palazzo anzugleichen (Abb. 124 *b*); dabei wurde der obere Teil des *vexillum* zerstört. Die Oberfläche ist besonders in den Medaillons stark verrieben.
Lit.: COARELLI, *Goleto* 54 Abb. 34
Fot.: Inst. Neg. Rom 75.2757-58

Dargestellt sind verschiedene Feldzeichen. Ganz links, von der Reliefkante durchschnitten, scheint der Rest eines Rundschilds erhalten zu sein. Rechts davon ein vollständiges Feldzeichen: auf einer Kugel ruht ein Halbmond auf; ihm schließen sich nach oben fünf Medaillons an. Den oberen Abschluß bildet ein *vexillum*, dessen Fahnentuch am unteren Rand gefranst ist. Die Darstellung im 2. und 4. Medaillon (von unten) zeigt je eine Büste. F. Coarelli meint hier Augustus und Livia erkennen zu können [1]. Im untersten Medaillon kann man möglicherweise eine im Profil nach rechts gewandte Viktoria in langem Gewand sehen; sie hat die mächtigen Flügel gesenkt, eine Hand scheint den Kranz zu halten [2]. Neben diesen Feldzeichen rechts ein weiteres: auf einem stilisierten korinthischen Kapitell sitzt nach rechts ein Adler mit aufgestellten Schwingen; in seinen Krallen hält er den Blitz. Es handelt sich um den Legionsadler, der, vom *aquilifer* getragen [3], bei der ersten Kohorte unter Aufsicht ihres *centurio*, dem *primipilus*, steht [4]. Ganz rechts auf dem Block, wiederum in der Mitte durchgesägt [5], erkennt man den Rest eines Feldzeichens vom Typus des linken mit Medaillons. Coarelli kommt durch einen Vergleich der Darstellungen in den Medaillons mit einer weiteren auf einem Reliefblock in S. Guglielmo al Goleto und durch Kombination mit einer in Venafro erhaltenen Grabinschrift eines *primipilus* [6] zu seiner Benennung der Büsten.

Diese auf den ersten Blick ansprechende Interpretation muß m. E. wenn auch nicht völlig ausgeschlossen, da eindeutige Gegenbeweise nicht beigebracht werden können, so doch modifiziert werden. Die beiden Köpfe in den Medaillons sind zu verrieben, um einer eindeutigen Identifikation mit dem Herrscherpaar standhalten zu können. Die Frisur mit dem im Nacken zusammengefaßten Haar findet sich bei Livia, jedoch ist zu fragen, welche Rolle Livia in der offiziellen Propaganda gespielt hat [7]. Coarelli führt zur Stützung seiner Argumentation die Tatsache an, daß, wenn Personen auf einem militärischen Abzeichen dargestellt sind, es sich um Angehörige des Kaiserhauses handeln muß [8], was sowohl literarisch überliefert [9] als auch durch Darstellungen von Feldzeichen bekannt ist [10]. Es ist selbstverständlich und immer wieder betont worden, daß die Feldzeichen als offizielle Bildersprache ihrer Zeit zu verstehen sind und eine präzise unmittelbare Aussage besitzen [11]. Eine Propagierung der Livia in dieser Form jedoch läßt sich nicht nachweisen. Der Titel *Augusta* und die offizielle Stellung als Priesterin des Divus Augustus ließen ihr erst seit dem Tode ihres Gatten ein größeres Gewicht im offiziellen Rahmen zukommen; es nehmen beispielsweise die Zahl der ihr Bild tragenden Münzen und die ihr zu Ehren errichteten Standbilder zu und die auf sie bezogenen Inschriften werden häufiger [12].

Die Deutung des im 4. Medaillon dargestellten Kopfs als den der Livia muß also wahrscheinlich aufgegeben werden.

Eine Deutung der Darstellung im untersten Medaillon auf das sehr gefeierte Ereignis der Rückgabe der Partherfeldzeichen ist aufgrund der schlechten Erhaltung des Medaillons nicht zu vertreten [13].

Da also die Interpretation der Medaillons wieder offen ist, ist auch der Bezug auf die von Coarelli beigebrachte Inschrift nicht mehr zwingend. Theoretisch könnte man drei weitere Inschriften aus *Venafrum*, die *primipili* nennen und von entsprechenden militärischen Laufbahnen berichten, auf den Reliefblock beziehen [14]. In all diesen Inschriften einschließlich der von Coarelli angeführten werden militärische und munizipale Ämter genannt, während die erhaltenen Reliefs nur die Militärkarriere illustrieren-eine Tatsache, die öfter zu beobachten ist [15].

Das Relief gehört wohl dem Typus nach in die frühe Kaiserzeit. Auch die meisten Inschriften von Angehörigen des Heeres stammen aus dieser Zeit.

(1) COARELLI, Goleto 54.

(2) Vgl. COHEN I 125 Nr. 443; 136 Nr. 498. Brit. Mus. Cat., MATTINGLY, Coins I (1923) 60 Pl. III, 51.

(3) DE RUGGIERO I (1961) 588 s.v. aquila. VEGETIUS II, 7. Grabaltar in Verona (Cat. Bologna, I Taf. 102, 205; II 230 Nr. 347). Grabstein des Cn. Musius / Mainz (CIL XIII 6901 = ILS 2341; STEINER Taf. 1, 7). Grabstein des M. Pompeius Asper, Rom. Palazzo Del Drago (CIL XIV 2523 = ILS 2662; BÜTTNER 171 Nr. 33 Taf. 14, 1; Inst. Neg. Rom 68.2287-88).

(4) VEGETIUS II, 6. RE XXII (1954) 1974 s.v. primipilus (F. LAMMERT).

(5) Vgl. dazu die Anmerkungen bei den Gladiatorenreliefs aus Aesernia (oben S. 120), auch Vf 39.

(6) CIL X 4868 = ILS 2688; RE II (1896) 2409 s.v. Aulienus (P. v. ROHDEN).

(7) z.B. Livia aus der Fundgruppe aus dem Fayum / Kopenhagen (W. H. GROSS, Iulia Augusta. Untersuchungen zur Grundlegung einer Livia-Ikonographie, AbhGöttingen 52, 1962 87 Taf. 16; POULSEN, Cat. Sculpt. Nr. 615).

(8) COARELLI, Goleto 52.

(9) Quellen zusammengestellt bei. COARELLI, Goleto Anm. 27.

(10) Glasmedaillons: A. ALFÖLDI, Römische Porträtmedaillons aus Glas, Ur-Schweiz XV, 4, 1951, 66ff; DERS. Zu den Glasmedaillons der militärischen Auszeichnungen aus der Zeit des Tiberius, Ur-Schweiz XXI, 4, 1957, 8off. Grabmonument des M. Paccius Marcellus (COARELLI, Goleto 46 Abb. 12). Traianssäule (R. WINKES, Clipeata Imago (1969) 226 Rom 27).

(11) H. M. D. PARKER, The Roman Legions (Reprint 1957) passim.

(12) RE XIII (1927) 900ff Nr. 37 s.v. Livia (L. OLLENDORF).

(13) GRUEBER, III (1910) Pl. LXVI, 8-9; LXVII, 1.8.

(14) CIL X 4862 = ILS 2690. RE 2. Reihe VII, 2 (1955) 1020 s.v. M. Vergilius Gallus Lusius (H. CHOCHOLE). A. v. DOMASZEWSKI, BJb 117, 1908, 243. STEINER 48 Nr. 10. CIL X 4867 (v. DOMASZEWSKI a.O. 244). CIL X 4872 (v. DOMASZEWSKI a.O. 244).

(15) So wird in der Inschrift des M. Paccius Marcellus (COARELLI, Goleto 49) nur auf die Laufbahn im Heer Bezug genommen, während auf den Reliefblöcken auch eine sella mit galerus und lituus und außerdem Faszien dargestellt sind. Auf dem Fries des Grabmonuments des L. Cartilius Poplicola in Ostia (FLORIANI SQUARCIAPINO) sind nur Szenen eines Schiffsunternehmens dargestellt, während die Inschrift ausschließlich von einer Zivilkarriere berichtet (vgl. F. ZEVI, Monumenti e aspetti culturali di Ostia republicana, AbhGöttingen 97, 1976, 57ff).

Vf 33 Cippus von einem Rundgrab

Taf. 67 Abb. 125.
Venafro, S. Chiara
Venafro, Loc. Integlia (1936)
Kalkstein H: 0,75; B: 0,37; T: 0,44
Bildfeld: 0,45 × 0,37
Der Block ist an seiner unteren rechten Kante und hinten leicht abgeschlagen. Die Oberfläche ist verrieben. Auf der Rückseite des Blocks befindet sich ein Einlaßzapfen.
Unveröffentlicht
Fot.: Inst. Neg. Rom 75.2799

In dem ungerahmten, dem unteren Blockdrittel gegenüber leicht vertieften Bildfeld sind zwei überkreuzte Beinschienen dargestellt.

240

Die Zurichtung des Blocks auf der Rückseite läßt auf seine Verwendung als Cippus an einem Rundgrab schließen. Ein Maßvergleich mit Cippen anderer Grabbauten bestätigt dies [1]. Rekonstruiert man aus der Höhe des Cippus die ungefähren Proportionen des gesamten Monuments, so muß man sich seine Größe wohl ähnlich der des Grabmonuments des C. Ennius Marsus in Sepino vorstellen, das aus augusteischer Zeit stammt [2].

Als Dekorationsmotiv sind Beinschienen ebenfalls auf einem Cippus in Reggio Emilia dargestellt [3], sonst tragen die Bildfelder der Cippen entweder übliche Grabsymbole [4], Gladiatorenszenen [5] oder sie sind unverziert [6].

Wahrscheinlich hat der Besitzer des Monuments an kriegerischen Ereignissen teilgenommen und, nach den Dimensionen des Monuments zu schließen, sicher nicht als einfacher Soldat [7]. Im römischen Heer der späten Republik und der augusteischen Zeit trugen nur die Centurionen Beinschienen [8]. Ein *centurio* ist in der frühkaiserzeitlichen Inschrift CIL X 4862 aus *Venafrum* überliefert.

(1) Grabmonument in Reggio Emilia (S. Aurigemma, *NSc* I, 1940, 279ff Abb. 21-22, 27. Inst. Neg. Rom 68.1461), Höhe: 0,78; B: 0,43; T: 0,34. Via Appia beim 5.Meilenstein (B. Götze, *Ein Rundgrab in Falerii* (1939) 13 Abb. 11, 17 Taf. II e), Höhe: 0,87; B: 0,505; T: 0,495. Grab aus Vicovaro (G. Daltrop, *Ein Rundgrab bei Vicovaro, RendPontAcc* XLI, 1968, 122 Abb. 4), Höhe: 1,04; B: 0,60; T: 0,49. Rundgrab in Falerii (Götze a.O. 2 Abb. 1, 4 *a-e*), Höhe 1,12. Grab des L. Munatius Plancus (R. Fellmann, *Das Grab des L. Munatius Plancus bei Gaeta* (1957) 16 Taf. 6, 1), Höhe: 1,50; B: 0,61; T: 0,61. Grabmal des C. Ennius Marsus (M. Gaggiotti, *Documenti di Antichità Italiche e Romane III. La fontana del grifo a Saepinum* (1973) 22 Abb. 6 Taf. 12), Höhe: ca. 0,80; B: 0,60; T: 0,60. Rundgrab in Polla (V. Bracco, *ACl* 11, 1959, 189ff), Höhe: 0,87. Rundgrab in *Carsulae* (U. Ciotti, *San Gemini e Carsulae* (1976) 66 Abb. 36 Plan S. 41), Höhe: ca. 0,70; B: 0,60; T: 0,50. Zur Bedeutung der Zinnsteine: Fellmann a.O. 81ff.
(2) Gaggiotti a.O. (zit. in Anm. 1) 22 Abb. 6 Taf. 12.
(3) Aurigemma a.O. (zit. in Anm. 1).
(4) z.B. Bukranion, Vicovaro (Daltrop a.O. (zit. in Anm. 1.)). Polla (Bracco a.O. (zit. in Anm. 1)). Brennende Kandelaber, Falerii (Götze a.O. (zit. in Anm. 1)).
(5) Sepino, Magazin (Faccenna I Taf. 6, 8. Inst. Neg. Rom 75.2666-68; 75.2681; 75.2683).
(6) Wie die des Grabmonuments des C. Ennius Marsus (Gaggiotti a.O. (zit. in Anm. 1)). Grabmonument an der Via Appia (Götze a.O. (zit. in Anm. 1)). Grabmonument des L. Munatius Plancus (Fellmann a.O. (zit. in Anm. 1) 18 Abb. 6). Grabmonument in *Carsulae* (G. Becatti, *Forma Italiae VI, Tuder-Carsulae* (1938) 88ff s.o. Anm. 1).
(7) Vgl. die Inschriften von Angehörigen des Heeres aus *Venafrum* (CIL X 4860; 4862; 4867; 4871; 4872-74; 4876). Inschrift in der Kathedrale im 1. Pilaster links vermauert (H. M. D. Parker, *The Roman Legions* (1928) 87ff; 271-72). R. Duncan-Jones, *PBSR* 33, 1965, 198ff.
(8) Coarelli, *Goleto* 55 Anm. 42. De Ruggiero II (1961) 192ff (R. Cagnat).

Vf 34 Waffenrelieffragment

Taf. 67 Abb. 126.
Venafro, in Via Plebiscito 60 vermauert
Fundort unbekannt
Kalkstein H: 0,80; B: 0,36
Der Block ist an allen Kanten abgebrochen. Die Oberfläche ist stark verrieben.

Unveröffentlicht
Fot.: Inst. Neg. Rom 75.2751

In flachem Relief ist ein nach links gebeugter Muskelpanzer dargestellt. Deutlich erkennbar sind die Pteryges am unteren Abschluß und an den Ärmeln [1], darunter ist der feingefältelte Stoff des Untergewands zu sehen. Eine Feldbinde ist um die Taille geschlungen; an ihr ist das Schwert in der Scheide befestigt. Die Enden der Binde hängen in zwei gleich langen Zipfeln herab. Der Knauf des Schwertgriffs scheint in einem Vogelkopf zu enden [2].

Der Kontext, in den das Fragment gehört, läßt sich nicht mehr bestimmen. Es könnte Teil eines Waffenfrieses sein, von denen eine große Anzahl erhalten ist [3] oder es könnte von einem Waffenrelief stammen, auf dem die Waffenteile parataktisch geordnet gewesen sind [4]. Ob ein Zusammenhang mit bestimmten kriegerischen Ereignissen besteht, muß ungeklärt bleiben. Wahrscheinlich gehört das Fragment zur Verkleidung eines Grabmonuments.

(1) P. COUISSIN, *Les armes romaines* (1926) 438ff.
(2) Ähnliche Schwerter z.B. auf den Balustradenreliefs von Pergamon (AVP II (1885) Taf. 44, 1.2; 49,4; 50, 30). Material zusammengestellt bei M. MANSEL, AA 1968, 276 Anm. 68.
(3) Zusammengestellt bei F. COURBAUD, *Le Bas-Relief romain à réprésentations histo-riques* (1899) 309ff. E. LOEWY, JbKWien N.F. 40, 1928, 87ff. Vgl. auch Is 25.
(4) MANSEL a.O. (zit. in Anm. 2) 262ff.

Vf 35 Reliefblock mit behelmtem Kopf

Taf. 67 Abb. 127.
Venafro, Masseria Cappocci
Aus dem Gelände der Masseria
Kalkstein H: 0,61; B: 0,845; T: 0,27
Alle Kanten sind leicht abgestoßen. Auf der rechten Seite und in der oberen Auflagefläche befindet sich je ein Einlaßloch. Die Oberfläche ist stark verrieben; dadurch ist der Vorderteil des Helms unkenntlich.
Unveröffentlicht
Fot.: Inst. Neg. Rom 75.2739

Der Block stammt aus einem größeren tektonischen Zusammenhang. Am linken Rand ist eine Art Profil zu erkennen, dessen Leisten senkrecht zur Blockkante verlaufen. Rechts davon in einem freien Feld auf neutralem Grund ist der Kopf eines Kriegers im Profil nach links dargestellt.

Er trägt einen Helm mit hohem Topf, ausgezogenem Nackenschutz, doppeltem hohem Busch und Wangenklappen, die weitgehend das Gesicht freilassen. Der Helmtopf war verziert; das Ende einer Volute ist noch zu erkennen. Vielleicht waren auch die Wangenklappen geschmückt. Es bleibt unsicher, ob der Helm ein Visier besessen hat.

Der Helm ähnelt demjenigen eines Feldherrn auf dem Relief einer spätrepublikanischen Grabexedra, die W. v. Sydow in die dreißiger Jahre des 1. Jh.s v. Chr. datiert hat[1].

Es läßt sich nicht entscheiden, ob der Kopf zu einer Ganzfigur gehört hat, deren Körper auf unten anschließenden Blöcken dargestellt gewesen ist oder ob er auf einer separaten Leiste gestanden hat, wie es ein Beispiel auf einem anderen Relief aus *Venafrum* zeigt[2].

Wahrscheinlich gehörte der Block zu einem aufwendigen Grabmonument eines Mannes, der im Militärdienst Karriere gemacht hatte.

(1) W. v. SYDOW, *Die Grabexedra eines römischen Feldherren, JdI* 89, 1974, 195 ff; 196 Anm. 43-44 mit Vergleichen, Abb. 3, 6.
(2) Vf 36. Taf. 68. Abb. 128 *a-b*.

Vf 36 Fragment der Verkleidungsplatte eines Grabmonuments

Taf. 68 Abb. 128 *a-b*.
Pozzilli, im Hof des Palazzo der Familie Del Prete
Aus den Ländereien der Familie Del Prete
Kalkstein H: 0,60; B: 0,92; T: 0,31
Der Reliefblock gehört in einen größeren Zusammenhang; die figürliche Darstellung gibt nur einen Auschnitt aus einer mehrere Blöcke umfassenden Dekoration wieder. Über dem Kapitell ist der originale obere Abschluß des Blocks erhalten, sonst ist er unregelmäßig abgestoßen.
Unveröffentlicht
Fot.: Foto Sopr.

Die Wandfläche ist mit Pilastern gegliedert. Rechts ist noch ein Teil eines Türsturzes zu erkennen, links ein Zierglied. Der kannelierte Pilaster wird durch ein korinthisches Normalkapitell abgeschlossen. Trotz der Bestoßungen kann man die spitzig-stachelige Form der Blattlappen erkennen. Damit ist ein ungefährer Datierungsanhalt gewonnen; ähnlich sind die Blätter des Kapitells am Bogen von Aquino gebildet, der in die Jahre um 40 v. Chr. datiert wird[1].

Von der Tür ist nur der linke obere Teil mit dem Türsturz erhalten. Über dem Sturz folgt ein glatter Fries und schließlich das verkröpfte Gesims, dessen Enden auf schlanken gedrechselten Konsolen ruhen, die bis unter den Sturz herabhängen. Über der Tür kann man noch zwei Buchstaben einer Inschrift erkennen: C. S. Links des Pilasters ist auf einer profilierten Standplatte (es könnte sich auch um das obere Profil eines Gesimses handeln, in Analogie zu Vf 37) ein nach rechts gewandter behelmter Kopf eines Kriegers dargestellt[2]. Die Helmhaube ist am unteren Rand mit einem Spiralmotiv verziert; der Helm besitzt große Wangenklappen und eine Protome, von der nur der Ansatz zu erkennen ist.

(1) M. Cagiano de Azevedo, *L'Arco di Aquino e un disegno di Giuliano da Sangallo*, *Palladio* 2, 1938, 41 ff (datiert zu tief). Kähler, *Kapitelle* 7, Beilage 2.5. Heilmeyer 42.
(2) Eine Gorgomaske auf einer derartigen Standleiste: Venosa, Ss. Annunziata (Unveröffentlicht).

Vf 37 Fragment der Verkleidungsplatte eines Grabmonuments

Taf. 68 Abb. 129.
Venafro, in der Wand hinter der linken Apsis der Kathedrale vermauert
Fundort unbekannt
Kalkstein H: 0,87; B: 1,01
Der Reliefblock gehört in einen größeren Zusammenhang; die figürliche Darstellung gibt nur einen Ausschnitt aus einer mehrere Blöcke umfassenden Dekoration wieder. Die Kapitelle sind fast unkenntlich. Die Oberfläche ist stark korrodiert.
Unveröffentlicht
Fot.: Inst. Neg. Rom 75.2810

Die Wand ist mit enggestellten Pilastern gegliedert. Erhalten ist ein vollständiger kannelierter Pilaster mit korinthischem Normalkapitell (rechts); der linke Pilaster ist bis auf zwei Kanneluren abgeschnitten. Das Kapitell läßt sich aufgrund seiner Ähnlichkeit mit dem besser erhaltenen des Reliefs Vf 36 in das 3. Viertel des 1. Jh. s v. Chr. datieren. Zwischen den Pilastern steht auf einer volutenverzierten Tafelkonsole, die mit einem Gesims abschließt, ein gleichzeitig in Auf- und Untersicht gezeigter kleiner stark gebogener rechteckiger Schild. Der mit einem viereckigen Metallplättchen unterlegte Buckel ist besonders deutlich hervorgehoben. Rechts neben dem Schild, ebenfalls auf dem Gesims, sind noch Reste eines schmalen länglichen Gegenstands zu erkennen, möglicherweise einer Lanze.

Die Dekoration des Untergeschoßes eines Grabbaus mit zwischen Pilastern angebrachten Tafelkonsolen ist im frühen 1. Jh. v. Chr. häufiger bezeugt [1]. Sie leitet sich von der Innenausstattung hellenistischer Bauten her, wobei der Zeitpunkt der Übernahme an den Außenbau sich nicht genau bestimmen läßt. Die wohl ursprüngliche Funktion der Tafelkonsolen, Träger für Bilder oder Geräte zu sein – wie es hellenistische ostgriechische Grabreliefs zeigen [2] –, ist bei dem vorliegenden Stück beibehalten.

Als Deutungsmöglichkeit der Darstellung bietet sich die Imitation einer Porticus mit eingestellten Weihgeschenkträgern an, wie sie aus Rom überliefert sind [3] und die es möglicherweise auch in *Venafrum* gegeben hat.

(1) s. dazu Zusammenstellung bei W. v. Sydow, RM 84, 1977, 288 f.
(2) E. Pfuhl, *Das Beiwerk auf den ostgriechischen Grabreliefs*, *JdI* 20, 1905, 130 ff; Engemann 43.
(3) M. Pape, *Griechische Kunstwerke aus Kriegsbeute und ihre öffentliche Aufstellung in Rom* (*Diss.* Hamburg 1975) 1-25; 27 ff; bes. 46 f.
Vgl. auch Weiherelief in München, Glyptothek (W. Fuchs, *Die Vorbilder der neuattischen Reliefs*, 20. Erg.-H. *JdI*, 1959, 170 Anm. 25 mit älterer Literatur); Kitharödenrelief, Berlin (Fuchs a.O. 124 Anm. 27; 151 Anm. 16).

Vf 38 Fragment der Verkleidungsplatte eines Grabmonuments

Taf. 68 Abb. 130.

Venafro, in der Umzäunungsmauer des Konvents von S. Nicandro vermauert
Fundort unbekannt
Kalkstein H: 0,69; B: 0,87
Das Fragment gehört in einen größeren tektonischen Zusammenhang; die figürliche Darstellung gibt nur einen Ausschnitt aus einer mehrere Blöcke umfassenden Dekoration wieder. Der Block ist an der rechten Seite und am unteren Rand regelmäßig zugeschnitten. Die Oberfläche ist abgeschlagen und korrodiert.
Unveröffentlicht
Fot.: Inst. Neg. Rom 75.2740

Die Wandfläche ist mit Pilastern gegliedert; ein kannelierter Pilaster mit korinthischem Normalkapitell ist auf der linken Seite erhalten. Es läßt sich in Analogie zu dem des Reliefs Vf 36 etwa in das 3. Viertel des 1. Jh.s v. Chr. datieren. Rechts neben dem Pilaster ist ein Rundschild dargestellt. Er ist etwas größer als das Kapitell und besitzt einen abgesetzten Rand und ein erhöhtes Mittelstück [1].

Ob der Schild auf einem Gesims oder Sockel stand (wie Vf 37) oder als frei aufgehängt zu denken ist, läßt sich nicht entscheiden.

Wandgliederungen mit Halbsäulen oder Pilastern und dazwischengesetzten Schilden lassen sich ab dem 2. Jh. v. Chr. nachweisen [2].

[1] Identischer Schild im Giebel eines Grabmonuments in L'Aquila / Museo Nazionale (Abb. *StMisc* 10 1966, Abb. 136).
[2] Rathaus von Milet (H. KNACKFUß, *Milet* II, 1 (1908) 27 Abb. 27, 41 ff). Augustusbogen von Perugia (P. J. RIIS, *Acta Arch* 5, 1934, 70 ff). Grabmal des P. Verginius Paetus (AURIGEMMA, *Sarsina* 89 ff). Relief von einem Grabmonument in Modena (G. A. MANSUELLI, *Mon. Piot* 53, 1963, 89 Abb. 52).

Vf 39 Fragment eines Gladiatorenfrieses

Taf. 69 Abb. 131.

Venafro, S. Chiara
Fundort unbekannt
Kalkstein H: 0,92; B: 0,65; T: 0,36
Der Block ist oben und an der rechten Kante unregelmäßig gebrochen. Die Oberfläche ist verrieben.
Unveröffentlicht
Fot.: Inst. Neg. Rom 75.2741

Die figürliche Darstellung befindet sich über einer 0,25 m hohen unverzierten Standleiste. Man kann Teile von zwei Figuren erkennen. Bei der linken im Vordergrund handelt es sich um einen vom Rücken gezeigten Gladiator. Deutlich ist sein rechtes Bein zu sehen; er stemmt es kräftig gegen den Boden und setzt es mit voller Sohle auf, um nach links in weitausholendem Schritt zu kämpfen [1]. Seine Ausrüstung soweit sie auf dem Block erhalten ist besteht aus einem in der Taille gegürteten *subligaculum* und der Beinschiene, die auf der Wade geschnürt, bis zum Knie heraufreicht[2]. Als seinen rechten Arm muß man wohl den sonst unerklärbaren Gegenstand auf der rechten Seite des Blockes deuten, der durch die Beschädigung stark beeinträchtigt ist.

Deutlich in einer zweiten Ebene hinter dem Gladiator befindet sich in Frontalansicht zum Betrachter eine zweite Figur. Auffallend ist ihre andere Proportionierung. Sie schreitet nach links, in Richtung der Aktion des Kampfes. Der Rest eines *subligaculum* ist noch zu erkennen; sonstige Bekleidung oder Bewaffnung ist nicht zu identifizieren. Die Beine sind unbekleidet.

Rechts von diesen beiden Figuren ist ein in den Boden gestecktes Faszium mit begleitenden Stäben dargestellt. Die technische Zurichtung des Blocks entspricht derjenigen der Blöcke des Gladiatorenfrieses von *Aesernia* (Is 12-18). Es ist möglich, die ungefähre originale Höhe des Frieses zu bestimmen: aufgrund der Proportionen des vom Rücken gesehenen Gladiators ergibt sich eine Frieshöhe von ca. 0,90 m, was eine Einordnung in die Gruppe I ermöglicht[3]. Der Fries war wahrscheinlich an einem Grabmonument angebracht[4]. Eine Darstellung von Faszien auf Gladiatorenfriesen findet sich häufiger[5]. Sie sind als Amtsabzeichen des *editor muneris* aufzufassen[6].

Wir besitzen aus *Venafrum* verschiedene Inschriften, die sich auf *munera* beziehen[7]; wahrscheinlich fanden sie im Amphitheater statt. Keine der Inschriften läßt sich jedoch mit Sicherheit auf den vorliegenden Fries beziehen.

(1) Vgl. Relief aus Corfinio (Is 17 Anm. 2).
(2) Sehr deutlich auf dem Relief von der Via Ostiense (Is 16 Anm. 1).
(3) s. dazu S. 122.
(4) Vgl. dazu die bei den Gladiatorenreliefs von *Aesernia* aufgeführten Vergleichsbeispiele (Is 12-19).
(5) Bekannt auch von dem Relief eines Triumvir / Chieti (LA REGINA, *Triumvir*), wo die Liktoren mit den Faszien neben dem Tribunal sitzen.
(6) Wie bei dem Relief des Triumvir / Chieti (s. Anm. 5). Faszien als Amtsinsignien: Grabmal des C. Cartilius Poplicola / Ostia (Is 21 Anm. 4).
(7) CIL X 4893; 4897; 4913; 4915; 4920.

Vf 40 Fragment eines Gladiatorenreliefs

Taf. 69 Abb. 132.

Venafro, im Eingang des Palazzo Cimorelli vermauert
Aus den Ländereien der Familie Cimorelli
Kalkstein H: 1,20; B: 1,32; Buchstabenhöhe: 0,03
Der Block ist an drei Seiten unregelmäßig abgebrochen.
Nur die rechte Außenkante ist noch original erhalten.
Die Oberfläche ist verrieben.

Lit.:
FACCENNA I 44ff Abb. 3 (mit älterer Literatur)
Fot.: Inst. Neg. Rom 31.3001; 75.2762

Dargestellt sind Gladiatorenkämpfe, die auf zwei übereinanderliegende Register verteilt sind. Aufgrund des schlechten Erhaltungszustands ist unklar, ob weitere Szenen nach oben oder unten anschlossen. Es läßt sich ebenfalls nicht feststellen, ob der Block isoliert war oder zu einem größeren Komplex gehört hat. Aus den Beischriften wird deutlich, daß hier Angehörige zweier *familiae gladiatoriae*, der Iulianer und der Cassianer, gegeneinander kämpfen. Jedem Teilnehmer ist die Zahl der Kämpfe und Siege und der Ausgang des dargestellten Kampfs beigeschrieben.

Im oberen Register befindet sich links ein Schiedsrichter; es folgt das erste Kampfpaar: der Kampf ist bereits entschieden. Incitatus liegt gefallen am Boden, Serenus steht in Ausfallstellung frontal zum Betrachter. Beide Gladiatoren gehören zur Familie der Cassianer. Es folgt eine Dreiergruppe, ebenfalls aus Kämpferpaar und Schiedsrichter gebildet; der Schiedsrichter hat die Kämpfenden getrennt: frontal zum Betrachter steht Blastus, ein Cassianer, sein unterlegener Gegner Aster wartet kniend auf die Entscheidung des Publikums. Im unteren Register ist am linken Bildrand der Teil einer frontal gezeigten Figur zu erkennen. Den Inschriftresten zufolge handelt es sich um den Unterlegenen eines Kampfpaares; sein Gegner ist verloren. Weiter rechts steht der Cassianer Euthicus; er hat über den Iulianer Niger gesiegt, der mit auf den Rücken gebundenen Händen den Todesstoß erwartet. An der rechten Seite ist der Kampf zwischen dem Iulianer Bassus und dem Cassianer Chrestus, der am Boden liegt, bereits entschieden.

Man kann trotz der korrodierten Oberfläche noch erkennen, daß auf die Charakterisierung der verschiedenen Gladiatorenklassen großer Wert gelegt worden ist. Überschneidungen wie auch die Angabe von Raumtiefe sind möglichst vermieden, es herrschen reine Vorder- oder Rückansichten vor. In der Haltung der einzelnen Paare zueinander ist zwar Abwechslung gesucht, doch weisen die drei frontal aufgereihten Figuren des oberen Registers eine gewisse Monotonie auf. Wahrscheinlich ist das Relief nach Musterbüchern gearbeitet worden, da hier auftretende Typen sich auch auf anderen Reliefs wiederfinden lassen. Vergleicht man die Figur am linken unteren Rand mit der Mittelfigur des Storax-Reliefs in Chieti[1], die dritte Figur von rechts des oberen Registers mit der zweiten von rechts außen des Storax-Reliefs, die zweite von links außen im unteren Register mit der sechsten von rechts des Storax-Reliefs, so erkennt man, daß hier wie dort dieselben Typen verwendet sind. Der kniende Gladiator rechts außen im oberen Register ähnelt in seiner Stellung demjenigen der mittleren Gruppe des dreizonigen Gladiatorenreliefs aus Pompeji, das wohl um 50 n. Chr. entstanden ist [2].

D. Faccenna hat aufgrund des allgemeinen Ductus des Reliefs eine Datierung in das 2. Jh. n. Chr. vorgeschlagen [3]. M. E. ist eine Datierung noch in das 1. Jh. n. Chr. wahrscheinlicher. Trachtgeschichtlich läßt sich nur der Helm des Gladiators des unteren Registers, der die Hände auf den Rücken gebunden hat, auswerten. Er besitzt eine gerade Krempe, die sich mit der der Gladiatoren vom Storax-Relief vergleichen läßt [4]; das Gesicht ist allerdings zu bestoßen, als daß sich entscheiden ließe, in welcher Art die Wangenklappen gestaltet gewesen sind.

Das Relief schmückte sicherlich ein Grabmonument, dessen Besitzer *ludi* gegeben hatte. Es scheint unwahrscheinlich, daß sich ein Gladiator das Monument hat errichten lassen. Die Monumente von Gladiatoren treten wohl erst seit dem 2. Jh. n. Chr. auf. Ein Relief im Thermenmuseum / Rom [5] und ein weiteres im Museo Nuovo Capitolino / Rom [6] zeigen einen Gladiator, wohl den Inhaber des Monuments, an dem die Reliefs jeweils angebracht gewesen sind, immer siegreich in verschiedenen Kampfsituationen.

(1) Coarelli, *Storax* Taf. 33.
(2) *StMisc* 10, 1966, Taf. 40 Abb. 97, 99.
(3) Faccenna a.O.
(4) *StMisc* 10, 1966, Taf. 33, 80; Taf. 35, 86; Taf. 38, 91.
(5) Faccenna II 10 ff Abb. 2. *Helbig* [4] III 2413 = E. Simon.
(6) Mustilli 104 ff, 249, 5 Taf. 63.

Vf 41 Giebel mit Darstellung einer Eberjagd

Taf. 69 Abb. 133.
Venafro, im Hof der Familie Armieri in Via Roma 23 aufbewahrt
Fundort unbekannt
Kalkstein H: 0,61; B: 1,50; T: 0,251
Die beiden seitlichen Giebelecken sind abgebrochen. Die Oberfläche ist verrieben.
Unveröffentlicht
Fot.: Inst. Neg. Rom 75.2826

Ein großer in der Mitte des dreieckigen Giebelfelds dargestellter Eber galoppiert in gestrecktem Lauf nach rechts; er wird von einem Hund verfolgt, ein zweiter jagte wohl dem Eber voraus.

In der Darstellung wird der Versuch des Steinmetzen deutlich, die Tiere mit einer gewissen Raumhaltigkeit wiederzugeben. Wahrscheinlich stand ihm eine entsprechende Vorlage zur Verfügung.

Die ursprüngliche Funktion des Giebels läßt sich nicht mehr mit Sicherheit bestimmen. Vielleicht gehörte er zu einem Grabmonument, dessen Besitzer im Amphitheater *venationes* gegeben hatte und der die von ihm veranstalteten Spiele an seinem Grabbau dargestellt wissen wollte [1]. Vielleicht war der Giebel aber auch in irgendeiner Weise als Schmuckglied im Amphitheater selbst angebracht [2].

Eine Interpretation der Szene als kalydonische Jagd ist aufgrund der fehlenden Haupt- und Beifiguren nicht möglich.

(1) Vgl. die Stuckreliefs am Grab des Umbricius Scaurus (MAZOIS I Pl. 31-32; danach Abb. in *StMisc* 10, 1966, Taf. 42, 106; 53, 109) und das Marmorrelief von der Gräberstraße vor dem Stabianertor in Pompeji (Neapel MN; Abb. in *StMisc* 10, 1966, Taf. 40, 97; TH. KRAUS-L. V. MATT, *Lebendiges Pompeji. Pompeji und Herkulaneum* (1973) Nr. 53).
(2) Etwa wie ein Pluteusrelief von den *vomitoria* des Amphitheaters von Capua (G. PESCE, *I rilievi dell'Anfiteatro Campano. Studi e Materiali del Museo dell'Impero Romano,* Heft 2 (1941) 28 f Nr. 42, 45, 47 mit Abb. Taf. 13), dessen figürlicher Schmuck den Meleagermythos wiedergibt (s. G. KOCH, *Nachlese zu den Meleagersarkophagen,* AA 90, 1975, 536 Abb. 10).

Vf 42 Relieffragment

Taf. 69 Abb. 134.
Venafro, in Piazza Cristo im Palazzo Del Prete vermauert
Fundort unbekannt
Kalkstein H: 0,55; B: 0,68
Die Oberfläche ist stark korrodiert.
Unveröffentlicht
Fot.: Inst. Neg. Rom 75.2764

Auf einer Standleiste von unbestimmter Form, die durch eine Art von schräger Riffelung vielleicht eine Geländeangabe sein soll, erkennt man den Unterkörper einer nach rechts hin ausschreitenden Figur. Sie trägt ein bis über die Knie reichendes weites Gewand, dessen Stoffülle durch unregelmäßig gesetzte, unterschiedlich tiefe Kerbungen gekennzeichnet ist. An dem vorgestellten linken Bein, das mit ganzer Sohle aufsetzt, erkennt man noch einen höheren Halbschuh. Eine Deutung der Szene ist nicht möglich; vielleicht handelt es sich um eine Szene die in freier Landschaft spielt.

Vf 43 Relief mit Elefantenreiter

Taf. 70 Abb. 135 *a-c.*
Monteroduni, in Loc. Castagneto in einem Bauernhaus vermauert
Fundort unbekannt
Kalkstein H: 0,77; B: 0,53; H (des Tieres): 0,53
Die originalen Kanten des Reliefs sind auf drei Seiten erhalten. Die Relieftiefe wird durch die an der linken Seite vorspringende Kante festgelegt. Die ursprüngliche Breite läßt sich nicht mehr bestimmen, da auf der rechten Seite ein beträchtlicher Teil des Reliefs fehlt. Die Bearbeitung des Reliefgrunds mit dem Zahneisen läßt sich an den von links nach rechts verlaufenden Rillen noch gut ablesen. Die Oberfläche ist leicht verrieben.

Unveröffentlicht
Fot.: Foto Sopr. 7776; 7785; Inst. Neg. Rom 75.2735

Die Darstellung zeigt einen nach rechts marschierenden Elefanten mit Reiter. Das Tier trägt eine mit einem abgesetzten Saum versehene Schabracke, die mit Bauchriemen befestigt ist. Zusätzlichen Halt gibt ein unterhalb des Schwanzes um den Körper geführter Riemen. Der Reiter ist mit einem kurzen gefältelten, halbärmeligen Gewand bekleidet; darüber trägt er einen ärmellosen Umhang, von dem zwei gewichtbeschwerte Zipfel, einer vor dem Oberschenkel, der andere hinter dem Rücken, auf die Satteldecke fallen. Der Kopf scheint unbedeckt zu sein. Die halbhohen Sandalen sind mit zwei Riemen oberhalb des Knöchels geschlossen.

Der Mann hält beide Arme angewinkelt; eine Hand, es läßt sich nicht erkennen welche, hält einen Stab, dessen vorderer Teil abgeschlagen ist.

Bei der künstlerischen Ausführung des Reliefs ist großer Wert auf Übersichtlichkeit gelegt. Mit dem gleichen Stilmittel, dem Kerbschnittstil, sind sowohl die Mantelfalten als auch die eigenartigen, parallel zueinander verlaufenden Rippen am Bauch des Tiers charakterisiert.

Das Reliefbruchstück stammt vermutlich von einem Grabbau, dessen Außenfassade es schmückte.

Ein Verständnis der Darstellung ist schwierig. Im Folgenden werden zwei Möglichkeiten der Deutung vorgeschlagen:

a) Der Bildinhalt ist ganz konkret zu fassen.

Ein Vergleich mit *Pompa circensis*-Darstellungen, vor allem die des Sarkophagdeckels in S. Lorenzo fuori le mura in Roma[1], könnte nahelegen, daß es sich hier um einen Ausschnitt aus einer solchen Szene handelt. Der Stab in den Händen des Reiters wäre dann als Harpe zu ergänzen, wie sie bei zahlreichen Elefantenreitern belegt ist[2].

Sollte sich der dargestellte Vorgang auf eine derartige Prozession beziehen, so läßt sich ein inhaltlicher Zusammenhang mit dem im selben Bauernhaus vermauerten Relief (Vf 44), welches möglicherweise vom gleichen Grabbau stammt, nur mühsam herstellen.

b) Die Darstellung hat symbolische Bedeutung.

Es ist bekannt, daß der Elefant für politische und religiöse Bildaussage verwendet wurde[3]. Literarisch und durch Münzbilder ist er als zum Repertoire der Herrscherapotheose gehörig überliefert[4]. Die Verbindung des Elefanten mit dem Licht (*animal caelestis*[5]) und dem Sonnengott ist bereits dem Hellenismus bekannt; sie ist östlicher Herkunft[6]. Seit der frühen Kaiserzeit wurden im römischen Bereich Elefanten mit dem Begriff des ewigen Lebens in Zusammenhang gebracht[7]. Dieser Bezug hat ihn in die Sepulchralkunst des 2. Jh.s n. Chr. eingeführt[8].

Möglicherweise ist über diesen allgemeinen Sinnbezug eine Deutung der Darstellung zu suchen [9], wie bei dem Relief Vf 44.

(1) N. HIMMELMANN, *Typologische Untersuchungen an römischen Sarkophagreliefs des 3. und 4. Jh. s n. Chr.* (1973) 35 ff Taf. 56 *b*, 57.

(2) z.B. Sarkophag in Baltimore, Walters Art Gallery (F. MATZ, *Die Dionysischen Sarkophage II*, 1968, 231 ff Nr. 95 Taf. 116, 118).

(3) F. MATZ, *Der Gott auf dem Elefantenwagen, AbhAkWissMainz* 1952. Nr 10,3ff.

(4) Vgl. die Zusammenstellung bei MATZ a.O. (zit. in Anm. 3) 26, 33 Anm. 1.

(5) M. TROUSSEL, *L'Eléphant céleste, Récueil de notices et mémoires, SocArch de Constantine* 70, 1957-59, 60 ff. J. GUEY, *Les éléphants de Caracalla*, REA XLIX, 1947, 253 ff.

(6) MATZ a. O. (zit. in Anm. 3) 26 ff.

(7) MATZ a. O. (zit. in Anm. 3) 26 ff.

(8) MATZ a. O. (zit. in Anm. 3) 33 f.

(9) Nicht unerwähnt soll ein unveröffentlichter Altar im Thermenmuseum / Rom (aus der Nähe von Tivoli) bleiben. Auf ihn wies mich freundlicherweise F. Coarelli hin und gewährte mir Einblick in seine Notizen. Eine Fotografie stellte F. Sinn-Henninger zur Verfügung. Das Stück ist abgebildet bei L. QUILICI, *Forma Italiae I, 10 Collatia* (1975) Abb. 134-137.
Der Altar weist auf seiner Vorderseite eine ähnliche Darstellung auf, einen Elefanten mit Reiter, der in der Linken einen Lorbeerstrauch, in der Rechten einen geflügelten *caduceus* hält. Die Inschrift des Altars lautet: vates tiburtinus voto suscepto compote / factus hunc locum comperi / esse sanctum et Luco Inventori / consacravit. Eine eindeutige Lesung ist mir nicht möglich.

Vf 44 Relief mit Darstellung der Europa

Taf. 70 Abb. 136.

Monteroduni, in demselben Bauernhof wie Vf 43 vermauert
Fundort unbekannt

Kalkstein Bildfeld: 0,76 × 0,83; (Leiste links): B 0,29; (Leisten oben und unten): B. 0,07.

Auf drei Seiten ist die originale Begrenzung der Reliefplatte erhalten; die ursprüngliche Breite läßt sich aufgrund der Bestoßung auf der rechten Seite nicht mehr bestimmen. Die Oberfläche ist verrieben.

Unveröffentlicht

Fot.: Inst. Neg. Rom 75.2734

In dem leicht vertieften Bildfeld ist die vom Stier entführte Europa dargestellt. Die eilige Bewegung des Stiers wird durch die Trabstellung der Vorderbeine, von denen eins erhoben ist, verdeutlicht; die Hinterbeine dagegen sind in ruhiger Schrittstellung wiedergegeben.

Europa sitzt frontal zum Betrachter auf dem Rücken des Tiers. Sie ist mit einem gegürteten, fußlangen Gewand bekleidet und hält sich mit der Rechten an einem Horn des Stiers fest, mit der Linken faßt sie in den sich über ihrem Kopf hoch aufwölbenden Mantel, der sich durch die schnelle Fahrt breit nach rechts aufbläht. Dieser Typus ist seit hellenistischer Zeit geläufig [1]. Das vorliegende Relief zeigt die Verarmung eines in zahlreichen Gattungen tradierten Motivs bei der Übernahme in die lokale Bildhauerwerkstatt. Es spricht letztlich für die Qualität des zur

Verfügung stehenden Darstellungsschemas, daß, Details, wie der sich wölbende Mantel und das reich gefältelte Gewand, trotz der Verflächigung des Reliefs, noch erkennbar sind.

In der künstlerischen Ausführung ist das Stück mit dem Elefantenrelief (Vf 43) verwandt. Die Reliefschichten sind hier wie dort eingeebnet. Die Figuren setzen sich gegen den glatten Hintergrund mit ihrem geschlossenen Umriß scharf ab. Durch den Kerbschnittstil sind in gleicher Weise die Falten an der Wamme des Stiers und die Falten des Mantels charakterisiert. Durch ihre parallele Wiederholung entstehen eigenständige ornamentale Formen, was besonders in dem zurückwehenden Mantelstück deutlich wird, das zu einem völlig abstrakten Gebilde verfestigt ist.

Die Darstellung eines mythologischen Themas im Hinterland überrascht. Man kann wohl annehmen, daß damit bestimmte Ideen veranschaulicht werden sollen. Die allegorische Identifizierung mit einer von einem Gott geraubten Figur des griechischen Mythos weist die Deutung in den Bereich der Privatapotheose [2]. Ein Relief in Sempeter macht das überdeutlich, in dem die jung verstorbene Tochter als Geliebte des Zeus auf dem Rücken des Stiers entführt wird [3].

(1) W. Bühler, *Europa. Ein Überblick über die Zeugnisse des Mythos in der antiken Literatur und Kunst* (1968) 57 ff; Bsp. für die Reliefplastik a.O. 65 und Anhang 60 f. F. Brommer, *Denkmälerlisten zur griechischen Heldensage. III Übrige Helden* (1976) 118 ff s.v. Europa.
(2) F. Cumont, *Le symbolisme funéraire des Romains* (1942) 67 Anm. 2.
(3) Grabmal der Ennii, Vorderseite (J. Engemann, *Untersuchungen zur Sepulchralsymbolik der späteren römischen Kaiserzeit, JbAChr Erg.-Bd.* 2, 1973, 20 f Taf. 7 a; J. Korosec, *Roman Family Tombs in Yugoslavia, Archeology* 10, 1957, 121 Abb. 11).

Vf 45 Relief mit Tiergruppe

Taf. 70 Abb. 137.
Monteroduni, Via Porta Falsa Ecke Via Scipione vermauert
Fundort unbekannt
Kalkstein H: 0,55; B: 0,64
Das Relief ist modern in eine Hausfassade eingelassen und mit einem Rahmen in Zement versehen. Somit ist die originale Begrenzung nicht erhalten. Die Oberfläche ist verrieben.
Unveröffentlicht
Fot.: Inst.Neg. Rom 75.2736

Dargestellt ist eine Tiergruppe. Ein Baum am linken Bildrand charakterisiert die freie Landschaft, in der die Szene spielt. Ein Hirsch mit ausladendem Geweih verdeckt den größten Teil einer Hirschkuh, die ihren Kopf zurückwendet. Ein Hund beißt in ihren linken Hinterlauf. Bei der Staffelung der Tiere wird der Eindruck räumlicher Tiefe angestrebt, die wohl auf die Vorlage zurückgeht. Der lokale Steinmetz zeigt sich jedoch dem Darstellungsproblem nicht gewachsen. In den völlig verflachten und eingeebneten Reliefschichten hat er die Tiefenstaffelung reduziert. Zugunsten einer größeren Übersichtlichkeit und einer leichteren Verständlichkeit sind die Figuren wie bei den vorher besprochenen Reliefs scharf in ihrem Umriß umfahren und vom Hintergrund abgesetzt. Die Hautfalten an der Brust des Hirsches weisen die schon bei der Wamme des Stiers (Vf 44) beobachtete grobe Kerbung auf. Das geringe künstlerische Vermögen des Steinmetzen wird vor allem bei der Darstellung der Beine der Tiere deutlich. Der moderne Betrachter hat Mühe die Beine auseinanderzudividieren und dem jeweiligen Tier zuzuweisen.

Eine Interpretation der Szene ist nicht möglich. Die ursprüngliche Funktion des Reliefs bleibt ungeklärt.

Man kann nur darauf hinweisen, daß im Deckenschmuck des Nasoniergrabes in Rom verschiedene Jagdbilder den Jahreszeiten zugeordnet sind[1]. Die Hirschjagd fällt dabei auf den Frühling. B. Andreae folgt Eisler in dessen Deutung auf den orphisch bestimmten Gesamtcharakter der Ausstattung[2].

(1)/(2) B. ANDREAE, *Studien zur römischen Grabkunst*, 9. ERG.-H. RM 1963, 126.

Vf 46 Relieffragment mit Gorgoneion

Taf. 71 Abb. 138 *a-b*.
Venafro, S. Chiara
Fundort unbekannt
Kalkstein H: 0,86; B: 0,88; T: 0,45
Der Block war wohl ursprünglich von dreieckiger Form; eine Ecke ist über der Stirnmitte der Gorgo noch erhalten. Ein Bruch verläuft an der linken Schläfe und an der Nase. Die Oberfläche ist stark korrodiert.
Unveröffentlicht
Fot.: Inst. Neg. Rom 75.2801; Foto Sopr.

Dargestellt ist der Kopf einer Gorgo. Das Gesicht ist von der Haarmasse deutlich durch eine Rille getrennt. Die Augen sind mandelförmig gebildet und weitgeöffnet; die Lider sind durch Rillen vom Augapfel abgesetzt. Das Unterlid wirkt geschwollen. Eine schattengebende Zone liegt zwischen Oberlid und Orbital. Die Brauen wölben sich und biegen in die Schläfenpartie um. Die Stirn ist flach und niedrig. Deutlich sind die fleischigen Wangen hervorgehoben. Die Nase scheint an ihrer Spitze flachgedrückt zu sein, dennoch ergibt sich kein fratzenhaftes Aussehen. Der Mund ist klein, die Lippen leicht aufgeworfen. Von den Schlangen scheint nichts erhalten zu sein oder sie lassen sich nicht von der Haarmasse unterscheiden; diese ist durch grobe Einsenkungen in in sich gerillte Büschel untergliedert.

Aufgrund der Dimensionen des Fragments könnte es sich um den Giebel eines Grabmonuments handeln. Die Verwendung des Medusenkopfs im sepulkralen Bereich ist häufig nachzuweisen [1]. Ob ihm hier eine symbolische Bedeutung zukommt, läßt sich nicht entscheiden [2].

(1) z. B. Juliergrab in Glanum (H. ROLLAND, *Le Mausolée de Glanum*, *XXI*e *Suppl. à Gallia* (1969) Pl. 16, 59, 60, 61). Relief in L'Aquila, Museo Nazionale (Abb. in *St.Misc* 10, 1966, Taf. 52, 138.139).

(2) s. die Literaturzusammenstellung bei S. RINALDI TUFI, *Stele funerarie con ritratti di età romana nel Museo Archeologico di Spalato. Saggio di una tipologia strutturale*, *MemAccLinc Serie* VIII, Vol. XVI (1971) 133 mit Anm. 117.

Vf 47 Fragment des Grabreliefs des Q. Servilius Quinctio

Taf. 71 Abb. 139.
Venafro, S. Chiara
Venafro, bei Ponte Nuovo an der Straße, nach Caianello gefunden (1934)
Kalkstein H: 0,51; B: 1,35; T: 0,34. Bildfeld: 0,44 × 0,37
Von dem Relief ist nur die linke Hälfte erhalten. Der Bruch verläuft unregelmäßig. Die Oberfläche ist an verschiedenen Stellen leicht bestoßen.

Inschrift:

viv(o)	3,8-5
Q(uinto) Servilio Sp(uri) f(ilio) [1]	5-5,5
Quinctioni [2]	2,3-3

Unveröffentlicht
Fot.: Inst. Neg. Rom 75.2796

Das Grabrelief stand wohl nicht frei, sondern war ursprünglich in eine Grabfassade eingelassen.

Am linken Rand des langrechteckigen Blocks ist ein fast quadratisches Bildfeld ausgespart, in dem die Büste eines Mannes dargestellt ist. Die Bruchkante an der rechten Seite verläuft durch einen Medusenkopf, der wohl einst das Mittelemblem des Reliefs bildete. In das freie Feld zwischen Büste und Medusa ist die Inschrift eingemeißelt. Da sie nur die obere Hälfte des zur Verfügung stehenden Raums einnimmt, kann man vermuten, daß hier eine zweite Inschrift angebracht werden sollte, möglicherweise für die (den) in einer, der erhaltenen Büste analogen Darstellung am rechten äußeren Reliefrand Dargestellte(n). Der enge Büstenausschnitt umfaßt nur die Ansätze der Schulterblätter. Das Gesicht wird von den verschatteten, weitaufgerissenen Augen beherrscht. Das Oberlid ist vom Augapfel durch eine Rinne abgesetzt und schwingt weit zur Seite aus. Der Mund besitzt leicht aufgeworfene Lippen mit herabhängenden Winkeln; die Nasolabialfalten sind deutlich in das Gesicht eingeschnitten. Mehrere Furchen ziehen sich durch die Stirn. Die Haarfülle wird durch Haarbüschel hervorgerufen, die durch unregelmäßig gesetzte Furchen voneinander getrennt sind. Die großen Ohren sind in der häufig zu beobachtenden Art nach vorn gestellt. Das Porträt läßt sich lose an Köpfe von spätrepublikanisch-frühkaiserzeitlichen Grabreliefs anschließen, z. B. an zwei Reliefs ehem. in der Villa Celimontana / Rom [3]. Mit ihnen hat es den deutlich hervortretenden Knochenbau und die aufgeworfene Lippenpartie gemeinsam, selbst die Haarwiedergabe ist ähnlich.

Der Kopf am rechten Rand des Reliefs läßt sich durch die Schlangen, die unter dem Kinn verknotet sind und die beiden der Stirn entwachsenden gefiederten Flügel als Medusa benennen. Sie weist einen dem Männerbildnis identischen Augenschnitt auf; auch die Mund- und Nasenpartie stimmen mit der des Bildnisses in großen Zügen überein. Den Kopf umgibt ein stark stilisierter Haarkranz, der in in sich konzentrisch gefurchte Büschel aufgeteilt ist.

Die eigenartige Zusammenstellung von Porträtbüste und Medusenkopf ist in dieser Art durch kein anderes Beispiel bekannt. Es ist offensichtlich, daß es sich um eine Kontamination von aus verschiedenen Bereichen stammenden Vorlagen handelt. Die vornehme Bildform der Büste ist auch häufig auf frühkaiserzeitlichen Grabreliefs verwendet und ahmt freiplastische Exemplare in einem schrankartigen Naiskos oder Schrein nach [4]. Die Darstellung der Medusa dagegen ist wohl dem gängigen Repertoire der Grabsymbolik entnommen [5]. Ihre vorrangige Zurschaustellung in der Mitte des Reliefs könnte darauf schließen lassen, daß der Auftraggeber ihr besondere Bedeutung zugemessen hat.

Das vorliegende Relief ist zusammen mit dem unter Vf 48 besprochenen das einzige aus *Venafrum*, das eine Grabinschrift mit einer figürlichen Szene bereichert.

(1) Zur Lesung und Deutung von Sp(uri) f(ilius) s. R. CAGNAT, *Cours d'epigraphie latine* [4] (1969) 72 ff.
(2) KAJANTO s.v. *Quinctio* 37.164 = 174.
(3) VESSBERG 188 Taf. 30, 1.2. Dazu auch F. POULSEN, *ActaArch* 13, 1942, 190 Abb. 14; 192 f.
(4) s. die Zusammenstellung bei W. TRILLMICH, *Das Torlonia-Mädchen*, *AbhGöttingen* 99, 1976, 72 Anm. 243.
(5) s. Vf 46 Anm. 1.

Vf 48 Fragment des Grabreliefs der Seii

Taf. 71 Abb. 140.
Isernia, Museo Comunale
Aus Pantano, Frazione di Filignano
Kalkstein H: 0,60; B: 0,88; T: 0,30 Durchmesser des Blattkranzes: 0,54
Der Block ist an der rechten Kante unregelmäßig gebrochen. Die Büste ist völlig verrieben. Die Inschrift, die im CIL wiedergegeben ist, ist vollständiger als die heute erhaltene. Die 'Satiae' der 2. Zeile kann in 'Sattiae' korrigiert werden

Inschrift:

C(aio) Sei[o L(uci) f(ilio) Ter(etina)] [1]	5,8-5,5
Sattiae [L(uci) f(iliae)] [2]	5,7
C(aio) Se[io]	5,5
M(arco) Seio [---]	6
5 P(ublio) Seio C(ai) f(ilio) T[er(etina)]	5,5-5
L(ucius) Seius C(ai) f(ilius) Ter(etina) Ru[fus] [3]	4,7-4,5
P(ublio) Seio P(ubli) f(ilio) Cele[r] [4]	4,7-4,3

Lit.:
CIL X 4989 a
Fot.: Inst. Neg. Rom 75.2633

Die Inschrift auf dem langrechteckigen Block ist an ihrer linken Seite durch die Darstellung eines Bildnisses im Blätterkranz bereichert. Das Blattwerk ist von unten aus symmetrisch nach oben zum Kranz gebunden; der Treffpunkt ist mit einer unverzierten Schmuckscheibe besetzt, unten ist eine Schleife sichtbar. Die Gesichtszüge des im Blattkranz Dargestellten lassen sich aufgrund der Bestoßungen nicht mehr erkennen. Es bleibt ungewiß, um wen es sich gehandelt hat, möglicherweise um den Ältesten oder Verdientesten der Familie.

Das Bildnis im Blätterkranz als gehobenere Bildform ist eine auch von anderen Grabreliefs oder -steinen her bekannte Form der Darstellung [5].

(1) Zur Gens Seia s. RE 2. Reihe II (1921) 1120 ff s.v. Seius (MÜNZER) und CASTRÉN, *Ordo Populusque* 218 Nr. 36: es handelt sich um eine Kaufmannsfamilie aus Unteritalien, die im 2. Jh. v. Chr. auf Delos mit zahlreichen Mitgliedern vertreten ist.
Trotz der Nennung von sechs verschiedenen Angehörigen der Familie auf dem vorliegenden Relief läßt sich ein verwandtschaftliches Verhältnis zwischen den Genannten nicht herstellen.
(2) Das Gentilizium Sattius ist durch drei weitere Inschriften aus *Venafrum* überliefert: CIL X 4988-89; 4992. Die Sattia der vorliegenden Inschrift könnte theoretisch die Tochter einer der beiden L. Sattii von CIL X 4988 oder 4992 sein. In oskischer Form findet sich der Gentilname auf einem Ziegel in Pietrabbondante (Anfang 1. Jh. v. Chr) (unveröffentlicht; frdl. Hinweis von A. La Regina).
(3) KAJANTO s. v. *Rufus* 19 fn, 1, 26, 27, 30, 64, 65, 121, 134, 229.
(4) KAJANTO s. v. *Celer* 66, 248.
(5) z.B. Giebel eines Grabsteins in Saturnia (Inst. Neg. Rom 57.793). Grabstein der Bennii (s. Is 65 Anm. 12). Zwei der drei Kinderbüsten des Hateriermonuments / Vatikan (*Helbig* [4] I 1071-1077 = E. SIMON; A. GIULIANO, *MemLinc* Serie 8, Vol. XIII, 1968, Taf. 9).

Vf 49 Fragment eines Altars

Taf. 73 Abb. 141.
Venafro, S. Chiara
Fundort unbekannt
Kalkstein H: 0,55; B: 0,60; T: 0,58

Erhalten ist der größere Teil der Deckplatte mit den Pulvini.
Die Bruchkante verläuft unregelmäßig. Die Oberfläche ist stark korrodiert.
Unveröffentlicht
Fot.: Foto Sopr.

Die beiden Pulvini sind unverziert gelassen, sie werden nur von einer mittleren Querrille unterteilt. Da in Venafro mehrere Altäre dieser Art u.a. mit Grabinschriften für *seviri* erhalten sind [1], könnte es sich auch bei dem vorliegenden Fragment um einen derartigen Grabaltar von bescheidenem Anspruch handeln.

(1) CIL X 4889; 4909; 4911; 4932; 4938.

Bei den folgenden sechs Fragmenten (Vf 50 *a-f*) handelt es sich um Teile der Pulvini von Altären. Aufgrund der Dimensionen einiger Fragmente (Vf 50 *a-b*, *e*, *f*) kann man in etwa auf die Größe der Pulvini und somit auf die des Altars schließen. Es ist unsicher, ob man die Pulvini Altären oder Grabmonumenten in Altarform zuweisen muß, da jegliche Angaben über Fundorte fehlen.

Vf 50 *a* Fragment eines Pulvinus

Taf. 73 Abb. 142 *a*.
Venafro, in Vico Annunziata vermauert
Fundort unbekannt
Kalkstein H (max): 0,58; H (Pulvinus): 0,26; H (Untersatz): 0,32
Die Oberfläche ist verrieben.
Unveröffentlicht
Fot.: Inst. Neg. Rom 7 5.2747

Erhalten ist ein Teil des Mittelstücks eines Pulvinus und der Anfang des lorbeerblattverzierten Polsterablaufs. Die Blätter sind von länglicher Form mit gerundetem oberen Abschluß; sie weisen eine mittlere Kerbung auf.

Vf 50 *b* Fragment eines Pulvinus

Taf. 72 Abb. 142 *b*.
Venafro, in Via Licinio 40 vermauert
Fundort unbekannt
Kalkstein H: 0,33; B: 0,52
Die Oberfläche ist verrieben.
Unveröffentlicht
Fot.: Foto Sopr.

Erhalten ist ein Teil des Mittelstücks eines Pulvinus und der Anfang des lorbeerblattverzierten Polsterablaufs. Die Blätter sind von breiter Form mit gerundetem oberen Abschluß; sie weisen eine mittlere Kerbung auf.

Vf 50 c Fragment eines Pulvinus

Taf. 72 Abb. 142 c.
Venafro, im Hof des Palazzo in Via Plebiscito 40 aufbewahrt
Fundort unbekannt
Kalkstein H: 0,48; B: 0,66; T: 0,34
Die Oberfläche ist leicht abgestoßen.
Unveröffentlicht
Fot.: Foto Schippa

Erhalten ist ein Teil des lorbeerblattverzierten Polsterablaufs eines Pulvinus. Die Blätter sind von länglicher Form mit gerundetem oberen Abschluß; sie weisen eine mittlere Kerbung auf.

Vf 50 d Fragment eines Pulvinus

Taf. 72 Abb. 142 d.
Venafro, in Via Pilla vermauert
Fundort unbekannt
Kalkstein H: 0,35; B: 0,63
Die Oberfläche ist leicht verrieben.
Unveröffentlicht
Fot.: Foto Sopr.

Erhalten ist ein Teil des lorbeerblattverzierten Polsterablaufs eines Pulvinus. Die Blätter sind von länglichspitzer Form; sie weisen eine mittlere Kerbung auf.

Vf 50 e Fragment eines Pulvinus

Taf. 73 Abb. 142 e.
Venafro, im Palazzo Del Prete links der Treppe vermauert
Fundort unbekannt
Kalkstein B: 0,99
Die Oberfläche ist leicht abgestoßen.
Unveröffentlicht
Fot.: Inst. Neg. Rom 75.2763

Erhalten ist ein Teil des lorbeerblattverzierten Polsterablaufs eines Pulvinus. Die Blätter sind von länglichrunder Form; sie weisen eine mittlere Kerbung auf.

Vf 50 f Fragment eines Pulvinus

Taf. 73 Abb. 142 f.
Venafro, in der Kirche S. Agostino in Via Pilla vermauert
Fundort unbekannt
Kalkstein H: 0,39; B: 0,93
Die Oberfläche ist leicht verrieben.
Unveröffentlicht
Fot.: Inst. Neg. Rom 75.2744

Erhalten ist das Mittelstück eines Pulvinus und ein Teil seines lorbeerblattverzierten Polsterablaufs. Die Blätter sind von breiter länglicher Form; sie weisen eine mittlere Kerbung auf.

Vf 51 Basis

Taf. 73 Abb. 143.
Venafro, im inneren Hof des Vicoletto Plebiscito 1 Nr. 8 vermauert
Fundort unbekannt
Kalkstein H: 0,90; B: 0,55; T: 0,61
Das Profil ist an der linken Seite abgestoßen. Die Oberfläche ist stark korrodiert.
Unveröffentlicht
Fot.: Inst. Neg. Rom 75.2753

In dem von Profilen gerahmten Bildfeld der Vorderseite der Basis steht nach links gerichtet ein mit kurzer gegürteter Tunika bekleideter Cautopates [1]. Deutlich sind seine hohen Flügel zu erkennen; er steht mit übergeschlagenen Beinen und stützt sich auf die gesenkte Fackel.

Cautopates sind Begleiter des Mithras, können aber auch eine Bezeichnung für Mithras selbst sein [2]. Sie können zuweilen die Gestalt des Attis annehmen [3]. In ihrer künstlerischen Gestaltung gehen sie auf die Grabmaleroten zurück.

Cautopates sind häufig auf Denkmälern für Mithras neben dem stiertötenden Gott dargestellt [4]. Bisher fehlt ein epigraphischer Nachweis für den Mithraskult in *Venafrum*. Vielleicht ist der Kult durch Angehörige des Militärs, eingeführt worden die nach der militärischen Laufbahn im Osten des Reichs in *Venafrum* ihren Lebensabend verbrachten. Die Basis ist wohl im 2.Jh.n. Chr. entstanden.

---

(1) ROSCHER, ML I 857 ff s.v. Caute(s) (STEUDING). Zur Funktion der Cautopates: F. SAXL, *Mithras. Typengeschichtliche Untersuchungen* (1931) 59ff.
(2) RE XV (1932) 2138 s.v. Mithras (E. WÜST). L. A. CAMPBELL, *Mithraic Iconography And Ideology* (1968) 29 ff.
(3) RE a. O. (zit. in Anm. 2) 2150.
(4) F. CUMONT, *Textes et monuments figurés relatifs aux mystères de Mithras* (1899) I 207 ff; II 185 ff. Vgl. auch Grabaltäre in *Carnuntum* (CSIR *Carnuntum* (1967) I 2 Nr. 18, 19 Taf. 7). s. auch Index bei CAMPBELL a. O. (zit. in Anm. 2).

Vf 52 Friesfragment

Taf. 74 Abb. 144.
Venafro, in Vicoletto Marsala 5 vermauert
Fundort unbekannt
Kalkstein H: 0,43; B: 1,17; T: 0,33
Der Block ist modern weiß übertüncht, so daß Einzelformen nicht mehr zu erkennen sind.
Unveröffentlicht
Fot.: Inst. Neg. Rom 75.2742

Über einem Dreifaszienarchitrav befindet sich ein Rankenfries; er wird unten von einer Leiste begrenzt. Man erkennt den Hauptrankenstamm mit Stengelknoten, an denen sich Hüllblätter abzweigen. Die Ranke selbst bildet SpRößlinge aus, die spiralförmig eine Blüte umschließen. Die Zwickel sind mit kleineren Blüten besetzt. Die Ranke hebt sich plastisch vom Hintergrund ab, ist ihm aber völlig unverbunden aufgesetzt. Vergleichbar ist ein Fries von einem Grabmal, das in die 2.H. des 1.Jh.s v. Chr. datiert wird [1].

(1) L. Mariani, *BullCom* 44-45, 1916-1917, 101 Abb. 3.

Vf 53 Friesfragment

Taf. 74 Abb. 145.
Venafro, zwischen mittlerer und rechter Apsis der Kathedrale vermauert
Fundort unbekannt
Kalkstein H: 0,36; B: 1,13
Der Block zeigt auf der rechten Seite eine rechteckige moderne Einarbeitung. Die Oberfläche ist stark korrodiert.
Unveröffentlicht
Fot.: Inst. Neg. Rom 75.2807

Über einem Faszienarchitrav ist ein Rankenfries dargestellt. Wahrscheinlich bildeten zwei um einen Kantharos gruppierte Greifen das Mittelmotiv; der rechte Greif, der eine Tatze auf den Rand des Gefäßes gelegt hat, ist noch erhalten. Aus seinem Schwanz entspringt eine Ranke, deren Stamm in steilem Bogen geführt ist. Dem weit aufgefächerten Hüllblattkelch entwachsen seitlich an dünnen, zu voller Kreisform eingerollten Stengeln, zwei große Hauptblüten, eine Glockenblüte und eine Spiralrosette und senkrecht nach oben eine kleine Nebenblüte. Die Führung der Schößlinge ist dem Rhythmus der Hauptranke völlig untergeordnet. Das vorliegende Stück läßt sich mit einem Friesfragment im Antiquarium / Rom vergleichen und ist wohl, wie jenes, in der 2. H. des 1. Jh.s v.Chr. gearbeitet [1]. Das Motiv der heraldisch um einen Kantharos gruppierten Greifen findet sich in *Venafrum* ein weiteres Mal (Vf 82 *b*).

(1) s. Vf 52 Anm. 1.

260

Vf 54 Fragment der Decke eines Grabmonuments

Taf. 74 Abb. 146.
Venafro, in Strada del Castello 13 als Türlaibung wiederverwendet
Fundort unbekannt
Kalkstein H: 0,68; B: 0,42; T: 0,22
Der Block ist modern übertüncht, so daß Einzelheiten nicht zu erkennen sind.
Unveröffentlicht
Fot.: Foto Sopr.

Die Decke war durch geometrische Muster gegliedert.

Erhalten ist davon nur eine schräg verlaufende glatte Leiste, die das Feld unterteilt. Zu beiden Seiten der Leiste sind Blüten dargestellt: zum einen handelt es sich um eine kleine Rosette mit vier erhaltenen Blättern von ovaler Form, zum anderen um eine größere Vierpaßblüte.

Die einfache unabgestufte Felderrahmung findet sich bei zwei weiteren Decken aus *Venafrum* (Vf 55; 79) und bei drei Deckenfragmenten aus *Aesernia* (Is 76-78) wieder.

Folgt man der von M. Verzar aufgezeigten Entwicklung, derzufolge die felderrahmenden Leisten nach und nach immer mehr Profilabstufungen erhalten, so könnte das vorliegende Fragment in spätrepublikanischer Zeit gearbeitet sein [1].

(1) VERZAR 402 f.

Vf 55 Fragment der Decke eines Grabmonuments

Taf. 74 Abb. 147.
Venafro, in der Masseria Farignola vermauert
Aus dem Gelände der Masseria
Kalkstein B: 0,434; L: 1,33
Der regelmäßige Zuschnitt des Blocks auf drei Seiten geht wahrscheinlich auf antike Arbeitsweise zurück und nicht auf Zweitverwendung.
Die Oberfläche ist verrieben und verkratzt.
Unveröffentlicht
Fot.: Inst. Neg. Rom 75.2738

Erhalten ist ein Randstück der Decke eines Grabmonuments. Außer der figürlichen Darstellung, die im Innenraum des Monuments sichtbar gewesen ist, ist das glatte Auflager der Außenwand von 0,52 m Breite und der an der Fassade sichtbare angearbeitete Zahnschnitt mit einer Hohlkehle darunter erhalten.

Die Decke war durch eine geometrische Form, Quadrat, Raute, Rhombus o.ä. gegliedert; eine schräg verlaufende glatte Trennleiste ist links oben noch zu erkennen. In dem gerahmten Deckenfeld ist als Mittelemblem ein Medusenkopf dargestellt. Er ist durch volle Wangen, mandelförmige Augen, breite stumpfe Nase und dicke Lippen charakterisiert. Die schematisch angegebenen Haare sind in der Mitte gescheitelt und zu den Seiten gestrichen. Über dem Kopf sind die Schlangenleiber zu einem Heraklesknoten verschlungen. Ein Schlangenleib wölbt sich hoch auf; ihm entsprach wohl ein zweiter symmetrisch auf der anderen Seite. Weitere kleinere Schlangen ringeln sich zu den Seiten; nach unten weist eine dicke (Haar?) Strähne.

Im teilweise erhaltenen Zwickel links oben befindet sich der Rest einer Darstellung, die sich jedoch aufgrund ihres Erhaltungszustands nicht deuten läßt.

Aus den Maßen des Blocks und der Neigung der Rhombuskante kann man nicht auf die ursprüngliche Deckenlänge schließen. Außerdem bleibt ungeklärt, ob das erhaltene Fragment das Mittelstück der gesamten Decke oder nur einen Ausschnitt davon darstellt.

Aufgrund der unprofilierten Leisten läßt sich das Fragment wohl in spätrepublikanische Zeit datieren [1].

(1) Die Inschrift (CIL X 4872) kann in die frühaugusteische Zeit datiert werden (s.S. 70).

Vf 56 Fragment der Verkleidungsplatte eines Grabmonuments

Taf. 75 Abb. 148.
Ehem. Pozzilli, im Hof des Palazzo Del Prete, jetzt Venafro, S. Chiara
Aus den Ländereien der Familie Del Prete (Masseria Bocchini)
Kalkstein H: 0,84; B: 0,63; T: 0,41
Drei Kanten des Blocks sind glatt gesägt, die rechte unregelmäßig gebrochen. Die obere Auflagefläche weist verschiedene Klammerlöcher auf. Die Oberfläche ist verrieben.
Unveröffentlicht
Fot.: Foto Sopr.

Ein Girlandenfries mit Eroten schmückte die Wandfläche des Monuments.

An der rechten Bruchkante des kurvigen Friesblocks ist ein Eros erhalten, kenntlich an seinen vollen kindlichen Formen und dem Flügel, der sich ornamental nach oben zu einer Schnecke einrollt. Kurze Flaumfedern verdecken den Ansatz an der rechten Schulter. Es läßt sich nicht eindeutig erkennen, wo die flach durchhängende Girlande befestigt gewesen ist. Der Eros scheint sie nicht mit den Händen festzuhalten. Möglicherweise war sie über seinem Kopf befestigt, wo sich eine sonst nicht identifizierbare Manschette (?) befindet.

Die Girlande ist als kompakter flacher Wulst gebildet, dessen Oberfläche in kleine, eng aneinandergestellte Kügelchen aufgelockert ist; vielleicht sollen sie Weinbeeren darstellen. Die Girlandenmitte ist mit einer Blüte besetzt. Eine breite, wie flach gebügelt wirkende Tänie mit aufgebogenen Rändern wölbt sich neben dem Flügel des Eros auf; sie ist als überdimensionale Schlaufe gebildet und fällt dann, leicht bewegt, über die Girlande nach unten.

Dem Steinmetz hat offensichtlich eine Vorlage zur Verfügung gestanden, die eine gewisse Raumhaltigkeit besaß. Sein Unvermögen bei der Wiedergabe dieses Vorbilds wird besonders an der Tänienschlaufe deutlich. Sie soll sich hinter dem Flügel befinden, wird auch tatsächlich von ihm überschnitten, doch ist sie dem Hintergrund flach aufgeklebt. Besser ist dem Steinmetz die Wiedergabe des noch deutlich von hellenistischen Vorbildern abgeleiteten Eros gelungen, der recht plastisch in seiner Drehbewegung erfaßt ist [1].

Eroten als Girlandenträger finden sich häufiger auf spätrepublikanischen Friesen, wie beispielsweise auf einem aus Civita di Bagno / L'Aquila [2], einem aus S. Maria di Capua Vetere [3], dem am Juliermonument in Glanum [4] und auf Friesblöcken aus Alleins [5].

Wahrscheinlich ist das vorliegende Fragment in spätrepublikanischer Zeit gearbeitet, in der auch die Art der Tänienstilisierung ihre Parallele findet [6].

(1) F. MATZ, *Ein römisches Meisterwerk. Der Jahreszeitensarkophag Badminton-New York*, 19. ERG.-H. *JdI*, 1958, 45 ff, 58, 61.
(2) Frdl. Hinweis von A. La Regina. Unveröffentlicht.
(3) Vor dem Antiquarium in Capua. Unveröffentlicht.
(4) H. ROLLAND, *Le Mausolée de Glanum*, XXIe Suppl. à Gallia, 1969, Abb. 6 Pl. 39, 41-42, 45, 48.
(5) ROLLAND a. O. (zit. in Anm. 4) Pl. 49, 2. 3.
(6) z.B. am Girlandengrab in Pompeji (ALTMANN 60 Abb. 52).

Vf 57 Fragment der Verkleidungsplatte eines Grabmonuments

Taf. 75 Abb. 149.
Ehem. Pozzilli, im Hof des Palazzo Del Prete, jetzt Venafro, S. Chiara
Aus den Ländereien der Familie Del Prete
Kalkstein H: 1,21; B: 0,53; T: 0,39
Alle Kanten sind glatt gesägt, die rechte ist leicht abgestoßen. Die Oberfläche ist stellenweise verrieben
Unveröffentlicht
Fot.: Foto Sopr.

Das Fragment gehört zu einem Grabmonument, dessen Wandfläche mit Girlanden geschmückt gewesen ist.

Erhalten ist der Mittelteil einer Girlande; die Art ihrer Aufhängung ist nicht mehr zu erkennen. Die Girlande setzt sich aus Äpfeln (?) und Blüten zusammen, die nur sehr oberflächlich voneinander abgehoben sind. Verschiedenartige Blätter wickeln sich in das Gebinde, zum einen sind es kurze spitzige mit betonter Mittelrippe, wahrscheinlich Lorbeerblätter, zum anderen Blätter von eher akanthischer Form. Ein kleiner Gorgonenkopf befindet sich immitten der Senkung der Girlande; er fügt sich völlig ihrem Kontur ein. Eine Tänie ist um die Girlande geschlungen. An dem Punkt ihrer Befestigung bildet sie nach oben eine große ösenartige Schlaufe aus, umfängt dann in einer Windung den Girlandenkörper, um schließlich, flach dem Hintergrund aufgesetzt, in leichtem Schwung herabzufallen. Dabei kreuzt sie sich mit einem zweiten identisch geschwungenen Tänienband. Die Tänie scheint flachgebügelt dem Hintergrund aufgesetzt. Die Girlande wirkt trotz ihrer reichen Zusammensetzung unlebendig und steif.

Die Schlaufenbildung der Tänie findet sich bei einem anderen Friesblock in *Venafrum* in ähnlicher Weise wieder (Vf 56).

Vf 58 Vier Fragmente der Verkleidung eines Grabmonuments

Taf. 75 Abb. 150 *a-d*.
Ehem. Pozzilli, im Hof des Palazzo Del Prete, jetzt Venafro, S. Chiara
Aus den Ländereien der Familie Del Prete
Kalkstein, ohne Maße
Vier Blöcke sind erhalten, von denen zwei direkt anpassen.
Die Oberfläche ist verrieben.
Unveröffentlicht
Fot.: Foto Sopr.

Die Blöcke gehören zu einem Rundgrab, von dem keine weiteren Elemente bekannt sind. An ihrer oberen Kante sind sie mit einem Rankenfries zwischen zwei rahmenden Leisten geschmückt. Die Ranke ist ganz gleichmäßig geführt und bildet verschiedenartige Blüten aus, die sich dem Gesamtverlauf der Ranke unterordnen. Die Blattkelche setzen auf einem doppelten Ring auf. In der Art, wie der Fries auseinandergezogen ist und viel vom Hintergrund sichtbar werden läßt und in der Bevorzugung von großflächigen Blüten läßt er sich mit einem Friesfragment im Antiquario Comunale / Rom vergleichen[1], das Th. Kraus in spätrepublikanische Zeit, um 30 v.Chr., datiert[2].

---

(1) Th. Kraus, *Die Ranken der Ara Pacis* (1953) 40. P. Gusman, *L'art decoratif* (1909-1914) 132 unten.
(2) Kraus a. O. (zit. in Anm. 1).

Vf 59 Architravfragment (?)

Taf. 78 Abb. 151.
Venafro, in der Veranda im 1. Stockwerk des Palazzo Cimorelli vermauert
Fundort unbekannt
Marmor H: 0,12; B: 0,33
Es sind zwei anpassende Fragmente erhalten. Die Oberfläche ist stark abgestoßen.
Unveröffentlicht
Fot.: Foto Sopr.

Unter einer glatten Leiste ist ein Bügelkymation erhalten; die Bügel
sind in sich gefurcht, die Zwischenglieder besitzen tulpenähnliche Form.
Das Astragalband darunter setzt sich aus länglich-ovalen Perlen und rhombischen Scheibchen zusammen. Kymation[1] und Astragalband[2] finden in
augusteischer Zeit Parallelen.

(1) LEON 106.4; 109.4.
(2) LEON 271 Typ E.

Vf 60 Korinthisches Kapitell einer Halbsäule

Taf. 76 Abb. 152.
Venafro, S. Chiara
Aus Venafro, Loc. Terme di S. Aniello (1919) (wie Vf 9-10, 14-15, 21, 61-67, 69-70,
74-75, 77)
Marmor H: 0,555; H(Kranzblätter): 0,28; H (Hochblätter): 0,28
Alle vorlappenden Teile der Kranzblätter sind abgebrochen. Die rechte Volute
und die beiden äußeren Kranzblätter auf der rechten Seite sind abgeschlagen.
Lit.:
S. AURIGEMMA, *BdA* 1922, fasc. 2, 63 Abb. 4.
Fot.: Inst. Neg. Rom 75.2800

Das Kapitell zeichnet sich durch seinen straffen tektonischen Aufbau
aus. Das Verhältnis der einzelnen Teile zueinander ist klar zum Ausdruck
gebracht. Der Kalathos ist deutlich als tragendes Element gekennzeichnet.
Kranz- und Hochblätter erhalten ihre Form nicht durch den Umriß, sondern es ist versucht, durch die Faltung von innen heraus die Blätter leben-
dig zu gestalten. Die vierteiligen Blattlappen sind weich bewegt und besitzen glatte flache Blattabschnitte von langovaler Form mit abgerundeten
Rändern. Dort, wo sich die Blätter aufwölben, bildet der zusammenge-
schobene Blattumriß tropfenförmige Buchten. Die Hochblätter wachsen
steil auf und lösen sich im oberen Teil vom Kalathos. Zwischen ihnen stehen
die leicht geneigten kannelierten Caules. Ihr Ringknoten ist schräg gerippt.
Der zweiteilige Hüllkelch umfängt den Volutenansatz und den unteren
Teil der dahinter aufstrebenden Helices. Die Hüllblätter besitzen die

gleichen Charakteristika wie die Kranz- und Hochblätter. Voluten und Helices steigen streng und kräftig auf und weisen einen konkaven Canalis mit leicht erhabenen Rändern auf. Hinter dem mittleren Hochblatt wächst der Stengel der Abakusblüte aus einem Kelch empor, dessen stengelverhüllendes glattes Blatt von ovaler Form noch zu erkennen ist. Der Stengel selbst geht hinter den Helices vorbei, die in der Mitte durch einen kleinen Steg miteinander verbunden sind. Die Voluten, die zweigeteilt und (wie die Helices) mit einem Steg verbunden sind, besitzen doppelte Einrollungen, die sich spiralig herausdrehen und von den Akanthusblättern des Hüllkelchs gestützt werden. Das Profil der Abakusplatte setzt sich aus einer Kehle mit leicht umbohrten Pfeifen und einem Wulst mit Eierstab zusammen. Die Araceenblüte [1] am Abakus besitzt einen dicken, schlangenartig gewundenen Stempel in einem sich weit öffnenden Kranz von Blütenblättern. In den genannten Charakteristika läßt sich das Kapitell in mittel- bis spätaugusteische Zeit datieren. Es ist eng verwandt mit den Peristasenkapitellen des Mars-Ultor-Tempels vom Augustusforum [2] und einem Kapitell in Ostia [3]. Die Verzierung der Abakusplatte findet sich ähnlich beim Sergierbogen in Pola [4].

(1) HEILMEYER 29 Anm. 11.
(2) HEILMEYER 27 ff Taf. 2, 1.
(3) PENSABENE Nr. 219.
(4) E. WEIGAND, JdI 29, 1914, Beilage I, 9.

Vf 61 Korinthisches Kapitell einer Halbsäule

Taf. 76 Abb. 153.
Venafro, S. Chiara
Venafro, aus Loc. Terme di S. Aniello (1919) (wie Vf 9-11, 14-15, 21, 60, 62-67, 69-70, 74-75, 77)
Marmor H: 0,53
Die rechte Volute ist abgeschlagen. Alle vorlappenden Teile der Blätter sind abgebrochen. Die Abakusblüte ist abgestoßen.

Lit.:
S. AURIGEMMA, BdA 1922, fasc. 2, 63 Abb. 4
Fot.: Inst. Neg. Rom 75.2795

Das Kapitell wiederholt in Aufbau, Stil und Dimensionen das unter Vf 60 beschriebene, doch scheinen einige Einzelteile nicht fertig ausgeführt zu sein, wie die Blattstengel, deren Mittelsteg ungefurcht ist und die Caules, die glatt gelassen sind. Das Abakusprofil ist unverziert.

Vf 62 Korinthisches Kapitell einer Halbsäule

Taf. 76 Abb. 153.
Venafro, S. Chiara

Venafro, aus Loc. Terme di S. Aniello (1919) (wie Vf 9-11, 14-15, 21, 60-61, 63-67, 69-70, 74-75, 77)
Marmor H: 0,53
Die linke Volute sowie alle vorlappenden Teile der Blätter sind abgebrochen. Die Abakusplatte ist bestoßen.

Lit.:
S. Aurigemma, *BdA* 1922, fasc. 2, 63 Abb. 4
Fot.: Inst. Neg. Rom 75.2795

Das Kapitell wiederholt in Aufbau, Stil und Dimensionen das unter Vf 60 beschriebene. Im Unterschied zu jenem besitzt es, wie Vf 61, eine unverzierte Abakusplatte. Die Caules sind nachlässiger gefurcht als bei dem Kapitell Vf 60. Der Ringknoten ist grob vertikal gekerbt. Das Blatt, das den Stengel der Abakusblüte verhüllt, besitzt eine vertikale Furchung.

Vf 63 Korinthisches Kapitell einer Halbsäule

Taf. 77 Abb. 154.
Venafro, S. Chiara
Venafro, aus Loc. Terme di S. Aniello (1919) (wie Vf 9-11, 14-15, 21, 60-62, 64-67, 69-70, 74-75, 77)
Marmor H: 0,67
An der rechten Seite sind die Kranz- und Hochblätter sowie die vorlappenden Teile der restlichen Blätter abgebrochen. Die rechte Volute ist nur noch zu einem kleinen Teil erhalten. Die linke sowie die Hüllblätter sind abgebrochen. Der Abakus ist nur um die Blüte herum erhalten.

Lit.:
S. Aurigemma, *BdA* 1922, fasc. 2, 63 Abb. 4
Fot.: Foto Sopr.

Das Kapitell erinnert in Aufbau und Stil an die unter Vf 60-62 beschriebenen, weicht aber in seinen Dimensionen von jenen ab. Die Abakusblüte ist als vielblätterige Margerite gebildet. Das untere Profil der Abakusplatte ist wie bei Vf 60 mit einem Pfeifenmuster geschmückt. Das den Stengel der Abakusblüte teilweise verkleidende Hüllkelchblatt ist lilienförmig. Die Feinausarbeitung der Einzelteile, wie die Faltung der Blätter, die Kerbung der Blattstengel, der Canalis der Helices und der Voluten ist nicht durchgeführt, dennoch läßt sich das Kapitell den anderen zeitlich annähern.

Vf 64 Fragment des korinthischen Kapitells einer Halbsäule

Taf. 77 Abb. 155.
Venafro, S. Chiara

Venafro, aus Loc. Terme di S. Aniello (1919) (wie Vf 9-11, 14-15, 21, 60-63, 65-67, 69-70, 74-75, 77)

Marmor H: 0,41

Das Kapitell war aus zwei Teilen gearbeitet. Erhalten ist ein Fragment des rechten Teils; auf der Schnittfläche ist noch das der Anstückung dienende Zapfenloch erhalten.

Lit.:

S. Aurigemma, *BdA* 1922, fasc. 2, 63 Abb. 4

Fot.: Foto Schippa

Das Kapitell wiederholt, soweit kenntlich, im Aufbau die unter den Nummern Vf 60-63 beschriebenen. Wie bei Vf 63 war die Abakusblüte wahrscheinlich als Margerite ausgebildet.

Vf 65 Sechs Fragmente von korinthischen Kapitellen

Ohne Abbildung

Venafro, S. Chiara

Venafro, aus Loc. Terme di S. Aniello (1919) (wie Vf 9-11, 14-15, 21, 60-64, 66-67, 69-70, 74-75, 77)

Marmor

Unveröffentlicht

Alle Fragmente gehören zu Kapitellen, die denen unter Vf 60-64 beschriebenen entsprechen.

1) H: 0,07; B: 0,115; T: 0,065. Erhalten ist ein Teil eines überlappenden Akanthusblatts.

2) H: 0,18; B: 0,065; T: 0,07. Erhalten ist ein Teil einer Eckvolute, die bandförmig gebildet ist.

3) H: 0,09; B: 0,045; T: 0,06. Erhalten ist ein Teil einer Eckvolute. Man kann noch den Rest eines Mamorstegs, der sie mit der anderen Volute verband, erkennen.

4) H: 0,28; B: 0,19; T: 0,21. Das Fragment besitzt eine vertikal geschnittene Rückseite. Ein Kranzblatt und das darüber befindliche Hochblatt sind erhalten.

5) H: 0,16; B: 0,10; T: 0,15. Eventuell handelt es sich um ein Einsatzstück einer Restaurierung. Alle Seiten des Fragments bis auf die obere sind glatt. Auf der einen ausgearbeiteten Seite sind Reste einer Einlassung, zu sehen, die zur Aufnahme eines Zapfens diente. Ein Teil eines Akanthusblatts ist in seinen Umrissen angelegt; der überfallende obere Blatteil ist noch nicht aus dem Grund herausgearbeitet.

6) H: 0,04; B: 0,10; T: 0,04. Erhalten ist ein Teil einer bandförmigen Volute.

Vf 66 Einundzwanzig Konsolenfragmente

Taf. 77 Abb. 156-156 a.
Venafro, S. Chiara
Venafro, aus Loc. Terme di S. Aniello (1919) (wie Vf 9-11, 14-15, 21, 60-65, 67, 69-70, 74-75, 77)
Marmor

1) H: 0,29; B (max): 0,32
2) H: 0,29; B: 0,995
3) B: 0,845
4) B: 0,60
5) B: 1,38
6) B: 0,84
7) B: 0,97
8) B: 1,04
9) B: 0,77
10) B: 0,44
11) B: 1,00
12) B: 1,12
13) B: 0,45
14) B: 0,34
15) B: 0,47
16) B: 0,56
17) B: 0,71
18) 0,16 × 0,075 × 0,19
19) 0,10 × 0,085 × 0,045
20) 0,20 × 0,15 × 0,125
21) 0,245 × 0,27 × 0,135

Lit.:

S. Aurigemma, *BdA* 1922, fasc. 2, 74 Abb. 4
Fot.: Inst. Neg. Rom 75.2797

Die Fragmente weisen folgende Ornamente auf (von unten): ein Eierstab, auf ihn folgen ein Zahnschnitt und ein Perlstab, der aus länglichen Kugeln ohne Zwischenglieder gebildet ist; es folgt ein weiterer Eierstab und die konsolenverzierte Hängeplatte, deren Stirn mit einer glatten Leiste und einem kleinen aufrechtstehenden Scherenkymation abschließt. Darüber folgt die Welle der Sima mit einem größeren Scherenkymation.

Der Eierstab: die Eier sind breit gerundet und von ausgebauchter Form; sie sind in ihrem oberen Teil leicht horizontal beschnitten. Die Schalen setzen oben in einiger Entfernung vom Ei an, bleiben in fast gleichen Abstand und nähern sich dem Ei an dessen Spitze in fast waagerechter Führung. Die Schalen sind tief gekehlt, die Kehlung zeigt ein nach unten spitz zulaufendes Profil. Das mittlere Lanzettblatt ist nur in seiner breit ansetzenden Spitze frei gearbeitet. Ähnliche Eierstäbe sind aus augusteischer Zeit bekannt, z.B. von einem Konsolengesims im Thermenmuseum / Rom[1] und einem Geison von S. Nicola in Carcere[2]. Die einzelnen Elemente des Zahnschnitts besitzen fast quadratische Form ohne Querbalken[3]. Das Perlband bleibt ohne Vergleiche.

Die Konsolen: von der Rückwand weg schwingt sich die Unterfläche der Konsolen sanft nach oben und senkt sich dann nach einer Einziehung nach vorn in einem Polster herab. Die Unterseite der Konsolen ist durch zwei Doppelkehlen in drei gleich breite Kompartimente geschieden. Die Seiten sind unverziert.

Die Kassetten: die Kassettenfelder sind nur leicht versenkt und von einer einfachen Leiste gerahmt. Sie sind mit verschiedenen Blüten verziert.

Scherenkymatia: die Kymatia sind nicht stark plastisch aus- und hinterarbeitet. Durch einen Schlitz sind die Scheren voneinander abgesetzt. Die aufgespreizten Scherenblätter besitzen gewellte Außenkanten. Der Sporn zeichnet sich durch eine profilierte Mittelrippe aus. Ähnliche Scherenkymatia sind aus augusteischer Zeit erhalten [4].

(1) Aula VIII (LEON Taf. 81, 2).
(2) LEON Taf. 77, 4.
(3) Ostia, im Bereich der Porta Romana, LEON Taf. 74, 4.
(4) s. Anm. 1.

Vf 67 Sechs Friesfragmente

Taf. 78 Abb. 157.
Venafro, S. Chiara
Venafro, aus Loc. Terme di S. Aniello (1919) (wie Vf 9-11, 14-15, 21, 60-66, 69-70, 74-75, 77)
Marmor
  1) H: 0,12; B: 0,185
  2) H: 0,20; B: 0,29
  3) H: 0,185; B: 0,145
  4) H: 0,185; B: 0,135
  5) H: 0,18; B: 0,275
  6) H: 0,10; B: 0,165
  7) H: 0,12; B: 0,135

Lit.:
S. AURIGEMMA, *BdA* 1922, fasc. 2, 74 Abb. 4
Fot.: Foto Schippa

Die Fragmente bildeten zusammen einen Fries, der sich zur Zeit seiner Entdeckung auf die Länge von 1,90 m erstreckte. Wie aus der älteren Abbildung (AURIGEMMA a.O.) hervorgeht, wechselten Akanthuskelche mit Gorgonenmasken ab.

Die erhaltenen Fragmente, die aus verschiedenen Abschnitten des Frieses stammen und untereinander nicht anpassen, geben doppelte Akanthuskelche wieder, die an der Basis mit Bändern zusammengehalten werden. In der Art der Überlappung und Staffelung und der Form der Augen lassen sich die Blätter mit denen der Kapitelle der nördlichen Exedra des Augustusforums vergleichen [1].

Friese mit Gorgonenmasken sind ein beliebtes Ziermotiv und bekannt z.B. vom großen Mausoleum in Aquileia [2], vom Grabaltar des M. Nonius Balbus aus Herkulaneum [3] und einem Fries von S. Silvestro in Capite [4].

[1] HEILMEYER Taf. 2,2; 3,4.
[2] G. BRUSIN-V. DE GRASSI, *Il Mausoleo di Aquileia* (1956) Abb. 1.
[3] A. MAIURI, *RendLinc Serie* VII, 1942, 262 ff; erwähnt bei A. W. BUREN, *Archeology* 7, 1954, 106 Abb. 4.
[4] F. TOEBELMANN, *Römische Gebälke* I (1923) 112 Abb. 86; J.M.C. TOYNBEE-J.B. WARD PERKINS, PBSR 18, 1950, Pl. 11,2.

Vf 68 Zwei Konsolenfragmente

Taf. 78 Abb. 158 *a-b*.
Venafro, in Via de Amicis 6 erhalten
Fundort unbekannt
Marmor   I   H: 0,20; B: 0,49; T: 0,16
         II   H: 0,20; B: 0,46; T: 0,16
Bei Fragment II ist die untere Kante leicht abgestoßen.
Unveröffentlicht
Fot.: Foto Schippa

Die beiden Fragmente gehören aufgrund ihrer Dekorationsformen und ihrer Dimensionen zu einem Bau. Das Gesims weist folgende Ornamente auf (von unten):

in die Kassetten sind Rosetten eingesetzt. Die die Kassetten voneinander trennenden Konsolen sind an ihrer Unterseite mit je zwei Pfeifen geschmückt. Es folgt ein Zahnschnitt, der einen Querbalken in den Zwischenräumen der fast viereckigen Zähne aufweist und damit dem Typus E bei Leon entspricht [1]. Darüber folgt die profilierte Simastirn.

[1] LEON 269 (augusteisch), dort befindet sich jedoch bei allen Beispielen der verbleibende Steg im hinteren unteren Teil des Zahnschnitts.

Vf 69 Fragment eines ionischen Kapitells

Taf. 78 Abb. 159.
Venafro, S. Chiara
Venafro, aus Loc. Terme di S. Aniello (1919) (wie Vf 9-11, 14-15, 21, 60-67, 70, 74-75, 77)
Marmor H: 0,14; Abakusfläche: 0,192 × 0,15
Erhalten ist eine Volute und vom ionischen Kymation auf der linken Seite ein halbes Ei mit einem Zwischenglied.
Unveröffentlicht
Fot.: Foto Schippa

Die vorkragende Volutenspirale wird von einem relativ hohen Kanal durchlaufen und endet mit einer kleinen schematisch gezeichneten dreiblätterigen Rosette im Zentrum der Volute. Das Ei wird teilweise von einer Halbpalmette bedeckt, die sich aus der Volutenspirale entwickelt. Die Eier waren in ihrem oberen Teil von einer kleinen Leiste zusammengehalten. Unter dem ionischen Kymation befand sich wahrscheinlich ein Perlstab. Über dem Canalis der Volute sitzt der Abakus auf. Er ist von fast quadratischer Form, sein unterer Teil ist als Leiste gebildet, die auf der Vorderseite mit kleinen Eiern verziert ist. Die Schmalseite der Volute ist mit Eichenlaub geschmückt. Die Einzelteile sind nicht stark unterschnitten. Die Arbeit läßt sich mit einem Kapitell in Ostia vergleichen, das in die ersten Jahrzehnte des 1.Jh.s n.Chr. datiert wird[1].

(1) PENSABENE Nr. 110.

Vf 70 Architravfragment (?)

Taf. 78 Abb. 160.
Venafro, S. Chiara
Venafro, aus Loc. Terme di S. Aniello (1919) (wie Vf 9-11, 14-15, 21, 60-67, 69, 74-75, 77)
Marmor H: 0,10; B: 0,135; T: 0,065
Unter einer glatten Leiste ist ein Teil eines Bügelkymations erhalten. Die Oberfläche ist verrieben.
Unveröffentlicht
Fot.: Foto Schippa

Von dem Bügelkymation ist ein Bogen mit mittlerem Sporn erhalten. Auf der linken Seite ist noch der Ansatz eines Blattkelchs sichtbar. Der Bügel ist oben zu einer ovalen Öse ausgewölbt, in die der Spornkopf einpaßt. Die Bügelbänder sind gekehlt.

Das Fragment könnte Teil eines Architravs wie Vf 75 sein. Das Kymation entspricht dem Typ B bei Leon und kann in iulisch-claudische Zeit datiert werden[1].

(1) Basilika Aemilia (LEON 254-255 Taf. 111, 2).

Vf 71 Gesimsfragment

Taf. 79 Abb. 161.
Venafro, in Via Amico da Venafro 6 aufbewahrt
Fundort unbekannt
Marmor H: 0,23; B: 0,43; T: 0,175
Alle Kanten sind unregelmäßig abgebrochen.
Unveröffentlicht
Fot.: Foto Sopr.

Das Gesims weist folgende Ornamente auf (von unten): ein Pfeifenfries, dessen halbe Pfeifen oben mit einer Zunge gefüllt sind. Darüber ein Eierstab, dessen Lanzettblätter durch seitliche Stege mit den Schalen verbunden sind[1]; die Eier selbst sind oval gewölbt. Es folgt ein Zahnschnitt ohne Zwischenglieder. Darüber ein Astragal mit gestreckten Perlen von ovaler Form und rhombenförmigen Scheibchen[2] und ein Kymation, das dem eines Gesimsstücks aus Loc. Terme di S. Aniello ähnelt (Vf 75).

Das Fragment läßt sich in iulisch-claudische Zeit datieren.

(1) Palazzo dei Conservatori / Rom, Garten, LEON Taf. 81, 4 Typ D: iulisch-claudisch.
(2) ebda. LEON Taf. 126, 4: iulisch-claudisch.

Vf 72 Gesimsfragment

Taf. 79 Abb. 162.
Venafro, im Garten des Konvents der Kapuziner aufbewahrt
Fundort unbekannt
Marmor H: 0,22; B: 1,31; T(oben): 0,36; (unten): 0,26
Alle Kanten sind abgestoßen.
Unveröffentlicht
Fot.: Foto Sopr.

Bei dem vorliegenden Stück handelt es sich um ein Eckfragment. Das Gesims weist folgende Schmuckformen auf (von unten): Ein Scherenkymation mit lilienförmig gebildeten Zwischengliedern. Darüber ein Zahnschnitt und ein Eierstab mit Eiern von gleichmäßig gerundeter Form mit Zwischenstab, der nicht mit den Schalen verbunden ist. Die Eier gleichen denen unter Vf 71 beschriebenen. Eine Datierung des Fragments in iulisch-claudische Zeit scheint angemessen zu sein. An der Stelle, an der die Bruchkante verläuft, setzte die Hängeplatte an.

Vf 73 Fragment eines Konsolengesimses

Taf. 79 Abb. 163.
Venafro, im ersten Stockwerk des Palazzo Cimorelli vermauert
Fundort unbekannt
Marmor H: 0,14; B: 0,285; T(sichtbar): 0,135
Der Block ist modern übertüncht, dadurch sind Einzelheiten nicht mehr zu erkennen.
Unveröffentlicht
Fot.: Foto Sopr.

Das Fragment weist folgende Schmuckformen auf (von unten): Ein Bügelkymation mit veilchenförmig gebildeten Zwischenblättern und einem einfachen Sporn mit betontem Kopf als Bogenfüllung[1]. Es folgt

ein Zahnschnitt ohne Querverbindung; darüber die Konsolen, deren Unterseite von einem Akanthusblatt unterfangen wird, die Seiten sind unverziert. Die Kassettenfelder sind ebenfalls mit einem Bügelkymation
und mit fast unkenntlichen Rosetten geschmückt. Das Auflager des
Konsolenbalkens rahmt ein Bügelkymation. Über den Konsolen befindet sich ein Perlstab mit langgestreckten ovalen Perlen und rhombenförmigen Scheibchen [2]. Es folgt ein Bügelkymation, von dem nur noch die
Ösen mit dem Sporn sicher zu erkennen sind.

Das Fragment läßt sich in iulisch-claudische Zeit datieren.

(1) Vgl. Leon 245: augusteisch.
(2) Vgl. Leon 271 Typ E: flavisch (?).

Vf 74 Lesenenkapitell

Taf. 76 Abb. 153.
Venafro, S. Chiara.
Venafro, aus Loc. Terme di S. Aniello (1919) (wie Vf 9-11, 14-15, 21, 60-67, 69-70,
75, 77)
Marmor H: 0,50; B (max): 0,75; (min): 0,44
Die rechte Volute ist abgeschlagen, die rechte untere Kante abgestoßen.

Lit.:
S. Aurigemma, BdA 1922, fasc. 2, 74ff
Fot.: Inst. Neg. Rom 75.2795

Das korinthisierende Kapitell besitzt in die Breite gezogene Proportionen. Die Basis bilden drei Kranzblätter, die weit auseinanderstehen
und am unteren Ende ineinander übergehen. Die glatten Volutenbänder,
die jeweils in einer verhältnismäßig kleinen Spirale enden, werden von einem Blatt begleitet, das wie die Kranzblätter flachrund gezackte, in
sich bewegte Ränder besitzt.

Aus den Zwischenräumen der Kranzblätter wächst auf jeder Seite
ein Stengel empor, der nach oben s-förmig ausschwingt und in seiner oberen Einrollung eine vierblätterige Blüte aufweist. Vom Blattknoten aus,
der sich in Höhe der Kranzblätter befindet, ist ein Teil des Stengels mit
einem wellig bewegten Blatt umhüllt. Diese beiden geschwungenen Stengel geben in ihrem Zusammenklang ein lyraförmiges Motiv. In seiner Mitte
wächst aus dem mittleren Kranzblatt kommend, ein spindelförmiger steiler
Stengel empor. Er bildet über die gesamte Abakushöhe einen weitausge-
breiteten Blattfächer, dessen Mitte mit einem Pinienzapfen bedeckt ist.

Das Kapitell unterscheidet sich in seinem unruhigen Umriß mit dem
unregelmäßig spitzig-rundlich gewellten Rand von den unter Vf 60-63

besprochenen Beispielen und kommt eher Exemplaren von der Mitte des
1.Jh.s n.Chr. nahe [1].

(1) K. Ronczewski, *Römische Kapitelle mit pflanzlichen Voluten*, AA 46, 1931, 1 ff
Abb. 41 (Neapel, MN) und Abb. 79 (Thermenmuseum, Rom).

Vf 75 Drei Fragmente einer Architravverkleidung (?)

Taf. 79 Abb. 164.
Venafro, S. Chiara
Venafro, aus Loc. Terme di S. Aniello (1919) (wie Vf 9-11, 14-15, 21, 60-67,
69-70, 74, 77)
Marmor 1) H: 0,22; B: 0,60; T (unten): 0,045; (oben): 0,065
    2) H: 0,22; B: 0,65; T (s. unter 1).
    3) H: 0,22; B: 0,37; T (s. unter 1).
Lit.:
S. Aurigemma, *BdA* 1922, fasc. 2, 63 Abb. 4
Fot.: Foto Sopr.

Es handelt sich um einen Zweifaszienarchitrav; die untere Faszie
wird von einem gerippten Kordelband gesäumt, die obere von einem Perlstab, dessen einzelne Elemente wie aufgefädelt wirken. Darüber befindet
sich ein Scherenkymation mit aufgewellten Blatträndern. Diese Schmuck-
glieder werden von einer kräftigen Platte abgeschlossen.

Das Kymation und der Perlstab ohne Zwischenglieder ähneln den
bei Vf 66 beschriebenen. Das Kordelband läßt sich erst ab der flavischen
Zeit nachweisen [1].

(1) Vgl. Leon 275 E mit Text auf S. 276.

Vf 76 Korinthisches Kapitell

Taf. 79 Abb. 165.
Venafro, S. Chiara
Fundort unbekannt
Marmor H: 0,56; H (Kranzblätter): 0,22; H (Hochblätter): 0,34
Die überlappenden Teile der Kranz- und Hochblätter sowie drei Voluten sind
abgeschlagen. Ein Einlaßloch befindet sich in der unteren Auflagefläche.
Unveröffentlicht
Fot.: Inst. Neg. Rom 75.2798

Das Kapitell zeichnet sich durch seinen tektonischen Aufbau aus.
Der Kalathos ist deutlich als tragendes Gerüst gekennzeichnet. Das Kapitell weist die üblichen zwei Blattkränze auf, die Caules besitzen drei-
eckige Form, die Voluten waren (dem oberen erhaltenen Ansatz zufolge)

dünn, die Helices liegen dem Kalathos flach an und berühren sich nicht. Sie besitzen einen konkaven Canalis, der Akanthusblütenstengel wächst breit auf.

Alle Einzelformen sind kräftig durchgebildet, die Blattränder besitzen spitze Zähne, die frei unterarbeitet waren und im unteren Kranz den Ansatz der Hochblätter verdeckten. Man kann noch erkennen, daß die Blätter kleinteilig aufgefaltet waren, doch überwiegt der Eindruck von tiefer, durch Bohrrillen erreichter Abstufung der Flächen von Blatt zu Blatt.

In den genannten Charakteristika läßt sich das Kapitell mit den Kapitellen des Antoninus- und Faustinatempels[1] und mit einem Kapitell aus Ostia vergleichen[2]; es ist wohl, wie jene, in der Mitte des 2.Jh. s n. Chr. gearbeitet.

Das Kapitell hat dieselben Dimensionen wie das unter Vf 60 beschriebene, das aus Loc. Terme di S. Aniello stammt. Die Zugehörigkeit des vorliegenden Kapitells zu jenem Komplex ist nicht gesichert; möglicherweise stammt es von einer späteren Ausstattung.

(1) HEILMEYER 160 f, 177, 181 f. Taf. 56.1; 57.2.
(2) PENSABENE Nr. 332. HEILMEYER 168-169. Taf. 31.3-4.

Vf 77 Fragment einer Hängeplatte (?)

Taf. 79 Abb. 166.
Venafro, S. Chiara
Venafro, aus Loc. Terme di S. Aniello (1919) (wie Vf 9-11, 14-15, 21, 60-67, 69-70, 74-75)
Marmor H: 0,11; B: 0,105; T (oben): 0,10; (unten): 0,045
Die Oberfläche ist leicht verrieben.
Unveröffentlicht
Fot.: Foto Sopr.

Das Fragment weist folgende Ziermotive auf (von unten): Lesbisches Kyma, Zahnschnitt, kleine Gola, darüber einen Vorsprung, dessen Verzierung vollständig ausgehauen ist.

Vf 78 Grabtür

Taf. 80 Abb. 167.
Venafro, in Vico 2 Plebiscito 2 als Türpfosten wiederverwendet
Fundort unbekannt
Kalkstein H: 0,80; B: 0,73; T: 0,29

Es fehlen der obere und der untere Abschluß. Die Oberfläche weist Bestoßungen auf und ist zerkratzt.
Unveröffentlicht
Fot.: Inst. Neg. Rom 75.2767

Es handelt sich um eine hochrechteckige, geschlossene zweiflügelige Tür eines Grabmonuments [1].

Jeder Türflügel weist zwei profilierte Spiegel auf; die unteren sind gemäß dem üblichen Schema länger als die oberen [2]. Während die oberen Spiegel unverziert sind, ist in das obere Drittel der unteren je ein Türklopfer in Form eines Löwenkopfs eingesetzt. Die Köpfe sind nur noch in Umrißspuren erhalten.

(1) Zum Sinngehalt der *porta Inferi* und weitere Bsp. s. Is 75.
(2) RIGHINI 395 ff.

Vf 79 Fragment der Decke eines Grabmonuments

Taf. 81 Abb. 168.
Venafro, in einem Gartenzaun in Via Pretorio vermauert
Fundort unbekannt
Kalkstein H: 0,365; B: 0,40
Der Block ist an drei Kanten unregelmäßig gebrochen.
Unveröffentlicht
Fot.: Foto Sopr.

Die Decke war durch geometrische Muster gegliedert. Erhalten ist eine profilierte Leiste, auf die in spitzem Winkel eine zweite unprofilierte stößt. In den Zwickel ist ein Rhombus eingesetzt.

Es läßt sich nicht entscheiden, ob die profilierte Leiste zu einem weiteren Feld überleitete oder als seitlicher Deckenabschluß des Gesamtfeldes zu verstehen ist.

Vf 80 a Fragment eines Eckpilasters

Taf. 80 Abb. 169.
Venafro, an der hinteren Ecke der Chiesa del Carmine vermauert
Fundort unbekannt
Kalkstein Maße aufgrund der hohen Vermauerung unbekannt
Die Oberfläche ist stark verrieben.
Unveröffentlicht
Fot.: Inst. Neg. Rom 75.2815

Der Eckpilaster mit angearbeitetem verkröpftem Gesims ist Teil der Verkleidunsplatte eines Grabmonuments. Er ist auf beiden Seiten mit einem Rankenmotiv, das Weinlaub ähnelt, verziert.

Vf 80 b Fragment der Verkleidung eines Grabmonuments

Taf. 80 Abb. 170.
Venafro, in der rechten Apsis der Kathedrale vermauert
Fundort unbekannt
Kalkstein Maße aufgrund der hohen Vermauerung unbekannt
Die Oberfläche ist korrodiert
Unveröffentlcht
Fot.: Inst. Neg. Rom 75.2806

Die Wandfläche war mit Pilastern gegliedert. Der erhaltene Block weist in seiner Mitte einen rankenverzierten Pilaster auf, der von einem korinthischen Kapitell bekrönt ist. Die Rankenspirale bildet verschiedenartige Blüten.

Das Doppelvolutenkapitell ist stark schematisiert. Die Volutenbänder sind breit und flach geformt. Die Volutenfüße sind eng aneinander gerückt. Das Kapitell läßt sich in das 1. Jh. n. Chr. datieren [1].

(1) Vgl. zwei Kapitelle aus Pompeji von der Nolanerstraße (K. RONCZEWSKI, *Einige Spielarten von Pilasterkapitellen*, AA 49, 1934, 26 Abb. 8). Kapitell im Haus des Fauns (RONCZEWSKI a. O. Abb. 9).

Vf 80 c Fragment der Verkleidung eines Grabmonuments

Taf. 80 Abb. 171.
Venafro, in Vico 1 De Utris vermauert
Fundort unbekannt
Kalkstein H: 0,67; B: 0,27
Oben verläuft ein schräger Bruch. Die Oberfläche ist stark geglättet.
Unveröffentlicht
Fot.: Foto Schippa

Das vorliegende Fragment weist in einem unten und seitlich begrenzten Feld eine Akanthusstaude auf. Ihrem Kelch entwachsen Blätter; sie umhüllen einen blattumwundenen mittleren Stengel, der eine Blattspirale bildet.

Vf 80 d Fragment der Verkleidung eines Grabmonuments

Taf. 80 Abb. 172.
Venafro, in Strada del Castello an der Ecke von Nr. 8 vermauert
Fundort unbekannt
Kalkstein H: 0,79; B: 0,56
Das Kapitell ist stark abgestoßen. Die Oberfläche ist verrieben.
Unveröffentlicht
Fot.: Foto Schippa

An der rechten Seite des Blocks ist der obere Teil eines rankenverzierten Pilasters mit korinthischem Kapitell erhalten.

Vf 80 e Fragment der Verkleidung eines Grabmonuments

Taf. 81 Abb. 173.
Venafro, in der Fassade der Chiesa dell'Annunziata vermauert
Fundort unbekannt
Kalkstein Maße aufgrund der hohen Vermauerung unbekannt
Guter Erhaltungszustand.
Unveröffentlicht
Fot.: Inst. Neg. Rom 75.2746

Die Wand war mit Girlanden geschmückt. Erhalten ist ein Block mit
einer Girlande; die Art ihrer Aufhängung läßt sich nicht mehr bestimmen.
Die Girlande besteht aus Weintrauben und -blättern. Sie ist symmetrisch
zu ihrem Mittelpunkt hin komponiert, der mit einer sternförmigen sechsblätterigen Blüte besetzt ist. Durch die Vielzahl der eng aneinander gesetzten Beeren soll der Eindruck einer lebendigen Oberfläche hervorgerufen werden, doch reiht sich alles in einen festen Kontur ein. Die Girlande verbindet sich nirgendwo mit dem Hintergrund, sondern liegt ihm
kompakt auf. Die Tänien, die in der Mitte gefurcht sind, fallen unbewegt
herab [1].

In der Lunette ist eine Kanne mit hochgezogenem Henkel dargestellt,
die auf einem kleinen Untersatz steht. Die Kanne ist in ihrer wohlpropor-
tionierten Form und der Verzierung am Gefäßkörper offensichtlich ge-
triebenen Metallgefäßen nachgebildet.

Spendekannen sind ein überaus beliebtes Dekorationsmotiv an Grabbauten und Grabaltären. Ob sie hier als Spendegefäß, etwa bei Opfern
am Grabe, aufzufassen ist oder rein dekorative Zwecke erfüllt, läßt sich
nicht entscheiden.

(1) Vgl. Is 84 Abb. 84 a/1 und 84 a/2. Taf. 43.

Vf 80 f Fragment der Verkleidung eines Grabmonuments

Taf. 81 Abb. 174.
Ehem. Pozzilli, im Hof des Palazzo Del Prete jetzt Venafro, S. Chiara
Aus den Ländereien der Familie Del Prete
Kalkstein H: 0,90; B: 1,37; T: 0,23
Alle Kanten sind glatt gesägt. Die rechte Kante ist schräg abgebrochen.
Unveröffentlicht
Fot.: Foto Sopr.

Die Außenwand des Monuments war mit Tafelkonsolen verziert, eine
Dekoration, die an Grabbauten des 1. Jh.s v.Chr. häufiger bezeugt ist [1].
Unter dem reich profilierten Gesims ist die Tafel mit zwei horizontal ne-
beneinander aufgereihten stilisierten Palmetten geschmückt.

(1) Vgl. Vf 37 Anm. 1.

Vf 81 *a* Dorischer Fries

Taf. 82 Abb. 175.
Venafro, in der mittleren Apsis der Kathedrale vermauert
Fundort unbekannt
Kalkstein Maße aufgrund der hohen Vermauerung unbekannt
Erhalten sind zwei und eine halbe Metope und zwei Triglyphen.
Die Oberfläche ist verrieben.
Unveröffentlicht
Fot.: Inst. Neg. Rom 75.2803

Die Metopen weisen folgende Motive auf: in der linken, die nur noch zur Hälfte erhalten ist, scheint ein doppeltes Füllhorn dargestellt gewesen zu sein [1]. In der mittleren ist eine Blüte mit zweifachem Blattkranz, in der rechten ein im Profil nach links hockender Löwe dargestellt.

Der Fries weist mit den neben ihm vermauerten Rankenfriesplatten (Vf 82 *d-e*) identische Profile auf.

(1) Vgl. Rundaltar in Bologna (*Cat. Bologna* I Taf. 25, 53).

Vf 81 *b* Dorischer Fries

Ohne Abbildung
Venafro, in Via Cavour Ecke Vico 8 Cavour vermauert
Fundort unbekannt
Kalkstein H: 0,47; B: 0,81; T: 0,24 Frieshöhe: 0,32
Erhalten sind zwei Metopen und drei Triglyphen.
Die Oberfläche ist stark korrodiert.
Unveröffentlicht

Erhalten ist das Eckstück eines dorischen Frieses, der aufgrund seiner Dimensionen zu einem größeren Grabmonument, wohl viereckigen Grundrisses gehört haben muß. In der linken Metope ist eine vierblätterige Akanthusblüte, in der rechten eine Glockenblume dargestellt.

Vf 82 *a* Friesfragment

Taf. 81 Abb. 176 *a-b*.
Venafro, an der Ecke Via Colle und Vico 4 Colle vermauert
Fundort unbekannt
Kalkstein H: 0,41; B (in via Colle): 0,38; B (in Vico Colle): 0,38
Die Oberfläche ist stark korrodiert, somit sind die Einzelteile nicht mehr zu erkennen.
Unveröffentlicht
Fot.: Inst. Neg. Rom 75.2755-56

Der Fries befindet sich über einer teilweise erhaltenen glatten Leiste. Die Führung des Rankenstamms läßt sich nicht mehr erkennen; sie scheint ziemlich steil gewesen zu sein. Deutlich ist noch eine hängende Blüte mit gewelltgezacktem Rand zu erkennen.

Vf 82 *b* Friesfragment

Taf. 82 Abb. 177.
Venafro, in Via Pretorio 3 vermauert
Fundort unbekannt
Kalkstein H: 0,46; B: 0,81; T: 0,20
Die Oberfläche ist stark korrodiert.
Unveröffentlicht
Fot.: Foto Sopr.

Über einem Faszienarchitrav ist der Mittelteil eines Frieses erhalten. Erkennbar ist noch ein hochstieliges Gefäß, um das zwei Greifen heraldisch gruppiert sind. Sie haben je eine Tatze auf den Rand des Gefäßes gelegt. Aus dem Schwanz der Tiere scheint eine Ranke zu entspringen, ähnlich dem Friesfragment Vf 53.

Vf 82 c Friesfragment

Taf. 82 Abb. 178
Venafro, in der linken Apsis der Kathedrale vermauert
Fundort unbekannt
Kalkstein Maße aufgrund der hohen Vermauerung unbekannt
Die Oberfläche ist verrieben.
Unveröffentlicht
Fot.: Inst. Neg. Rom 75.2802

Über einem Faszienarchitrav ist der Teil eines Frieses erhalten. Aus dem Hauptrankenstamm bilden sich Schößlinge, die sich zu fast voller Kreisform einrollen. Die Rankenwindungen sind mit einer Glockenblume und einer Spiralrosette gefüllt.

Das Relief ist flach und unplastisch und ähnelt darin dem unter Vf 53 beschriebenen, scheint jedoch nicht von demselben Monument zu stammen, da hier der Rankenstamm jeweils von einem langfiederigen Blatt begleitet wird.

Vf 82 *d-e* Zwei Friesfragmente

Taf. 82 Abb. 179-180.
Venafro, in der mittleren Apsis der Kathedrale vermauert
Fundort unbekannt

Kalkstein Maße aufgrund der hohen Vermauerung unbekannt
Die Oberfläche ist, verrieben
Unveröffentlicht
Fot.: Inst. Neg. Rom 75.2805 (Vf 82d); 75.2804 (Vf 82e)

Die beiden Fragmente stammen zusammen mit denen unter Vf 53 und 81 *a* beschriebenen wahrscheinlich von demselben Fries. Über einem Zweifaszienarchitrav entwickelt sich der Fries zwischen rahmenden Leisten. Der Rankenstamm ist in weitem, mäßig ansteigendem Bogen geführt. Die Schößlinge rollen sich zu fast voller Kreisform auf. Die Blütenstengel werden von einem begleitenden Blatt überlappt und sind mit sich frei ringelnden Spiralen umwickelt, die den Eindruck einer plastisch belebten Ranke vermitteln. Damit ist der Fries lebendiger und nicht so stark systematisiert wie andere Beispiele aus *Venafrum*.

Vf 82 *f* Friesfragment

Taf. 82 Abb. 181.
Venafro, in Vico 1 Redenzione 2 vermauert
Fundort unbekannt
Kalkstein H: 0,37; B: 1,08; T: 0,26
Die Oberfläche ist abgestoßen und versintert.
Unveröffentlicht
Fot.: Inst. Neg. Rom 75.2766

Erhalten ist der mittlere Teil eines Frieses. Von dem zentralen Motiv, einem Bukranion, aus entwickelt sich symmetrisch nach beiden Seiten eine Ranke in steilem Bogen. Aus den Hüllblattkelchen entwachsen Blütenstiele, die sich dem Rhythmus der Hauptranke völlig unterordnen. Die Blätter besitzen akanthische Form. Nahe dem Bukranion sind zwei Granatäpfel dargestellt, die als Todessymbole verstanden werden könnten.

Vf 82 *g* Friesfragment

Taf. 83 Abb. 182.
Venafro, in der linken Apsis der Kathedrale vermauert
Fundort unbekannt
Kalkstein B: 0,87
Die Oberfläche ist verrieben.
Unveröffentlicht
Fot.: Inst. Neg. Rom 75.2811

Das Fragment weist über einer glatten Leiste zwei Elemente aus einem größeren Rankenfries auf. Der Reliefgrund wird durch die sehr dichte

Abfolge der einzelnen Elemente verdeckt. Durch die den Rankenstamm umgleitenden Blätter und die spiralig umwickelten Stengel ist eine gewisse Plastizität erreicht. In die Ranke sind Vögel gesetzt, die an Trauben zu picken scheinen [1].

(1) Zur Symbolik der Vögel s. VERZAR 399 Anm. 3-4.

Vf 82 *h* Friesfragment

Taf. 83 Abb. 183.
Venafro, auf dem Platz vor der Kathedrale (ehemals in der Fassade der Kirche S. Maria di Loreto vermauert)
Fundort unbekannt
Kalkstein H: 0,43; B: 0,89
Der Fries ist an einer Kante unregelmäßig abgebrochen.
Die Oberfläche ist korrodiert.
Unveröffentlicht
Fot.: Foto Sopr.

In dem rechts oben und unten von einer schmalen glatten Leiste begrenzten Relieffeld ist ein Rankenfries dargestellt. Man kann noch erkennen, daß die Ranke prall und undifferenziert gestaltet gewesen ist. Sie liegt dem Hintergrund in gleichmäßiger Stärke auf und verläuft monoton. Die Zwickel sind mit verschiedenen Blüten gefüllt, eine achtblätterige sternförmige und eine vierblätterige Blüte sind noch zu erkennen.

Vf 82 *i* Friesfragment

Taf. 83 Abb. 184.
Venafro, in der Fassade der Chiesa dell'Annunziata vermauert
Fundort unbekannt
Kalkstein Maße aufgrund der hohen Vermauerung unbekannt
Die Oberfläche ist stark verrieben.
Unveröffentlicht
Fot.: Foto Sopr.

Erhalten ist der mittlere Teil eines Frieses, der sich zwischen zwei rahmenden Leisten befindet. Das Mittelmotiv wird durch einen Akanthuskelch gebildet, aus dem nach beiden Seiten die Ranke entwächst. Sie bildet an den Stengelknoten auf der linken Seite eine Ringelblume, auf der rechten eine Rosette mit fünf Blättern aus. Links ist weiterhin ein hängendes Rebblatt erhalten. Die Akanthusblätter besitzen einen krausspitzigen Umriß.

283

Vf 82 k Friesfragment

Taf. 83 Abb. 185.
Venafro, auf dem Platz vor der Kathedrale (ehemals in der Fassade der Kirche S. Maria di Loreto vermauert)
Fundort unbekannt
Kalkstein H: 0,39; B: 0,87
Das Fragment ist an drei Kanten abgebrochen. Die Oberfläche ist stark verrieben.
Unveröffentlicht
Fot.: Foto Sopr.

Die glatte Begrenzungsleiste ist original erhalten. Die Zwickel der Ranke sind mit Weintrauben und an ihnen pickenden Vögeln gefüllt [1].

(1) Zur Symbolik der Vögel s. VERZAR 399 Anm. 3-4.

Vf 82 l Friesfragment

Ohne Abbildung
Venafro, in der rechten Langseite der Chiesa dell'Annunziata vermauert
Fundort unbekannt
Kalkstein H: 0,40; B: 0,23
Das Fragment ist an drei Kanten abgebrochen. Die Oberfläche ist stark korrodiert.
Unveröffentlicht

Von dem kannelierten Rankenstamm ist nur noch ein Teil erhalten. In der ornamentalen Auffächerung des Stamms ähnelt der Fries einem anderen aus *Aesernia* (Is 88 e). Eine vierblätterige Blüte ist in den Zwickel über der Ranke gesetzt.

Vf 83 a Fragment mit Rahmen

Taf. 84 Abb. 186 a.
Venafro, in der rechten Langseite der Chiesa dell'Annunziata in Via De Utris vermauert
Fundort unbekannt
Kalkstein H: 0,53; B: 0,84
Die Oberfläche ist verrieben.
Unveröffentlicht
Fot.: Inst. Neg. Rom 75.2754

Ein unverziertes Feld ist von einer Rahmenleiste umgeben, die mit einem Rankenmotiv verziert ist. Man kann den gleichmäßig dicken Rankenstamm erkennen, dessen Schößlinge sich fast zu voller Kreisform einrollen. Das vorliegende Fragment könnte Teil eines Sockels oder Teil des Rahmens einer (Grab?) Inschrift gewesen sein.

Vf 83 b Fragment mit Rahmen

Taf. 84 Abb. 186 b.
Venafro, in Vico 2 Porta Guglielmo 1 vermauert
Fundort unbekannt
Kalkstein H: 0,45; B: 0,67
Der Block ist an zwei Kanten unregelmäßig abgebrochen.
Die Oberfläche ist stark verrieben.
Unveröffentlicht
Fot.: Foto Sopr.

Ein glattes Feld wird auf zwei Seiten von einem Profil umgeben. Das Fragment könnte Teil der Rahmung einer Inschrift gewesen sein.

Vf 84 Blattvolutenkapitell

Taf. 84 Abb. 187 a-b.
Venafro, in Via de Amicis 6 aufbewahrt
Fundort unbekannt
Marmor H: 0,33; Grundfläche: 0,324 × 0,29
Die Voluten und die Abakusblüten sind bestoßen.
Unveröffentlicht
Fot.: Foto Schippa

Das Kapitell besitzt einen fast quadratischen Grundriß. Die Dekoration entspricht sich jeweils auf den gegenüberliegenden Seiten. Eine Reihe von acht Kranzblättern umfängt den Kalathos. Vier Eckblätter stützen die lappigen Volutenblätter, die ihrerseits eine stark verkürzte und stilisierte Spirale bilden, die auf den Abakusrand übergreift. Die seitlich über den mittleren Kranzblättern freibleibende Fläche ist auf zwei Seiten mit einem Blütenstengel besetzt, der übereinander je zwei tulpenförmige Blätter ausbildet. Auf den anderen beiden Seiten ist es eine Tulpe, die von zwei symmetrisch um sie gruppierten Rankenspiralen begleitet wird, die aus den verkümmerten Eckvoluten entspringen. Die Kranzblätter erinnern an akanthische Formen, die Volutenblätter dagegen sind lappig und leicht gewellt. Alles Pflanzliche ist stark stilisiert, die Ornamente wirken eher wie aus Metall gestanzt und aufgesetzt.
Zum Typus allgemein s. K. RONCZEWSKI, AA 46, 1931, 1ff.

Vf 85 Pilasterbasis

Taf. 84 Abb. 188.
Venafro, S. Chiara
Fundort unbekannt
Marmor H: 0,28; B (unten): 0,605; (oben): 0,47; T (unten): 0,095; (oben): 0,058

In der oberen Auflagefläche befinden sich zwei Löcher, in die der Pilaster ein-
gelassen war.
Unveröffentlicht
Fot.: Foto Schippa

Es handelt sich um eine Kompositbasis. Sie ist mit folgenden Motiven
verziert(von unten): Auf eine schmucklose Plinthe folgen drei geschmückte
Zonen, die sich nach oben verjüngen: ein Torus mit stark stilisierten
Lorbeerblättern, auf den ein niedriger Trochilos und eine Leiste folgen,
die mit einem gegenläufigen doppelten Band verziert ist. Darüber vermittelt
ein Trochilos zu einem einfachen Flechtband. Die Schmuckbänder sind
einfach und übersichtlich.

Die Basis kann aufgrund ihrer Dimensionen nicht zur Exedra der Loc.
Terme di S. Aniello gehört haben (s. S. 65f).

Stemma der Vibii Galli

M. Vibius
L. Vibius

L. Vibius L.f.

L. Vibius L.f.M.n. Gallus frater

L. Vibius ca. 30 n. Chr. geboren   L. Afinius Gallus cos. 62 n.Chr. (P.I.R. ² I, 72 nr. 437)

C. Vibius L. f. ca. 60 n. Chr. geboren

C. Vibius C.f.L.n. Tro Gallus Proculeianus ca. 100 n.Chr. geboren patronus Perusinorum ca. 140 n.Chr.

Vibius Veldumnianus ca. 170 n.Chr. geboren (CIL XI 1926 = ILS 6616) Basis ca. 205 n.Chr.

Imp.Caes.C.Vibius Trebonianus Gallus ca. 210 n.Chr. geboren   Afinia Gemina Baebiana (CIL XI 1927 = ILS 527)

Imp.Caesar C.Vibius Afinius Gallus Veldumnianus Volusianus ca.230 n.Chr. geboren

287

EPIGRAPHISCHER INDEX

Für den epigraphischen Index gelten folgende Abkürzungen:

CASTAGNOLI = F. CASTAGNOLI, *Lavinium* I (1972) 117.

BUECHELER = F. BUECHELER – A. RIESE, *Carmina Latina Epigrafica* (1921) Nr. 36.

DEGRASSI I = A. DEGRASSI, *Epigrafica* III, *MemLinc* Ser. VIII, Vol. XIII (1967) 11, 12 = *Scritti vari d'antichità* (1967) 102.

DEGRASSI II = *Inscriptiones Italiae* XIII fasc. I (1947) 68f, 135.

Es sind nur die Inschriften der in den vorliegendem Katalogen behandelten Steindenkmäler berücksichtigt. Für die weiteren Inschriften wird auf die Bände IX und X des CIL verwiesen.

I NOMINA VIRORUM ET MULIERUM

C.Aebutius C.l.Iucundus	Is 64	CIL IX 2692	
Agria L.l.Fausta	Is 42		
⌈L.Albanus ⟦M⟧ar⌉tialis	Is 69	CIL IX 2678	
Aletia Prima	Is 45		
Sex.Appuleius Sex.f.	Is 28	CIL IX 2647	ILS 894
L.Calidius Eroticus	Is 62	CIL IX 2689	ILS 7478
Cincia Sircina	Is 64	CIL IX 2692	
M.Cominius Cn.f.Pansa	Is 29		
Decitia Itace	Is 70		
C.Flavius C.f.Celer	Is 32	CASTAGNOLI	
Fannia Voluptas	Is 62	CIL IX 2689	ILS 7478
Graccha M.f.Polla	Is 56		
M.Gracchus M.f.Tuscus	Is 56		
Hostilia Procale	Is 71		
L.Lucilius Olymphus	Is 42		
Maia Helpis	Is 66	DEGRASSI I	
Maia [Ampli]ata	Is 66	DEGRASSI I	
C.Maius L.f.Clemens	Is 66	DEGRASSI I	
Maria [C]orintis	Is 68	CIL IX 2682	

288

L.Marius L.l.Auctus	Is 52	
Q.Minucius Saturninus	Is 44	
Neratia	Is 44	
M.Nonius	Is 27	AE 1953, 154
C.Nonius C.f.M.n.	Is 33	CIL IX 2642 ILS 895 DEGRASSI I
M.Nonius Gallus filius	Is 33	CIL IX 2642 ILS 895 DEGRASSI I
C.Numisius Ampliatus	Is 70	
[[Obinia] Ca]llety(che)	Is 69	CIL IX 2678
C.Ofillius C.l.Philarcurus	Is 56	
Oppia (mulieris) l.Rufilla	Is 46	
Paccia	Is 57	
C.Paccius L.f.Capito	Is 57	
L.Paccius	Is 57	
M.Petronius Faustillus	Is 51	
M.Petronius M.l.Modestus	Is 41	
C.Pomponius C.l.Auctus	Is 46	
C.Pomponius Gemellus	Is 45	
Cn.Rullius Calais	Is 68	CIL IX 2682
Sattia [L.f.]	Vf 48	CIL X 4989 a
C.Seius[L.f.]	Vf 48	CIL X 4989 a
C.Se[ius]	Vf 48	CIL X 4989 a
M.Seius	Vf 48	CIL X 4989 a
P.Seius C.f.	Vf 48	CIL X 4989 a
L.Seius C.f.Ru[fus]	Vf 48	CIL X 4989 a
P.Seius P.f.Cele[r]	Vf 48	CIL X 4989 a
Septimia Restituta	Is 67	
C.Septumuleius C.f.Obola	Is 31	CIL IX 2668
M.Servilius Primigenius	Is 67	
Q.Servilius Sp.f.Quinctio	Vf 47	
L.Taminius L.f.Rufus	Is 65	CIL IX 2749 BUECHELER
Q.Trebellius Q.l.Donatus	Is 43	
Q.Trebellius Q.l.Venustus	Is 71	
Trebellia Capriola	Is 43	
Valeria C.f.	Is 56	
L.Vibius L.f.M.n.Gallus	Is 30	
L.Vibius L.f.	Is 30	

II COGNOMINA VIRORUM ET MULIERUM

[Ampli]ata lib.	Is 66	DEGRASSI I
Ampliatus	Is 70	

Attalus ser.	Is 27	AE 1953, 154
Auctus lib.	Is 46	
Auctus lib.	Is 52	
Calais	Is 68	
[Ca]llety(che)	Is 69	
Capito	Is 57	
Capriola	Is 43	
Celer	Is 32	CASTAGNOLI
Cele[r]	Vf 48	
Clemens	Is 66	DEGRASSI I
[C]orintis	Is 68	
Donatus lib.	Is 43	
Eroticus	Is 62	
Fausta lib.	Is 42	
Faustillus	Is 51	
Gallus	Is 30	
Gallus	Is 33	DEGRASSI II
Gemellus	Is 45	
Helpis	Is 66	DEGRASSI I
Itace	Is 70	
Iucundus lib.	Is 64	
[[M]ar]tial(is)	Is 69	
Modestus lib.	Is 41	
Obola	Is 31	
Olymphus	Is 42	
Pansa	Is 29	
Philarcurus lib.	Is 56	
Polla	Is 56	
Prima	Is 45	
Primigenius	Is 67	
Princeps	Is 65	CIL IX 2749
Procale	Is 71	
Quinctio	Vf 47	
Restituta	Is 67	
Rufilla	Is 46	
Ru[fus]	Is 65	BUECHELER
Ru[fus]	Vf 48	

Saturninus	Is 44
Sircina	Is 64
Tuscus	Is 56
Venustus lib.	Is 71
Voluptas	Is 62

III CONSULES

29 a.C. Sex.Appuleius   Is 28

IV HONORES ALII PUBLICI POPULI ROMANI

imp(erator)	Is 28
imp(erator)	Is 33
cur(ator) r(ei) p(ublicae) col(oniae) Bovianens(ium)	Is 32
cur(ator) r(ei) p(ublicae) Saepina- tium itemq(ue) Cluviens- (ium) Carric (inorum)	Is 32

V DII DEAEQUE ET RES SACRAE

Sacerdotes publici populi Romani

VII vir epul(onum)	Is 33
flam(en) d(ivi) Aug(usti)	Is 32
augur	Is 28
genius municipi(i)	Is 69
⟦cult⟧ or⟧ arae ⟦geni(i)⟧ municipi(i)	Is 69

VI POPULUS ROMANUS. TRIBUS ROMANAE

Civitas Romana

  Tribus

Tro(mentina)	Is 29
Tro(mentina)	Is 31
Tro(mentina)	Is 32
Tro(mentina)	Is 65
Ultinia	Is 57
Volt(inia)	Is 66
Sergia	Is 83

G. COLONNA, *NSc* 1959, 287.

Aesernia

Aesern(inorum)	Is 66
IIII vir	Is 29
IIII vir	Is 31
IIII vir quinq(uennalis)	Is 33
IIII vir Aesern(inorum)	Is 66
sev(ir) aug(ustalis)	Is 67
sex(vir) Aug(ustalis)	Is 68
sex vir Augustalis	Is 64
⟦sex⟧vir Aug(ustalis) ⟦ite⟧m quinq(uennalis)	
⟦⟦Au⟧gusta⟧l(ium) v̲. Aufidena	Is 69
VI vir Aug(ustalis) quinq(uennalis) (?)	Is 69
patronus	Is 28
patronus	Is 69

Bovianum

cur(ator) r(ei) p(ublicae) col(oniae) Bovianens(ium)	Is 32

Cluviae

cur(ator) r(ei) p(ublicae) Cluviens(ium) Carric(inorum)	Is 32

Lavinium

pat(ronus) col(oniae) Laur(entium) Lav(inatium)	Is 32

Saepinum

cur(ator) r(ei) p(ublicae) Saepinatium	Is 32

VIII RES MUNICIPALIS

Honorati et Principales civitatium

IIII vir v̲.Aesernia
IIII vir quinq(uennalis) v̲. Aesernia
curator v̲.Bovianum
curator v̲.Cluviae
curator v̲.Saepinum
patronus v.Aesernia
patronus v̲.Lavinium

Augustales et similes ordines

seviri Augustales v̲.Aesernia – Aufidena
quinq(uennalis) ⟦⟦Au⟧gusta⟧l(ium) v̲.Aesernia
sevir Aug(ustalis) Aufidena(e) quinq(uennalis) (?) v̲.Aufidena

IX COLLEGIA

Collegia

collegium fabrum	Is 51
quinq(uennalis)	Is 51

X LITTERAE SINGULARES NOTABILIORES

Ø Ø	(sestertii)	Is 83	*NSc* 1959, 287
Ɔ	(sextarius)	Is 62	
A	(assis)	Is 62	
Ø F X̄ III X̄ VIIII X̄X̄X̄ VIIII		Is 65	

KONKORDANZ ZU CIL, ILS UND KATALOGEN

	CIL	ILS	KATALOG NUMMER
IX	2637	894	Is 28
IX	2642	895	Is 33
IX	2668	—	Is 31
IX	2678	—	Is 69
IX	2682	—	Is 68
IX	2689	7478	Is 62
IX	2692	—	Is 64
IX	2723	—	Is 71
IX	2749	—	Is 65
X	4989 *a*	—	Vf 48

INDEX DER AUFBEWAHRUNGSORTE

(Katalog Aesernia)

INDEX DER AUFBEWAHRUNGSORTE

(Katalog Venafrum)

INDEX ZUR FUNDKARTE

(Tafel A)

Die Inschriften, die sich auf den im Katalog erfaßten Denkmälern befinden, werden unter der jeweiligen Katalognummer aufgeführt. Zusätzlich sind Inschriften aufgenommen, deren Fundort Th. Mommsen im CIL IX bzw. X angibt.

23	Bei der Abzweigung nach S. Maria dell'Oliveto: CIL X 4996.

23   Bei der Abzweigung nach S. Maria dell'Oliveto: CIL X 4996.

24   Casino Cimorelli: CIL X 4908.

25   S. Nicandro: Vf 38.

26   Masseria Pietrabianca: Unveröffentlicht T.Florius[T(iti) f(ilius) ——]L[——] [——] pro[——]orum e[——]

28   Masseria Farignola: Vf 55. CIL X 4909.

29   Venafro-Stadt: Vf 9-11; 14-15; 21; 23; 25; 60-67; 69-70; 74-75; 77.

30   Capriati al Volturno: CIL X 4870; 4985; 4991.

31   Masseria Cappocci: Vf 35; 40. CIL X 4850; 4920.

32   Ceppagna: CIL X 4880; 4999.

33   Masseria Capaldi: CIL X 4913; 4917.

34   Masseria Integlia: Vf 33.

35   Ponte Reale: CIL X 4916.

36   Masseria Morra: CIL X 4982; 5012.

37   Längs der Straße nach Neapel: CIL X 4856; 4926; 4932; 4943; 4984; 4989; 5010; 5043.

38   Montagna dell'Annunziata: CIL X 4877-78.

39   Rocca Pipirozzi: CIL X 4941-42; 4967; 5000; 5014; 5039.

40   Pontenuovo: Vf 2-3; 41. CIL X 4930; 4964.

FUNDORT UNBEKANNT:

Is 1-7; 9-10; 20-22; 25-26; 28; 31; 33; 38-40; 54-55; 58-61; 64; 70; 73; 75-81; 84 a-f; 85-86; 88 a; 88 d-e; 89 a-b; 90-92.

Vf 1; 4-8; 12-13; 16-18; 20; 22; 26-27; 29-32; 34; 37-39; 43-44; 48-49; 50 a-f; 51-54; 59; 68; 71-73; 76; 78-79; 80 a-e; 81 a-b; 82 a-l; 83 a-b; 84-85.

FOTONACHWEISE

Is 1	Inst. Neg. Rom	34.315-16; 75.2623
Is 2	» » »	34.317-18; 75.2619
Is 3	» » »	75.2624-26
Is 4	» » »	75.2620-22
Is 5	» » »	75.2615-18
Is 6	» » »	34.311-14; 75.2614
Is 7	» » »	75.2497-2501
Is 8	» » »	75.2532
Is 9	» » »	75.2531
Is 10	» » »	75.2537-39
Is 11	» » »	75.2534-35
Is 12	» » »	75.2527
Is 13	» » »	75.2521
Is 14	» » »	75.2523
Is 15	» » »	75.2528
Is 16	» » »	75.2526
Is 17	» » »	75.2522
Is 18	» » »	75.2525
Is 19	» » »	34.958; 75.2560
Is 20	» » »	34.343; 75.2518
Is 21	» » »	34.343; 75.2519
Is 22	» » »	34.342; 75.2516
Is 23	» » »	75.2536
Is 24	» » »	75.2533
Is 25	» » »	75.2508
Is 26	» » »	75.2629
Is 27	» » »	34.338-40; 75.2553-55
Is 28	» » »	33.1491-93; 75.2584-87
Is 29	» » »	75.2594-95
Is 30	» » »	75.2556-57
Is 31	» » »	34.955; 75.2588-90
Is 32	aus F. CASTAGNOLI, *Lavinium* I (1972) 117.	
Is 33	Inst. Neg. Rom	75.2628
Is 34	» » »	75.2607-08
Is 35	Ohne Abb.	
Is 36	Inst. Neg. Rom	75.2609
Is 37	» » »	75.2603
Is 38	» » »	75.2593
Is 39	» » »	75.2577

Is 40	Inst. Neg. Rom		75.2509-11; 75.2530
Is 41	»	»	» 75.2547
Is 42	»	»	» 75.2565
Is 43	»	»	» 75.2549
Is 44	»	»	» 75.2563
Is 45	»	»	» 75.2561-62
Is 46	»	»	» 75.2541
Is 47	»	»	» 75.2549
Is 48	»	»	» 75.2592
Is 49	»	»	» 75.2566
Is 50	»	»	» 75.2567
Is 51	»	»	» 75.2548
Is 52	»	»	» 75.2564 (Is 52 Anm. 7 = 75.2545)
Is 53	»	»	» 75.2578-81
Is 54	»	»	» 75.2571
Is 55	»	»	» 75.2591
Is 56	»	»	» 75.2570
Is 57	»	»	» 75.2652
Is 58	»	»	» 75.2502
Is 59	»	»	» 75.2552
Is 60	»	»	» 75.2551
Is 61	»	»	» 75.2550
Is 62	»	»	» 72.22; 75.2718
Is 63	Foto Sopr. 73/Is 011		
Is 64	Inst. Neg. Rom		75.2559
Is 65	»	»	» 75.2632
Is 66	»	»	» 75.2558
Is 67	»	»	» 75.2546
Is 68	»	»	» 75.2612
Is 69	»	»	» 75.2613
Is 70	»	»	» 75.2506
Is 71	»	»	» 75.2520
Is 72	»	»	» 75.2524
Is 73	»	»	» 75.2540
Is 74	»	»	» 75.2634-35
Is 75	»	»	» 75.2529
Is 76	»	»	» 75.2517
Is 77	»	»	» 31.2999-3000; 75.2630
Is 78	Foto Sopr.-ohne Nr.		
Is 79	Inst. Neg. Rom		75.2569
Is 80	»	»	» 75.2507
Is 81	»	»	» 75.2515
Is 82	»	»	» 75.2610
Is 83	»	»	» 75.2505
Is 84 a/1-2	»	»	» 34.959; 75.2576
Is 84 b	»	»	» 34.959; 75.2513
Is 84 c	»	»	» 75.2513
Is 84 d	»	»	» 75.2514
Is 84 e	»	»	» 75.2606
Is 85	»	»	» 75.2543-44
Is 86	»	»	» 75.2542; 75.2568
Is 87	»	»	» 75.2604
Is 88 a	»	»	» 75.2583
Is 88 b	»	»	» 75.2605
Is 88 c	Foto Sopr.-ohne Nr.		
Is 88 d	»	»	» »

Is 88 *e*	Inst. Neg. Rom	75.2631
Is 89 *a*	» » »	75.2575
Is 89 *b*	» » »	75.2574
Is 90	» » »	75.2572
Is 91	» » »	75.2573
Is 92	» » »	75.2627
Tafel C *a*	aus: S. AURIGEMMA, *BdA* 1922/23 I Anno II, 60 Abb. 2	
Tafel C *b*	aus: AURIGEMMA a. O. 74 Nr. 3 Abb. 13.	
Tafel D Nr. 1	Inst. Neg. Rom	75.2817
Nr. 2	» » »	75.2825
Nr. 3	» » »	75.2820
Nr. 4	» » »	75.2820
Tafel E Nr. 6	» » »	75.2818
Nr. 7	» » »	75.2816
Vf 1	» » »	75.2774-76
Vf 2	» » »	75.2769
Vf 3	» » »	75.2768
Vf 4	Foto Sopr.-ohne Nr.	
Vf 5	Inst. Neg. Rom	75.2759
Vf 6	» » »	75.2765
Vf 7	» » »	75.2787-90
Vf 8	» » »	75.2783-86
Vf 9	» » »	75.2704-10
Vf 10	» » »	75.2711-13
Vf 11	» » »	75.2714-16
Vf 12	» » »	75.2750
Vf 13	» » »	75.2752
Vf 14	» » »	75.2781-82
Vf 15	» » »	75.2777-78
Vf 16	» » »	75.2794
Vf 17	» » »	75.2760-61
Vf 18	» » »	75.2779-80
Vf 19	Foto Sopr.-ohne Nr.	
Vf 20	» » » »	
Vf 21	Inst. Neg. Rom	75.2770-71
Vf 22	» » »	75.2772-73
Vf 23	» » »	60.33; 60.387-90
Vf 24	Foto Sopr.-ohne Nr.	
Vf 25	» » » »	
Vf 26	Inst. Neg. Rom	75.2748
Vf 27	Foto Sopr. A 12/22 A	
Vf 28	» » » ohne Nr.	
Vf 29	» » » A 9/18 A	
Vf 30	Inst. Neg. Rom	75.2808
Vf 31	» » »	75.2808; 75.2812-13.
Vf 32	» » »	75.2757-58
Vf 33	» » »	75.2799
Vf 34	» » »	75.2751
Vf 35	» » »	75.2739
Vf 36	Foto Sopr.-ohne Nr.	
Vf 37	Inst. Neg. Rom	75.2810
Vf 38	» » »	75.2740
Vf 39	» » »	75.2741
Vf 40	» » »	31.3001; 75.2762.

Vf 41	Inst. Neg. Rom 75.2826
Vf 42	» » » 75.2764
Vf 43	» » » 75.2735 Foto Sopr. 7776; 7785
Vf 44	» » » 75.2734
Vf 45	» » » 75.2736
Vf 46	» » » 75.2801 Foto Sopr.-ohne Nr.
Vf 47	» » » 75.2796
Vf 48	» » » 75.2633
Vf 49	Foto Sopr.-ohne Nr.
Vf 50 a	Inst. Neg. Rom 75.2747
Vf 50 b	Foto Sopr.-ohne Nr.
Vf 50 c	Foto Schippa
Vf 50 d	Foto Sopr.-ohne Nr.
Vf 50 e	Inst. Neg. Rom 75.2763
Vf 50 f	» » » 75.2744
Vf 51	» » » 75.2753
Vf 52	» » » 75.2742
Vf 53	» » » 75.2807
Vf 54	Foto Sopr.-ohne Nr.
Vf 55	Inst. Neg. Rom 75.2738
Vf 56	Foto Sopr.-ohne Nr.
Vf 57	» » » »
Vf 58	» » » »
Vf 59	» » » »
Vf 60	Inst. Neg. Rom 75.2800
Vf 61	» » » 75.2795
Vf 62	» » » 75.2795
Vf 63	Foto Sopr.-ohne Nr.
Vf 64	Foto Schippa
Vf 65	Ohne Abb.
Vf 66	Inst. Neg. Rom 75.2797
Vf 67	Foto Schippa
Vf 68	» »
Vf 69	» »
Vf 70	» »
Vf 71	Foto Sopr.- ohne Nr.
Vf 72	» » » »
Vf 73	» » » »
Vf 74	Inst. Neg. Rom 75.2795
Vf 75	Foto Sopr.-ohne Nr.
Vf 76	Inst. Neg. Rom. 75.2798
Vf 77	Foto Sopr.-ohne Nr.
Vf 78	Inst. Neg. Rom. 75.2767
Vf 79	Foto Sopr.-ohne Nr.
Vf 80 a	Inst. Neg. Rom. 75.2815
Vf 80 b	» » » 75.2806
Vf 80 c	Foto Schippa
Vf 80 d	» »
Vf 80 e	Inst. Neg. Rom 75.2746
Vf 80 f	Foto Sopr.-ohne Nr.
Vf 81 a	Inst. Neg. Rom. 75.2803
Vf 81 b	Ohne Abb.
Vf 82 a	Inst. Neg. Rom. 75.2755-56
Vf 82 b	Foto Sopr.-ohne Nr.
Vf 82 c	Inst. Neg. Rom 75.2802
Vf 82d	» » » 75.2805

302

Vf 82 *e*	Inst. Neg. Rom 75.2804
Vf 82 *f*	» » » 75.2766
Vf 82 *g*	» » » 75.2811
Vf 82 *h*	Foto Sopr.-ohne Nr.
Vf 82 *i*	» » » »
Vf 82 *k*	» » » »
Vf 82 *l*	Ohne Abb.
Vf 83 *a*	Inst. Neg. Rom 75.2754
Vf 83 *b*	Foto Sopr.-ohne Nr.
Vf 84	Foto Schippa
Vf 85	» »

Finito di stampare nel febbraio 1979

dalle

Arti Grafiche Panetto & Petrelli

Spoleto